Español
Santillana

Become an online "fan" and part of the adventure through Español Santillana's

fansdelespañol.com

We've created a website just for you! Log on and learn more about us and about the Spanish-speaking world. Discover surprising customs and traditions that will take you to fascinating far-off places, and follow the adventures of our *Fans del español* participants. Will they succeed in the cultural challenges they take on in the Spanish-speaking world?

¡Nosotros somos unos fans del español! ¿Y tú?

- Learn about fascinating Hispanic places and customs.

- Check out the cool photos and fascinating anecdotes posted by the participants.

- Take on your own challenge and demonstrate your knowledge of Spanish through fun online activities.

fans del Español

Log on to **fansdelespañol**.com and have fun practicing Spanish!

The letter ñ, a very special letter

Spanish has a letter that does not appear in other languages: ñ. The letter ñ is used in words like *español* (Spanish), *España* (Spain), *niño* (boy), *pequeño* (small), *año* (year), *mañana* (morning, tomorrow), *otoño* (autumn), and many others. The letter ñ is also used in our webpage: www.*fansdelespañol*.com

How can you write the letter ñ on your computer?
That depends on the system you have:

MAC COMPUTERS

Press [Alt] [option] + [N] and then N or n.

COMPUTERS WITH MICROSOFT WINDOWS

Press [Alt] + [1 End] [6 →] [4 ←], with [Num Lock] activated.

COMPUTERS WITH LINUX/BSD

Press [Shift] + [Ctrl] + [U] and then the code [F1] followed by the [Enter ↵] key.

High School **2**

Español
Santillana

SANTILLANA USA
Language Education Experts

Español Santillana is a collaborative effort by two teams specializing in the design of Spanish-language educational materials. One team is located in the United States and the other in Spain.

Santillana USA Publishing Company, Inc.
2023 NW 84th Avenue, Doral, FL 33122

Español Santillana
Student Book Level 2
ISBN-13: 978-1-61605-256-0

Illustrator: **Bartolomé Seguí**
Picture Coordinator: **Carlos Aguilera**

Cartographer: **José Luis Gil, Tania López**
Cartographic Coordinator: **Ana Isabel Calvo**

Production Manager: **Jacqueline Rivera**

Production Coordinator: **Julio Hernández**

Design and Layout: **Jorge Borrego, Luis González, Hilario Simón**

Proofreaders: **María A. Pérez, Elizabeth A. Pease, Marta López**

Photo Researchers: **Mercedes Barcenilla, Amparo Rodríguez**

Published in the United States of America by Worzalla Publishing Co.

3 4 5 6 7 8 9   20 19 18 17 16

Editorial Staff in the United States
Anne Smieszny
Ana Isabel Antón

Editorial Staff in Spain
Susana Gómez
Clara Alarcón
Belén Saiz

Linguistic and Cultural Advisers in Latin America and in the United States

Antonio Moreno
Editorial Director, Santillana México

Mayra Méndez
Editorial Director, Santillana Puerto Rico

Luis Guillermo Bernal
Editorial Director, Santillana Guatemala

Cecilia Mejía
Editorial Director, Santillana Perú

Graciela Pérez de Lois
Editorial Director, Santillana Argentina

Manuel José Rojas
Editorial Director, Santillana Chile

Mario Núñez
Director of Professional Development, Santillana USA

Reviewers

Lorrie Ann Button-Edelson
Katy, TX

Yvonne Davault
Mansfield, TX

Dr. Frances S. Hoch
Raleigh, NC

Rita Oleksak
Glastonbury, CT

Nieves Pérez-Knapp
Provo, UT

Ana Sainz de la Peña
Allentown, PA

Eugenia Sarmiento
Centennial, CO

Maritza Sloan
Plano, TX

Carlos Soler Montes
Calgary, AB, Canada

Alan Svidal
San Diego, CA

Thomasina White
Philadelphia, PA

Writers

Paloma Lapuerta

teaches Spanish Language, Literature and Culture at Central Connecticut State University. She graduated from the University of Salamanca, Spain, and received her PhD from the University of Geneva, Switzerland. She has taught in different countries and is co-author of several Spanish textbooks.

María Lourdes Casas

received her Masters of Arts and PhD in Spanish at the University of Wisconsin-Madison. Dr. Casas has taught Spanish Language and Literature at the University of Wisconsin-Madison, Connecticut College, and Southern Connecticut State University. Currently she is an Assistant Professor at Central Connecticut State University.

Lisa Berliner

received her MA in Educational Leadership from Central Connecticut State University. She is currently pursuing a Masters degree in Spanish. She teaches Spanish at the secondary level in Simsbury, CT.

Jan Ferrier Sands

received her BS in Spanish and MS in Curriculum and Supervision from Central Connecticut State University. She is a career teacher of Spanish at Simsbury High School, Simsbury, CT. From 2005 to 2008, she served as the World Languages Teacher-in-Residence at the Connecticut State Department of Education.

María Á. Pérez

received her MA in Spanish from Portland State University. She was the assistant director for the Spanish Basic Language Program at the University of Illinois in Chicago. She has taught college-level Spanish at several institutions, and has worked as an editor and writer for various publishers.

Contributing Writers

Ana Isabel Antón
Miami, FL

Clara Alarcón
Madrid, Spain

Susana Gómez
Madrid, Spain

Íñigo Javaloyes
Newton, MA

Andrea Roberson
Miami, FL

Belén Saiz
Madrid, Spain

Contributors

Janet L. Glass
Dwight-Englewood School
Englewood, NJ

Jan Kucerik
Pinellas County Schools
Largo, FL

Carol McKenna Semonsky
Georgia State University
Atlanta, GA

Anne Nerenz
Eastern Michigan University
Ypsilanti, MI

Gerardo Piña-Rosales
North American Academy of the Spanish Language
The City University of New York, New York, NY

Paul Sandrock
ACTFL
Madison, WI

Emily Spinelli
AATSP
University of Michigan-Dearborn, Dearborn, MI

Brandon Zaslow
Occidental College
Los Angeles, CA

Advisers

Paula Hirsch
Windward School, Los Angeles, CA

María Orta
Kennedy High School, Chicago, IL

Developmental Editor
Susana Gómez

Editorial Coordinator
Anne Silva

Editorial Director
Enrique Ferro

Welcome to

The pairs

Andy Douglas y Janet Douglas

Nosotros somos fans del español por la música. La música latina es muy divertida.

Tess Williams y Patricia Williams

Hay lugares fantásticos en el mundo hispano.

Español Santillana

Who we are

We are four pairs of fans of the Spanish language and of Hispanic cultures. Our objective is to get to know the Spanish-speaking world: its people, its landscapes, its cities, its customs, and its traditions. That's why we've created the website Fans del Español.

What we do

To reach our goal, we are going to travel to different Spanish-speaking countries with special missions: to find the most surprising place, the most fun customs and traditions, the most original recipe, and so on. In each country, we will take on Desafíos (challenges) that each pair will try to complete. Will we succeed?

You can follow our adventures through this book and on the website www.fansdelespañol.com.

Rita Delgado y Diana Robles

Tim Taylor y Mack Taylor

Hummm. Nosotras somos fans de la cocina hispana. Es deliciosa.

La gente hispana es maravillosa.

(1) Puente de las Américas
(Panamá)

(2) Barrio de La Boca
(Buenos Aires, Argentina)

(3) Mercado de Otavalo
(Ecuador)

The geographic regions of the challenges

What geographic regions are the pairs going to visit? Let's find out. Look at the map and answer these questions:

Centroamérica

1. ¿Qué siete países forman Centroamérica? ¿En cuáles se habla español?

Las Antillas

2. ¿Entre qué océano y qué mar está situado el archipiélago de las Antillas? ¿En qué países de las Antillas se habla español?

Andes centrales

3. ¿Qué cordillera atraviesa Ecuador, Perú y Bolivia?

Norteamérica

4. ¿Qué países forman Norteamérica? ¿En qué país se habla español? ¿En qué país de habla inglesa hay muchos hispanos?

España

5. ¿En qué continente está situado España?

Caribe continental

6. ¿Qué países de Suramérica tienen costa en el mar Caribe?

Río de la Plata

7. ¿Qué países están en el estuario del Río de la Plata?

Your participation counts!

1. Your vote decides the winner

In these challenges, you are going to play an important role. Pay close attention, because you are going to form part of the judging panel. In each unit, you will evaluate which pair has done the best job. Each time, you will help to decide the winning team.

2. Your challenge

You will also have your own challenge: TU DESAFÍO. During the course of the year, you will be able to accumulate points visiting the *Fans del español* website. To do this, go to the website when you see this symbol in the Student Book:

Just by participating, you will earn points for your own challenge.

CANADÁ

ESTADOS UNIDOS

OCÉANO ATLÁNTICO

OCÉANO ATLÁNTICO

España

Mar Mediterráneo

0   375   750
millas

kilómetros
0   375   750

BAHAMAS

CUBA

REPÚBLICA DOMINICANA

HAITÍ

MÉXICO

JAMAICA

PUERTO RICO

BELICE

HONDURAS

Mar Caribe

GUATEMALA

EL SALVADOR

NICARAGUA

COSTA RICA

PANAMÁ

VENEZUELA

GUYANA

Guayana Francesa

COLOMBIA

SURINAM

ECUADOR

PERÚ

BRASIL

OCÉANO

BOLIVIA

PACÍFICO

PARAGUAY

CHILE

URUGUAY

ARGENTINA

Río de la Plata

0   500   1.000
millas

kilómetros
0   500   1.000

Contents

Unidad	Vocabulario
Unit 1 **Centroamérica** 28–79	• Personal and family relationships • Physical characteristics and personality traits • Emotional states and feelings • Personal information
Unit 2 **Las Antillas** 80–131	• The house. Household chores • Furniture and objects in a house • Electrical appliances • The neighborhood. Places and services
Unit 3 **Andes centrales** 132–183	• Clothing and accessories • Describing clothes • Stores and establishments • Shopping
Unit 4 **Norteamérica** 184–235	• Foods • Buying food • In the kitchen • In the restaurant
Unit 5 **España** 236–287	• Parts of the body • Personal hygiene • Health: symptoms and illnesses • Healthy habits
Unit 6 **Caribe continental** 288–339	• Trips and excursions • On the train and on the plane • The car • The hotel. The bank
Unit 7 **Río de la Plata** 340–391	• The school • Professions • Hobbies, free-time activities, and entertainment • Sports
Unit 8 **La Panamericana** 392–443	• Geography • Countries • The weather • Nature and environment

Gramática		Cultura	

• Possessives
• Adjectives and nouns
	• Comparisons and superlatives
	• Interrogatives
		• *Mapa cultural:* Centroamérica
		  • Mestizaje y cultura
		  • Riqueza natural
			• Lectura: *El blog de Ichxel*

• The present progressive
• Direct object pronouns
	• Indirect object pronouns
	• Demonstratives
		• *Mapa cultural:* Las Antillas
		  • Barrios coloniales
		  • Música caribeña
			• Lectura: *Estilo de vida caribeño*

• The preterite tense of regular *-ar* verbs
• The preterite tense of regular *-er* and *-ir* verbs
	• The preterite tense of the verbs *ser, ir, decir, tener, estar,* and *hacer*
	• The preterite tense of stem-changing *-ir* verbs
		• *Mapa cultural:*
		Andes centrales
		  • Quechuas y aymaras
		  • Los equecos
		  • Las islas Galápagos
			• Lectura: *Textiles andinos bolivianos*

• Expressing amount. Indefinites
• Singular affirmative commands
	• Plural affirmative commands
	• Negative commands
		• *Mapa cultural:* Norteamérica
		  • El Camino Real de Tierra Adentro
		  • Los chicanos
			• Lectura: *La receta del guacamole*

• The past participle
• Adverbs ending in *-mente*
	• *Por* and *para*
	• Making recommendations
		• *Mapa cultural*: España y el Mediterráneo
		  • Paisaje mediterráneo
		  • La Noche de San Juan
		  • Las lenguas romances
			• Lectura: Figura en una ventana, *de Salvador Dalí*

• The imperfect tense
• The preterite tense of the verbs *dar, poder, poner, querer, saber,* and *venir*
	• Talking about past actions. The preterite and imperfect tenses
	• Talking about past actions and describing in the past. The preterite and imperfect tenses
		• *Mapa cultural*: Caribe continental
		  • Símbolos nacionales
		  • El mestizaje y los bailes
		  • Cocina del Caribe: color y sabor
			• Lectura: *El Dorado, ecos de una leyenda*

• Expressing existence. Indefinites
• The present subjunctive of regular verbs
	• The present subjunctive of stem-changing verbs
	• The present subjunctive of irregular verbs
		• *Mapa cultural*: Río de la Plata
		  • Influencia italiana
		  • Cultura rioplatense
		  • El chipá
			• Lectura: *Un cuento de Benedetti*

• The relative superlative
• Expressing plans and intentions
	• The future tense
	• Hiding the agent. The pronoun *se*
		• *Mapa cultural*: La ruta Panamericana
		  • Variedad geográfica
		  • El mundo hispano: unidad y diversidad
			• Lectura: *El Tapón de Darién: un corte en la ruta Panamericana*

UNIDAD 1

Centroamérica

En tierras mayas

DESAFÍO 1

DESAFÍO 2

Video Program

Videos

- Centroamérica. En tierras mayas
- Atitlán
- Personajes populares
- Mapa cultural de Centroamérica

Audiovisuales

En Managua

El gigante maya de Atitlán

Un garífuna peculiar

La mujer más alta de León

Un viaje arbóreo

www.fansdelespañol.com

UNIDAD 2

Las Antillas

Por las islas del Caribe

Video Program

Videos

- Las Antillas. Por las islas del Caribe
- La Casa del Cordón
- La ciudad de las flores
- Mapa cultural de Las Antillas

Audiovisuales

En Santo Domingo

La balanza del pirata Drake

Un mosquito del Jurásico

Una serenata en Ponce

El Festival de las flores

www.fansdelespañol.com

UNIDAD 3

Andes centrales

Entre las altas montañas

Video Program

Videos

• Andes centrales.
Entre las altas montañas
• La Avenida de los volcanes
• El carnaval de Oruro
• Mapa cultural
de los Andes centrales

Audiovisuales

En Guayaquil

Un sorbete de volcán

Una carrera de llamas

El carnaval de Oruro

La montaña de plata

www.fansdelespañol.com

fans del Español

UNIDAD 4

Norteamérica

La herencia hispana

DESAFÍO ①

DESAFÍO ②

Video Program

Videos

- Norteamérica. La herencia hispana
- El Día de Muertos
- Tierra de misiones
- Mapa cultural de Norteamérica

Audiovisuales

En Santa Fe

¿Un pan de muerto?

La moneda más antigua de América

Un concurso de chile en San Antonio

El ingrediente secreto de Cholula

www.fansdelespañol.com

UNIDAD 5

España

Entre el Atlántico y el Mediterráneo

DESAFÍO ①

DESAFÍO ②

Video Program

Videos

- España. Entre el Atlántico y el Mediterráneo
- Salamanca
- Los sanfermines
- Mapa cultural de España

Audiovisuales

En Sevilla

Una margarita cubista

La rana de la suerte

Los encierros de Pamplona

Gazpacho para todos

www.fansdelespañol.com

UNIDAD 6

Caribe continental

En busca de El Dorado

Video Program

Videos

- Caribe continental
  En busca de El Dorado
- El salto Ángel
- Las haciendas cafeteras
- Mapa cultural del Caribe
  continental

Audiovisuales

En Cartagena de Indias

El tesoro más valioso de Colombia

El salto Ángel

Un paseo en bus

El mejor café del mundo

www.fansdelespañol.com

UNIDAD 7

Río de la Plata

Por la cuenca del Paraná

Video Program

Videos

- Río de la Plata. Por la cuenca del Paraná
- Montevideo
- La pasión por los colores
- Mapa cultural del Río de la Plata

Audiovisuales

En Córdoba

¿Un idioma imposible?

¡Ojalá encontremos a Bruno!

Estrellas de telenovela

El clásico y el Aconcagua

www.fansdelespañol.com

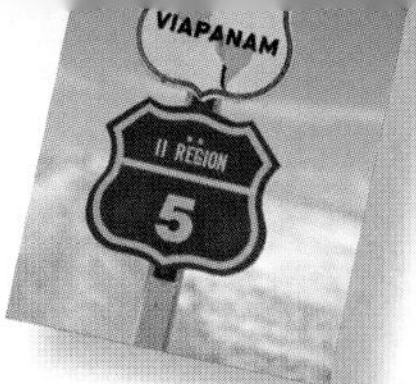

UNIDAD 8

La Panamericana

De vuelta a casa

Video Program

Videos

- La Panamericana.
  De vuelta a casa
- El canal de Panamá
- Costa Rica, paraíso natural
- Mapa cultural
  de la ruta Panamericana

Audiovisuales

En Santiago de Chile

Una obra de gigantes

La mitad del mundo

Aire frío y agua caliente

El paraíso de las tortugas

www.fansdelespañol.com

preliminar

Vamos a recordar

¡¡Hola, fan del español!! ¡¡Bienvenido(a) a segundo!!

Tú ya eres un(a) experto(a)
y sabes hacer muchas cosas
en español: sabes presentarte,
decir cómo te sientes, hablar
de lo que haces habitualmente,
decir qué cosas te gustan…
Y puedes usar el español
para comunicarte
en una tienda, en
un restaurante,
en una agencia de viajes…

Este año vas a aprender a hacer
muchas cosas más en español:
contar recuerdos, narrar
anécdotas, expresar deseos
y sentimientos, hablar
del futuro, describir lugares…
Y vas a recorrer muchos países
siguiendo los desafíos de Andy,
Tess, Diana, Tim y todos
nuestros(as) fans del español.

¡¡¡Ven con nosotros!!!
Vamos a vivir grandes
desafíos.

¿Estás preparado(a) para el viaje? Pues antes de empezar,
vamos a recordar lo que sabes.

1. Describir e identificar

Vocabulario

Saludos y despedidas
Objetos del aula
Características físicas y rasgos
de personalidad
Estados de ánimo

Gramática

Los verbos *ser* y *estar*
Los adjetivos
Los nombres
Los artículos

2. Expresar gustos y acciones habituales

Vocabulario

La casa
Comidas y bebidas
Ropa
Colores

Gramática

El verbo *gustar*
Adverbios de cantidad
Verbos regulares. Presente

3. Expresar acciones habituales

Vocabulario

Partes del cuerpo
Síntomas y enfermedades
Hábitos saludables
Deportes y actividades de ocio
y tiempo libre

Gramática

Los verbos reflexivos
Adverbios de frecuencia
Verbos con raíz irregular. Presente

4. Expresar lugar y existencia

Vocabulario

Viajes
Medios de transporte
Lugares en la ciudad
Naturaleza

Gramática

La construcción *estar en*
Adverbios y expresiones de lugar
El verbo *haber*
Verbos irregulares en la primera
persona. Presente
El verbo *ir*

Vocabulario

Las personas

Hola. ¿Cómo te llamas?

Me llamo Sara.

Mucho gusto, Sara. Yo soy Diana.

Encantada.

Esa mujer delgada y mayor es la directora.

¿Y cómo es?

Es muy seria. ¿Quién es aquel chico moreno?

Es mi hermano. Es estudioso y muy simpático.

la bandera

la profesora

el reloj

la mochila

el libro

el cuaderno

el estudiante

la pizarra

Buenos días. Bienvenidos a la clase de Español.

¿Cómo estás? ¿Qué tal las clases?

Estoy contenta con las clases, pero estoy un poco cansada y tengo sueño. ¿Y tú?

Yo estoy emocionada.

Las despedidas

¡Adiós!
Hasta mañana.
Hasta luego.
Hasta la vista.
Hasta pronto.

1 Presentaciones y despedidas

▶ **Une.** Match the two columns to complete the dialogues.

Ⓐ

1. Te presento a mi amigo Luis.
2. ¿Cuántos años tienes?
3. ¡Adiós!
4. ¿Cómo te llamas?

Ⓑ

a. Tengo quince años.
b. Elena. ¿Y tú?
c. Mucho gusto.
d. Hasta luego.

2 ¿Qué hay en el salón de clase?

▶ **Escucha e identifica.** Listen and identify the item being mentioned.

Ⓐ    Ⓑ   Ⓒ    Ⓓ   Ⓔ

▶ **Habla.** With a partner, identify ten more items in your classroom.

3 Descripciones

▶ **Escribe.** Look at the image and write a detailed description of two people. Then read your description to your partner and have him or her guess which two people you are describing.

Modelo   *Es alta, morena y delgada. También es muy simpática.*

▶ **Habla.** Discuss with your partner how each person in the picture might be feeling. Use appropriate words from the boxes.

estar...	
emocionado	contento
nervioso	enojado
cansado	triste

tener...	
calor	hambre
sed	frío
miedo	sueño

Describir personas y estados de ánimo

Los verbos *ser* y *estar*

VERBO SER (TO BE). PRESENTE

Singular		Plural	
yo	soy	nosotros nosotras	somos
tú	eres	vosotros vosotras	sois
usted él ella	es	ustedes ellos ellas	son

VERBO ESTAR (TO BE). PRESENTE

Singular		Plural	
yo	estoy	nosotros nosotras	estamos
tú	estás	vosotros vosotras	estáis
usted él ella	está	ustedes ellos ellas	están

- The verb ser is used mainly to identify people, places, and things, and to describe physical characteristics and personality traits.

   La señora Flores **es** mi profesora de Español. Ella **es** joven y muy inteligente.

- The verb estar is used to express feelings and conditions.

   Ellos **están** tristes porque **están** enfermos.

Los adjetivos

- Spanish adjectives can be masculine or feminine, singular or plural.
- The **feminine** form is developed from the masculine form:

Masculine form	Feminine form	Examples
Ends in -o.	Changes -o to -a.	El niño es rubio. ⟶ La niña es rubia.
Ends in -e or in a consonant.	Does not change.	Mi tío es mayor. ⟶ Mi tía es mayor.

- The **plural** form is developed from the singular form:

Singular form	Plural form	Examples
Ends in a vowel.	Adds -s.	Ella es simpática. ⟶ Ellas son simpáticas.
Ends in a consonant.	Adds -es.	Mi tío es joven. ⟶ Mis tíos son jóvenes.

4 Mi familia

▶ **Escucha y elige.** Choose the adjective that corresponds to each description you hear.

1. pelirroja/pelirrojo
2. antipáticos/antipáticas
3. mayores/mayor
4. bonito/bonita

5 Personas diferentes

▶ **Escribe.** Describe the following people, referring to their physical characteristics and personalities. Use some of the words in the box.

atlético	delgado	serio	moreno	alto	joven
tímido	gracioso	rubio	delgado	bajo	estudioso

Modelo   1. la niña ⟶ *La niña es baja, delgada y tímida.*

el chico

la niña

la chica

la mujer

las estudiantes

6 ¿Un día difícil?

▶ **Habla.** Talk to a partner about how each of you is feeling today.

Modelo   A. *¿Cómo estás, Paula?*
         B. *Estoy emocionada y muy contenta. ¿Y tú?*
         A. *Estoy cansado.*

7 Mi nueva amiga

▶ **Escribe.** Patricia wrote an e-mail describing her new friend at school.
Read her e-mail and answer by describing your new friend.

Mensaje nuevo

Para:
Cc:
Asunto:

Hola. ¿Qué tal? Hoy es mi primer día en la escuela. Estoy emocionada porque tengo una nueva amiga. Se llama Jennifer y es muy simpática. Es baja y pelirroja. Siempre está contenta y es muy graciosa.

¿Y tú? ¿Tienes un nuevo amigo o amiga?

Un abrazo,   Patricia

Identificar personas y cosas

Los nombres

- Nouns are words for people, animals, places, and things. Spanish nouns can be **masculine** or **feminine**. Almost all nouns that end in -o are masculine, and those that end in -a are usually feminine.

- Nouns that refer to people usually have a masculine and a feminine form. The feminine form is developed from the masculine form:

Masculine form	Feminine form	Examples
Ends in -o.	Changes -o to -a.	el niño ⟶ la niña
Ends in a consonant.	Adds -a.	el profesor ⟶ la profesora

- Most Spanish nouns can be **singular** (one) or **plural** (more than one). The plural form is developed from the singular form:

Singular form	Plural form	Examples
Ends in a vowel.	Adds -s.	el primo ⟶ los primos
Ends in a consonant.	Adds -es.	el director ⟶ los directores

Los artículos

- Spanish nouns are usually used with a **definite** (el) or **indefinite** (un) article.

ARTÍCULOS DEFINIDOS E INDEFINIDOS

	SINGULAR		PLURAL	
	Masculine	Feminine	Masculine	Feminine
Definite articles	el	la	los	las
Indefinite articles	un	una	unos	unas

- Articles, like adjectives, agree in **gender** and **number** with the noun they accompany. That is, they show the same gender and number as the noun.

El chico es delgado.   Es una señora muy creativa.
Los chicos son delgados.   Son unas señoras muy creativas.

8 **En el salón de clase**

▶ **Escucha y elige.** Choose the noun that agrees with the article you hear.

1. reloj/computadora   2. cuaderno/libros   3. pizarra/libro   4. borradores/bandera

9 Mi escuela

▶ **Une y escribe.** Complete the sentences using each article in the box once. Then match the columns and write the completed sentences.

(A)

un
unas
la
una ✓
los

1. El salón de clase tiene
2. Los profesores hablan con
3. En la cafetería trabajan
4. Los estudiantes leen
5. Esa mujer es

(B)

a. _____ señoras de Honduras.
b. _____ libro.
c. _____ profesora de Música.
d. _____ bandera.
e. _____ estudiantes.

Modelo 1. *El salón de clase tiene una bandera.*

10 Primeras impresiones

▶ **Lee y completa.** Use the words in the box to complete this description, changing the words as needed for gender and number agreement.

computadora
estudiante
profesor
salón
amigo
escuela

Estoy contento. La ___1___ es grande y mis ___2___ son muy simpáticos. Tenemos varias ___3___ en todos los ___4___ de clase. Los ___5___ son muy inteligentes. Tengo una nueva ___6___ ; se llama Laura.

▶ **Escribe y habla.** Write a similar paragraph with a description of your school and share it with a classmate. Are your descriptions and first impressions similar?

11 Descripciones de fotos

▶ **Escribe.** Write the captions for these photos using the appropriate form of the indefinite article (*un*, *una*, *unos*, *unas*).

Modelo *Un hombre y una niña.*

1

2

3

▶ **Habla.** With a partner, describe the people in the photos using the appropriate definite articles (*el*, *la*, *los*, *las*).

Modelo *El hombre es alto y simpático. Está emocionado.*

Vocabulario

Un sábado típico

Tess visita por primera vez a su amigo Dani. Él vive en una casa de dos **plantas**.

¡Bienvenida, Tess! Esta es mi **casa**.

¡Hola, Dani!

La sala y el comedor

el televisor

el sofá

la mesa

la silla

El dormitorio y el baño

la puerta

el lavabo

el armario

la cama

Tess y Dani pasan a la **cocina** para preparar el **almuerzo**.

¿Pido una pizza?

No sé.

Humm... prefiero **huevos** con **pan**. No, mejor **pollo** con **verduras**, un **vaso** de **jugo** y algo **dulce** de **postre**. No, mejor una **manzana** de postre y...

Después de comer, Tess y Dani **van de compras** al **centro comercial**. Tess mira la **ropa** y Dani unos **zapatos**.

Me gusta este **vestido negro**.

¿Cuánto cuesta?

Son **cómodos**, y me **quedan bien**. Pero son muy **caros**.

Está en oferta. El **precio** es $ 65. ¿Te gusta?

12 Decoración de interiores

▶ **Une.** Match each item with the room in the house where it belongs.

	A		B
1.	la estantería	a.	el dormitorio
2.	la mesa y las sillas	b.	la cocina
3.	el inodoro	c.	la sala
4.	la estufa	d.	el baño
5.	la mesita de noche	e.	el comedor

13 ¡Me gustan las ensaladas!

▶ **Escucha y escribe.** Liz is sharing the recipes for two of her favorite dishes with her friend Paul. Listen and write the list of ingredients for each dish.

Ensaladilla de verano

guisantes	2
1	mayonesa
cebolla	

Macedonia de frutas

3	5
4	6
kiwi	

▶ **Habla.** Share one of your favorite recipes with a partner.

14 ¡Señores, aquí tienen la carta!

▶ **Escribe.** You have been hired to design the menu for a new café in your neighborhood. Include foods and beverages for breakfast and lunch.

▶ **Lee, habla y compara.** Exchange your menu with a partner. Read each other's menus and compare them. Whose restaurant do you think will be more successful?

Almuerzo
12:00 - 2:00 p. m.
Sándwich de pollo.
Pescado con papas.

15 ¿Qué lleva?

▶ **Habla.** Choose a classmmate and describe what he or she is wearing. Your partner guesses who the person is.

> Lleva unos pantalones azules, unos tenis blancos, un...

> ¡Es Lisa!

Expresar gustos en distinto grado

El verbo *gustar*

- To express likes or dislikes, use the verb gustar.

    Me gusta el helado.   **No me gustan** los refrescos.

- The verb gustar is a regular verb, but usually only two of its forms are used:

    1. To speak about one thing or an action, use the **singular form** gusta.

        A Marta le **gusta** la fruta.   A Carlos le **gusta** cocinar.

    2. To speak about two or more things, use the **plural form** gustan.

        A mí me **gustan** los jugos de frutas.

- The verb gustar does not require a subject pronoun. Instead, these object pronouns are used: me, te, le, nos, os, les.

VERBO GUSTAR (TO LIKE). PRESENTE

	Singular		Plural		
(A mí)	me	gusta	me	gustan	I like
(A ti)	te	gusta	te	gustan	you like
(A usted) (A él/a ella)	le	gusta	le	gustan	you like he/she likes
(A nosotros/as)	nos	gusta	nos	gustan	we like
(A vosotros/as)	os	gusta	os	gustan	you like
(A ustedes) (A ellos/a ellas)	les	gusta	les	gustan	you like they like

Note: The meaning of the pronouns can be clarified with the prepositional phrases a mí, a ti, a usted, a él, a ella, a nosotros, a nosotras, a vosotros, a vosotras, a ustedes, a ellos, a ellas.

Adverbios de cantidad

- Some verbs can be modified by a word that expresses quantity. These words are called adverbs of quantity.

nada	poco	bastante	mucho

    No me gustan **nada** las verduras, pero me gusta **mucho** el pollo.

16 **Los gustos de mi familia**

▶ **Une y escribe.** Match the two columns. Then write the sentences.

Ⓐ

1. A mi hermano y a mí
2. A mis padres
3. A mi prima Lupe

Ⓑ

a. les gusta desayunar un café con leche.
b. no le gustan nada los frijoles.
c. nos gustan mucho las papas fritas.

17 **¿Qué alimentos les gustan?**

 ▶ **Escucha y completa.** Two friends are trying to decide what to eat. Listen and complete the Venn diagram by writing the foods they like.

A él   A ella

los frijoles

▶ **Escribe.** Write five sentences using the information above and the correct form of the verb *gustar*.

Modelo   *A él le gustan los frijoles.*

18 **Cuestión de gustos**

▶ **Escribe.** Use the correct form of the verb *gustar* and the adverbs to say what the people in the photos like or dislike, and how much they like or dislike it.

Modelo   1. *A ellos les gusta bastante la casa.*

ellos – bastante   ella – nada   él – mucho   nosotros – poco

19 **¿Tenemos hábitos saludables?**

▶ **Habla.** Do students in your class have healthy eating habits? Ask four classmates how much they like or dislike the foods below and tally their responses in a chart.

Modelo
A. *¿Te gustan los refrescos?*
B. *No, no me gustan nada.*

	nada	poco	bastante	mucho
refrescos	✔			✔✔✔

▶ **Escribe.** Summarize the results and draw a conclusion about your classmates' eating habits.

Modelo   *A tres estudiantes les gustan mucho los refrescos y a uno no le gustan nada.*

Gramática

Expresar acciones habituales en el presente

Verbos regulares. Presente

- In English, an infinitive is the verb form that uses the word *to*: *to buy, to sell, to open.* In Spanish, the infinitive always ends in -ar, -er, or -ir:

  -AR comprar   -ER vender   -IR abrir

- Regular verbs in Spanish have a stem that is used with all subjects. They also have a set of endings that are added to the stem to identify the subject. To find the stem of a verb, remove the -ar, -er, or -ir ending.

  compr -ar   vend -er   abr -ir

- Regular -ar, -er, and -ir verbs are conjugated in the following ways:

VERBOS COMPRAR (TO BUY), VENDER (TO SELL) Y ABRIR (TO OPEN). PRESENTE

		Comprar	Vender	Abrir
Singular	yo	compro	vendo	abro
	tú	compras	vendes	abres
	usted, él, ella	compra	vende	abre
Plural	nosotros, nosotras	compramos	vendemos	abrimos
	vosotros, vosotras	compráis	vendéis	abrís
	ustedes, ellos, ellas	compran	venden	abren

20   En la tienda de ropa

▶ **Une y escribe.** Match the two columns and write the sentences.

Modelo 1. *El vendedor recibe el dinero de la clienta.*

(A)
1. El vendedor
2. Un cliente
3. Dos chicas
4. Todos nosotros
5. Un niño
6. Yo

(B)
a. compramos ropa.
b. corre por la tienda.
c. miro un vestido.
d. paga con tarjeta de crédito.
e. leen los carteles de las ofertas.
f. recibe el dinero de la clienta.

▶ **Habla.** Talk with a partner to find out whether he or she does some of these things when he or she is at a store.

Modelo A. *¿Tú pagas con tarjeta de crédito?*
B. *No, yo pago en efectivo.*

21 **¿Qué hacen?**

▶ **Completa y escucha.** Complete these sentences with the correct form of the verbs. Then listen and check your answers.

1. Elisa _____ un vaso de leche.
   beber

2. Yo _____ las escaleras.
   subir

3. Nosotros _____ la puerta.
   abrir

4. Ellos _____ mucho.
   hablar

5. Tú _____ a la una.
   comer

6. Ustedes _____ por teléfono.
   llamar

22 **Todos trabajan**

▶ **Lee y completa.** Sally and her family have a busy weekend at home. She wrote what they are doing each day and posted the notes on the refrigerator. Complete her notes using the correct form of the verbs in the box.

sacudir
preparar
escribir
ordenar
barrer
lavar

Sábado

• Mi padre y yo __1__ el suelo de la casa.
• Mi madre __2__ en su blog.
• Mis padres __3__ el carro.

Domingo

• Yo __4__ el desayuno.
• Mi hermano __5__ los muebles.
• Mi hermano y yo __6__ el garaje.

23 **Descripciones**

▶ **Escribe.** Write a sentence to describe what each person is doing.

Modelo   1. *Los jóvenes ven la televisión.*

▶ **Habla.** Talk with two classmates to find out if they do the activities above and what they think about them.

Modelo   A. *¿Ves la televisión?*
         B. *Sí, veo la televisión. ¡Me gusta mucho!*
         C. *No, no veo la televisión. Es aburrido.*

Vocabulario

Ausente por enfermedad

Hoy el profesor de Ciencias habla del **cuerpo** humano: del **cuello**, la **espalda**… Tim escucha a su profesor, pero **se siente mal**, ¡muy mal! Tiene que ir a la **enfermería**.

Me duele el estómago. Y tengo fiebre.

la cabeza

el brazo

la mano

la pierna

el pie

¿Qué te duele?

Me duele la cabeza. También me duelen los oídos. ¡Me duele todo!

Tienes un resfriado.

Recomendaciones para Tim:
- **Tomar medicamentos** para la fiebre.
- **Descansar**.
- **Comer** bien.
- **Beber** mucha agua.

Al día siguiente, Tim no va a la escuela. Tiene que seguir los consejos de la **enfermera** y **cuidarse**. ¿Qué puede hacer en casa?

¿Qué hago para no aburrirme? Puedo leer un libro y escuchar música. No... mejor juego a los videojuegos y después veo una película.

Dos días después, Tim vuelve a la escuela. Ya no **está enfermo**, pero **se siente** un poco **débil**.

No, todavía no estoy en forma. Solo voy a jugar con el balón.

Hola, Tim. ¿Listo para un partido de baloncesto?

24 **Todo tiene una función**

▶ **Corrige y escribe.** Answer the questions, correcting the mistakes. Use each word in the boxes once.

Modelo   ¿Caminas con **los ojos?** → *No, camino con los pies.*

1. ¿Ves con **la cabeza?**
2. ¿Hueles con **los dientes?**
3. ¿Tocas con **las orejas?**
4. ¿Saboreas con **el pelo?**

los dedos	la boca
la nariz	los ojos

25 **No me siento bien**

 ▶ **Escucha y elige.** Listen to the conversation between a doctor and two patients. Select the problems each patient has.

Paciente 1
1. Tiene fiebre.
2. Le duelen los oídos.
3. Tiene tos.
4. Le duele la espalda.
5. Le duele la garganta.

Paciente 2
1. Le duele el estómago.
2. Le duele la cabeza.
3. Le duelen los brazos.
4. Le duele la espalda.
5. Le duelen las piernas.

▶ **Habla.** In small groups, discuss what the doctor recommended for each patient and say whether you agree or disagree with her. What else would you recommend?

26 **Unos niños muy activos**

▶ **Escribe.** This Saturday you are babysitting your neighbor's very active children, Ted and Jenny. Your neighbor has asked you for a schedule of activities you plan to do with them. Complete the table below using the expressions in the box.

montar en bicicleta	nadar en la piscina	leer un libro	jugar al béisbol
tomar fotos	usar la computadora	pintar	bailar
jugar al fútbol	ver una película	escuchar música	cantar

Hora	Ted	Jenny	Los dos
3:00 p. m.			leer un libro
4:00 p. m.			
5:00 p. m.			
6:00 p. m.			

 ▶ **Habla.** Now share your schedule with a partner. Are the activities your partner chose suitable? What would you change?

Expresar las rutinas diarias

Los verbos reflexivos

- Sometimes an action is reflected back onto the subject. In Spanish, this idea is expressed with a reflexive verb.

  Rocío se peina. (Rocío performs the action, and she receives the effects of the action.)

  The verbs afeitarse, bañarse, ducharse, lavarse, maquillarse, and vestirse are reflexive verbs.

- Reflexive verbs are conjugated with a reflexive pronoun: me, te, se, nos, os, se. The pronoun is placed as follows:

  - In front of the conjugated verb: Yo me peino.

  - Attached to the end of the infinitive or commands: Quiero peinarme. Péiname.

VERBO PEINARSE (TO COMB ONE'S HAIR). PRESENTE

Singular		Plural	
yo	me **pein**o	nosotros nosotras	nos **pein**amos
tú	te **pein**as	vosotros vosotras	os **pein**áis
usted él ella	se **pein**a	ustedes ellos ellas	se **pein**an

- Many verbs related to habits are reflexive verbs.

  - despertarse (ie) (to wake up) → Yo **me despierto** a las siete de la mañana.

  - levantarse (to get up) → Yo **me levanto** a las siete y media.

  - acostarse (ue) (to go to bed) → Ellos **se acuestan** a las once.

  - dormirse (ue) (to fall asleep) → Tú **te duermes** pronto.

Adverbios de frecuencia

- These adverbs and adverbial phrases express how often something is done.

nunca   casi nunca/rara vez   a veces   muchas veces   casi siempre   siempre/todos los días

Ella se peina **todos los días**.   Yo me acuesto **siempre** a las once.

27 La rutina de Michelle

▶ **Ordena y escribe.** Put Michelle's routine in chronological order and write a brief paragraph to summarize what she does.

_____ **a.** Me levanto.

_____ **b.** Me visto.

_____ **c.** Me baño.

__1__ **d.** Me despierto temprano.

_____ **e.** Me acuesto tarde.

_____ **f.** Me maquillo.

Modelo   *Michelle se despierta temprano. Después…*

28 ¿Qué hacen?

▶ **Escucha y clasifica.** Listen to Beatriz's and Raúl's routines when they feel sick and stay home. Then organize their routines in a Venn diagram.

Beatriz   Los dos   Raúl

se levantan tarde

29 La rutina del fin de semana

▶ **Escribe.** Describe your weekend routine. Indicate the frequency of each activity.

Modelo   *Casi siempre me despierto temprano. Rara vez me baño, pero siempre me ducho…*

▶ **Habla.** Compare your routine with a partner's and report your findings to the class using a chart similar to the one below.

	Yo	Mi compañero(a)	Los dos
nunca			
casi nunca / rara vez		Se despierta temprano.	
a veces			
muchas veces			
casi siempre	Me despierto temprano.		
siempre / todos los días			

Expresar acciones habituales en el presente

Verbos irregulares

- Irregular verbs do not follow typical conjugation patterns. These verbs may be irregular in the stem or in the endings.

Verbos con raíz irregular: *e > ie*

VERBO QUERER (TO WANT). PRESENTE

Singular		Plural	
yo	quiero	nosotros nosotras	queremos
tú	quieres	vosotros vosotras	queréis
usted él ella	quiere	ustedes ellos ellas	quieren

- Other e > ie verbs:

  cerrar (*to close*) ⟶ yo cierro

  empezar (*to begin*) ⟶ yo empiezo

  entender (*to understand*) ⟶ yo entiendo

  pensar (*to think*) ⟶ yo pienso

  preferir (*to prefer*) ⟶ yo prefiero

Verbos con raíz irregular: o > *ue*

VERBO PODER (TO BE ABLE). PRESENTE

Singular		Plural	
yo	puedo	nosotros nosotras	podemos
tú	puedes	vosotros vosotras	podéis
usted él ella	puede	ustedes ellos ellas	pueden

- Other o > ue verbs:

  contar (*to count*) ⟶ yo cuento

  costar (*to cost*) ⟶ cuesta(n)

  recordar (*to remember*) ⟶ yo recuerdo

  volar (*to fly*) ⟶ yo vuelo

  volver (*to return*) ⟶ yo vuelvo

Verbos con raíz irregular: *e > i*

VERBO PEDIR (TO ASK FOR). PRESENTE

Singular		Plural	
yo	pido	nosotros nosotras	pedimos
tú	pides	vosotros vosotras	pedís
usted él ella	pide	ustedes ellos ellas	piden

- Other e > i verbs:

  competir (*to compete*) ⟶ yo compito

  medir (*to measure*) ⟶ yo mido

  repetir (*to repeat*) ⟶ yo repito

  servir (*to serve*) ⟶ yo sirvo

  vestir (*to dress*) ⟶ yo visto

Note: The e > ie, o > ue, and e > i stem changes affect all the present tense forms except nosotros(as) and vosotros(as).

¿Quién habla?

▶ **Escucha y relaciona.** Listen and match each sentence with the corresponding picture.

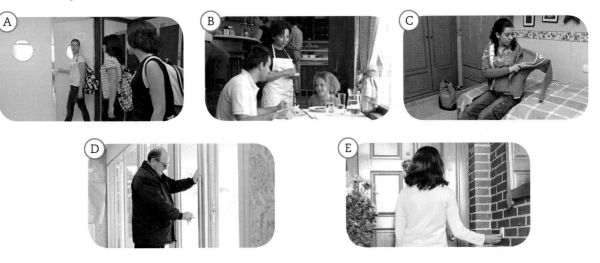

A

B

C

D

E

---

31 Este trabajo es para mí

▶ **Lee y completa.** Lorena sent her résumé and a cover letter for a job at a restaurant. Read her letter and complete it with the appropriate form of the verbs.

empezar   pensar

servir   volver

poder   pedir

Estimada Sra. García:

¡Soy la candidata ideal! Cuando los clientes me __piden__ algo, yo les ____1____ con una sonrisa. Por eso, ellos siempre ____2____. Mis amigos ____3____ que soy muy simpática y una buena vendedora. Yo ____4____ las clases esta semana, pero ____5____ trabajar los fines de semana.

Atentamente,

Lorena Suárez

---

32 Te recomiendo...

▶ **Habla.** You are a camp counselor and need to plan free-time activities for a group of students. Interview four classmates to find out their preferences. Use the verbs *querer*, *preferir*, *poder*, *competir,* and *pensar*.

Modelo A. *¿Compites en deportes de equipo?*
        B. *No. Prefiero hacer ejercicio solo.*

▶ **Completa y habla.** Organize the results of your survey in a table, write recommendations for your classmates, and present them to the people you interviewed.

Nombre	Preferencias	Recomendación
John Smith	Prefiere hacer ejercicio solo.	Puede nadar en la piscina.

Vocabulario

Un viaje de fin de semana

Andyviajero

Hoy decidimos adónde vamos este fin de semana. Yo quiero **viajar** en **avión**, ir a una gran **ciudad**, salir del **campo**. Pero Janet nunca me escucha.

Vamos en **tren** a la **capital**.

Yo prefiero ir a la **costa** y tomar un **barco** para hacer un crucero.

Andyviajero

¡Increíble! Estoy en el **aeropuerto**. Por una vez hacemos lo que yo quiero.

Tengo que **facturar el equipaje**. ¿Dónde está Janet?

el boleto

el mostrador de información

la maleta

la bolsa

Andyviajero

Hoy nos espera un gran día de **turismo a pie** por la ciudad. Tengo una **guía turística** con recomendaciones de **cafés**, **museos**...

Perdón, ¿hay una **biblioteca** por aquí?

Sí. Tienen que **seguir recto** hasta la **plaza** y allí **doblar a la izquierda**.

¿Tenemos que **cruzar la calle**?

No, no es necesario.

Andyviajero

Mi hermana insiste en ver **naturaleza**: **lagos**, **ríos**, **bosques**, **aire** puro... Es un poco aburrido, pero hoy es su día, así que vamos a ir a un **parque**.

Aquí hay **insectos**...

Aquel **árbol** es un roble. En el otoño las **hojas** son rojas.

33 **Hay muchas maneras de viajar**

▶ **Lee y decide.** Read what each person says and decide which mode of transportation he or she is referring to.

Ⓐ

1. Cuando voy a Nueva York siempre lo uso.
2. Es la mejor opción para los viajes largos.
3. Es necesario para visitar la isla.
4. Es una buena forma de viajar por todo el estado.
5. No es rápido, pero a mí me gusta caminar.

Ⓑ

a. el avión
b. el barco
c. a pie
d. el metro
e. el coche

▶ **Habla.** Tell a classmate which modes of transportation you use and when you use them.

Modelo *Yo uso el autobús para venir a la escuela.*

34 **¿Dónde está?**

▶ **Escucha y elige.** These people have lost something right before leaving on vacation. Listen and select the items they are looking for.

1. **a.** la maleta
   b. la guía turística
2. **a.** el equipaje
   b. el pasaporte
3. **a.** la guía turística
   b. la bolsa
4. **a.** el boleto
   b. el recuerdo

35 **Direcciones para no perderse**

▶ **Escribe.** Write instructions telling how to get from one place to another in this city. Specify the starting point.

Modelo *Estás en la iglesia. Para llegar a tu destino tienes que seguir recto…*

▶ **Lee y habla.** Now, read your instructions to a partner. If necessary, help him or her along the way.

Did your partner arrive at the right place?

Expresar lugar y existencia

La construcción *estar en*

- To say where things are, use the verb estar followed by words that express place. The preposition en expresses location. It is equivalent to the English words *at, in, on,* and *inside*.

    La rana **está en el bosque**.

Adverbios y expresiones de lugar

- Many other words and phrases are used to show location.

¿Dónde está la rana?

aquí   ahí   allí

al lado de **la flor**

cerca de **la flor**

lejos de **la flor**

detrás de **la flor**   encima de **la flor**   a la izquierda de **la flor**

delante de **la flor**   debajo de **la flor**   a la derecha de **la flor**

Expresar existencia. El verbo *haber*

- To say that someone or something exists, use the form hay (*there is, there are*).

    Hay una rana en la flor.   **Hay** muchas ranas en la flor.

- To ask about the existence of something, use hay.

    ¿**Hay** un río en el bosque?   ¿**Hay** pájaros en el árbol?

- The Spanish phrase equivalent to *there isn't* or *there aren't* is no hay.

    No hay un río en el bosque.   **No hay** pájaros en el árbol.

36 **¿Dondé está la bolsa?**

▶ **Escucha y elige.** Choose the image that describes each location you hear about.

37 **¿Qué lugar es?**

▶ **Escribe.** Choose five buildings or places from this picture and write sentences telling where each one is.

Modelo   *La plaza está delante del hotel.*

▶ **Habla.** Tell a partner the location of each building or place. Your partner will guess what building or place it is.

Modelo   A. *Está delante del hotel.*
         B. *Es la plaza.*

38 **Lo que hay a tu alrededor**

▶ **Habla.** Tell a partner how many of a certain item there is in your classroom. Your partner will try to guess the item by saying where he or she thinks it is located.

Modelo   A. *Hay veinte.*
         B. *[Looks around.] ¿Están encima de las mesas?*
         A. *Sí.*
         B. *Son los libros de Español.*
         A. *¡Sí! ¡Muy bien!*

Expresar acciones habituales en el presente

Verbos irregulares en la primera persona

- Some verbs are irregular in the present tense only in the first person (the yo form). The rest of the forms follow the same pattern as the regular verbs.

VERBOS HACER (TO MAKE, TO DO), PONER (TO PUT), TRAER (TO BRING) Y SALIR (TO LEAVE). PRESENTE

		Hacer	Poner	Traer	Salir
Singular	yo	hago	pongo	traigo	salgo
	tú	haces	pones	traes	sales
	usted, él, ella	hace	pone	trae	sale
Plural	nosotros, nosotras	hacemos	ponemos	traemos	salimos
	vosotros, vosotras	hacéis	ponéis	traéis	salís
	ustedes, ellos, ellas	hacen	ponen	traen	salen

- These verbs are also irregular only in the first person:

    conocer (to be acquainted with) → yo **conozco**, tú conoces, él conoce…
    saber (to know) → yo **sé**, tú sabes, él sabe…
    ver (to see) → yo **veo**, tú ves, él ve…

Expresar movimiento

El verbo ir

- Ir is an irregular verb.

- To say where someone is going, use the verb ir (to go) and this formula:

    | ir a + place | → **Voy** al lago.

- The verb ir is commonly used in combination with other verbs.

    Tengo que ir a la biblioteca.
    Quiero ir al campo.

VERBO IR (TO GO). PRESENTE

Singular		Plural	
yo	voy	nosotros nosotras	vamos
tú	vas	vosotros vosotras	vais
usted él ella	va	ustedes ellos ellas	van

39 ¡Llegamos tarde!

▶ **Escucha.** Listen as Carlos and Rosie rush to get ready for a trip, and write the name of the person who does each of the following actions.

1. salir → Carlos
2. hacer
3. poner
4. traer
5. ver
6. ir a

40 Cuando estoy de vacaciones

▶ **Completa.** Isabel describes her routine when she is on vacation at the beach. Complete her description with the appropriate verbs from the box.

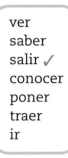

ver
saber
salir ✓
conocer
poner
traer
ir

Un día en la playa

Cuando estoy de vacaciones en la costa, yo _salgo_ temprano del hotel y ___1___ a la playa. Miro a mi alrededor y ___2___ a muchas personas que no se cuidan la piel. No lo entiendo. Yo me ___3___ crema con filtro solar porque yo ___4___ que tomar mucho el sol es peligroso.

Yo no ___5___ a nadie en la playa, así que ___6___ un libro en mi bolsa para leer. A veces también paseo por la playa.

▶ **Habla.** Ask two classmates whether they do some of these things when they are on their summer vacation.

Modelo   A. ¿Sales temprano del hotel cuando estás de vacaciones?
         B. No, yo salgo tarde.
         C. Yo también salgo tarde. ¡Me gusta dormir!

41 Viajes de fin de semana

▶ **Escribe.** Answer the following questions in writing regarding your most recent weekend trips.

1. ¿A qué lugares vas?
2. ¿Cómo vas?
3. ¿Haces turismo por el lugar?
4. ¿Conoces gente nueva?
5. ¿Traes recuerdos del lugar?

42 En mi tiempo libre

▶ **Habla.** Which of these things do you do when you have a few days off? And your partner? Tell each other what you do and when you do it.

1. hacer cámping
2. salir de la ciudad
3. ir de excursión
4. conocer nuevos lugares

¿Vas de excursión en tu tiempo libre?

Sí, me gusta ir al campo.

Repaso

1 **Completa.** Complete these dialogues with appropriate words from the box.

gusto	llamas	tengo	presento	llamo	años	días

1. – Buenos _____1_____ .
   – ¡Hola!
2. – Te ____2____ a Carlos.
   – Mucho ____3____ .

3. – ¿Cómo te ____4____ ?
   – Me ____5____ Paula.
4. – ¿Cuántos ____6____ tienes?
   – ____7____ catorce años.

2 **Une.** Match each action with the appropriate item.

Ⓐ

1. Hablo con
2. Escribo con
3. Leo
4. Veo la hora en
5. Llevo los libros en

Ⓑ

a. un reloj.
b. una mochila.
c. mis compañeros.
d. un bolígrafo.
e. un libro.

3 **Escribe.** Look at the picture and write a description of each person, referring to their physical characteristics and how you think they are feeling in the picture.

Alfonso

Jaime   Sonia   Eva

4 **Escribe y ordena.** Express how much you like or dislike each of these foods. Then organize them from the least to the most liked.

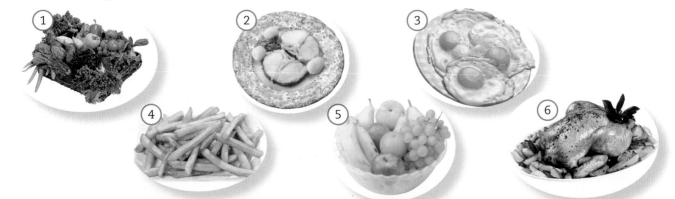

5 **Decide y diseña.** Decide who would wear each of these clothing items, and in what situation he or she would wear it. Then design an ad with a description of two items.

6 **Escribe.** Write sentences to say what is wrong with these people. Then write a recommendation for each person.

7 **Contesta.** Answer the following questions in complete sentences. Then say which of these activities you like and how often you do each of them.

1. ¿Qué actividades de ocio te gusta hacer en tu tiempo libre? Escribe cuatro.
2. ¿Qué aparato usamos normalmente para tomar fotos? ¿Y para grabar un video?
3. ¿Adónde van las personas a ver una película?
4. ¿Qué necesitas para jugar al tenis? ¿Y para jugar al béisbol?
5. ¿Qué deportes puedes practicar solo? Escribe tres.

8 **Une.** Match each action with the place where it would take place.

A	B
1. ir de excursión	**a.** la agencia de viajes
2. nadar	**b.** la tienda
3. cruzar la calle	**c.** el campo
4. facturar el equipaje	**d.** el lago
5. comprar un boleto	**e.** la estación de tren
6. reservar habitación	**f.** la ciudad
7. comprar recuerdos	**g.** el aeropuerto

Centroamérica

En tierras mayas

Músicos garífunas
(Honduras)

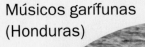

▶ **To identify yourself and others**

Vocabulario
Relaciones familiares y personales

Gramática
Los posesivos

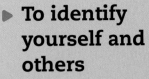
Lago de Atitlán
(Guatemala)

▶ **To describe people**

Vocabulario
Características físicas y rasgos de personalidad

Gramática
Los adjetivos y el nombre

DESAFÍO 3

▶ **To express states and feelings**

Vocabulario
Estados de ánimo y sentimientos

Gramática
Las comparaciones y el superlativo

Parque Nacional
Rincón de la Vieja (Costa Rica)

DESAFÍO 4

▶ **To ask questions**

Vocabulario
Información personal

Gramática
Los interrogativos

Gigantona
(Nicaragua)

La llegada

En Managua

The pairs gather at *Parque Rubén Darío*, in Managua, the capital city of Nicaragua. The park is named after a famous Nicaraguan poet who lived in the early twentieth century. Their host, Felipe Santos, is a poet himself.

Hola, yo soy Felipe Santos. ¡Bienvenidos a Managua, la capital de Nicaragua!

¡Qué guapo!

¿Quiénes son ustedes?

Nosotros somos Andy y Janet. Nuestro apellido es Douglas.

Ustedes tienen que ir a Atitlán, en Guatemala, y encontrar un gigante maya.

¡Qué emocionante!

1 ¿Comprendes?

▶ **Elige** la palabra correcta.

1. Managua es la capital de **Nicaragua/Honduras**.
2. El **nombre/apellido** de dos personajes es Douglas.
3. Mack está **emocionado/frustrado**.
4. El músico garífuna es **moreno/rubio** y lleva gafas.
5. Tess y Patricia tienen que encontrar a una mujer muy **alta/morena**.
6. La misión de Mack y Tim es en **Costa Rica/Nicaragua**.

EXPRESIONES ÚTILES

Estoy emocionado. ¡Qué maravilla!

To introduce oneself:

Yo soy…   Mi nombre es…
Nosotros somos…   Nuestro apellido es…

To express admiration of someone:

¡Qué guapo!   ¡Qué inteligente!
¡Qué alta!   ¡Qué simpático!

To express joy and fun:

¡Qué bien!   ¡Qué emocionante!
¡Qué maravilla!   ¡Qué divertido(a)!

2 **Conversaciones**

▶ **Escucha** y decide. ¿Qué respuesta (answer) es más apropiada en cada caso?

a. ¡Qué maravilla!   **b.** Sí. Mi apellido es Brown.   **c.** ¡Qué inteligente!   **d.** ¡Qué guapo!

3 **¿Qué dicen?**

▶ **Relaciona** las expresiones con las fotografías.

a. ¡Qué divertido!   **b.** ¡Qué estudioso!   **c.** ¡Qué guapo!

1   2   3

¿Quién ganará?

4 Los desafíos

▶ **Habla.** ¿Cuál será el desafío de cada pareja? Piénsalo y coméntalo con tus compañeros(as).
What will the challenge be for each pair? Think about this question and discuss it with your classmates.

DESAFÍO ①

El gigante maya de Atitlán

Andy y Janet

DESAFÍO ②

Un garífuna peculiar

Diana y Rita

DESAFÍO ③

La mujer más alta de León

Tess y Patricia

DESAFÍO ④

Un viaje arbóreo

Tim y Mack

▶ **Habla.** ¿En qué países son los desafíos? ¿Qué sabes de esos lugares? Coméntalo con tus compañeros(as).
Which countries will the challenges be in? What do you know about those places?
Talk to your classmates.

5 La tarea final

▶ **Decide.** ¿Qué tarea tienen que hacer los personajes al final? ¿Qué pareja crees que ganará?

What task do the characters have to do? Who do you think will win?

LA TAREA

Un poema

El gigante maya de Atitlán

Andy and Janet are in San Pedro de Atitlán, a village in Guatemala on the shores of the deepest lake in Central America. They must walk along the shore of the lake and find a Mayan giant.

Este lugar es mágico para los mayas. Lo dicen la señora del hotel y su esposo.

Los padres mayas cuentan a sus hijos que en el lago hay una serpiente enorme.

Sí, pero aquí no hay gigantes. El desafío nuestro es imposible.

No hay nada imposible, hermano. Creo que estamos cerca del gigante.

No, Janet, no hay gigantes. Los gigantes no existen.

¡Mira las montañas! Voy a tomar una foto con mi cámara.

Sí existen, Andy.

Si tú lo dices, hermana... No me gusta discutir.

6 **Detective de palabras**

Continuará...

▶ **Completa** estas oraciones.

1. Los _____ mayas hablan de una serpiente enorme.

2. Los _____ mayas escuchan leyendas (*legends*) sobre el lago.

3. La señora del hotel y su _____ dicen que el lago es mágico.

4. Al _____ de Janet no le gusta discutir.

▶ **Escucha** y decide. ¿Quién está hablando?

8 Los misterios de Atitlán

▶ **Responde** a estas preguntas.
1. ¿A quiénes cuentan historias sobre el lago los padres mayas?
2. ¿Quién dice que el lago es mágico?
3. ¿Qué dice Andy sobre su desafío?
4. ¿Qué quiere fotografiar Janet?

CULTURA

El lago de Atitlán

El lago de Atitlán está en Guatemala, en una zona donde viven muchos mayas. Es un lago muy profundo de origen volcánico.

Hay muchos cuentos y leyendas antiguas sobre la historia y el origen de este lago.

Volcán Tolimán y lago de Atitlán.

9 **Piensa y explica.** ¿Por qué crees que el lago de Atitlán y otros lugares similares son el origen de tantas leyendas?

➤ TU DESAFÍO Visita la página web para aprender más sobre el lago de Atitlán.

Vocabulario

Relaciones familiares y personales

Este es mi **abuelo** Mack.

Sí, Tim es mi **nieto**.

Andy y yo somos **hermanos**. A veces discutimos, pero **nos** llevamos bien.

Yo soy Rita. Mi **sobrina** y yo somos de New Jersey.

Esta chica es mi **hija**.

Sí, Patricia es mi **madre**. Mi **padre** está en San Antonio.

la madre

la madrina

el padrino

el bebé

el padre

Estado civil

estar **soltero**
estar **casado**

Nosotros estamos **casados**.

el esposo

la esposa

10 La familia de Andy

 ► **Escucha** y decide si estas oraciones sobre la familia de Andy son ciertas (*true*) o falsas (*false*). Si son falsas, corrígelas.

1. Andy es el hermano de Janet.

2. Janet está soltera.

3. Alison es la sobrina de Janet.

4. La esposa de Gary se llama Marcela.

5. La madre de Andy y Janet es profesora de Matemáticas.

11 Relaciones

▶ **Completa** estas oraciones.

1. Andy y Janet son ___hermanos___ . Se llevan ___1___ .
2. Patricia es la ___2___ de Tess.
3. El señor Santos no está soltero, está ___3___ .
4. Tim es el ___4___ de Mack.
5. Diana es la ___5___ de Rita.
6. El ___6___ de Patricia está en San Antonio.

▶ **Escribe** oraciones similares sobre tu familia.

Modelo   *Mi hermano se llama Frank. Nos llevamos mal.*

12 Encuesta familiar

▶ **Pregunta** a tu compañero(a) sobre su familia. Toma notas para presentar la información a tus compañeros(as).

Modelo

> ¿Cuántos hermanos tienes?

> Tres: dos hermanas y un hermano.

- número de hermanos
- nombre de los abuelos
- número de primos
- lugar donde viven los tíos favoritos

- número de sobrinos
- nombre del familiar favorito
- nombre del familiar con quien discutes más

CULTURA
Los padrinos

En los países hispanos las familias cristianas celebran el bautizo *(baptism)* de los bebés.
Para la ceremonia los padres eligen a dos familiares o dos buenos amigos como padrinos del bebé.
Los padrinos actúan como «padres simbólicos» y son una parte importante en la vida del niño.

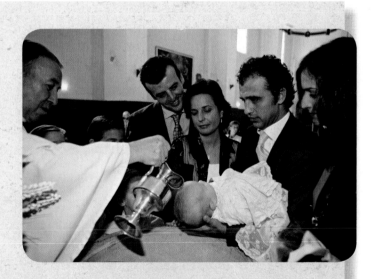

13 **Piensa y explica.** ¿Tienes padrinos? ¿A quiénes elegirías *(would you choose)* tú como padrinos? ¿Por qué?

Gramática

Los posesivos

Los adjetivos posesivos

- Possessives (adjectives and pronouns) are used to show ownership.

    Esta es **mi** mochila.   Esa es **mi** escuela.

- Possessive adjectives can be placed before or after the noun they accompany, but some forms change depending on their position.

    Carlos es **mi** primo.   Carlos es un primo **mío**.

ADJETIVOS POSESIVOS

	ANTES DEL NOMBRE (mi tío)				**DESPUÉS DEL NOMBRE (un tío mío)**			
	Singular		**Plural**		**Singular**		**Plural**	
	Masculino	Femenino	Masculino	Femenino	Masculino	Femenino	Masculino	Femenino
my	mi		mis		mío	mía	míos	mías
your (inf.)	tu		tus		tuyo	tuya	tuyos	tuyas
his, her your	su		sus		suyo	suya	suyos	suyas
our	nuestro	nuestra	nuestros	nuestras	nuestro	nuestra	nuestros	nuestras
your (inf.)	vuestro	vuestra	vuestros	vuestras	vuestro	vuestra	vuestros	vuestras
their, your	su		sus		suyo	suya	suyos	suyas

- Possessive adjectives agree in number with the noun they accompany. They agree with the thing possessed, not with the owner. Nuestro and vuestro also agree in gender with the item possessed.

    Estas son nuest**ras** prim**as**, Ana y Lucía.

Los pronombres posesivos

- Possessive pronouns are used instead of a noun. The forms are the same as those of the possessive adjectives after the noun.

    Ese libro es **mío**.

- When the possessive pronoun is used to identify, it is preceded by an article.

    Estos son nuestros profesores y aquellos son **los vuestros**.

14 **Compara.** ¿Qué semejanzas y diferencias hay entre los posesivos en inglés y en español?

15 **Comparar familias**

▶ **Completa** estas oraciones sobre las familias de Tess y de Janet.

1. ___1___ mamá se llama Patricia y la ___2___ se llama Marcela.
   Mi/Mía   su/suya

2. ___3___ abuelos son de California, pero los ___4___ son de Connecticut.
   Sus/Suyos   mis/míos

16 Los preparativos

▶ **Escucha** y relaciona los personajes con las fotografías correspondientes.

Andy   Mack   Tess y Patricia   Rita   Tim

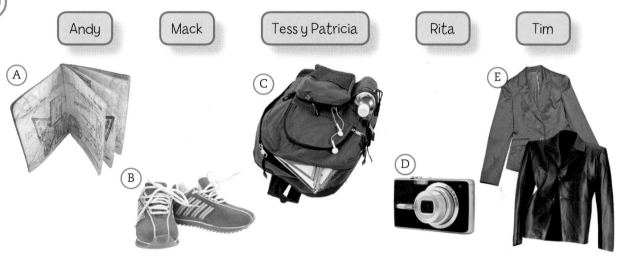

A

C

E

B

D

▶ **Escucha** de nuevo y completa las respuestas con el posesivo correcto.

1. No, la ___1___ es roja. Esa mochila es de Andy.

2. Sí, ese es ___2___ pasaporte.

3. Sí, son las ___3___, gracias.

4. No, no es ___4___.

5. Los ___5___ están en la maleta y los ___6___ son estos.

17 Fotos de familia

▶ **Imagina** que estas son tu familia y la de tu compañero(a). Explícale quiénes son y cómo se llevan.

Modelo   A. *Estos son mis tíos. Tienen dos hijos. Ellos se llevan bien.*
          B. *Los míos...*

A

Mi familia.

B

La familia de mi compañero.

Comunicación

18 **Relaciones familiares**

 ▶**Escucha** y decide si estas personas se llevan bien o mal con su familia.

	Se lleva bien	Se lleva mal
1		
2		
3		

19 **Familias diferentes**

▶**Lee** el blog de Andy y clasifica la información en dos columnas.

Nuestras familias

Publicado por Andy, 24 de septiembre

La familia de Roberto y la mía son muy diferentes, pero se llevan muy bien. A nuestras familias les gusta hacer cosas juntas, como ir de excursión los fines de semana.

Mi familia es pequeña, la suya es grande. Yo tengo una hermana, pero él tiene siete. Un hermano suyo vive en los Estados Unidos. Yo solo tengo dos primas, Alison y Eloísa, pero él tiene… ¡veinte primos y cinco sobrinos! Un sobrino suyo está casado con nuestra amiga Ana.

COMENTARIOS (0)   ENVIAR UN COMENTARIO

Mi familia	La familia de Roberto
Es pequeña.	

▶**Responde** a las siguientes preguntas.

1. ¿Cómo se llevan las dos familias?
2. ¿Cómo es la familia de Andy?
3. ¿Cuántos hermanos tiene Roberto?
4. ¿Dónde vive un hermano de Roberto?
5. ¿Con quién está casada Ana?
6. ¿Qué hacen las familias los fines de semana?

20 Una red de relaciones

▶ **Crea** una red de relaciones imaginarias con fotos de revistas y descríbela.
Create a fictional relationship web using photos and clippings. Describe it.

Modelo *Él es mi hermano. Se llama Orlando. Está casado con mi amiga Sarah.*

▶ **Presenta** tu familia imaginaria a la clase.

Final del desafío

a. JANET: Sí, aquí está su nariz.

b. JANET: ¡Mira, Andy! ¿Qué ves aquí?

c. ANDY: Claro. ¡El gigante maya de Atitlán es una montaña!

d. ANDY: ¡Parece la silueta de nuestro padre!

e. JANET: Ayer la esposa de Felipe y su madrina me hablaron del Rostro Maya.

21 ¿Qué pasa en la historia?

▶ **Ordena** los bocadillos *(speech bubbles)* del final del desafío. Después, representa el diálogo con tu compañero(a).

Un garífuna peculiar

Diana and her aunt are going to Travesía, a Garifuna community on the Honduran coast. They must find a musician who will give them a special gift—a traditional Garifuna instrument made out of a turtle shell.

Diana, vamos, date prisa.

¡Qué impaciente eres, tía!

¿Cómo vamos a encontrar al músico?

Felipe Santos dijo que es moreno y lleva gafas.

Pero tía, todos los garífunas son morenos.

Hola. Buscamos a un músico moreno y con gafas. ¿Lo conoce?

Sí, conozco a un músico moreno y con gafas. Tiene el pelo corto. Y tiene barba y bigote. Se llama Marcos Esteban. Es espontáneo y muy gracioso.

¡Qué música más alegre! ¿La oyes?

Sí. ¡Seguro que ahí está Marcos Esteban!

22 Detective de palabras

▶ **Completa** estas oraciones.

1. Rita es _____.
2. Los garífunas son _____.
3. El músico es moreno y lleva _____.
4. Marcos Esteban tiene barba y _____.
5. Marcos Esteban es espontáneo y muy _____.

Continuará...

23 **¿Cómo es?**

▶ **Escucha.** Rita nos presenta a algunas personas que conoce en Honduras. Elige la oración relacionada con cada persona o grupo de personas.

Listen to Rita introduce some of the people she meets in Honduras. Choose the sentence related to each person or group.

a. Es profesora.   **b.** Es un músico garífuna.   **c.** Son jóvenes y bonitas.   **d.** Son mayores.

24 **Descripciones**

▶ **Describe** a estas personas.

| moreno | rubio | bajo | alto | joven | mayor | tiene bigote |
| lleva gafas | tiene el pelo largo | | tiene los ojos azules | | tiene los ojos marrones | |

1. La señora…   **2.** Diana…   **3.** El hombre…

CULTURA

Los garífunas

Los garífunas son un grupo étnico que vive en varias regiones de Centroamérica, el Caribe y los Estados Unidos. Descienden de los africanos que fueron llevados (*were taken*) a la zona como esclavos (*slaves*) entre los siglos XVI y XVII, escaparon y fueron a vivir con los pueblos indígenas.

Los garífunas de Centroamérica hablan garífuna y español. Tienen una cultura muy rica en música y baile.

25 **Piensa y explica.** ¿Qué ocurre cuando dos culturas totalmente diferentes se encuentran (*meet*)? ¿Qué elementos culturales se comparten (*share*) primero?

▶ TU DESAFÍO Visita la página web para aprender más sobre los garífunas y su música.

Vocabulario

Características físicas y rasgos de personalidad

¿Cómo son físicamente?

Yo soy **rubia** y **alta**, **mido** 1,78.

Yo soy **pelirroja** y llevo **gafas**.

Yo soy **calvo** y **fuerte**. **Peso** 80 kg.

Yo no soy **gordo** y tengo **barba**.

¿Cómo es su personalidad?

Nosotros no somos **perezosos**, somos **trabajadores**.

Ellas no son **tacañas**, son **generosas**.

Él no es **serio**, es **gracioso**.

creativo(a)	espontáneo(a)	estudioso(a)	sincero(a)	tímido(a)
inteligente	paciente	impaciente	optimista	pesimista

26 Descripciones

▶ **Escucha** las descripciones y ordena las fotografías.

Ⓐ Ⓑ Ⓒ Ⓓ Ⓔ

27 Dos columnas

▶ **Une** las dos columnas.

Ⓐ

1. Ana es graciosa.
2. Luis es estudioso.
3. María es impaciente.
4. Fernando es sincero.

Ⓑ

a. Siempre dice la verdad.
b. Sus amigos se ríen.
c. Va mucho a la biblioteca.
d. No le gusta esperar.

28 Un fan de Honduras

▶ **Responde** a estas preguntas sobre la carta de un fan hondureño de Diana.

Diana received a letter from a Honduran fan. Read it and answer the questions.

1. ¿Cómo es Héctor?
2. ¿Cómo es su esposa?
3. ¿Cómo es el hijo de Héctor?

Hola, Diana:

Me llamo Héctor y soy de Honduras. ¡Bienvenida a mi país!

Tengo treinta y cuatro años y estoy casado. Mi esposa se llama Luisa. Yo soy sincero y optimista y ella es fuerte y muy trabajadora. Tenemos un hijo, Julián. Él es moreno y lleva gafas. También es fan de ustedes.

Los hondureños son generosos y espontáneos. Bueno, eso pienso yo... ¿Te gusta mi país? ¿Y la gente?

Un saludo.

Héctor

29 ¿Es bueno o malo?

▶ **Clasifica** los adjetivos de personalidad del Vocabulario (página 44) en un diagrama.

bueno   malo

estudioso

CONEXIONES: MATEMÁTICAS

El Sistema Internacional de Medidas

En muchos países del mundo se usa el Sistema Internacional de Medidas o Sistema Métrico. Estas son algunas conversiones muy comunes:

1 kilogramo (kg) = 2,21 libras (lbs)
1 metro (m) = 3,28 pies (ft)
1 kilómetro (km) = 0,62 millas (mi)

30 Calcula.
¿Cuánto pesa *(weighs)* en libras y cuánto mide *(measures)* en pies el futbolista hondureño Wilson Palacios?

Peso: 76 kilos   Altura: 1,76 metros

Gramática

Los adjetivos y el nombre

La posición del adjetivo

- Adjectives in Spanish usually follow the noun.

    el músico calvo   la cantante morena

Concordancia del adjetivo

- In Spanish, adjectives reflect the gender and number of the noun they refer to.

Adjetivos que terminan en -o: tienen 4 formas	el chico simpático la chica simpática	los chicos simpáticos las chicas simpáticas
Adjetivos que terminan en -e: tienen 2 formas	el niño inteligente la niña inteligente	los niños inteligentes las niñas inteligentes
Adjetivos que terminan en consonante: tienen generalmente 2 formas	el señor débil la señora débil	los señores débiles las señoras débiles

Los adjetivos de nacionalidad

- Adjectives that express nationality also have variation of gender and number.

Adjetivos que terminan en -o o en consonante: tienen 4 formas	el chico hondureño la chica hondureña	los chicos hondureños las chicas hondureñas
	el niño español la niña española	los niños españoles las niñas españolas
Adjetivos que terminan en -e: tienen 2 formas	el señor canadiense la señora canadiense	los señores canadienses las señoras canadienses

31 **Compara.** ¿Qué posición tienen los adjetivos en español y en inglés? ¿Hay diferencias?

32 **Ustedes también**

▶ **Completa** estas oraciones.

1. Yo soy tímido. Clara también es _____.

2. Elena es inteligente. Su hermano también es muy _____.

3. Nosotras somos mexicanas. Ustedes también son _____.

4. Ellos son alemanes. Las chicas también son _____.

5. Ese chico es popular. Esas chicas también son _____.

33 **Mujeres hondureñas**

▶ **Describe** a estas mujeres hondureñas. Incluye rasgos físicos y de personalidad.

Modelo   *Una es morena y…*

34 **¡Somos iguales!**

▶ **Lee** el texto y describe a la hermana melliza *(twin)* de Antonio. Recuerda: Antonio y su hermana son muy parecidos *(similar)*.

¡Hola! Me llamo Antonio. Tengo dieciséis años y soy hondureño, de Tegucigalpa. Tengo una hermana melliza. Se llama Lula.

Yo soy un chico joven, alto, delgado y moreno. Llevo gafas. Mido 1,75 metros y peso 70 kilos. Soy un chico inteligente y serio. Además, soy estudioso y trabajador. Soy muy generoso y me gusta pasar tiempo con mis mejores amigos.

¿Cómo es mi hermana Lula?

▶ **Habla** con tu compañero(a). ¿Son ustedes como Antonio y Lula?

Modelo   A. *Ellos son altos y morenos. Nosotras dos somos altas.*
           B. *Sí, pero tú no eres morena. Eres rubia.*

COMUNIDADES

DIVERSIDAD LINGÜÍSTICA

En Honduras viven casi ocho millones de personas. La mayoría de sus habitantes son mestizos *(of mixed ancestry)* descendientes de europeos e indígenas. La mayor parte habla español, pero algunos hablan también garífuna u otras lenguas nativas.

35 **Piensa y explica.** ¿En tu comunidad se hablan varias lenguas? ¿Sabes por qué y desde cuándo?

Comunicación

36 **Gente de Honduras**

 ▶ **Escucha** y relaciona cada oración con la fotografía correspondiente.

(A) (B) (C) (D)

37 **¿Cómo eres?**

▶ **Escribe** un párrafo describiendo tus rasgos físicos e incluye un dato falso. Luego dáselo a tu compañero(a). Él o ella tiene que encontrar el dato falso.

Write a paragraph about your physical traits, including one false statement. Your partner should identify the false information.

38 **El mejor presidente**

▶ **Escribe** la lista de rasgos de personalidad que debe tener un buen presidente del curso.

Write a list of the personality traits that a good class president should have.

 ▶ **Compara** tu lista con tu compañero(a). ¿Son similares? ¿Quién de ustedes piensa que puede ser mejor presidente del curso?

Compare your list with a partner. Are they similar? Which of you would make a better class president?

Modelo   A. *Un buen presidente del curso tiene que ser estudioso y trabajador.*
   B. *Sí. Y también tiene que ser espontáneo.*

EL PRESIDENTE DEL CURSO

estudioso

trabajador

...

39 «10 preguntas»

 ▶ **Juega** con tu compañero(a). Escribe el nombre de una persona famosa. Él o ella tiene que adivinar *(must guess)* la identidad de esa persona.

Modelo   A. *¿Es un hombre o una mujer?*
B. *Es un hombre.*
A. *¿Es joven o viejo?*
B. *Es joven.*

Final del desafío

RITA: ¿Crees que este músico es Marcos Esteban?
DIANA: No, Marcos Esteban tiene barba y bigote.

DIANA: Este músico es moreno y tiene barba y bigote.
RITA: Sí, pero no lleva gafas. Además es muy serio, y Marcos Esteban es espontáneo y gracioso.
DIANA: Sí, es cierto. Y él no tiene nuestro regalo.

40 ¿Quién es Marcos Esteban?

▶ **Decide.** Usando las descripciones de la fotonovela y del final del desafío, decide cuál de los músicos es Marcos Esteban.

 Visita la página web. Escucha las preguntas de tu *Minientrevista Desafío 2* y escribe las respuestas.

La mujer más alta de León

Tess and Patricia are in León, on the Pacific coast of Nicaragua. In a city of over 100,000 people, they must find the tallest woman and dress like her!

Estoy emocionada. León es una ciudad maravillosa.

Sí, es una ciudad muy importante.

Estas mujeres no son muy altas.

Es cierto. Pero allí hay una mujer más alta que estas.

¿Tú crees que es ella?

No, tiene que ser una mujer altísima.

Estoy muy frustrada. ¿Qué podemos hacer?

Tranquila, Tess. Vamos a encontrarla.

¡Mira ese cartel!

CONCURSO ANUAL DE GIGANTONAS DE LA CIUDAD DE LEÓN

41 **Detective de palabras**

▶ **Completa** estas oraciones.

1. León es una ciudad ___muy___ __1__ .

2. Estas mujeres no son __2__ __3__ .

3. Allí hay una mujer __4__ __5__ que estas.

4. Tiene que ser una mujer __6__ .

5. Tess está __7__ __8__ .

Continuará...

42 **¿Comprendes?**

▶ **Responde** a estas preguntas.

1. ¿Dónde están Tess y Patricia?
2. ¿Cómo es la mujer que buscan?

3. ¿Por qué crees que Tess está frustrada?
4. ¿Qué piensas que es una *gigantona*?

43 **Comparaciones**

▶ **Escucha** la descripción de Tess y Patricia y completa una tabla como esta.

	Tess	Patricia
¿Quién es más rubia?	✓	
¿Quién es más alta?		
¿Quién está más contenta?		
¿Quién está más frustrada?		
¿Quién está más nerviosa?		

CULTURA

La gigantona y el enano cabezón

La gigantona y el enano cabezón son dos personajes típicos del folclore nicaragüense. Los dos personajes intervienen en muchas fiestas populares.

La gigantona es un muñeco de tres metros de altura. Representa a una mujer española y lleva vestidos y joyas (*jewelry*) antiguos. El enano cabezón acompaña a la gigantona. Es bajo e inteligente y canta canciones criticando los problemas sociales. El enano cabezón representa al indígena. Los dos personajes bailan por las calles y alegran las fiestas.

En León hay todos los años un concurso (*contest*) para premiar las mejores figuras callejeras (*street puppets*).

44 **Compara.** ¿Conoces alguna otra fiesta en tu país o en otro lugar con figuras callejeras? ¿Qué representan?

 **TU DESAFÍO**   Visita la página web para aprender más sobre los personajes del folclore nicaragüense.

Vocabulario

Estados de ánimo y sentimientos

Está tranquila

Está nervioso

Están enamorados

Está celoso

Está confundida

Están sorprendidos

Está furiosa

aburrido(a)   contento(a)   emocionado(a)   enojado(a)   frustrado(a)   triste

45 **Estados de ánimo**

▶ **Representa** dos estados de ánimo *(emotions)*. Tus compañeros(as) tienen que adivinar *(must guess)* cómo te sientes.

46 **¿Cómo están hoy?**

▶ **Escucha** los diálogos. ¿Cómo se sienten los amigos de Tess? ¿Por qué?

Modelo   Samantha → *Samantha está triste porque su gato está enfermo.*

1. Nico   2. Ana   3. Luis   4. María

47 **Emociones**

▶ **Escribe** ¿Cómo están estas personas?

Modelo   1. *Los chicos están tristes y frustrados.*

48 **¿Cómo estás?**

▶ **Dibuja** dos emoticonos para representar emociones y habla con tu compañero(a).
Draw two emoticons (smileys) to represent emotions.
Then, talk to your partner.

Modelo   A. *¿Cómo estás? (shows enojado icon)*
         B. *Estoy enojada.*

CULTURA

Popol Vuh

Los mayas crearon muchas leyendas sobre el mundo, la naturaleza y los dioses. Estas leyendas están recogidas en un libro muy antiguo: el *Popol Vuh*.

Según los mayas, los dioses crearon primero hombres de barro (*mud*) y después hombres de madera (*wood*). Por fin crearon hombres de maíz (*corn*), el alimento principal de los mayas, y les dieron sentimientos.

49 **Compara.** ¿Conoces otras teorías sobre el origen del mundo? Compara y contrasta esas ideas con las de los mayas.

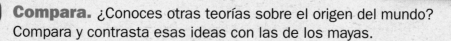

Gramática

Las comparaciones y el superlativo

Las comparaciones

- Things and people may be compared with respect to their characteristics and feelings.

- To express equality, use:

tan + adjective + como	as ... as

Pedro está **tan** aburrido **como** Luis.

verb + tanto como	... as much as ...

Yo estudio **tanto como** tú.

- To express inequality, use:

más / menos + adjective + que	more/less ... than

Antonia está **más** triste **que** Lola.
Ellos discuten **más que** nosotros.

verb + más que / menos que	... more/less than

Roberto está **menos** contento **que** Carlos.
Elena habla **menos que** yo.

El superlativo

- The superlative is used to express an extreme degree of an adjective.

- When the adjective ends in a consonant, add -ísimo, -ísima, -ísimos, -ísimas to form the superlative.

  popular + ísimo· Carlos es popular**ísimo**.

- If the adjective ends in a vowel, drop the vowel before adding the superlative ending.

  trist**e** + ísimo Pablo está trist**ísimo**.

- You can also use adverbs like muy before the adjective to express the same idea.
  Estamos **muy** tristes.

50 **Compara.** En español algunos adjetivos tienen formas de comparación irregulares, como mejor y peor. ¿Qué adjetivos tienen en inglés formas de comparación irregulares?

51 **Muy cansadas**

▶ **Escucha** a Tess y Patricia, y completa el diálogo.

PATRICIA: Tú estás ___1___ cansada ___2___ yo.

TESS: No, mamá. Yo estoy ___3___ cansada ___4___ tú.

PATRICIA: ¡Las dos estamos ___5___!

52 ¿Más o menos?

▶ **Escribe** oraciones comparando el estado de ánimo de los personajes.

Modelo   1. *Patricia está más cansada que Tess.*

1. Patricia - (+ cansada) - Tess
2. Diana - (− tranquila) - Rita
3. Janet - (− contenta) - Diana
4. Andy - (+ aburrido) - Janet
5. Tim - (= emocionado) - Mack
6. Patricia - (= sorprendida) - Andy

53 ¿Quién es?

▶ **Escribe** oraciones sobre los personajes. Utiliza el superlativo. Tu compañero(a) tiene que adivinar *(must guess)* a quién te refieres.

Modelo   A. *Está contentísima.*
             B. *¿Es Belén?*

| Julieta | Diego | Alberto | Belén | Martín |

CONEXIONES: LITERATURA

Rubén Darío

Uno de los principales poetas en español es el nicaragüense Rubén Darío (1867–1916). A Darío le llaman «el padre del Modernismo» porque fue uno de los máximos representantes de este movimiento literario.

A los poetas modernistas les gusta describir los estados de ánimo, los sentimientos y el amor.

Sonatina

La princesa está triste... ¿Qué tendrá la princesa?
Los suspiros se escapan de su boca de fresa,
que ha perdido la risa, que ha perdido el color.
[...]
La princesa no ríe, la princesa no siente;
la princesa persigue por el cielo de Oriente
la libélula vaga de una vaga ilusión.

RUBÉN DARÍO

54 **Piensa y explica.** ¿Puede un poema afectar a tu estado de ánimo o solo lo puede describir?

 → **TU DESAFÍO**   Visita la página web para leer un poema de Rubén Darío. ¿Qué sentimientos describe?

Comunicación

55 **El día de Tess**

▶ **Escucha** y decide. ¿Cómo se siente hoy Tess?

| cansada | contenta | aburrida | enferma | triste |

56 **¿Cómo estamos?**

▶ **Completa** esta encuesta *(survey)* sobre tu estado de ánimo.

¿Cómo te sientes hoy?

cansado	0	1	2	3
contento	0	1	2	3
celoso	0	1	2	3
furioso	0	1	2	3
confundido	0	1	2	3
tranquilo	0	1	2	3

0 = nada
1 = un poco
2 = bastante
3 = mucho

▶ **Pregunta** a tus compañeros(as) cómo se sienten hoy. Toma nota de sus respuestas.

Modelo

¿Estás cansado hoy, Juan?

Sí, bastante.

▶ **Escribe** seis comparaciones entre tu estado de ánimo y el de tus compañeros(as).

Modelo   *Hoy yo estoy más cansado que Amy y Marta,*
pero estoy menos cansado que Juan.

57 **Diálogos**

▶ **Escribe** diálogos con tu compañero(a) expresando los siguientes estados de ánimo.

1. frustradísimo(a)
2. nerviosísimo(a)
3. tranquilísimo(a)
4. aburridísimo(a)
5. tristísimo(a)
6. cansadísimo(a)

▶ **Representa** dos de tus diálogos con tu compañero(a).

—¿Qué te pasa?

—Estoy aburridísimo.

—¿Por qué? ¿No te gusta la película?

—No, no me gustan nada las películas de amor.

58 El mensaje de correo de Tess

▶ **Lee** los mensajes de correo de Tess y su amiga Lucía. Decide si las siguientes oraciones son ciertas o falsas.

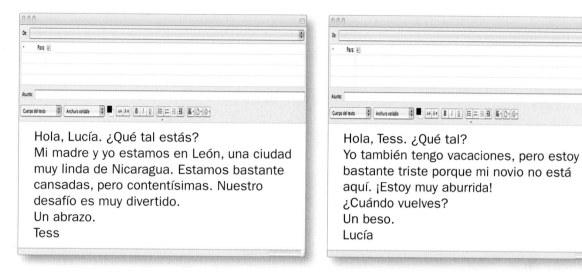

Hola, Lucía. ¿Qué tal estás?
Mi madre y yo estamos en León, una ciudad muy linda de Nicaragua. Estamos bastante cansadas, pero contentísimas. Nuestro desafío es muy divertido.
Un abrazo.
Tess

Hola, Tess. ¿Qué tal?
Yo también tengo vacaciones, pero estoy bastante triste porque mi novio no está aquí. ¡Estoy muy aburrida!
¿Cuándo vuelves?
Un beso.
Lucía

1. Tess está más cansada que Lucía.
2. Lucía está tan contenta como Tess.
3. Tess está más aburrida que Lucía.
4. Lucía está menos triste que Tess.

Final del desafío

59 Muchas gigantonas

▶ **Escribe** el diálogo entre Tess y Patricia. Luego represéntalo con tu compañero(a).

Un viaje arbóreo

Tim and Mack are at the *Parque Nacional Rincón de la Vieja*, in the Costa Rican rainforest. They must put on a harness and glide through the top of the jungle attached to a cable. But first, they must register.

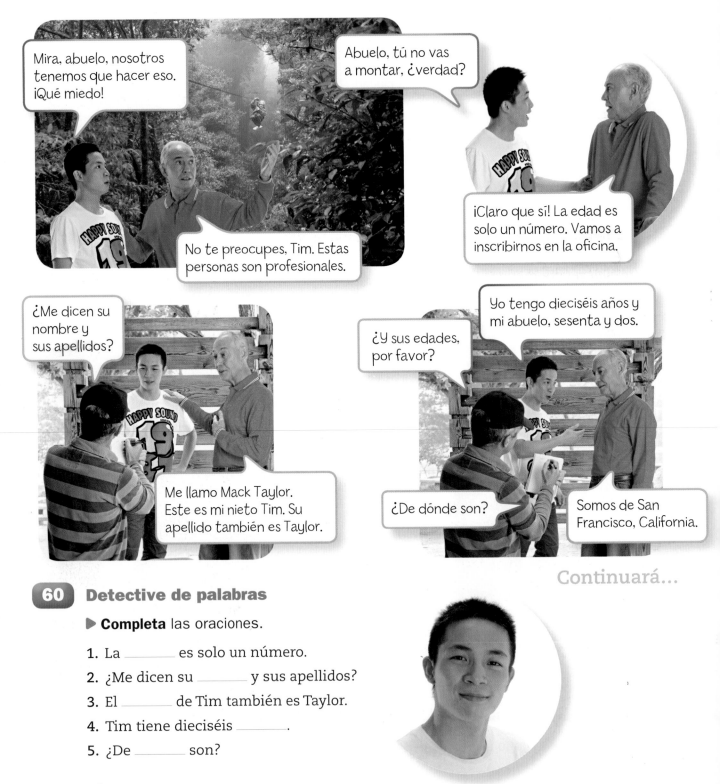

Mira, abuelo, nosotros tenemos que hacer eso. ¡Qué miedo!

Abuelo, tú no vas a montar, ¿verdad?

No te preocupes, Tim. Estas personas son profesionales.

¡Claro que sí! La edad es solo un número. Vamos a inscribirnos en la oficina.

¿Me dicen su nombre y sus apellidos?

Yo tengo dieciséis años y mi abuelo, sesenta y dos.

¿Y sus edades, por favor?

Me llamo Mack Taylor. Este es mi nieto Tim. Su apellido también es Taylor.

¿De dónde son?

Somos de San Francisco, California.

Continuará...

60 **Detective de palabras**

▶ **Completa** las oraciones.

1. La _____ es solo un número.

2. ¿Me dicen su _____ y sus apellidos?

3. El _____ de Tim también es Taylor.

4. Tim tiene dieciséis _____ .

5. ¿De _____ son?

61 En una oficina

▶ **Escucha** el diálogo entre Mack y un oficinista. Selecciona cuáles de estos datos le pide.

Listen to the dialogue and select the information that they need to provide.

Nombre	Fecha de nacimiento
Apellidos	Edad
Domicilio	Lugar de nacimiento

▶ **Escucha** otra vez y escribe la información que da Mack.

▶ **Escribe** tu propia información para los datos que pide la agencia.

Modelo   *Nombre: Me llamo Carla.*

62 Planes de viaje

▶ **Habla** con tu compañero(a) para planear *(to plan)* un viaje. Hazle preguntas sobre los detalles del viaje con estos interrogativos.

¿Quién?   ¿Qué?   ¿Dónde?   ¿Cuándo?   ¿Cómo?

Modelo   *¿Quién va con nosotros?*

CONEXIONES: CIENCIAS

Rincón de la Vieja

En Costa Rica hay muchos parques naturales. Uno de ellos es el Parque Nacional Rincón de la Vieja, en el norte del país. Este parque es un gran destino para practicar el ecoturismo. Allí hay selva, volcanes, ríos, lagos y aguas termales *(hot springs)*.

La mejor forma de admirar la gran variedad de plantas y animales es a caballo o montando en tirolina *(zip line)*.

63 **Compara.** ¿Conoces algún lugar en tu país para hacer ecoturismo? ¿Cuáles son las ventajas *(advantages)* y desventajas *(disadvantages)* del ecoturismo?

Vocabulario

Información personal

¿Cómo te llamas?

Me llamo Peter Wolcott.

¿De dónde eres?

Soy de los Estados Unidos.

¿Cuál es tu fecha de nacimiento?

El cuatro de mayo de 1995.

¿Dónde vives ahora?

Vivo en la calle Zola, número 35.

¿Cuál es tu número de pasaporte o de identidad?

El 1367890.

HOJA DE INSCRIPCIÓN

NOMBRE: Peter

APELLIDOS: Wolcott

FECHA DE NACIMIENTO: 4/5/95

LUGAR DE NACIMIENTO: Estados Unidos

DOMICILIO ACTUAL: c/ Zola, 35. San José

ESTADO CIVIL: soltero

N.º DE IDENTIDAD

O PASAPORTE: 1367890

---

64 **Datos personales**

▶ **Une** la información con la pregunta correspondiente.

Ⓐ

1. Domicilio actual
2. Nombre
3. Lugar de origen
4. Número de pasaporte
5. Fecha de nacimiento

Ⓑ

a. ¿Cómo te llamas?
b. ¿Cuál es tu número de pasaporte?
c. ¿De dónde eres?
d. ¿Cuándo es tu cumpleaños?
e. ¿Dónde vives ahora?

▶ **Completa** una hoja de inscripción con tus datos.

65 **Una hoja de inscripción**

▶ **Completa** los datos de la hoja de inscripción *(registration form)* con la información de Carlos.

Yo me llamo Carlos Sánchez Mora. Vivo en la calle 32 en San José, pero soy de Puerto Limón (Costa Rica).

HOJA DE INSCRIPCIÓN

Nombre:

Apellidos:

Domicilio:

Lugar de nacimiento:

66 **Preguntas y respuestas**

▶ **Escribe** la pregunta apropiada para pedir los siguientes datos.

1. Nombre
2. Apellidos
3. Domicilio
4. Lugar de nacimiento
5. Fecha de nacimiento

▶ **Pregunta** a dos compañeros(as) para obtener *(to obtain)* información.

Modelo   1. Nombre: *¿Cómo te llamas?*

CULTURA

Los apellidos

En los países hispanos se usan dos apellidos. Normalmente el primer apellido es el apellido del padre y el segundo es el apellido de la madre. En general, las mujeres no cambian su apellido cuando se casan.

Ejemplo: Carlos   López   Sánchez
                          (apellido   (apellido
                          del padre)   de la madre)

67   **Piensa.** Imagina que vives en un país hispano. ¿Cuáles serían tus apellidos?

Gramática

Los interrogativos

Hacer preguntas

- Interrogatives are words that are used to ask questions. Normally, interrogatives go at the beginning of a sentence.

    ¿**Cómo** te llamas?   ¿**Dónde** vives?

PRINCIPALES INTERROGATIVOS

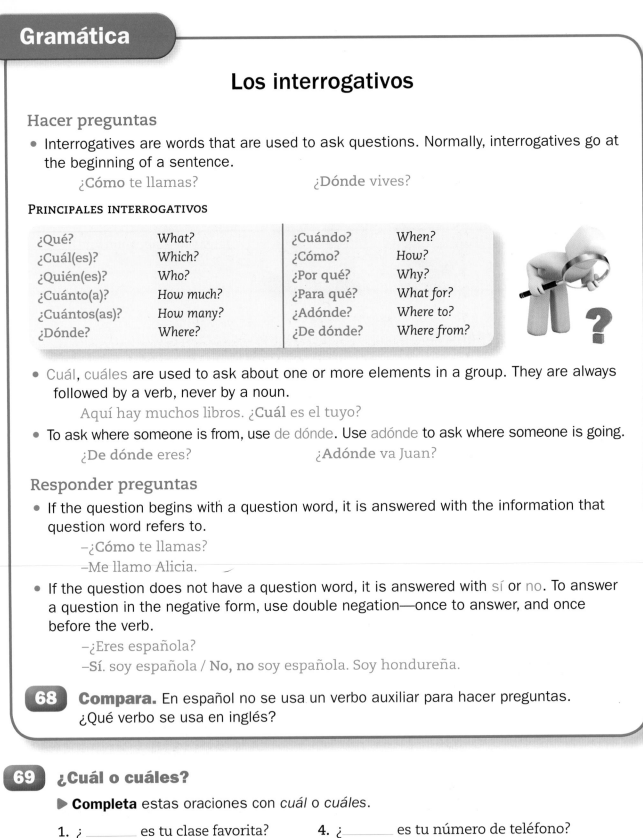

¿Qué?	What?	¿Cuándo?	When?
¿Cuál(es)?	Which?	¿Cómo?	How?
¿Quién(es)?	Who?	¿Por qué?	Why?
¿Cuánto(a)?	How much?	¿Para qué?	What for?
¿Cuántos(as)?	How many?	¿Adónde?	Where to?
¿Dónde?	Where?	¿De dónde?	Where from?

- Cuál, cuáles are used to ask about one or more elements in a group. They are always followed by a verb, never by a noun.

    Aquí hay muchos libros. ¿**Cuál** es el tuyo?

- To ask where someone is from, use de dónde. Use adónde to ask where someone is going.

    ¿**De dónde** eres?   ¿**Adónde** va Juan?

Responder preguntas

- If the question begins with a question word, it is answered with the information that question word refers to.

    –¿**Cómo** te llamas?
    –Me llamo Alicia.

- If the question does not have a question word, it is answered with sí or no. To answer a question in the negative form, use double negation—once to answer, and once before the verb.

    –¿Eres española?
    –**Sí**. soy española / **No, no** soy española. Soy hondureña.

68 **Compara.** En español no se usa un verbo auxiliar para hacer preguntas. ¿Qué verbo se usa en inglés?

69 **¿Cuál o cuáles?**

▶ **Completa** estas oraciones con *cuál* o *cuáles*.

1. ¿_____ es tu clase favorita?

2. ¿_____ son tus mejores amigos?

3. ¿_____ es tu país de origen?

4. ¿_____ es tu número de teléfono?

5. ¿_____ son los libros para la clase de Español?

6. ¿_____ son tus profesores?

70 **Preguntas y respuestas**

▶ **Escucha** las respuestas y ordena las preguntas que le hace Tim a su amiga.

A ¿Dónde vives?

B ¿De dónde eres?

C ¿Cómo te llamas?

D ¿Qué estudias?

71 **Interrogaciones**

▶ **Completa** estas oraciones con un interrogativo. Hay varias respuestas posibles.

1. ¿_____ es la profesora de Español?

2. ¿_____ es tu clase favorita?

3. ¿_____ vives?

4. ¿_____ lenguas hablas?

72 **Formas negativas**

▶ **Responde** a estas preguntas en forma negativa.

Modelo   ¿Estudias español?
   → *No, no estudio español.*

1. ¿Vives en El Salvador?

2. ¿Eres de Costa Rica?

3. ¿Te llamas Pedro?

4. ¿Tienes hermanos?

5. ¿Estás casado?

6. ¿Eres perezoso?

73 **Una entrevista importante**

▶ **Escribe** seis preguntas para entrevistar *(to interview)* a un personaje importante.

Modelo   *¿Cuál es tu película favorita?*

▶ **Responde** a las preguntas de tu compañero(a). Imagina que eres ese personaje importante.

Comunicación

74 **Una entrevista por televisión**

▶ **Escucha** la entrevista de la televisión local a Mack y decide si responde de forma afirmativa o negativa a estas preguntas.

1. ¿Es la primera vez que viene usted a Costa Rica?
2. ¿Le gusta Costa Rica?
3. Ustedes están aquí para completar un desafío para Fans del español, ¿no es cierto?
4. ¿Es un desafío difícil?
5. ¿No tiene usted miedo?
6. ¿Participa su nieto también en el desafío?

75 **Presentaciones**

▶ **Escribe** las preguntas que corresponden a la información de Sara y Alberto, dos amigos de Mack y Tim.

Modelo 1. *¿Cómo te llamas?*

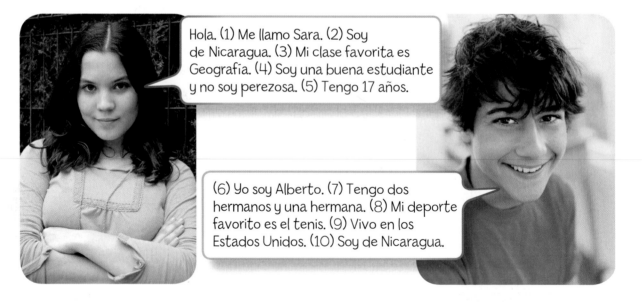

Hola. (1) Me llamo Sara. (2) Soy de Nicaragua. (3) Mi clase favorita es Geografía. (4) Soy una buena estudiante y no soy perezosa. (5) Tengo 17 años.

(6) Yo soy Alberto. (7) Tengo dos hermanos y una hermana. (8) Mi deporte favorito es el tenis. (9) Vivo en los Estados Unidos. (10) Soy de Nicaragua.

76 **Una historia**

▶ **Haz** un diagrama sobre una historia real o ficticia para organizar tus ideas. Después, utilízalo para contar la historia a tu compañero(a).

Make a story map for a story you know or have made up. Use question words to organize your thoughts. Then, tell the story to your classmates.

¿Dónde?
¿Cómo? ¿Quién es? ¿Por qué?
¿Qué? ¿Cuándo?

77 Personajes

▶ **Busca** información sobre un personaje famoso y prepara una presentación. Incluye *(include)* estos datos: nombre y apellidos, lugar de origen, edad, descripción física y características personales.

▶ **Prepara** algunas preguntas sobre los personajes de las presentaciones de tus compañeros(as).

Modelo   *¿Qué lenguas habla?*

Final del desafío

¿Están listos?

¡Sí! ¿___1___ distancia hay desde aquí hasta el final?

¿___2___ termina el Zip Tour?

¡¡¡Aaaaahhhhh!!!

¡Qué maravilla! ¿___3___ cuesta repetir?

¿Repetir? Huy, no. ¿___4___ está la salida?

78 ¿Qué pasa en la historia?

▶ **Completa** el diálogo con las palabras que faltan *(missing words)*. Después, represéntalo con tus compañeros(as).

 **TU DESAFÍO**   Visita la página web. Escucha las preguntas de tu *Minientrevista Desafío 4* y escribe las respuestas.

ESCUCHAR

79 ¿Quién habla?

▶ **Escucha** las descripciones y relaciona cada una con la ilustración correspondiente.

LEER

80 **Todo sobre Paula**

▶ **Lee** el mensaje de Tess sobre su amiga Paula y completa una tabla como esta.

Mi amiga Paula

Paula vive en Honduras. Tiene 16 años y estudia en la escuela secundaria. Es morena, lleva gafas y mide 1,68 metros. Es muy trabajadora y muy simpática. Tiene muchos amigos. Paula no tiene hermanos, pero tiene una prima de 15 años. Ellas se llevan muy bien. Paula está muy contenta hoy porque... ¡está de vacaciones!

Información personal	Características físicas	Personalidad	Relaciones familiares	Estado de ánimo

LEER Y ESCRIBIR

81 **Te presento a mi familia**

▶ **Lee** la carta *(letter)* de Marisol y decide si las afirmaciones son ciertas o falsas.

> *¡Hola! Soy Marisol, la amiga de Tess.*
>
> *Tengo tres hermanos. Mi hermana mayor está casada. Ella y su esposo tienen un bebé. Es una niña preciosa, se llama Lucía. Mi hermano Pepe está soltero, pero tiene novia. Ella se llama Patricia. Es un poco tímida, pero muy inteligente, más inteligente que él. Y mi hermana pequeña, Eva, es muy graciosa. Mis padres se llaman Javier y Telma.*
>
> *A mis hermanos les gusta jugar al voleibol. A mí también me gusta, pero ellos son mejores que yo y siempre ganan.*
>
> *Hoy estoy muy emocionada. Mi familia y yo estamos de vacaciones en la playa. Es muy divertido porque somos una familia muy grande y todos nos llevamos bien. También están con nosotros mis abuelos. Son mayores, pero los dos son fuertes y están sanos. Y mañana viene mi tío Julio. Es mi padrino. Es más serio que mi papá, pero me llevo muy bien con él.*
>
> *¿Qué haces tú en tus vacaciones? ¿También estás con tu familia? Escríbeme. Hasta pronto.*
>
> *Marisol*

1. La sobrina de Marisol se llama Lucía.
2. Patricia no es tan inteligente como Pepe.
3. Marisol juega mejor al voleibol que sus hermanos.
4. Hoy Marisol no está contenta.
5. El padrino de Marisol es más serio que su padre.
6. Marisol se lleva bien con su familia.

▶ **Escribe** una postal a Marisol.

HABLAR

82 **Presentaciones**

▶ **Habla** con tu compañero(a) de la información que necesitan para crear un perfil *online*. Después, intercambia información para crear un perfil ficticio.

With a classmate, exchange information to create a fictitious profile online for each other.

Modelo   A. ¿Cuál es tu nombre?
           B. Mi nombre es Anita Márquez.
           A. ¿De dónde eres?
           B. Soy de Nicaragua.

Anita Márquez

Nacionalidad: nicaragüense

Edad: 16

Dirección:

Estado civil:

Personalidad:

Actividad favorita:

El encuentro

En el Palacio Nacional de Cultura

The pairs meet in front of the National Palace of Culture in Managua. The four pairs have all completed their tasks, and they have written poems to document their experience.

Hola, chicos. ¿Qué tal? ¿Completaron sus desafíos?

«Andy busca y busca al gigante...

... y Janet le dice que está delante».

«Marcos siempre está contento...

... porque sabe tocar un instrumento».

«Como las famosas gigantonas de León...

... nos vemos bonitas ¡y medimos un montón!»

«Mack es mi nombre, Taylor mi apellido...

... mi abuelo y yo somos muy atrevidos.»

83 Al llegar

▶ **Escribe** un resumen (summary) sobre el desafío de una pareja. Incluye esta información.

- Quiénes son y qué relación hay entre ellos.

> Los personajes son Andy y Janet. Son hermanos y se llevan muy bien.

- Cómo son (aspecto físico y personalidad).

> Andy es alto y atlético. Es calvo y...

- Dónde están y qué tienen que hacer allí.

> Están en San Pedro de Atitlán, un pequeño pueblo de Guatemala. Allí tienen que encontrar...

- Cómo se sienten.

> Janet está emocionada porque...

- Cómo resuelven su desafío.

> Andy no ve el gigante, pero Janet mira la fotografía de la montaña y entonces...

84 Las votaciones

▶ **Lee** los poemas de los personajes en la página 68. ¿Cuál te gusta más? ¿Por qué?

▶ **Escribe** tu propio poema. Estas preguntas te pueden ayudar.
Write your own poem. The following questions may serve as a guide.

1. ¿Quién eres? ¿Cómo eres?
2. ¿Cómo te sientes? ¿Por qué?
3. ¿Quiénes son tus familiares? ¿Y tus amigos(as)?
4. ¿Cómo están ellos(as)?

▶ **Lee** el poema de tu compañero(a) y ayúdale a escribir dos líneas más.
Read your classmate's poem. Help him or her to add two more lines to his or her poem.

> Un poema debe tener rima (rhyme) al final de los versos.

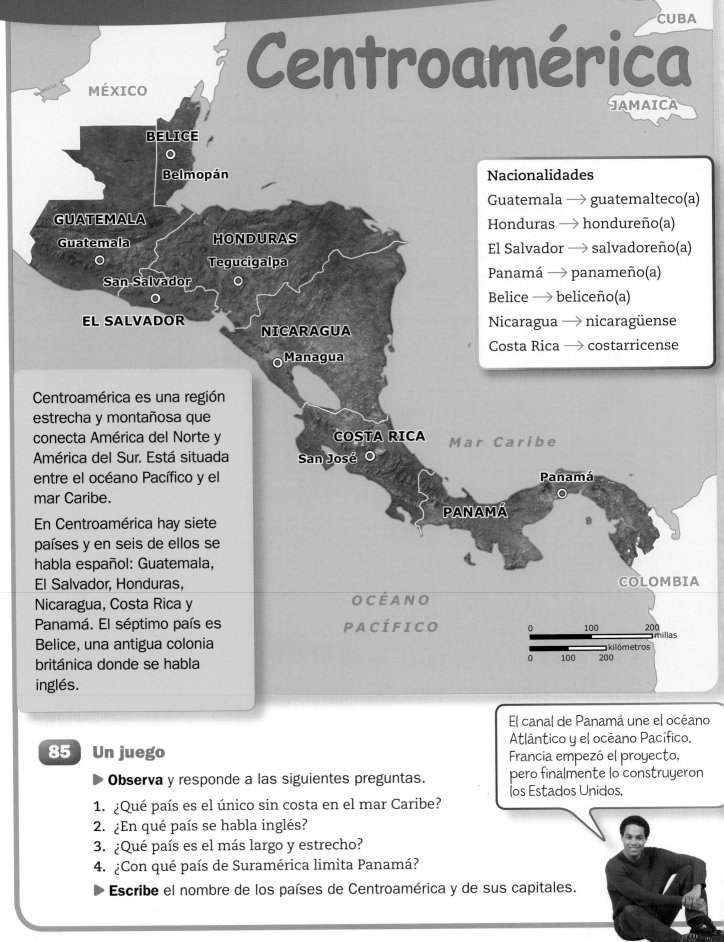

Centroamérica

CUBA

JAMAICA

MÉXICO

BELICE
○ Belmopán

GUATEMALA
Guatemala ○

HONDURAS
Tegucigalpa ○

San Salvador ○

EL SALVADOR

NICARAGUA
○ Managua

COSTA RICA
San José ○

Mar Caribe

Panamá ○

PANAMÁ

COLOMBIA

OCÉANO
PACÍFICO

Nacionalidades

Guatemala ⟶ guatemalteco(a)

Honduras ⟶ hondureño(a)

El Salvador ⟶ salvadoreño(a)

Panamá ⟶ panameño(a)

Belice ⟶ beliceño(a)

Nicaragua ⟶ nicaragüense

Costa Rica ⟶ costarricense

Centroamérica es una región estrecha y montañosa que conecta América del Norte y América del Sur. Está situada entre el océano Pacífico y el mar Caribe.

En Centroamérica hay siete países y en seis de ellos se habla español: Guatemala, El Salvador, Honduras, Nicaragua, Costa Rica y Panamá. El séptimo país es Belice, una antigua colonia británica donde se habla inglés.

0   100   200
millas
kilómetros
0   100   200

El canal de Panamá une el océano Atlántico y el océano Pacífico. Francia empezó el proyecto, pero finalmente lo construyeron los Estados Unidos.

85 Un juego

▶ **Observa** y responde a las siguientes preguntas.

1. ¿Qué país es el único sin costa en el mar Caribe?
2. ¿En qué país se habla inglés?
3. ¿Qué país es el más largo y estrecho?
4. ¿Con qué país de Suramérica limita Panamá?

▶ **Escribe** el nombre de los países de Centroamérica y de sus capitales.

1. Mestizaje y cultura

La palabra *mestizaje* se refiere a la mezcla o fusión de razas. Centroamérica es una región con mezcla de indígenas, europeos y africanos. Algunos grupos étnicos que proceden de esta fusión son los *garífunas* (Guatemala y Honduras) y los *misquitos* (Nicaragua y Honduras).

El mestizaje tiene una importante influencia en la cultura de Centroamérica. Los ritmos africanos, por ejemplo, son la base de la música y las danzas populares centroamericanas. Entre los instrumentos musicales, los tambores y la marimba (muy popular en Guatemala) son también de origen africano; la guitarra, el violín y el acordeón proceden de Europa; y las flautas de caña tienen origen indígena.

(1) Músicos tocando la marimba.

2. Riqueza natural

Guatemala significa en lengua náhuatl «tierra de muchos árboles». Realmente, esa descripción es común a toda Centroamérica. Se trata de un territorio montañoso, atravesado por la Cordillera Centroamericana, donde abundan los grandes ríos, los lagos, los volcanes y la vegetación. Además, hay selvas y manglares propios del clima tropical.

En estos entornos la fauna y la flora son muy ricas. En Costa Rica, por ejemplo, viven 91.000 especies de animales y de plantas, el 4,5 % de las que hay en todo el mundo. A causa de esta riqueza, varias zonas de Centroamérica están declaradas Reserva de la Biosfera.

(2) Volcán de Santa Ana (El Salvador).

86 **Centroamérica: rica en cultura y naturaleza**

▶ **Investiga y escribe.** Busca información sobre una de estas cuestiones (*topics*).

- Influencia del mestizaje en la cocina de Centroamérica.
- Influencia del mestizaje en la ropa de Centroamérica.
- Los volcanes activos de Centroamérica.
- Reservas de la Biosfera en Centroamérica.

Ruinas mayas de Copán (Honduras).

El blog de Ichxel

Desde un rincón de Centroamérica

PUBLICADO POR ICHXEL REYES 28/10/2011

Mi familia es maya

Me llamo Ichxel, como la diosa maya de la Luna. Tengo dieciséis años y soy de Honduras. ¿Conoces mi país? Es una tierra muy rica por su naturaleza y su cultura. Tiene playas muy lindas, montañas, volcanes, bosques tropicales y paisajes maravillosos. ¡Y su gente es amable y generosa!

Mi familia y yo vivimos en Tegucigalpa, la capital. Mis hermanos se llaman Balam y Zak. Sus nombres también son mayas porque mi familia es maya. Nuestra cultura es muy antigua y está muy extendida. Hoy somos casi siete millones de mayas en Centroamérica y México.

Mis abuelos viven en Santa Rosa de Copán, cerca de las ruinas mayas de Copán. Mi abuela siempre lleva ropa tradicional. Mi abuelo nos cuenta las tradiciones de los mayas. ¡Qué interesante! Para los mayas el hombre viene del maíz; por eso el maíz es un alimento sagrado.

¡A mí me gustan mucho las historias de los dioses mayas! ¡Y me gusta mucho el maíz!

COMENTARIOS (0)   ENVIAR UN COMENTARIO

READING STRATEGY
Identify the global idea of a text

When you read a text it is important to understand ideas instead of isolated words. Using **familiar words** and identifying **cognates** helps you understand the global idea of the text. **Titles**, **visuals**, and **text structure** will also help you understand the main idea. Likewise, it is important to recall **what you know** about the topic and your personal experiences.

ESTRATEGIA Identificar la idea global de un texto

87 **De las palabras a las ideas**

▶ **Completa** una tabla como esta con palabras del texto.

Words I know	Words I can decipher

88 **La estructura del texto**

▶ **Copia** este gráfico con el esquema del texto y complétalo con las ideas del cuadro.

Párrafo 1 → Yo soy de Honduras. →

Párrafo 2 → Mi familia es maya. →

Párrafo 3 → Mis abuelos mantienen las tradiciones mayas. →

- Las mujeres llevan ropa tradicional.
- Honduras es un país muy rico por su naturaleza y su cultura.
- Hoy hay mayas en Centroamérica y México.
- La cultura maya es muy antigua.
- El maíz es un alimento sagrado.
- La gente hondureña es amable y generosa.

89 **La idea global**

▶ **Elige.** ¿Cuál es la idea global del texto?
a. La gente de Honduras es muy amable.
b. Honduras tiene un paisaje maravilloso.
c. La cultura maya está muy extendida.
d. Ichxel tiene mucha familia.

COMPRENSIÓN

90 **El blog de Ichxel**

▶ **Responde** a las siguientes preguntas.
1. ¿Cómo se llama la diosa maya de la Luna?
2. ¿Por qué es sagrado el maíz para los mayas?
3. ¿Dónde viven los mayas hoy?
4. ¿Dónde hay ruinas mayas?

→ TU DESAFÍO Visita la página web para aprender más sobre los mayas.

Relaciones familiares y personales

La familia

el padre	*father*
la madre	*mother*
los padres	*parents*
el hijo	*son*
la hija	*daughter*
los hijos	*children*
el hermano	*brother*
la hermana	*sister*
los hermanos	*siblings*
el abuelo	*grandfather*
la abuela	*grandmother*
los abuelos	*grandparents*
el nieto	*grandson*
la nieta	*granddaughter*
el tío	*uncle*
la tía	*aunt*
el sobrino	*nephew*
la sobrina	*niece*
el/la primo(a)	*cousin*
el padrino	*godfather*
la madrina	*godmother*
el/la bebé	*baby*

Estado civil

estar soltero(a)	*to be single*
estar casado(a)	*to be married*
el esposo	*husband*
la esposa	*wife*

Relaciones personales

discutir	*to argue*
llevarse bien	*to get along well*
llevarse mal	*to get along badly*

Características físicas

Aspecto

alto(a)	*tall*
bajo(a)	*short*
calvo(a)	*bald*
delgado(a)	*thin*
fuerte	*strong*
gordo(a)	*fat*
llevar gafas	*to wear glasses*
tener barba	*to have a beard*
tener bigote	*to have a moustache*
medir	*to measure*
pesar	*to weigh*

Color de pelo

moreno(a)	*brunet(te)*
pelirrojo(a)	*red-haired*
rubio(a)	*blond(e)*

Rasgos de personalidad

trabajador(a)	*hard-working*	creativo(a)	*creative*
perezoso(a)	*lazy*	espontáneo(a)	*spontaneous*
generoso(a)	*generous*	estudioso(a)	*studious*
tacaño(a)	*stingy*	inteligente	*intelligent*
serio(a)	*serious*	sincero(a)	*sincere*
gracioso(a)	*funny*	tímido(a)	*shy*
optimista	*optimistic*		
pesimista	*pessimistic*		
paciente	*patient*		
impaciente	*impatient*		

Estados de ánimo y sentimientos

aburrido(a)	*bored*
celoso(a)	*jealous*
confundido(a)	*confused*
contento(a)	*happy*
emocionado(a)	*excited*
enamorado(a)	*in love*
enojado(a)	*angry*
frustrado(a)	*frustrated*
furioso(a)	*furious*
nervioso(a)	*nervous*
sorprendido(a)	*surprised*
tranquilo(a)	*calm*
triste	*sad*

Información personal

nombre	*first name*	domicilio actual	*present address*
apellido	*last name*	estado civil	*marital status*
fecha de nacimiento	*date of birth*	número de identidad	*ID number*
lugar de nacimiento	*birthplace*	número de pasaporte	*passport number*

DESAFÍO 1

1 **Mi familia.** Escribe las relaciones familiares de estas personas.

Modelo   Leo y Adam → *Leo es el abuelo de Adam.*

1. Ana y Juan
2. Carla y José
3. Juan y yo
4. Dora y yo
5. Linn y Nina

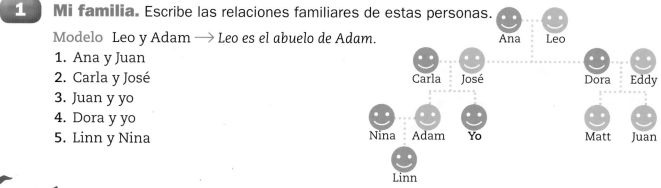

DESAFÍO 2

2 **¿Cómo es?** Decide si estas oraciones son ciertas (C) o falsas (F). Después, corrige las falsas.

1. Pedro es moreno y tiene bigote. Su hijo César es calvo y es muy creativo. Los dos llevan gafas.

2. Ann y Kate estudian juntas. Ann es rubia y Kate es morena. Son muy trabajadoras.

DESAFÍO 3

3 **Detective.** Lee estas oraciones y escribe cómo se siente cada persona.

1. Alberto solo piensa en Valeria y quiere verla todos los días. → *Está enamorado.*
2. Mariana tiene una entrevista de trabajo hoy y no está tranquila.
3. A Laura no le gusta cuando su novio habla con otras chicas.
4. Gabriel no está contento porque su equipo pierde el partido.
5. Elena ve un programa de televisión poco interesante.

DESAFÍO 4

4 **Inscríbete.** Imagina que vas a un viaje con tus compañeros(as). Completa la hoja de inscripción con tus datos.

HOJA DE INSCRIPCIÓN

Nombre: Domicilio actual:
Apellidos: Estado civil:
Fecha de nacimiento: N.º de identidad
Lugar de nacimiento: o pasaporte:

Los posesivos (pág. 38)

ADJETIVOS POSESIVOS

	ANTES del nombre (mi tío)				DESPUÉS del nombre (un tío mío)			
	Singular		Plural		Singular		Plural	
	Masculino	Femenino	Masculino	Femenino	Masculino	Femenino	Masculino	Femenino
my	mi		mis		mío	mía	míos	mías
your (inf.)	tu		tus		tuyo	tuya	tuyos	tuyas
his, her, your	su		sus		suyo	suya	suyos	suyas
our	nuestro	nuestra	nuestros	nuestras	nuestro	nuestra	nuestros	nuestras
your (inf.)	vuestro	vuestra	vuestros	vuestras	vuestro	vuestra	vuestros	vuestras
their, your	su		sus		suyo	suya	suyos	suyas

Possessive pronouns have the same form as the possessive adjectives after the noun.

Los adjetivos y el nombre (pág. 46)

▶ In Spanish, adjectives reflect the gender and number of the noun they refer to.

End in -o: 4 forms	simpático	simpáticos
	simpática	simpáticas
End in -e: 2 forms	inteligente	inteligentes
End in a consonant: usually, 2 forms	débil	débiles

▶ Adjectives that express nationality also have variation of gender and number.

End in -o or in a consonant: 4 forms	español	españoles
	española	españolas
End in -e: 2 forms	canadiense	canadienses

Las comparaciones (pág. 54)

▶ To express equality, use:

tan + adj. + como	*as ... as*
verb + tanto como	*... as much as ...*

▶ To express inequality, use:

más / menos + adj. + que	*more / less ... than*
verb + más / menos que	*... more / less than ...*

El superlativo (pág. 54)

Adjectives ending in a consonant	Add -ísimo, -ísima, -ísimos, -ísimas. popular ⟶ popularísimo
Adjectives ending in a vowel	Drop the vowel and add the superlative ending. triste ⟶ tristísimo

Los interrogativos (pág. 62)

¿Qué?	What?	¿Cuántos(as)?	How many?	¿Por qué?	Why?
¿Cuál(es)?	Which?	¿Dónde?	Where?	¿Para qué?	What for?
¿Quién(es)?	Who?	¿Cuándo?	When?	¿Adónde?	Where to?
¿Cuánto(a)?	How much?	¿Cómo?	How?	¿De dónde?	Where from?

DESAFÍO 1

5 **Alicia y el orden.** Completa el texto con las formas correctas de los posesivos.

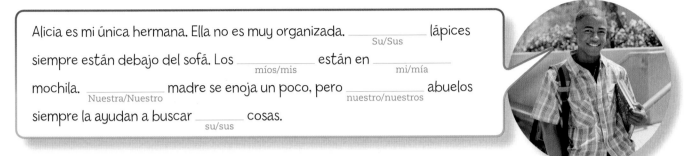

Alicia es mi única hermana. Ella no es muy organizada. _____ lápices
                                                        Su/Sus
siempre están debajo del sofá. Los _____ están en _____
                                    míos/mis   *mi/mía*
mochila. _____ madre se enoja un poco, pero _____ abuelos
         Nuestra/Nuestro   *nuestro/nuestros*
siempre la ayudan a buscar _____ cosas.
                            su/sus

DESAFÍO 2

6 **¡Son iguales!** Completa estas oraciones con el adjetivo correspondiente.

1. Vero es muy paciente. Luis también es muy _____.
2. Braulio y Saúl son generosos. Su hermana también es _____.
3. Cecilia es tacaña. Antonio y su padre también son _____.
4. Nuestro tío es optimista. Mi hermano y yo también somos _____.

DESAFÍO 3

7 **¿Es lógico o no?** ¿Son lógicas estas oraciones? Corrígelas.

1. Juan es altísimo. Él es más bajo que sus compañeros.
2. Glenda es perezosa. Es menos estudiosa que sus hermanas.
3. Amparo y Clara son muy graciosas. Ellas son aburridísimas.
4. A Pablo no le gusta nada el regalo de Paula. Está emocionadísimo.

DESAFÍO 4

8 **Preguntas.** Completa estas oraciones y une las dos columnas.

1. ¿ _Cuándo_ es tu cumpleaños?   **a.** Están en mi mochila.
2. ¿ _____ están tus libros?   **b.** Es el 2 de agosto.
3. ¿ _____ es la chica rubia?   **c.** Mi deporte favorito es el tenis.
4. ¿ _____ es tu deporte favorito? **d.** Es Patricia, la hija de mi madrina.

CULTURA

9 **¡En Centroamérica!** Responde a estas preguntas.

1. ¿Qué sabes de los garífunas?
2. ¿Qué es el *Popol Vuh*?
3. ¿Quién es Rubén Darío?

Una historia sobre

personajes de Guatemala

You will write a short story based on a painting by famous Guatemalan artist Juan Sisay. In this project, you will need to pick a main character from the painting and bring him or her to life. Invent the reasons why he or she is in this setting, what is his or her relationship with other characters, and what is happening in the painting.

PASO 1 Decide quiénes van a ser los personajes de tu historia

- Look at the painting and choose a main character that will be the focus of your story. Then answer the following questions to develop your character's profile.

Juan Sisay. *Vendedoras de fruta.*

- ¿Es hombre o mujer? ¿Cómo se llama?
- ¿Cuántos años tiene?
- ¿De dónde es?
- ¿Cuáles son sus rasgos físicos y personales?

- ¿Cómo es su familia?
- ¿Dónde vive?
- ¿Cuál es su estado civil?
- ¿Cuál es su profesión?

- Choose a secondary character. These questions will help you create his or her profile.

- ¿Quién es?
- ¿Cuál es su profesión?
- ¿Cómo es?
- ¿Ese personaje conoce al personaje principal?

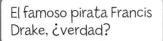

Andy, Janet, ustedes tienen que investigar una aventura de Francis Drake en Santo Domingo.

El famoso pirata Francis Drake, ¿verdad?

Ustedes tienen que encontrar un mosquito de doscientos millones de años.

¿Un mosquito de doscientos millones de años? ¿Y dónde hay que buscarlo?

Ustedes tienen que ir a Puerto Rico y cantar una serenata.

¿Una serenata?

Y ustedes tienen que dar un premio en el Festival de las flores de Aibonito. ¿Qué les parece?

¡Qué buena idea!

Sí, una canción de amor.

Ah, y tienen que escribir una nota contando sus desafíos. ¡Buena suerte!

1 **¿Comprendes?**

▶ **Une** cada pregunta con la respuesta adecuada.

Ⓐ

1. ¿Quién fundó Santo Domingo?
2. ¿Qué pirata famoso estuvo en Santo Domingo?
3. ¿Qué es una serenata?
4. ¿Cuántos años tiene el mosquito?
5. ¿Dónde se celebra el Festival de las flores?

Ⓑ

a. Doscientos millones.
b. En Aibonito.
c. Una canción de amor.
d. Bartolomé Colón.
e. Francis Drake.

EXPRESIONES ÚTILES

Me parece muy bien.

To ask for confirmation of information:
    ... ¿no?   ... ¿verdad?

To express surprise and astonishment:
    ¿En serio?   ¿De verdad?

To ask someone's opinion:
    ¿Qué te parece?   ¿Qué opinas?

To express approval and disapproval:
    Me parece (muy) bien.   Me parece (muy) mal.
    ¡Qué bien!   ¡Qué mal!
    ¡Qué buena idea!   ¡Qué mala idea!

2 ¿Qué expresión usas?

▶ **Completa** estos diálogos con una de las expresiones útiles.

La capital de Puerto Rico es Santo Domingo, ___1___ .

No, la capital de Puerto Rico es San Juan.

Este es mi coche nuevo. ___2___ .

Me encanta, es muy bonito.

Julia tiene un televisor en el cuarto de baño.

___3___ . ¡Qué extraño!

¿Hacemos una fiesta para celebrar tu cumpleaños?

¡Sí! ___4___ .

3 Diálogos

▶ **Escribe** dos diálogos utilizando expresiones útiles. Después, representa uno con tu compañero(a).

¿Quién ganará?

4 Los desafíos

▶ **Habla.** ¿Cuál será *(will be)* el desafío para cada pareja? Piénsalo y coméntalo con tus compañeros(as).

DESAFÍO ①

La balanza del pirata Drake

Andy y Janet

DESAFÍO ②

Un mosquito del Jurásico

Diana y Rita

DESAFÍO ③

Una serenata en Ponce

Tim y Mack

DESAFÍO ④

El Festival de las flores

Patricia y Tess

▶ **Habla.** Las parejas viajan a la República Dominicana y a Puerto Rico. ¿Qué sabes de esos países? Coméntalo con tus compañeros(as).

5 La tarea final

▶ **Decide.** ¿Qué tarea tienen que hacer los personajes al final?
¿Qué pareja crees que ganará *(will win)*?

LA TAREA
Una nota

La balanza del pirata Drake

Andy and Janet are in the colonial area of Santo Domingo. They know that the English pirate Sir Francis Drake, took the city by storm in 1586. They must find out information about the pirate, and bring proof of his presence in the city—the scale he used to weigh the gold he demanded in order to spare the town from destruction.

6 **Detective de palabras**

▶ **Completa** estas oraciones.

1. En Santo Domingo hay _____ antiguas.
2. La Casa del Cordón es _____.
3. La casa tiene _____ pequeñas.
4. En la _____ hay un cordón.

a. edificios   b. casas
a. de ladrillo   b. de piedra
a. puertas   b. ventanas
a. ventana   b. pared

Continuará...

7 **¿Comprendes?**

▶ **Habla** con tu compañero(a). Por turnos, pregunten y respondan.

1. ¿Dónde están Janet y Andy?
2. ¿Qué buscan?
3. ¿Cómo es la Casa del Cordón?
4. ¿Quién es Sir Francis Drake?

8 **¿Cierto o falso?**

▶ **Escucha** la conversación de Andy y Janet y decide si estas oraciones son ciertas o falsas.

1. Janet y Andy están en la capital de Puerto Rico.
2. Ven un barco antiguo.
3. A Janet le gustan los piratas.
4. Andy y Janet van a visitar un museo.
5. En la Casa del Cordón hay un museo.
6. La Casa del Cordón tiene cuatro pisos.

CONEXIONES: HISTORIA

Sir Francis Drake

Sir Francis Drake (1543–1596) fue un pirata inglés, explorador y navegante. Perteneció a la Marina Real Británica y dirigió varias expediciones contra los españoles en América.

En 1586 Sir Francis Drake ocupó Santo Domingo y pidió un rescate (*ransom*) para liberar la ciudad. En la Casa del Cordón puso una balanza para pesar el oro (*gold*) y las joyas (*jewelry*) que los ciudadanos tenían que llevar para pagar el rescate.

Retrato de Francis Drake.

9 **Piensa y explica.** Sir Francis Drake es un personaje polémico (*controversial figure*). Para algunas personas es un pirata y para otras es un héroe (*hero*) y un gran explorador (*explorer*). ¿Por qué crees que es así?

▶→ **TU DESAFÍO** Visita la página web para aprender más sobre Sir Francis Drake.

Vocabulario

La vivienda

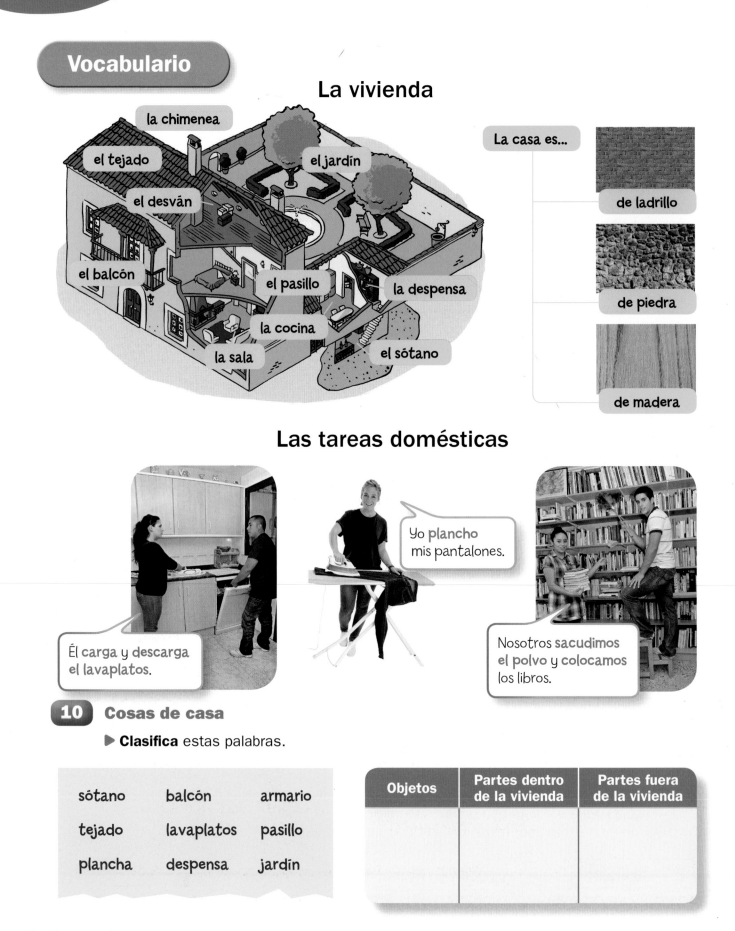

la chimenea

el tejado

el desván

el balcón

el jardín

el pasillo

la despensa

la cocina

la sala

el sótano

La casa es...

de ladrillo

de piedra

de madera

Las tareas domésticas

Yo plancho mis pantalones.

Él carga y descarga el lavaplatos.

Nosotros sacudimos el polvo y colocamos los libros.

10 **Cosas de casa**

▶ **Clasifica** estas palabras.

sótano	balcón	armario
tejado	lavaplatos	pasillo
plancha	despensa	jardín

Objetos	Partes dentro de la vivienda	Partes fuera de la vivienda

11 La Casa del Cordón

▶ **Escucha** y decide si estas oraciones son ciertas o falsas.

1. La Casa del Cordón tiene tres pisos.

2. La casa es de madera.

3. Hay una ventana sobre la puerta.

4. La casa tiene balcones.

12 Problemas domésticos

▶ **Lee** estas oraciones y escribe lo que tiene que hacer tu hermano Pablo.

Modelo Hay muchos platos sucios en la cocina.
　　　　→ *Pablo tiene que cargar el lavaplatos.*

1. El suelo (*floor*) no está muy limpio.
2. Las blusas están muy arrugadas (*wrinkled*).
3. Hay mucho polvo en la sala.
4. Hay mucha ropa desordenada en el dormitorio de Pablo.
5. El lavaplatos está lleno y los platos están limpios.

13 ¿Cómo es tu casa?

▶ **Pregunta** a tu compañero(a).

1. ¿Tu casa es de ladrillo, de piedra o de madera?
2. ¿Hay una despensa en tu casa? ¿Dónde está? ¿Qué tienes en la despensa?
3. ¿Hay un desván en tu casa? ¿Qué tienes en el desván?
4. ¿Hay un armario en tu dormitorio? ¿Qué tienes en el armario?

COMPARACIONES

La Casa del Cordón

La Casa del Cordón es la primera casa de piedra del Nuevo Mundo y, probablemente, la primera casa con dos pisos. Está en Santo Domingo y es del siglo XVI. Se llama así por el cordón (*cord*) que hay en su fachada (*front*).

Fachada de la Casa del Cordón.

14 **Explica.** ¿Hay casas de piedra donde tú vives? ¿Cuál es el edificio más antiguo (*oldest building*)?

▶ **TU DESAFÍO** Visita la página web para aprender más sobre la Casa del Cordón.

Gramática

El presente continuo

- In Spanish we use the presente continuo (present progressive) to talk about actions that are happening at the moment of speaking.

- The present progressive is formed with the verb estar plus the gerundio:

estar + gerundio

–¿Qué **estás haciendo**, Pablo?
–**Estoy cargando** el lavaplatos.

VERBO LAVAR. PRESENTE CONTINUO

yo	estoy lavando	nosotros nosotras	estamos lavando
tú	estás lavando	vosotros vosotras	estáis lavando
usted él, ella	está lavando	ustedes ellos, ellas	están lavando

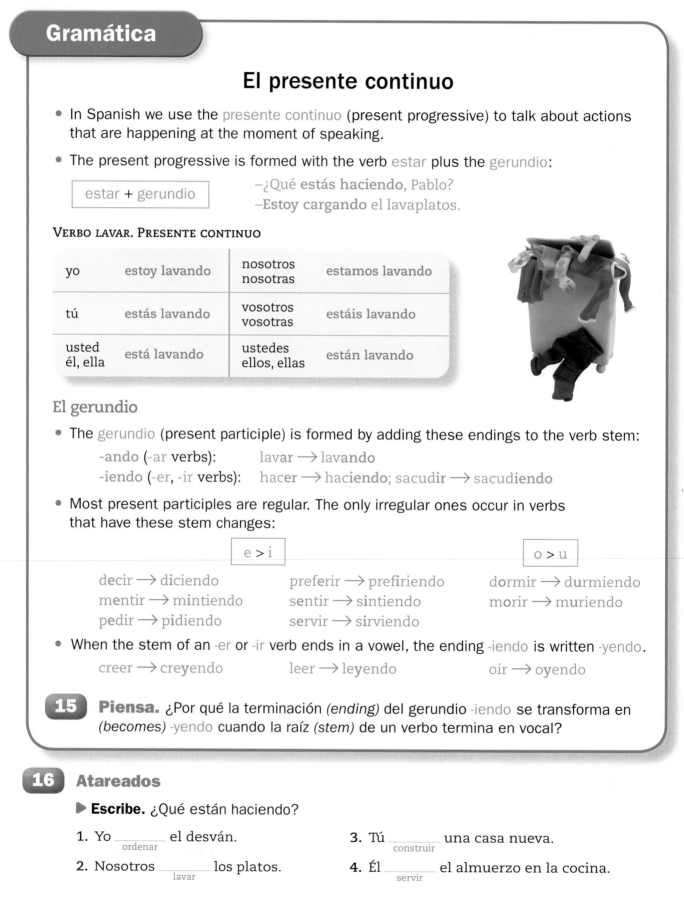

El gerundio

- The gerundio (present participle) is formed by adding these endings to the verb stem:

    -ando (-ar verbs):   lavar ⟶ lavando
    -iendo (-er, -ir verbs):   hacer ⟶ haciendo; sacudir ⟶ sacudiendo

- Most present participles are regular. The only irregular ones occur in verbs that have these stem changes:

e > i		o > u

decir ⟶ diciendo   preferir ⟶ prefiriendo   dormir ⟶ durmiendo
mentir ⟶ mintiendo   sentir ⟶ sintiendo   morir ⟶ muriendo
pedir ⟶ pidiendo   servir ⟶ sirviendo

- When the stem of an -er or -ir verb ends in a vowel, the ending -iendo is written -yendo.

    creer ⟶ creyendo   leer ⟶ leyendo   oír ⟶ oyendo

15 **Piensa.** ¿Por qué la terminación (ending) del gerundio -iendo se transforma en (becomes) -yendo cuando la raíz (stem) de un verbo termina en vocal?

16 **Atareados**

▶ **Escribe.** ¿Qué están haciendo?

1. Yo _____ el desván.
   ordenar

2. Nosotros _____ los platos.
   lavar

3. Tú _____ una casa nueva.
   construir

4. Él _____ el almuerzo en la cocina.
   servir

17 Una conversación

▶ **Completa** la conversación entre Andy y un amigo.

ANDY: Hola, Pedro. ¿Qué <u>estás haciendo</u>?
hacer

PEDRO: Mis hermanos y yo <u> 1 </u> la casa porque tenemos una fiesta.
limpiar

ANDY: ¿Y qué tareas domésticas <u> 2 </u> ustedes?
hacer

PEDRO: Yo <u> 3 </u> la aspiradora y mi hermana Alicia <u> 4 </u> el lavaplatos.
pasar   descargar

ANDY: Ay, ustedes <u> 5 </u> mucho. ¿Y sus padres?
trabajar

PEDRO: Mi padre <u> 6 </u> el césped y mi madre <u> 7 </u> el polvo.
cortar   sacudir

ANDY: Bueno. Llámame después de completar tus tareas. Hasta luego.

18 ¿Qué está pasando?

▶ **Escucha** y ordena los dibujos.

Ⓐ 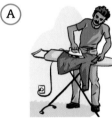   Ⓑ    Ⓒ    Ⓓ

19 Adivina

▶ **Representa** una tarea doméstica. Tus compañeros(as) tienen que adivinar (*guess*) cuál es.

Modelo *¡Estás planchando!*

COMPARACIONES

Las casas coloniales

La parte antigua de Santo Domingo tiene muchos edificios coloniales y monumentos muy bien conservados. Las construcciones de estilo colonial están hechas de piedra y ladrillo. Las casas se organizan en torno a un patio (*courtyard*) al que dan las habitaciones. Estos patios están decorados con fuentes, plantas y azulejos (*tiles*).

La zona colonial de Santo Domingo fue declarada Patrimonio de la Humanidad por la UNESCO en 1990.

20 **Piensa y explica.** ¿En tu comunidad hay edificios antiguos? ¿Cómo son?

Comunicación

21 **¿Qué están haciendo?**

 ▶ **Escucha** la conversación entre Diana y su madre.
¿Qué está haciendo cada familiar? Completa.

1. Su primo Ronaldo _____.
2. Sus hermanos Sergio y Alán _____.
3. Su papá _____.
4. Su mamá _____.

22 **Un anuncio**

▶ **Lee** el anuncio *(ad)* y elige la opción correcta.

1. La casa es _____.   a. antigua   b. nueva
2. La casa es _____.   a. grande   b. pequeña
3. La casa tiene _____. a. jardín   b. balcones
4. El precio es _____.   a. alto   b. bajo

▶ **Escribe** con tu compañero(a) un anuncio de una casa
para el periódico *(newspaper)* local.

¡Fantástica oportunidad!

Casa del siglo XVI, de ladrillo y piedra. Cinco cuartos, desván y sótano. Dos pisos, escalera de madera. Grandes balcones a la calle. Muy buen precio.

23 **Una casa en Santo Domingo**

▶ **Imagina** que eres un agente inmobiliario *(realtor)* y tu compañero(a)
es un(a) cliente *(client)*. Hablen sobre esta casa.

Modelo

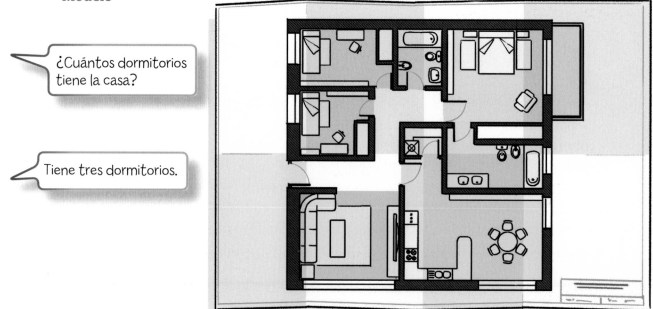

¿Cuántos dormitorios tiene la casa?

Tiene tres dormitorios.

▶ **Pregunta** a tres compañeros(as) sobre sus tareas domésticas y toma nota.

1. ¿Quién plancha la ropa en tu casa?
2. ¿Quién pasa la aspiradora?
3. ¿Quién prepara la comida?
4. ¿Quién saca la basura?
5. ¿Quién carga y descarga el lavaplatos?
6. ¿Quién sacude el polvo?
7. ¿Qué haces tú?

▶ **Escribe** un párrafo *(paragraph)* con los resultados. Después, preséntaselos a la clase.

Final del desafío

Sí. Sir Francis Drake estuvo en esta casa. En 1586 atacó la isla y pidió un importante rescate.

En aquella sala colocó una balanza para pesar las joyas del rescate.

Andy, haz una foto y vamos a comprar una réplica de la balanza en una tienda de recuerdos.

25 ¿Qué pasa en la historia?

▶ **Lee** el diálogo. Después, representa el final del desafío con dos compañeros(as).

 **TU DESAFÍO**   Visita la página web. Escucha las preguntas de tu *Minientrevista Desafío 1* y escribe las respuestas.

Un mosquito del Jurásico

Diana and Rita are in Puerto Plata, Dominican Republic, one of the first European settlements in the Americas, and one of the largest sources of amber in the world. Together, they must find a 200–million–year–old insect! The ancient six–legged creature is somewhere in the home of María Luisa Ayala, a local amber collector.

Tía, estoy oyendo un mosquito. ¿Dónde está?

¡Ahí! ¡Cuidado, no rompas el florero!

¿Lo tienes?

Un mosquito de doscientos millones de años tiene que ser un fósil.

¿Tú crees?

No. Está encima de la lámpara. Ahora está sobre el espejo. Pero ese no es el mosquito que tenemos que encontrar.

LA CASA DEL ÁMBAR

¡Mira, tía! Ahí hay una tienda de ámbar. ¿Allí venden fósiles de mosquitos?

Claro, Puerto Plata está en la Costa del Ámbar. Y el ámbar a veces contiene insectos.

No los veo... ¿Preguntamos a esa señora?

26 Detective de palabras

▶ **Completa** estas oraciones. ¿Dónde está el mosquito?

1. Primero el mosquito está en el _____.
2. Luego el mosquito está encima de la _____.
3. Finalmente el mosquito está sobre el _____.

Continuará...

¿Comprendes?

▶ **Decide** si estas afirmaciones son ciertas o falsas.
Si son falsas, corrígelas.

1. Rita está oyendo un mosquito.
2. Diana rompe el florero.
3. Diana y Rita tienen que encontrar un espejo.
4. Rita y Diana están delante del Museo del Ámbar en Puerto Plata.
5. Diana y Rita van a pedir información a una señora.

28 **De compras**

▶ **Escucha.** Diana y Rita compran dos objetos para su casa. ¿Cuáles son?

①  ②  ③  ④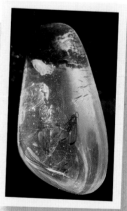

▶ **Habla** con tu compañero(a). ¿Cuáles de esos objetos hay en tu casa? ¿Dónde están?

Modelo   *En mi casa hay un florero en el pasillo.*

CULTURA

El Museo del Ámbar

En la ciudad de Puerto Plata está el museo del ámbar más importante de la República Dominicana. Puerto Plata está en la llamada Costa del Ámbar. En esa zona hay yacimientos (*deposits*) de ámbar de más de 26 millones de años de antigüedad.

El ámbar dominicano es famoso por su gran variedad de colores. Se utiliza para hacer piezas de adorno y joyas (*jewelry*). A veces contiene insectos porque el ámbar se forma a partir de la resina (*resin*) fosilizada de los árboles.

29 **Compara.** ¿Qué recursos naturales (*natural resources*) hay cerca de tu lugar de origen? ¿Alguno se usa para hacer adornos (*ornaments*)?

▶ **TU DESAFÍO** Visita la página web para aprender más sobre el Museo del Ámbar.

Vocabulario

Muebles y accesorios para la casa

30 **Un poco de orden**

▶ **Une** las dos columnas. ¿Dónde están estos objetos?

Ⓐ

1. el refrigerador
2. la bañera
3. la mesa
4. el sofá
5. la mesita de noche
6. la cama
7. el inodoro

Ⓑ

a. en la sala
b. en el comedor
c. en el baño
d. en el dormitorio
e. en la cocina

▶ **Escribe** el nombre de tres muebles o accesorios que hay normalmente en las partes de la casa de la columna B. Después, compara tu lista con la de tu compañero(a) y complétala.

31 **¿Dónde están?**

▶ **Escucha** a Diana y escribe. ¿Dónde está cada objeto?

Ⓐ

Ⓑ

Ⓒ

Ⓓ

▶ **Habla** con tu compañero(a). Por turnos, piensa en un objeto de la casa y descríbelo. Tu compañero(a) tiene que adivinar cuál es.

Modelo   A. *Normalmente está al lado de la cama.*
         B. *¿La mesita de noche?*
         A. *No.*

32 **¡Ayuda!**

▶ **Responde** a estas preguntas para ayudar a Rita.

1. Quiero un mueble para poner mis libros, mis gafas y mi reloj al lado de la cama. ¿Qué necesito?
2. Quiero luz para leer en la cama. ¿Qué necesito?
3. ¿Qué necesito para mirarme en el baño?
4. ¿Qué necesito para guardar la ropa en el dormitorio?
5. Quiero poner flores en la sala. ¿Qué necesito?

▶ **Habla.** Piensa en tres accesorios o muebles y escribe preguntas similares para tu compañero(a). ¿Sabe qué necesitas?

COMUNIDADES

MI CASA ES TU CASA

En los países hispanos, cuando una persona tiene invitados (*guests*) en casa, es habitual enseñársela.

Los invitados suelen hacer comentarios positivos sobre las habitaciones o sobre algún mueble (*¡Qué grande! ¡Qué lámpara tan bonita!*).

33 **Piensa y explica.** ¿Alguna vez has mostrado (*have you ever shown*) tu casa a los invitados? ¿Qué opinas de esta costumbre?

Gramática

Los pronombres de objeto directo

El objeto directo

- Many verbs have a complement that indicates who or what receives the action of the verb. This complement is the direct object.

    Juan compra **un cuadro**.

- When the direct object refers to people or pets, it is preceded by the personal a:

    Yo llamo **a Juan** por teléfono.

Los pronombres de objeto directo

- Sometimes, the direct object is replaced with a direct object pronoun.

    –¿Hay **un sofá** en la sala?
    –Sí, **lo** hay.

    –¿Tienes **los libros** en el estante?
    –Sí, **los** tengo allí.

PRONOMBRES DE OBJETO DIRECTO

Singular		Plural	
me	*me*	nos	*us*
te	*you (informal)*	os	*you (informal)*
lo	*you (formal), him, it*	los	*you, them*
la	*you (formal), her, it*	las	*you, them*

Posición de los pronombres de objeto directo

- Direct object pronouns are placed before the conjugated verb, or attached to the infinitive, the present participle, or the command.

    Hay que planchar esa camisa. Plánch**la**.
    Me gusta ese cuadro. **Lo** quiero comprar. / Quiero comprar**lo**.
    La ropa está sobre la cama. **La** estoy colocando. / Estoy colocándo**la**.

34 **Compara.** ¿Cómo dices en inglés Llamo a Juan por teléfono?
¿Usas una preposición, como en español?

35 **¿Qué quieres?**

▶ **Pregunta** a tu compañero(a).

Modelo A. *¿Quieres una alfombra para tu dormitorio?*
B. *No, no la quiero./ Sí, la quiero.*

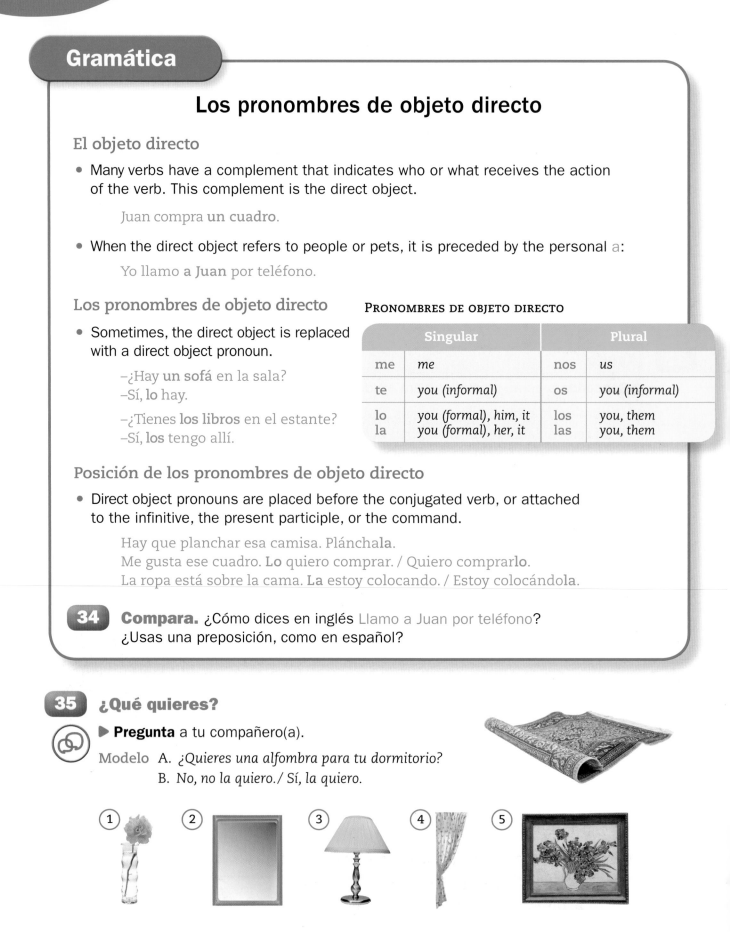

36 **¡Ayuda!**

▶ **Completa** la conversación con pronombres de objeto directo.

DIANA: ¿Tía, me escuchas?

RITA: Sí, sí, ___1___ escucho. ¿Qué quieres?

DIANA: No encuentro mis gafas. ¿___2___ ves tú por allí?

RITA: Creo que ___3___ tienes en tu mesita de noche.

DIANA: Tampoco veo mi chaqueta.

RITA: Está sobre tu cama. ¿No ___4___ ves?

DIANA: Ah, sí. ¿Y mis pantalones nuevos?

RITA: ___5___ tienes en el armario.

DIANA: Gracias, tía.

37 **Todos están trabajando**

▶ **Responde** a estas preguntas.

Modelo ¿Quién coloca el florero sobre la mesa?

⟶ *Andy lo coloca.*

1. ¿Quién pone la lámpara sobre la mesita de noche?
2. ¿Quién limpia el baño?
3. ¿Quién coloca la ropa en el armario?
4. ¿Quién cuelga el cuadro?

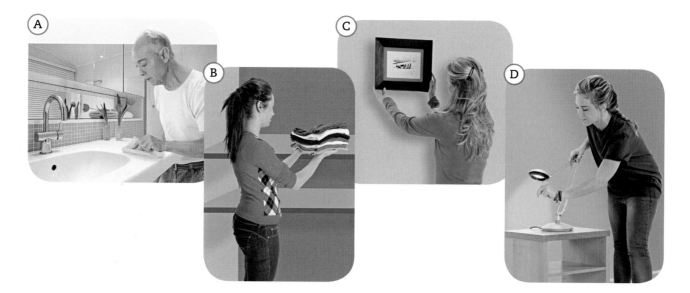

38 **Tu dormitorio**

▶ **Pregunta** a tu compañero(a) cómo va a decorar su dormitorio.

Modelo A. *¿Vas a comprar una alfombra para tu dormitorio?*

B. *No, no la voy a comprar. No la necesito.*

DESAFÍO 2

Comunicación

39 **Un apartamento en venta**

▶ **Escucha.** Dos amigas hablan sobre un apartamento en venta. Decide si estas oraciones son ciertas o falsas.

1. El apartamento tiene dos baños.
2. En la sala hay un sofá y una alfombra pequeños.
3. Los muebles del baño son nuevos.
4. Los dormitorios tienen un armario, una cama, una mesita de noche y una lámpara.

▶ **Escucha** otra vez y toma nota de los detalles del apartamento. ¿Te parece un buen lugar para vivir? Habla con tu compañero(a).

Modelo

> A mí me parece un buen lugar para vivir porque tiene dos dormitorios.

> A mí también, porque...

40 **Habitaciones diferentes**

▶ **Describe** los dormitorios de las fotos con tu compañero(a).

Modelo A. ¿Hay una cama grande en ese dormitorio?
         B. No, no la hay, pero hay dos camas pequeñas.

A

B

▶ **Escribe** un texto comparando uno de los dormitorios con el tuyo.

Modelo *El dormitorio de la fotografía B tiene dos camas, pero el mío tiene una.*

41 **Mi casa ideal**

▶ **Dibuja** el plano *(floor plan)* de tu casa ideal y descríbesela a tu compañero(a).

Modelo *Aquí está la sala y este es el jardín...*

▶ **Escribe** un texto describiendo tu casa ideal. Explica cómo están decoradas las habitaciones.

Modelo *Mi casa ideal es grande. En la sala hay una lámpara y un florero antiguo.*

Final del desafío

Sí, yo vendo ámbar. Y también soy coleccionista.

Vamos a mi casa. Les voy a mostrar algunas piezas únicas.

42 **¿Dónde está el fósil de mosquito?**

▶ **Escribe y representa.** ¿Qué pasa en la casa de María Luisa? Escribe el diálogo. Después, represéntalo con tu compañero(a).

Una serenata en Ponce

Tim and Mack arrive at the *Universidad de Puerto Rico* in Ponce, a southern city named after the first governor of Puerto Rico, Juan Ponce de León. They must memorize a traditional *serenata* (a type of song to express one's devotion for a loved one) and sing it to a student with the *tuna* (a musical group made up of university students).

43 Detective de palabras

Continuará…

▶ **Relaciona.** ¿Qué palabra de la fotonovela corresponde a cada imagen?

44 **¿Comprendes?**

▶ **Decide** si estas oraciones son ciertas o falsas. Si son falsas, corrígelas.

1. La camisa de Tim es vieja.
2. Mack lava la camisa en una lavadora.
3. Mack seca la camisa con un secador de pelo.
4. Mack y Tim tienen una plancha.

45 **¿Qué necesito?**

▶ **Escucha** y decide. ¿A qué electrodoméstico *(appliance)* se refiere cada oración?

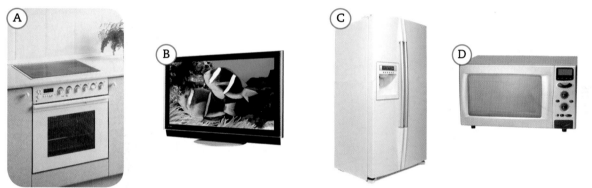

▶ **Escribe.** Con tu compañero(a), haz una lista de tareas domésticas *(household chores)* y de electrodomésticos para hacerlas.

Modelo *Para cocinar necesito una estufa, un horno…*

CULTURA

Las serenatas

En muchos países latinos existe la tradición de las serenatas. Esta tradición tiene su origen en la costumbre de cantar baladas a la mujer amada bajo el balcón de su casa. El enamorado va normalmente con un pequeño grupo de músicos, como una tuna o un mariachi en el caso de México, para cantar a la mujer y expresar sus sentimientos de amor.

46 **Explica.** ¿Qué opinas *(do you think)* de la tradición de cantar serenatas? ¿Conoces alguna tradición similar? Explica en qué consiste.

▶ **TU DESAFÍO** Visita la página web para aprender más sobre las serenatas.

Vocabulario

Los electrodomésticos

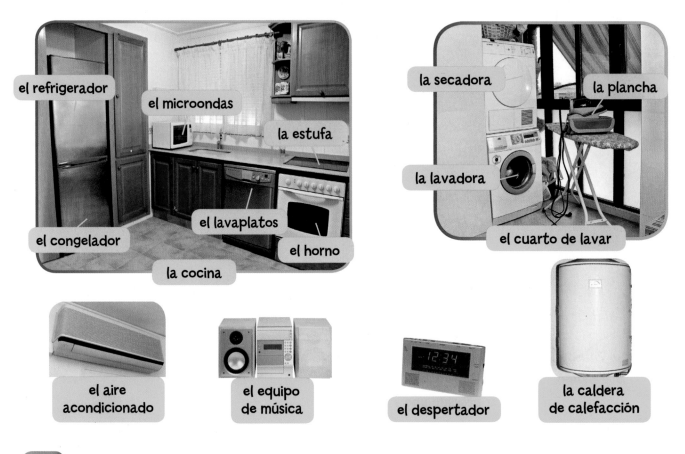

el refrigerador

el microondas

la estufa

el lavaplatos

el congelador

el horno

la cocina

la secadora

la plancha

la lavadora

el cuarto de lavar

el aire acondicionado

el equipo de música

el despertador

la caldera de calefacción

47 **Organizamos la casa**

▶ **Escribe.** ¿En qué parte de la casa están habitualmente estos electrodomésticos?

Modelo el televisor: *en la sala y en el dormitorio.*

la plancha   la lavadora   el microondas

el despertador   la estufa   el equipo de música

▶ **Elige.** ¿Qué palabra no corresponde a cada grupo?

1 El cuarto de lavar	2 La sala	3 El dormitorio	4 La cocina
la secadora	el aire acondicionado	el horno	el despertador
el microondas	el equipo de música	el televisor	el refrigerador
la plancha	el lavaplatos	el despertador	la estufa

48 **¿Para qué sirven?**

▶ **Une** las dos columnas y escribe oraciones.

Ⓐ

1. la lavadora
2. el refrigerador
3. el equipo de música
4. el despertador
5. la plancha
6. la estufa

Ⓑ

a. cocinar
b. planchar la ropa
c. despertarse por la mañana
d. lavar la ropa
e. conservar la comida
f. escuchar música

Modelo   1. *La lavadora sirve para lavar la ropa.*

49 **El apartamento de Pedro**

▶ **Escucha** a Pedro y escribe qué electrodomésticos tiene y cuáles no.

Tiene	No tiene
una lavadora	

50 **En tu casa**

▶ **Habla** con tu compañero(a). ¿Qué aparatos eléctricos tiene en casa? Toma notas y presenta la información a la clase.

Modelo   A. *¿Qué aparatos eléctricos tienes en tu dormitorio?*
B. *Tengo un despertador y un televisor.*
A. *¡Yo también!*

 **CULTURA**

Las tunas

Las tunas son grupos de estudiantes universitarios que interpretan temas tradicionales y serenatas. Llevan una capa negra con cintas (*ribbons*) de colores y emplean instrumentos como la bandurria, el laúd (*lute*), la guitarra o la pandereta (*tambourine*).

Las tunas nacieron en las universidades españolas en la Edad Media y con el tiempo llegaron a otros países europeos e hispanoamericanos. En Puerto Rico hay varias, como Tunamérica, la Tuna Bardos o la Tuna Interamericana.

51 **Compara.** ¿Existe algo similar a las tunas en tu país?

▶→ **TU DESAFÍO** Visita la página web para aprender más sobre las tunas.

Gramática

Los pronombres de objeto indirecto

El objeto indirecto

- The indirect object indicates for whom an action is performed or who benefits from it. The indirect object can be a noun with the preposition a (a su hijo) or a pronoun (le).

  Luis compra un despertador **a su hijo**. También **le** compra un equipo de música.

PRONOMBRES DE OBJETO INDIRECTO

Singular		Plural	
me	to/for me	nos	to/for us
te	to/for you (informal)	os	to/for you (informal)
le	to/for you (formal), him, her	les	to/for you, them

- Sometimes for emphasis or for clarification, we use two indirect objects in the same sentence—an expression with the preposition a and a noun or pronoun (a Carlos, a mí) as well as a pronoun.

  A Luis le gustan los despertadores negros.

Posición de los pronombres de objeto indirecto

- Indirect object pronouns are placed before the conjugated verb, or attached to the infinitive, the present participle, or the command, like direct object pronouns.

  Le voy a regalar un CD a Pedro. / Voy a regalar**le** un CD a Pedro.

- Direct and indirect object pronouns may be used in the same sentence. In this case, the indirect object pronoun goes before the direct object pronoun.

  Patricia **me** compra **un libro**. ⟶ Patricia **me lo** compra.

- Le and les become se when placed in front of a direct object pronoun.

  Le compro un libro. ⟶ **Se lo** compro.

52 **Compara.** ¿Cuáles son los pronombres de objeto directo e indirecto en inglés? ¿Funcionan (do they work) igual que en español?

53 **¿A quién?**

▶ **Une** las dos columnas.

Ⓐ

1. **Le** doy un libro
2. Voy a comprar**te** un disco
3. **Me** regalas una flor
4. **Les** hago la cama todos los días

Ⓑ

a. a mí
b. a él
c. a ti
d. a ellas

54 **Todos trabajan para todos**

▶ **Escucha** la conversación de Tim y su amiga Sonia, y ordena las fotografías.

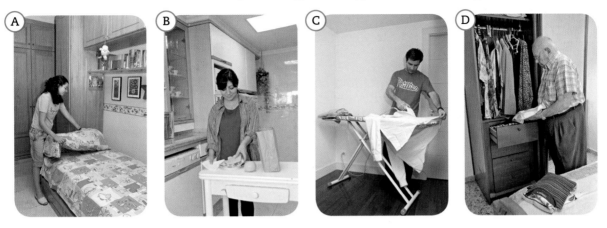

A   B   C   D

▶ **Completa** estas oraciones. Después, escucha otra vez y comprueba *(check your answers)*.

1. Mi madre ___1___ prepara la comida a mi hermano todas las mañanas.
   me/le

2. Mi padre ___2___ lava la ropa y ___3___ la plancha a todos nosotros.
   les/nos   nos/se

3. Yo siempre ___4___ hago mi cama.
   me/les

4. Mi abuelo ___5___ coloca la ropa en el armario a mi hermana pequeña.
   te/le

55 **Los regalos**

▶ **Lee** el mensaje de correo de Janet y complétalo.

Mensaje nuevo

Para:
Cc:
Asunto:

¡Hola, Paula! ¿Qué tal? Yo estoy comprando regalos para todos. Y también ___1___ compro ropa para mí, claro.

A mi hermano Andy ___2___ compro un disco. A mis abuelos ___3___ compro unos libros y a ti ___4___ voy a regalar una sorpresa. ¿___5___ escribes un mensaje pronto?

Un beso.

Janet

▶ **Transforma** las oraciones anteriores con pronombres de objeto directo e indirecto.

Modelo   1. Me compro ropa para mí. ⟶ *Me la compro.*

▶ **Escribe** la respuesta de Paula a Janet.

Comunicación

56 ¿Qué prefieres?

▶ **Escucha** y completa una tabla como esta.

	Electrodoméstico preferido	¿Por qué?
Tim		
Mack		
Andy		

▶ **Pregunta** a tres compañeros(as) cuál es su electrodoméstico preferido y por qué.

Modelo   *Mi electrodoméstico preferido es el microondas porque calienta la comida muy rápido. Es muy cómodo.*

57 ¿Para quién?

▶ **Escribe** cinco oraciones con estos elementos. Usa pronombres de objeto indirecto.

Modelo   *Le regalo flores a mi mamá.*

① regalar

② planchar

③ preparar

④ comprar

⑤ dar

¿A quién?

mi mejor amigo(a)

mi novio(a)

mi profesor(a)

mis compañeros(as)

mi papá / mi mamá

58 Entrega de regalos

▶ **Habla** con tu compañero(a). Una librería le da estos objetos a tu escuela. ¿A quién van a regalar cada objeto?

Modelo   *El diccionario se lo damos a Willy.*

① ② ③ ④

59 **Buenas intenciones**

▶ **Lee** este texto. ¿A quién va a ayudar *(help)* Víctor la semana que viene? Escríbelo.

Modelo

¿A quién le va a ordenar el dormitorio?
→ *Se lo va a ordenar a su hermana.*

1. ¿A quién le va a planchar la ropa?
2. ¿A quién le va a hacer la cama?
3. ¿A quién le va a lavar el coche?
4. ¿A quién le va a preparar el almuerzo?

En casa, todos ayudamos con las tareas. Pero la semana que viene yo tengo muchas cosas que hacer.

Normalmente, mi hermana mayor y yo ordenamos nuestros dormitorios, pero la semana que viene la voy a ayudar. Ella tiene exámenes y está muy ocupada.

También voy a planchar la ropa a mi mamá porque ella tiene mucho trabajo. Y voy a hacer la cama al abuelo.

Ah, también quiero lavar el coche a mi papá. Y voy a preparar el almuerzo a toda la familia. ¡Cuántas cosas!

Víctor

Final del desafío

60 **¿Qué pasa en la historia?**

▶ **Escribe** el final del desafío. Después, represéntalo con tu compañero(a).

 **TU DESAFÍO** Visita la página web. Escucha las preguntas de tu *Minientrevista Desafío 3* y escribe las respuestas.

El Festival de las flores

Tess and Patricia have to serve as judges at the *Festival de las flores* in Aibonito, Puerto Rico. Will they make it to the judging booth on time?

> Mamá, date prisa. El concurso de flores es a las nueve.

> Sí, tenemos que ir al parque. ¿Vamos por aquella calle de allí?

> ¿En qué barrio es? En esta ciudad hay nueve barrios.

> Creo que es en Aibonito Pueblo. Está en el centro, no en las afueras.

> ¿Está muy lejos? ¿Vamos en aquel taxi?

> No. Es mejor ir a pie por esa avenida. El parque está solo a tres cuadras...

> ¡Mira, mamá! ¡El festival es en este parque! ¡Cuántas flores!

> ¡ACHÍIIIS!

Continuará...

61 Detective de palabras

▶ **Completa** estas oraciones.

1. ¿Vamos por aquella _____ de allí?
2. En Aibonito hay nueve _____ .
3. Aibonito Pueblo está en el _____ , no en las _____ .
4. Es mejor ir por esa _____ .
5. El parque está a tres _____ .

62 Por aquí, por allí

▶ **Clasifica** las palabras del cuadro de acuerdo con la fotonovela.

calle	ciudad	taxi	avenida	parque

AQUÍ (cerca de Tess y de Patricia)	AHÍ (a una distancia media de Tess y de Patricia)	ALLÍ (lejos de Tess y de Patricia)
		aquella calle

63 ¿Comprendes?

▶ **Responde** a estas preguntas.

1. ¿Dónde están Tess y Patricia?
2. ¿Cuándo es el concurso de flores?
3. ¿Dónde se celebra el festival?
4. ¿Cómo quiere ir Tess al festival?
5. ¿Cómo prefiere ir Patricia?
6. ¿Qué problema tiene Patricia en el festival?

CULTURA

El Festival de las flores de Aibonito

Aibonito es una pequeña ciudad de Puerto Rico conocida como la ciudad de las flores o el jardín de Puerto Rico. Desde 1969 se celebra allí el famoso Festival de las flores. En junio o julio, miles de personas van a Aibonito para ver una gran exhibición de flores y plantas de todo tipo. Durante el festival hay actuaciones musicales, concursos (*contests*) y otras atracciones para los visitantes.

64 **Explica.** ¿Qué festivales celebra tu comunidad? ¿Qué aspectos culturales o históricos representan esos festivales?

→ TU DESAFÍO Visita la página web para aprender más sobre Aibonito, la ciudad de las flores.

Vocabulario

El barrio

Perdone, señora. ¿El zoológico está en **el centro**?

No. Está un poco lejos, en **las afueras** de la ciudad.

la cuadra

la avenida

la esquina

el semáforo

la acera

la plaza

el paso de cebra

la señal de pare

la calle

el banco

Lugares y servicios

la tienda de comestibles   la escuela   el parque   la biblioteca

la oficina de correos   la iglesia   el café   el banco

65 ¿Qué es?

▶ **Une** las dos columnas.

Ⓐ
1. semáforo
2. esquina
3. avenida
4. paso de cebra
5. acera

Ⓑ
a. Lugar de la calle para los peatones (*pedestrians*).
b. Lugar donde se cruzan dos calles.
c. Señal de luces para controlar el tráfico.
d. Lugar para cruzar la calle.
e. Calle principal, ancha y larga.

66 En la ciudad

▶ **Escucha** y escribe. ¿En qué lugar de la ciudad están estas personas?

Modelo *Roberto está en la tienda de comestibles.*

1. Roberto
2. Sara y Natalia
3. Jorge y Juan Miguel
4. Rebeca
5. Tomás
6. Marcos

67 ¿Qué pasa en la calle?

▶ **Describe** estas fotografías.

Modelo *En la calle hay una señal de pare.*

COMUNIDADES

EL BARRIO

Los barrios (*neighborhoods*) son las zonas en las que se divide una ciudad o un pueblo.

El origen de un barrio puede deberse a razones administrativas, históricas o urbanísticas.

En muchos casos, el nombre de un barrio está relacionado con su origen o con sus características. Por ejemplo, San Juan Antiguo (en San Juan de Puerto Rico) o Playa (en Ponce).

68 **Compara.** ¿Cómo son los barrios de tu ciudad? ¿Sabes por qué se llaman así?

Gramática

Los demostrativos

- To indicate where something or someone is located in relation to the person speaking, use demonstratives.

    ¿Quieres entrar en **este** café? Yo prefiero ir a **aquel** de allí.

- Demonstrative adjectives and pronouns show gender and number.

    En **esta** calle hay un café y en **aquella** hay un restaurante.

ADJETIVOS Y PRONOMBRES DEMOSTRATIVOS

Distance from speaker	Singular		Plural	
	Masculino	Femenino	Masculino	Femenino
Near	este	esta	estos	estas
At a distance	ese	esa	esos	esas
Far away	aquel	aquella	aquellos	aquellas

Los pronombres demostrativos

- Demonstrative pronouns can be used to point or to avoid repetition. They mean *this one/that one* or *these/those*.

    –¿Tú vives en **esa** plaza?
    –No, vivo en **aquella** de allí.

- Neutral forms *esto*, *eso*, and *aquello* are always pronouns. They are used in these cases:
    – To refer to situations or facts:

        Hoy voy al cine y **eso** me gusta.

    – To present or to refer to unknown objects:

        –¿Qué es **eso**?
        –**Eso** es una biblioteca.

69 **Compara.** ¿Cómo se expresa la distancia media (ese, esa, eso) en inglés?

70 **¿Dónde están?**

▶ **Une** las dos columnas.

A

1. Mis amigos están allí, sentados en aquellos
2. Te espero aquí, en este
3. Me gusta comprar ropa en esa
4. Hay muchos cafés en estas
5. Voy a estudiar a aquella

B

a. calles.
b. parque.
c. tienda.
d. biblioteca.
e. bancos.

71 En la plaza

▶ **Completa** los bocadillos con los demostrativos apropiados.

Perdone, ¿es ___1___ la Plaza de la Fuente?

No, pero está cerca. Tiene que cruzar ___2___ plaza y seguir por ___3___ avenida.

Por favor, ¿la Plaza de la Fuente es ___4___?

No, es ___5___ de allí.

72 El barrio de Luisa

▶ **Escucha** a Luisa, una amiga de Tess, y decide. ¿Dónde están estos lugares: cerca *(aquí)*, a media distancia *(ahí)* o lejos *(allí)*?

Modelo *Esa biblioteca está cerrada.* → *media distancia (ahí)*

1. el banco   2. la oficina de correos   3. el parque   4. la plaza

CULTURA

La Plaza de Armas

En el centro de muchas ciudades coloniales de América Latina –La Habana, Santiago de Chile, Quito, Cuzco, Lima– hay una plaza que se llama Plaza de Armas. En estas plazas se construyeron palacios, catedrales y otros edificios importantes de la ciudad.

Plaza de Armas de San Juan (Puerto Rico).

73 Piensa y explica. ¿Cuál es el centro de tu ciudad o de tu barrio? ¿Sabes si en el pasado fue otro lugar distinto?

▶ **TU DESAFÍO** Visita la página web para aprender más sobre las Plazas de Armas.

Comunicación

74 **Mi lugar favorito**

 ▶ **Escucha** y decide. ¿De qué fotografía hablan?

Avenida Muñoz Rivera (San Juan de Puerto Rico).

Calle en el Viejo San Juan (San Juan de Puerto Rico).

▶ **Escucha** otra vez y escribe las palabras que mencionan.

monumentos	iglesias	hoteles	restaurantes
bibliotecas	cafés	calles	avenidas

75 **Una carta desde Ponce**

▶ **Lee** la carta de Tess y decide si estas oraciones son ciertas o falsas.

¡Hola, Ana! ¿Qué tal?

Yo estoy en Ponce (Puerto Rico). Es una ciudad con mucha historia y tradición. Las calles son muy estrechas porque en el pasado sirvieron como protección contra los piratas.

Esta ciudad es muy interesante. La gente puede visitar un museo, pasear en el Parque de la Ceiba, ver una obra de teatro en el Teatro La Perla o visitar el Museo de Arte de Ponce.

Cerca del centro hay varias iglesias y una catedral. También hay muchos restaurantes y cafés.

Mañana volvemos a Aibonito. Un beso.

　　　Tess

1. Ponce es una ciudad histórica.
2. En el centro, las calles son anchas.
3. Hay muchos lugares de interés.
4. Tess va a visitar una catedral.
5. A Tess no le gusta mucho Ponce.

76 **¿Conoces mi barrio?**

▶ **Dibuja** un mapa de tu barrio *(neighborhood)* y descríbeselo a tu compañero(a).

Modelo *En mi barrio hay un parque grande en el centro. A la izquierda del parque hay…*

▶ **Escribe** un texto comparando tu barrio con otro barrio de tu ciudad.

Final del desafío

1

¿Qué jardín te gusta más, mamá, este o ___1___ de allí?

¡ACHÍIIS! ¡Uf!

3

¡Felicidades! Su jardín ganó el primer premio del año.

2

¡Mira, qué bonito! Me gusta ___2___ jardín de ahí.

Mamá..., ___3___ jardín no es bonito. ___4___ de aquí sí es bonito.

77 **El jardín ganador**

▶ **Escribe y representa.** Completa el diálogo con adjetivos y pronombres demostrativos. Después, representa la escena con tu compañero(a).

ESCUCHAR

78 **Están muy ocupadas**

▶ **Escucha** y decide. ¿Quién hace cada tarea doméstica?

	Tess	Patricia	Rita
1. pasar la aspiradora			
2. cargar el lavaplatos			
3. limpiar el baño			
4. sacudir el polvo			
5. poner la lavadora			
6. planchar			

LEER Y ESCRIBIR

79 **La casa de mis sueños**

▶ **Lee** el mensaje de correo de Diana y responde a las preguntas.

Mensaje nuevo

Para:

Cc:

Asunto:

Hola, Luisa. ¿Qué tal?

Mi tía y yo estamos en Santo Domingo. Hay muchas casas antiguas y muy bonitas.

Ayer vi la casa de mis sueños, en el centro histórico. Es de piedra y tiene dos balcones. No es muy grande; tiene dos dormitorios, una sala, un cuarto de baño, un patio y un desván.

En la casa hay muebles de madera muy antiguos y muy bonitos. Y la decoración me gusta mucho; hay espejos, floreros y cuadros. Y unas alfombras espectaculares, con muchos colores.

Te mando unas fotos, quiero saber tu opinión.

Un abrazo de tu amiga.

Diana

---

1. ¿Dónde está la casa?
2. ¿Cómo es la casa?
3. ¿Cómo son los muebles?
4. ¿Qué accesorios tiene?

▶ **Escribe.** Imagina cómo es una habitación de esa casa y descríbela.

ESCRIBIR Y HABLAR

80 **Memoriza**

▶ **Escribe.** Mira esta fotografía del álbum de Tess durante un minuto.
Después, cierra el libro y escribe un texto describiéndola.

▶ **Lee** tu descripción a tu compañero(a) y habla con él/ella de las cosas que recuerdas
(remember) o no recuerdas de la foto.

CULTURA

El turismo en el Caribe

El Caribe es uno de los principales destinos turísticos
internacionales. Muchos turistas eligen esta zona
por la arquitectura colonial. Hay varios lugares
declarados Patrimonio de la Humanidad por la UNESCO:
el centro histórico de La Habana (Cuba), la ciudad
colonial de Santo Domingo (República Dominicana)
o el Viejo San Juan (Puerto Rico), entre otros.

Castillo de San Felipe del Morro.
San Juan (Puerto Rico).

81 **Piensa y explica.** ¿Qué lugares turísticos hay cerca de tu ciudad?
¿Por qué son famosos?

El encuentro

En la fortaleza Ozama

The pairs gather in front of the Ozama fortress, in Santo Domingo. This 1508 castle has defended the flags of Spain, France, Great Britain, the United States and, of course, the Dominican Republic. The pairs show the notes requested by Dolores.

> ¡Bienvenidos! ¿Consiguieron sus desafíos?

> El pirata Drake estuvo en la Casa del Cordón y usó una balanza como esta para pesar el oro del rescate.

> Este mosquito está en una roca de ámbar y tiene más de 200 millones de años.

> Después de muchos problemas, conseguimos cantar una serenata con la tuna.

> Te doy mi corazón... ♪ ♪

> Caminamos muchas cuadras y por muchos barrios, pero al fin llegamos al Festival de las flores.

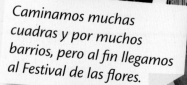

Al llegar

▶ **Lee.** Los participantes se quedan en una casa histórica de Santo Domingo. Lee la nota del dueño y responde a estas preguntas.

The characters stay in a historic house in Santo Domingo. The owner leaves a note with some instructions. Read it and answer the questions.

¡Bienvenidos, amigos!

La casa tiene seis dormitorios con cuarto de baño, un comedor y una sala muy grande con televisión, equipo de música y todos los muebles necesarios. Creo que les va a gustar.

En la cocina hay estufa, horno, microondas, lavaplatos... En la despensa hay algunos alimentos básicos (leche, azúcar, arroz...), pero el refrigerador está vacío. En la plaza hay una pequeña tienda de comestibles y también hay un supermercado en el barrio.

Finalmente, en el cuarto de lavar tienen lavadora, plancha y secadora. Allí también están la aspiradora y los productos para limpiar la casa.

Disfruten de su estancia. Un saludo.

Alberto Moncayo

1. ¿Cuántos cuartos de baño hay en la casa?
2. ¿Hay muebles en la sala y en los dormitorios?
3. ¿La cocina tiene electrodomésticos?
4. ¿En la casa hay comida?
5. ¿Hay tiendas de alimentación cerca de la casa?
6. ¿Quién tiene que hacer las tareas domésticas?

▶ **Habla** con tu compañero(a). ¿Qué tareas domésticas tienen que hacer los participantes? Decidan quién hace cada cosa.

Modelo *Andy y Janet ponen la lavadora y planchan la ropa.*

Una nota debe ser muy clara y no muy larga.

Las votaciones

▶ **Compara** las notas de los personajes de la página 120. ¿Cuál es mejor? ¿Por qué?

▶ **Escribe** una nota para alguien de tu familia. Estas preguntas te pueden ayudar.

1. ¿Qué tareas domésticas tiene que hacer?
2. ¿Tiene que utilizar algún electrodoméstico?
3. ¿Tiene que hacer algo fuera de casa, como ir a la biblioteca o salir a comprar algo?

Las Antillas

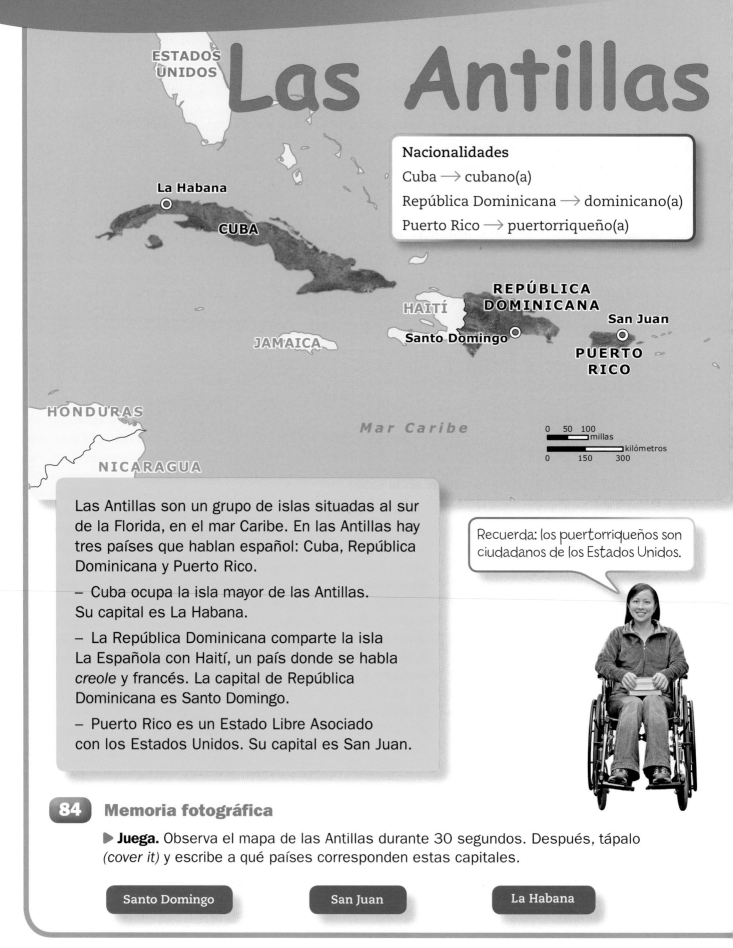

ESTADOS UNIDOS

La Habana

CUBA

HAITÍ

REPÚBLICA DOMINICANA

Santo Domingo

San Juan

PUERTO RICO

JAMAICA

HONDURAS

Mar Caribe

NICARAGUA

Nacionalidades

Cuba → cubano(a)

República Dominicana → dominicano(a)

Puerto Rico → puertorriqueño(a)

0	50	100	
			millas

			kilómetros
0	150	300	

Las Antillas son un grupo de islas situadas al sur de la Florida, en el mar Caribe. En las Antillas hay tres países que hablan español: Cuba, República Dominicana y Puerto Rico.

— Cuba ocupa la isla mayor de las Antillas. Su capital es La Habana.

— La República Dominicana comparte la isla La Española con Haití, un país donde se habla *creole* y francés. La capital de República Dominicana es Santo Domingo.

— Puerto Rico es un Estado Libre Asociado con los Estados Unidos. Su capital es San Juan.

Recuerda: los puertorriqueños son ciudadanos de los Estados Unidos.

84 **Memoria fotográfica**

▶ **Juega.** Observa el mapa de las Antillas durante 30 segundos. Después, tápalo *(cover it)* y escribe a qué países corresponden estas capitales.

Santo Domingo

San Juan

La Habana

1. Barrios coloniales

Muchas ciudades de Cuba, República Dominicana y Puerto Rico tienen origen español y conservan hermosos barrios coloniales con calles empedradas (*stone–paved*), casas de colores y fortalezas defensivas. Son famosos los barrios coloniales de La Habana, Santo Domingo y San Juan.

Una de las calles coloniales más antiguas está en Santo Domingo. Se llama *calle de las Damas* por la costumbre de las damas de dar paseos por allí.

(1) Calle de las Damas (Santo Domingo).

(2) Bailarinas de salsa.

2. Música caribeña

La música y la danza son elementos característicos de la cultura del Caribe.

Hay muchos géneros de música caribeña. El más representativo es la salsa, que tiene influencia de los ritmos africanos y del jazz. Nació en los años 60 y fue una creación de la comunidad caribeña en Nueva York. Otros tipos de música muy conocidos son el merengue y la bachata, de la República Dominicana, y el son cubano.

85 ¡Ven a las islas del Caribe!

▶ **Elige** un país del Caribe y escribe qué sabes sobre él y qué te resulta más interesante.

▶ **Habla** con tu compañero(a). ¿Qué cosas pueden hacer en las islas del Caribe?

> Anne, ¿qué podemos hacer en las islas del Caribe?

> Pues... bailar salsa.

Isla Saona. Punta Cana (República Dominicana).

Estilo de vida caribeño

En las islas del Caribe, la vida tiene otro ritmo, otro color. El Caribe es sol, mar, abundante naturaleza y una cultura muy rica de orígenes diversos.

Las islas del Caribe tienen un colorido muy especial. El intenso azul del cielo, el color turquesa[1] del mar y el verde de la vegetación marcan su paisaje. Y en los barrios antiguos de Santo Domingo, el Viejo San Juan y otras ciudades coloniales, las casas tienen fachadas con vivos colores.

Vivir la vida con alegría es una característica esencial del carácter caribeño. La gente del Caribe es hospitalaria[2] y sociable. Los vecinos conversan en la puerta del colmado[3] o del café, o juegan al dominó en la calle.

La gran pasión de los caribeños es la música y el baile. Los ritmos y los músicos caribeños son famosos en todo el mundo. La salsa, el mambo, el merengue y la bachata son algunos de los ritmos más populares.

---

1. *turquoise blue*   **2.** *hospitable*   **3.** *grocery store*

COMPRENSIÓN

86 **¿Estilo de vida caribeño?**

▶ **Decide** si las siguientes afirmaciones son ciertas o falsas.

1. El Caribe tiene una cultura muy rica y diversa.
2. En Santo Domingo hay casas coloniales.
3. Los caribeños son melancólicos y aburridos.
4. A los caribeños no les gusta la música.

ESTRATEGIA Buscar información específica en un texto

87 **¿Qué dice el texto?**

▶ **Completa** una tabla como esta para recopilar (to gather) la información del texto. Puedes reformularla con tus propias palabras.

Ideas principales	Detalles importantes
1. La vida en el Caribe es diferente (tiene otro ritmo, otro color).	– El Caribe tiene una naturaleza abundante. – El Caribe tiene una cultura muy rica y muy diversa.

88 **En resumen**

▶ **Escribe** un resumen del texto. Usa tu tabla de la actividad 87 y las siguientes imágenes.

▷ TU DESAFÍO Visita la página web para aprender más sobre los músicos del Caribe.

La vivienda

el balcón	*balcony*	**Material**
la chimenea	*fireplace*	de ladrillo *brick*
la cocina	*kitchen*	de madera *wooden*
la despensa	*pantry*	de piedra *stone*
el desván	*attic*	
el jardín	*garden*	
el pasillo	*hallway*	
la sala	*living room*	
el sótano	*basement*	
el tejado	*roof*	

Las tareas domésticas

cargar el lavaplatos	*to load the dishwasher*
descargar el lavaplatos	*to unload the dishwasher*
colocar los libros	*to arrange the books*
planchar	*to iron*
sacudir el polvo	*to dust*

Los electrodomésticos

el aire acondicionado	*air conditioning*
la caldera de calefacción	*furnace*
el equipo de música	*stereo*
el despertador	*alarm clock*

El cuarto de lavar

la lavadora	*washing machine*
la plancha	*iron*
la secadora	*clothes dryer*

La cocina

el congelador	*freezer*
la estufa	*stove*
el horno	*oven*
el lavaplatos	*dishwasher*
el microondas	*microwave*
el refrigerador	*refrigerator*

Muebles y accesorios para la casa

la cama	*bed*	**Accesorios**	
el estante	*shelf*	la alfombra	*rug*
la mesa	*table*	las cortinas	*curtains*
la mesita		el cuadro	*painting*
de noche	*nightstand*	el espejo	*mirror*
el sillón	*armchair*	el florero	*vase*
el sofá	*sofa*	la lámpara	*lamp*

El barrio

la acera	*sidewalk*	**Lugares y servicios**	
la avenida	*avenue*	el banco	*bank*
el banco	*bench*	la biblioteca	*library*
la calle	*street*	el café	*café*
la cuadra	*block*	la escuela	*school*
la esquina	*corner*	la iglesia	*church*
la plaza	*square/plaza*	la oficina de correos	*post office*
el paso de cebra	*crosswalk*	el parque	*park*
el semáforo	*stoplight*	la tienda de comestibles	*grocery store*
la señal de pare	*stop sign*	en las afueras	*on the outskirts*
		en el centro	*downtown*

DESAFÍO 1

1 **Partes de la casa.** Completa estas oraciones.

> balcón
> despensa
> sótano
> pasillo
> chimenea

1. El _____ de mi casa es largo.
2. No me gusta bajar al _____ porque está muy oscuro.
3. Todos los dulces están guardados en la _____.
4. A Celia le gusta sentarse frente a la _____ en el invierno.
5. El dormitorio de Ana tiene un _____ muy grande.

DESAFÍO 2

2 **¿Qué hay en la sala?** Mira la fotografía y corrige los nombres de los muebles y accesorios.

1. lámpara → sofá
2. sofá
3. cuadro
4. florero
5. mesa

DESAFÍO 3

3 **¿Cómo se llaman?** Escribe el nombre de estos electrodomésticos.

DESAFÍO 4

4 **Mi camino a la escuela.** Completa el texto.

> avenida   esquina   cuadras   paso de cebra   acera

Mi camino a la escuela

¡Para llegar a mi escuela tengo que caminar seis _____1_____! Siempre voy por la _____2_____ derecha de la _____3_____ principal. Al llegar a la _____4_____, cruzo por el _____5_____. Mi escuela está al lado de la biblioteca.

El presente continuo (pág. 90)

▶ The present progressive is formed this way:

> estar + gerundio

Estoy cargando el lavaplatos.

▶ The **gerundio** is formed by adding these endings to the verb stem:

Verbs ending in -ar	Add -ando. lavar → lavando
Verbs ending in -er and -ir	Add -iendo. hacer → haciendo sacudir → sacudiendo

El gerundio (pág. 90)

decir → diciendo
mentir → mintiendo
pedir → pidiendo
preferir → prefiriendo
sentir → sintiendo
servir → sirviendo
dormir → durmiendo
morir → muriendo
creer → creyendo
leer → leyendo
oír → oyendo

Los pronombres de objeto directo (pág. 98)

	Singular		Plural
me	*me*	nos	*us*
te	*you (inf.)*	os	*you (inf.)*
lo	*you (formal), him, it*	los	*you, them*
la	*you (formal), her, it*	las	*you, them*

Los pronombres de objeto indirecto (pág. 106)

	Singular		Plural
me	*to/for me*	nos	*to/for us*
te	*to/for you (inf.)*	os	*to/for you (inf.)*
le	*to/for you (formal), him, her*	les	*to/for you, them*

Le and les become se when placed in front of a direct object pronoun.

Le compro un libro. → Se lo compro.

Los demostrativos (pág. 114)

| Distance from speaker | SINGULAR | | | PLURAL | |
	Masculino	Femenino	Neutro	Masculino	Femenino
Near	este	esta	esto	estos	estas
At a distance	ese	esa	eso	esos	esas
Far away	aquel	aquella	aquello	aquellos	aquellas

DESAFÍO 1

5 **¿Qué están haciendo?** Completa estas oraciones con una forma del presente continuo. Usa los verbos de la caja.

> leer
> cocinar
> planchar
> servir

1. Paloma _____ arroz y pescado para el almuerzo.
2. Susana _____ su vestido rojo para la fiesta.
3. Mariela y yo _____ una revista.
4. Tú _____ la cena en el comedor.

DESAFÍO 2

6 **Un poco de orden.** Completa con pronombres de objeto directo.

1. LUIS: No encuentro mis carpetas.
   BEATRIZ: ¡_____ tienes ahí!

2. LUIS: ¿Me das un lápiz?
   BEATRIZ: Sí, te _____ doy.

3. LUIS: No veo mi cuaderno de Español.
   BEATRIZ: Siempre _____ pierdes.

4. BEATRIZ: Mamá nos está llamando.
   LUIS: Sí, _____ escucho. ¡Ya estoy listo!

DESAFÍO 3

7 **¿A quién?** Decide a qué persona se refiere cada oración.

1. ¿Me preparas un sándwich?
2. Voy a ayudarte con las tareas.
3. Les compro un CD de música.
4. Le doy un vaso de agua.

> a ti   a ellas   a mí   a ella

DESAFÍO 4

8 **En la plaza.** Une las dos columnas.

Ⓐ

1. Yo vivo en esa calle.
2. Mis padres están en aquel restaurante.
3. Voy a beber algo en este café.
4. ¿Vamos a estudiar a aquella biblioteca?
5. Mi padre trabaja en ese banco.

Ⓑ

AQUÍ

AHÍ

ALLÍ

CULTURA

9 **En las islas del Caribe.** Responde.

1. ¿Qué ciudad ocupó Francis Drake?
2. ¿Qué ciudades del Caribe conoces?
3. ¿Por qué el Caribe es un importante destino turístico?

Un juego en las calles de

Santo Domingo

In this project you will create a board game set in Santo Domingo, Dominican Republic. You will use images of this city and create cards and rules for your board game.

PASO 1 Localiza imágenes de Santo Domingo

- Get pictures on the Internet of houses, streets and neighborhoods in Santo Domingo. These are some ideas for your search:
  - Zona colonial de Santo Domingo.
  - Casas típicas de Santo Domingo.
  - Monumentos de Santo Domingo.
  - Plano de Santo Domingo.
- Save your favorite images; they will serve as the background for your board.

PASO 2 Prepara las fichas y las instrucciones

- Write questions on twelve cards about the culture, the vocabulary, and the grammar that you learned in this unit. Write the question and the correct answer. Try to prepare four easy questions, four average questions and four difficult questions.

- On each card, write the number of squares that the player gets to advance if they get the answer right, using this scale:
  - Preguntas fáciles: 1 casilla
  - Preguntas normales: 3 casillas
  - Preguntas difíciles: 5 casillas

Pregunta: ¿Para qué sirve la lavadora?

Respuesta: Para lavar la ropa.

Avanza 3 casillas.

PASO 3 Diseña el tablero

- With your group, glue your favorite images of Santo Domingo on a large poster board (tabloid size or larger) in order to make the background for your board.

- With your group, design a path with fifty spaces over the images for people to move around on your board. Decide where the start and the finish lines are. You may include shortcuts and obstacles.

PASO 4 Junta las cartas con las de tus compañeros(as) y... ¡a jugar!

- Game rules: place all cards face down in a deck. One player takes a card and reads the question to the next player to the left. If the answer is not correct, the player has to go back one space. Take turns.

- Put the cards back into the deck because you will use them until one player arrives at the finish line.

Unidad 2

Autoevaluación

¿Qué has aprendido en esta unidad?

Complete these activities to evaluate how well you can communicate in Spanish.

Evaluate your skills. For each item, say Very well, Well, or I need more practice.

a. Can you express present activity in a home?

▶ Tell a classmate what chores you do at home and where in the home you do them.

▶ Tell the same classmate what your family members are doing while you are doing your chores.

b. Can you identify and describe rooms and furniture?

▶ Draw and label the furniture and the accessories in your room.

▶ Ask and answer questions about the things in your room.

c. Can you talk about household appliances and accessories?

▶ Tell a classmate what appliances you have in each room of your house and say for whom each appliance was purchased.

d. Can you describe a neighborhood?

▶ Take your classmate on a blind tour of your neighborhood. Have him or her close their eyes as you describe your neighborhood.

Andes centrales

Entre las altas montañas

DESAFÍO 1

▶ To talk about past actions

Vocabulario
La ropa y los complementos

Gramática
Verbos regulares en *-ar*. Pretérito

DESAFÍO 2

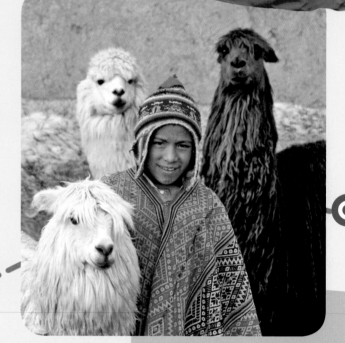

Huancavelica (Perú)

▶ To describe clothes

Vocabulario
Describir la ropa

Gramática
Verbos regulares en *-er* y en *-ir*. Pretérito

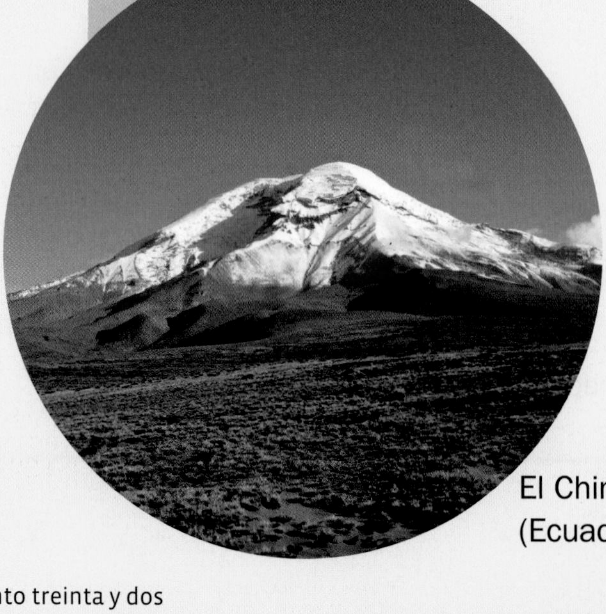

El Chimborazo (Ecuador)

El carnaval
de Oruro
(Bolivia)

▶ **To talk about places in the community**

Vocabulario
Tiendas
y establecimientos

Gramática
Verbos irregulares
en el pretérito.
Ser, *ir*, *decir*, *tener*,
estar y *hacer*.

DESAFÍO

3

DESAFÍO

4

Potosí (Bolivia)

▶ **To talk about past shopping experiences**

Vocabulario
Las compras

Gramática
Verbos en *-ir* con raíz
irregular en el pretérito

En Guayaquil

The pairs gather at the Malecón, a long walkway overlooking the Guayas River in the Ecuadorian port city of Guayaquil. They must find out what a man named José Joaquín Olmedo is wearing before they can receive their tasks, which will take place thousands of feet high, in the Andean region.

No sé cómo vamos a encontrar a José Joaquín Olmedo.

No sabemos si lleva traje y corbata...

¿Cuándo te compraste ese celular?

Lo compré ayer en el centro comercial. Quiero ver qué ropa lleva Olmedo y cómo es.

¡O una camiseta y pantalones cortos!

Lo siento, Tim, pero no se puede mirar en Internet.

José Joaquín Olmedo fue un héroe nacional de Ecuador.

Bienvenidos a Guayaquil. Me llamo José Joaquín Olmedo. Nací en esta ciudad en 1780. Fui poeta y líder de la independencia de Ecuador. ¡Buena suerte!

¡Ahora lo entiendo!

Primero deben completar sus desafíos y al final tienen que escribir un diario de sus experiencias.

 ¿Comprendes?

▶ **Une** las dos columnas.

Ⓐ

1. ¿Quién compró ayer un celular?
2. ¿Dónde lo compró?
3. ¿Quién fue un héroe nacional de Ecuador?
4. ¿Dónde nació José Joaquín Olmedo?
5. ¿Cuándo murió?

Ⓑ

a. En Guayaquil.
b. Hace 150 años.
c. Tim.
d. En el centro comercial.
e. José Joaquín Olmedo.

EXPRESIONES ÚTILES

¡Yo lo sé!

To ask about and to express knowledge of a fact:
- –¿Sabes dónde está Guayaquil?
- –Sí, está en Ecuador. / No, no lo sé.

To express the order of actions:
- Primero
- Luego / Después / A continuación
- Al final / Por fin / Finalmente

To wish somebody luck:
- ¡Buena suerte!

2 ¿Sabes o no sabes?

▶ **Pregunta** a tu compañero(a) los siguientes datos. Usa el verbo *saber*.

Modelo A. *¿Sabes cuál es la capital de Perú?*
        B. *¡Sí, lo sé! Es Lima. / No, no lo sé.*

1. Cuándo es el cumpleaños de tu profesor(a).
2. Cuál es la capital de Ecuador.
3. Cuánto cuesta un celular.
4. Dónde está Guayaquil.

3 Fotos desordenadas

▶ **Ordena** las fotografías y escribe lo que hace Patricia.

Modelo *Primero Patricia…*

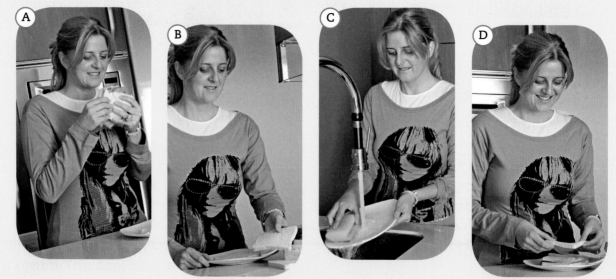

A   B   C   D

¿Quién ganará?

4 Los desafíos

▶ **Habla.** ¿Cuál será el desafío para cada pareja? Piénsalo y coméntalo con tus compañeros(as).

DESAFÍO ①

Un sorbete de volcán

Andy y Janet

DESAFÍO ②

Una carrera de llamas

DESAFÍO ③

El carnaval de Oruro

Diana y Rita

DESAFÍO ④

La montaña de plata

Tim y Mack

▶ **Habla.** Las parejas viajan a Ecuador, Perú y Bolivia. ¿Qué sabes de esos países? Coméntalo con tus compañeros(as).

5 La tarea final

▶ **Decide.** ¿Qué tarea tienen que hacer los personajes al final?
¿Qué pareja crees que ganará?

LA TAREA

Un diario

Un sorbete de volcán

Andy and Janet are in the town of Riobamba, the starting point for their arduous hike. The siblings will have to climb to one of the glaciers of Chimborazo, the highest volcano in Ecuador. Their task is to collect some snow from the glacier, and use it to make an iced drink called *sorbete*.

¿Solo llevas esa ropa?

¡Ay, ayer compré estas botas en una zapatería, pero me quedan pequeñas!

Pues hay que caminar diez millas. ¡Qué problema!

¿Hace mucho frío allí? ¡No compramos abrigos! ¡Qué desastre!

Janet, ¿seguro que ese sombrero combina con esas gafas de sol?

No pasa nada. Aquí tenemos ropa y calzado apropiados para ustedes: calcetines, pantalones, botas...

¡Perfecto! ¡Estas botas me hacen daño!

Las mujeres de los Andes llevan este tipo de sombrero, Andy.

Continuará...

6 **Detective de palabras**

▶ **Escribe.** ¿Qué palabra de la fotonovela corresponde a cada foto?

1

2

3

4

7 **¿Comprendes?**

▶ **Decide** si estas oraciones son ciertas o falsas. Si son falsas, corrígelas.

Modelo   Andy y Janet viajan a la capital de Ecuador.
→ *Falso. Andy y Janet viajan a la ciudad de Riobamba.*

1. A Andy le quedan pequeñas las botas.
2. Janet lleva ropa para el frío.
3. Janet compró abrigos para el frío.
4. El guía tiene ropa y calzado para Andy y Janet.
5. Janet lleva un sombrero típico.

8 **Buscando la nieve del Chimborazo**

▶ **Ordena** estas oraciones sobre la fotonovela con tu compañero(a).

a. Janet compra unas botas en la zapatería.
b. Andy y Janet llegan a Riobamba.
c. Andy le pregunta al guía si hace mucho frío.
d. Janet se pone un sombrero típico de los Andes.
e. Andy, Janet y el guía empiezan a caminar.

▶ **Escribe** lo que pasa en la fotonovela. Usa estas expresiones.

primero   luego   después   a continuación   y   finalmente

CULTURA

La Avenida de los volcanes

El Chimborazo.

La cordillera de los Andes atraviesa Ecuador de norte a sur con montañas y volcanes de 5.000 y 6.000 metros de altitud. Muchos volcanes están agrupados en un área de más de 300 kilómetros de longitud llamada Avenida de los volcanes. Allí está el Chimborazo, el volcán más alto de Ecuador (6.310 metros).

Todavía hay personas que suben por hielo *(ice)* al Chimborazo para venderlo en los mercados de las ciudades cercanas. En esos mercados venden jugos y sorbetes preparados con el hielo del Chimborazo.

9 **Piensa y explica.** El calentamiento global *(global warming)* está produciendo el deshielo *(melting)* de los glaciares. ¿Cómo crees que puede afectar esto a los habitantes de los Andes?

 **TU DESAFÍO**   Visita la página web para aprender más sobre la Avenida de los volcanes.

Vocabulario

La ropa y los complementos

la corbata

el traje

el abrigo

la gorra

la sudadera

el impermeable

la bata

el pijama

las zapatillas

el traje de baño

las gafas de sol

el reloj

el bolso

el collar

los aretes

la pulsera

el anillo

10 Palabras mezcladas

▶ **Decide** qué palabra no corresponde a cada grupo.

Ropa de invierno	Ropa de verano	Complementos
suéter	abrigo	bufanda
traje de baño	pantalón corto	sombrero
guantes	camiseta	bolso
bufanda	sandalias	vestido

11 **¿Qué llevan?**

▶ **Escribe.** ¿Qué llevan estas personas?

12 **Una cena elegante**

▶ **Escucha** la conversación de Janet y su tía. ¿Qué lleva cada uno? Completa una tabla como esta.

	Ropa	Calzado y complementos
Su tía	Una falda y _____ 1 _____	Unos aretes, _____ 2 _____ y unos zapatos.
Su tío	_____ 3 _____, una corbata y un abrigo.	_____ 4 _____
Su prima	5	6

13 **¿Qué les gusta llevar?**

▶ **Habla** con tres compañeros(as). ¿Qué les gusta llevar en estas situaciones?

Modelo   A. *¿Qué te gusta llevar cuando vas a un concierto?*
              B. *Me gusta llevar unos jeans y una camiseta.*

> ir a una fiesta
> ir a la escuela
> ir a un restaurante
> ir a hacer deporte
> ir de excursión al campo

COMPARACIONES

La ropa tradicional andina

El poncho y el chullo –un tipo de gorro– son dos prendas típicas de los habitantes de los Andes. Estas prendas se fabrican con la lana de las llamas y las alpacas de los Andes. Sirven para protegerse del frío y de la lluvia.

Poncho andino.

14 **Compara.** ¿Qué prendas sueles llevar? ¿Hay alguna parte del país donde se usa otro tipo de ropa? ¿Por qué?

 → TU DESAFÍO   Visita la página web para aprender más sobre los habitantes de los Andes.

Gramática

Verbos regulares en *-ar.* Pretérito

- To talk about actions completed in the past, we use the preterite tense.

    Ayer **compré** una gorra nueva en el centro comercial.

- These are the preterite tense endings of -ar verbs.

VERBO COMPRAR. PRETÉRITO

Singular		Plural	
yo	**compré**	nosotros nosotras	**compramos**
tú	**compraste**	vosotros vosotras	**comprasteis**
usted él ella	**compró**	ustedes ellos ellas	**compraron**

Note: The nosotros form is the same in the preterite as in the present. Context will clarify the tense.

PRESENTE
Todos los días **almorzamos** a la una.

PRETÉRITO
Ayer **almorzamos** a las doce.

Verbos con cambios ortográficos

- Verbs ending in -car, -gar, and -zar require a change of spelling in the yo form of the preterite tense.

    -car ⟶ -qué   bus**car** ⟶ yo bus**qué**, tú buscaste

    -gar ⟶ -gué   lle**gar** ⟶ yo lle**gué**, tú llegaste

    -zar ⟶ -cé   empe**zar** ⟶ yo empe**cé**, tú empezaste

15 **Piensa.** ¿Por qué hay un cambio ortográfico en la forma yo del pretérito de los verbos terminados en -car, -gar y -zar?

16 **¿Qué hicieron?**

▶ **Escribe.** ¿Cómo se prepararon Andy y Janet para su desafío?

comprar

preparar

viajar

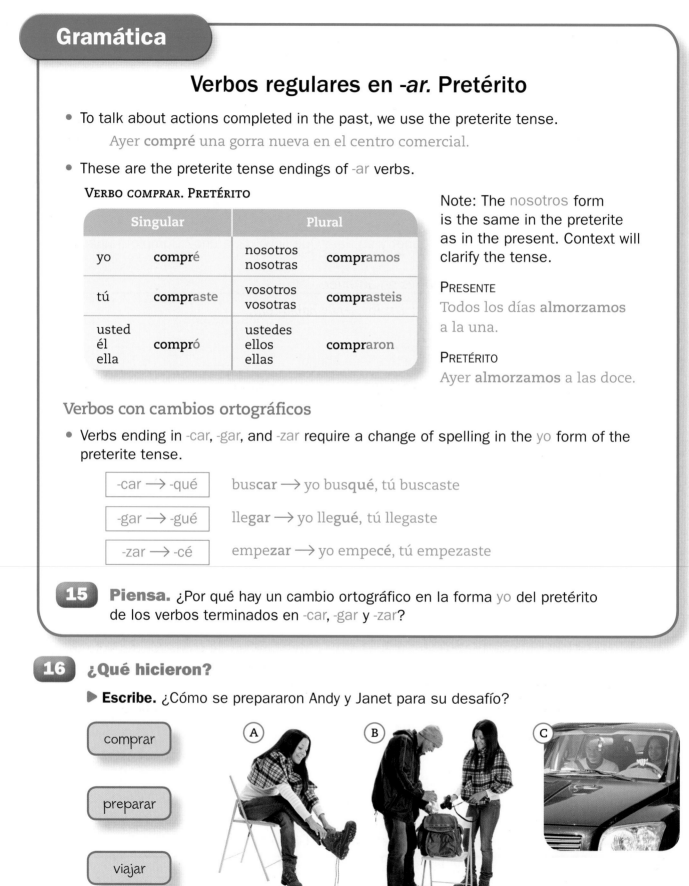

17 Actividades

▶ **Escucha** a Andy y a Janet, y completa una tabla como esta.

Tarea	¿Sí o no?	¿Quién?
llegar a Riobamba		
buscar un hotel		
hablar con mamá y papá		
comprar un impermeable		
preparar la mochila		
practicar deporte		

▶ **Escribe** un texto con la información anterior.

Modelo *Andy y Janet llegaron a Riobamba. Andy habló con…*

18 ¿Qué pasó?

▶ **Pregunta** a tu compañero(a). ¿Qué hizo la semana pasada?

Modelo

¿Viajaste a otra ciudad la semana pasada?

No, no viajé a otra ciudad la semana pasada.

1. viajar a otra ciudad
2. comprar ropa
3. almorzar con sus amigos(as)
4. pasear por el parque
5. hablar con su mejor amigo(a)
6. buscar un libro en la biblioteca
7. visitar un museo
8. llegar tarde a la escuela

▶ **Escribe** un resumen de lo que tu compañero(a) y tú hicieron la semana pasada.

Modelo

La semana pasada Sally y yo compramos ropa y almorzamos con nuestros amigos. Ella visitó un museo y yo...

Comunicación

19 **El blog de Janet**

▶ **Lee** el blog de Janet y escribe. ¿Qué hizo en Ecuador? Utiliza el pretérito.

Modelo   *Andy y Janet llegaron ayer a...*

Riobamba, 15 de octubre

Andy y yo llegamos ayer a Riobamba. Los dos nos preparamos para nuestro desafío.

Andy habla mucho con el guía. Él nos explica muchas cosas de la geografía de esta región y nos ayuda mucho. Busca unos ponchos y unos gorros porque nosotros necesitamos ropa para el frío.

Andy y yo lo pasamos muy bien en Ecuador.

Continuará...

▶ **Escucha** a Andy y decide. ¿Está de acuerdo con lo que dice Janet en su blog?

20 **¿Qué anuncian?**

▶ **Escucha** este anuncio de unos grandes almacenes y completa una tabla como esta.

Productos en oferta	
Planta baja	
Primera planta	
Segunda planta	

▶ **Escribe.** ¿Qué otros productos puede haber en cada planta de estos grandes almacenes? Haz una lista con tu compañero(a).

Complementos

Ropa de señora

Ropa de caballero

¿Qué llevaste?

▶ **Escribe.** ¿Qué ropa llevaste en estas situaciones?

Modelo *Cuando fui a la fiesta de cumpleaños de mi mejor amiga, llevé un vestido nuevo.*

> Cuando fuiste
> a una fiesta.

> Cuando fuiste
> a hacer deporte.

> Cuando fuiste
> de excursión.

▶ **Habla** con tu compañero(a). ¿Llevaron ropa similar?

Final del desafío

Andy y Janet _____1_____ ropa de abrigo y _____2_____ un té caliente para no tener frío.

Andy _____3_____ fotografías de la nieve.

Luego Andy y Janet _____4_____ a Riobamba.

Finalmente, _____5_____ la nieve con jugo de limón. ¡Y _____6_____ de un auténtico sorbete de volcán!

22 **Hielo junto al volcán**

▶ **Lee** el final del desafío y completa los pies de foto con la forma correcta del pretérito de estos verbos.

> mezclar   disfrutar   llegar   llevar   comprar   sacar

Una carrera de llamas

Tess and Patricia are in Huancavelica, a village in the Peruvian Andes. Héctor Gonzáles, the town's mayor, has arrived to welcome them. The pair will take part in the town's annual llama race, which is three kilometers (1.9 miles) long.

Mamá, ¿tenemos que vestirnos de color anaranjado como los lamas del Tíbet?

Claro, como los monjes de las montañas.

¿Como los lamas del Tíbet?

¡Nooo! No es una carrera de lamas. Es una carrera de llamas, con elle.

Las llamas son esos animales de color blanco y café. Esto no es el Himalaya. ¡Estamos en los Andes!

Tienen que correr tres kilómetros detrás de los animales.

¡Yo ya corrí esta mañana!

¡Ah, claro! La lana de las llamas es muy suave.

Continuará...

23 **Detective de palabras**

▶ **Completa** estas oraciones.

1. Los monjes del Tíbet visten de color ____1____.
2. Las llamas son animales de color ____2____ y ____3____.
3. Las llamas producen ____4____.
4. La lana de las llamas es muy ____5____.

24 **¿Comprendes?**

▶ **Responde** a estas preguntas.

1. ¿De qué es la carrera en la que participan Tess y Patricia?
2. ¿Qué son las llamas?
3. ¿Dónde viven las llamas?
4. ¿Qué tienen que hacer Tess y Patricia en este desafío?
5. Al principio, Tess confunde (*confuses*) dos palabras. ¿Cuáles son?

25 **Querido diario...**

▶ **Lee** el diario de Tess y busca tres datos falsos. Después, escribe el diario con los datos correctos.

> Huancavelica, 17 de octubre
>
> Querido diario:
>
> Estoy con mi mamá en Huancavelica, una pequeña ciudad en las montañas de Argentina. Tenemos que participar en una carrera. ¡Una carrera de quince kilómetros!
>
> Al principio entendí «carrera de lamas» y pensé: ¡Qué raro! Pero luego mamá me lo explicó. Un lama es un monje del Tibet que lleva ropa de color anaranjado. Y una llama es un animal de esta zona, de color blanco y negro. ¡Qué vergüenza!

CULTURA

Huancavelica

Huancavelica es una pequeña ciudad situada en la parte central de Perú. Está en los Andes, al lado del río Ichu. Es una ciudad de origen colonial que conserva la típica Plaza de Armas y algunos edificios antiguos.

En la ciudad hay ocho iglesias de estilo colonial. También hay importantes ruinas arqueológicas en la zona.

Iglesia de San Juan Bautista.

26 **Piensa y explica.** ¿Fueron los Estados Unidos una colonia? ¿De quién? ¿Conoces ejemplos de la influencia colonial en los Estados Unidos?

▶ **TU DESAFÍO** Visita la página web para aprender más sobre Huancavelica.

Vocabulario

Describir la ropa

Este poncho de lana es de mi talla.

A mí me gusta este poncho porque mezcla colores claros y oscuros.

Materiales

de algodón   de lana   de cuero

Diseño

de rayas   de cuadros   de lunares   liso(a)

¡Ay, qué incómodas! Necesito un número más.

¡Este colgante plateado es muy barato!

Sí, el dorado es más caro.

Los colores

amarillo   anaranjado   azul   blanco   gris   morado

negro   de color café   rojo   rosado   verde

27 Los regalos

▶ **Escucha** a Patricia y relaciona cada regalo con la persona apropiada.

1. su mamá   2. su mejor amiga   3. su compañera de trabajo

4. su esposo   5. Tess

A   B   C   D   E

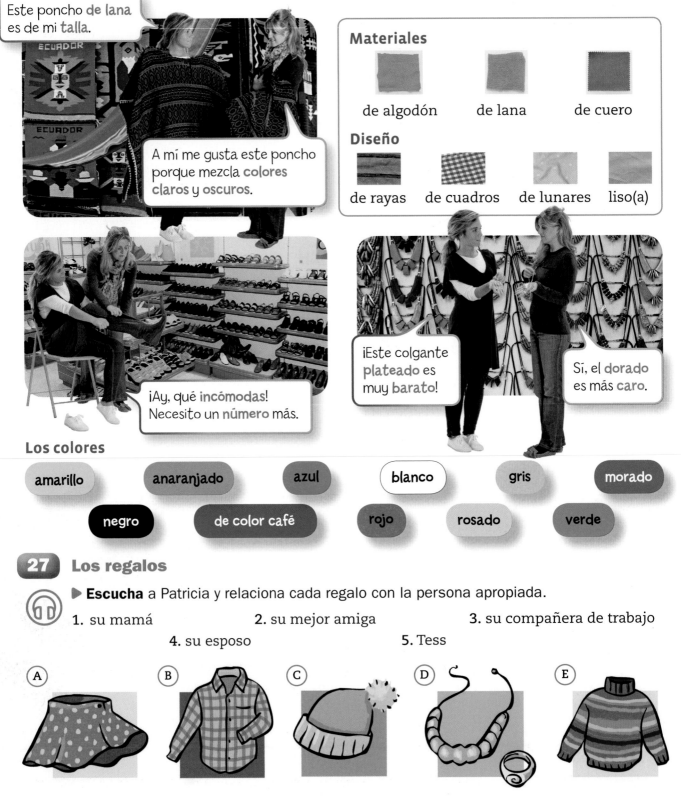

28 Las compras

▶ **Escucha** y completa estas oraciones.

1. A Patricia le gustan unas botas azules _____.
2. Las botas de Tess no son _____.
3. A Tess le queda bien el suéter _____.
4. A Patricia le quedan mal los pantalones negros _____.
5. Tess va a comprar una falda gris _____.

29 Un desfile

▶ **Habla** con tu compañero(a). ¿Qué ropa llevan estos modelos?

Modelo   *El chico lleva un pantalón...*

30 ¿Quién es?

▶ **Escribe** la ropa que lleva un(a) compañero(a) sin decir su nombre.

▶ **Habla.** Lee tu descripción a otro(a) compañero(a). Él/Ella tiene que adivinar a quién corresponde la descripción.

Lleva unos jeans anchos muy modernos y una camiseta de rayas.

¿Es Sonia?

CONEXIONES: CIENCIAS

Los camélidos andinos

La llama y la alpaca son dos tipos de camélidos muy comunes en los Andes. La lana de estos animales se utiliza para hacer ropa tradicional y moderna, como ponchos, gorros, suéteres, etc. La lana de la alpaca es más cara que la lana de la llama, porque es muy suave (*soft*) y cálida (*warm*).

31 Piensa y explica. ¿De qué material es la ropa que llevas habitualmente? ¿De dónde viene ese material?

DESAFÍO 2

Gramática

Verbos regulares en *-er* y en *-ir*. Pretérito

- Regular -er and -ir verbs have the same endings in the preterite tense.

VERBO COMER. PRETÉRITO

Singular		Plural	
yo	comí	nosotros nosotras	comimos
tú	comiste	vosotros vosotras	comisteis
usted él ella	comió	ustedes ellos ellas	comieron

VERBO ESCRIBIR. PRETÉRITO

Singular		Plural	
yo	escribí	nosotros nosotras	escribimos
tú	escribiste	vosotros vosotras	escribisteis
usted él ella	escribió	ustedes ellos ellas	escribieron

Marcadores temporales de pasado

- You can use these expressions to refer to the past tense:

el año pasado — el mes pasado — la semana pasada — anteayer — ayer — anoche — hoy

- You can also use the word hace to express the amount of time elapsed since an action was completed.

Hace + time expression + que + verb in the preterite tense

Hace una semana que Tess y Patricia llegaron a los Andes.

Verb in the preterite tense + hace + time expression

Tess y Patricia llegaron a los Andes **hace una semana**.

32 **Piensa.** En los verbos en -ar la forma nosotros es igual en el pasado y en el presente. ¿Sucede lo mismo en los verbos en -er y en -ir?

33 **¿Cuándo?**

▶ **Escribe** oraciones. ¿Cuándo hiciste estas actividades por última vez?

Modelo *Comí fruta por última vez ayer.*

1. comer fruta
2. escribir un mensaje de correo
3. correr
4. ver una película
5. beber un refresco
6. salir con tus amigos

34 **Final del día**

▶ **Escucha** a Patricia y decide si las oraciones se refieren al presente o al pasado.

1. **a.** presente **b.** pasado
2. **a.** presente **b.** pasado
3. **a.** presente **b.** pasado

4. **a.** presente **b.** pasado
5. **a.** presente **b.** pasado
6. **a.** presente **b.** pasado

▶ **Escucha** otra vez y escribe los cuatro marcadores temporales de pasado que utiliza Patricia.

35 **¿Qué más hicieron?**

▶ **Escribe.** ¿Qué más hicieron Tess y Patricia en Huancavelica?

Modelo   *Tess y Patricia comieron en…*

A

B

C

D

▶ **Habla** con tu compañero(a). Imagina qué más cosas hicieron Tess y Patricia. Usa estos verbos.

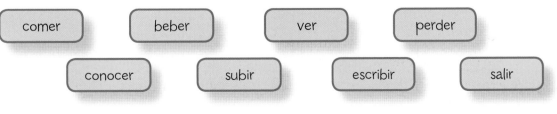

comer   beber   ver   perder

conocer   subir   escribir   salir

Comunicación

36 **¿Qué pasó?**

 ▶ **Escucha** a Manuel, un amigo de Tess y de Patricia, y ordena las ilustraciones.

▶ **Escribe** un texto explicando lo que le pasó a Manuel. Utiliza las palabras del cuadro.

perder las llaves	volver a casa	tocar a la puerta	no responder nadie
llamar por teléfono	escribir un mensaje	abrir la puerta	salir corriendo

37 **Tus vacaciones**

 ▶ **Habla** con tu compañero(a) de tus últimas vacaciones. ¿Adónde viajaste? ¿Qué viste? ¿Qué comiste? ¿Qué bebiste?

Modelo

En mis últimas vacaciones viajé a Perú.

¿Y qué viste?

38 Un disfraz

▶ **Escribe.** Tim va a una fiesta de disfraces *(costumes)*. Dibuja un disfraz de payaso *(clown)* para él y escribe un texto describiéndolo con detalle.

Modelo

Para la fiesta, Tim necesita una camisa ancha, de lunares rojos. También...

Final del desafío

La Gaceta de Huancavelica

Carrera de llamas de Huancavelica
Sorprendente victoria de dos estadounidenses
Por GERMÁN VILLEGAS

Las estadounidenses Patricia y Tess Williams _____1_____ ayer en la Carrera de Llamas
vencer

de Huancavelica, por delante de Ismael Sánchez y Casimiro Luján.

Los periodistas les preguntaron y las dos mujeres estadounidenses _____2_____ así:
responder

«Nosotras solo _____3_____ detrás de los animales.
correr

Las llamas _____4_____ colaborar. Ellas son
decidir

las verdaderas campeonas.»

Patricia y Tess Williams.

39 ¡Tess y Patricia campeonas!

▶ **Lee** el artículo del periódico local y complétalo con las formas correspondientes del pretérito.

 → **TU DESAFÍO**   Visita la página web. Escucha las preguntas de tu *Minientrevista Desafío 2* y escribe las respuestas.

El carnaval de Oruro

Diana and Rita have just arrived in Oruro, a former mining town in Bolivia that holds the most famous carnival in the Andean region. They must don traditional costumes and parade through the streets of Oruro with all the dancers.

¡Ay, tía, mira qué bonitas! Yo quiero vestirme como ellas.

Un señor me dijo que ahí hay una tienda de disfraces.

Ah, pues yo voy a disfrazarme como esos bailadores.

Ve tú, tía. Yo voy a comprar complementos a esa tienda de bisutería.

Ese disfraz a cuadros es muy original.

Perdone, ¿sabe dónde hay una peluquería?

Sí, estos disfraces solo se pueden comprar en tiendas de artesanía.

Sí. En ese centro comercial tiene usted una peluquería de señoras.

Continuará...

40 **Detective de palabras**

▶ **Completa** estas oraciones.

1. Rita va a una ____1____ de disfraces.

2. Diana quiere comprar ____2____ en la tienda de ____3____.

3. Los disfraces a cuadros se venden en las tiendas de ____4____.

4. Rita quiere ir a una ____5____.

5. Hay una peluquería en el ____6____.

41 **Tiendas y establecimientos**

▶ **Relaciona** cada palabra con la fotografía correspondiente.

una peluquería

un centro comercial

una tienda de bisutería

42 **¿Estuviste en el carnaval?**

▶ **Escucha** la conversación de Rita y la dependienta de la tienda de disfraces y decide a quién corresponden estos hechos.

1. Es la primera vez que está en el carnaval de Oruro.
2. Fue al desfile del carnaval con un disfraz.
3. Hizo muchas fotos en el desfile.
4. Hoy no fue al desfile.
5. Dijo que Diana compró unos complementos.

RITA

DEPENDIENTA

CULTURA

El carnaval de Oruro

La ciudad de Oruro está en Bolivia, a 3.706 metros de altitud (12.159 pies). Allí se celebra el carnaval de Oruro, la fiesta tradicional más famosa de Bolivia. En el carnaval mezclan las tradiciones indígenas y españolas, y los hechos históricos de Bolivia. En 2001 la UNESCO declaró esta celebración Obra Maestra del Patrimonio Oral e Intangible de la Humanidad.

Durante los diez días que dura la fiesta, varios grupos folclóricos recorren la ciudad y la gente baila con disfraces y máscaras de muchos colores. Las danzas más famosas son la diablada y la morenada.

43 **Compara.** ¿En qué fiestas o celebraciones se utilizan disfraces? Compara el carnaval de Oruro con otras fiestas similares.

▶ **TU DESAFÍO** Visita la página web para aprender más sobre el carnaval de Oruro.

Vocabulario

Tiendas y establecimientos

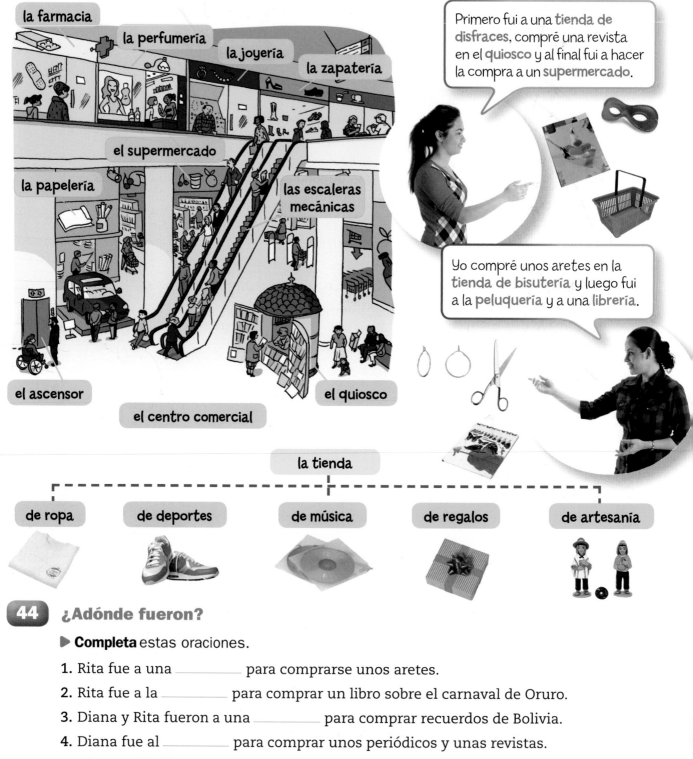

la farmacia

la perfumería

la joyería

la zapatería

el supermercado

la papelería

las escaleras mecánicas

el ascensor

el centro comercial

el quiosco

Primero fui a una **tienda de disfraces**, compré una revista en el **quiosco** y al final fui a hacer la compra a un **supermercado**.

Yo compré unos aretes en la **tienda de bisutería** y luego fui a la **peluquería** y a una **librería**.

la tienda

de ropa   de deportes   de música   de regalos   de artesanía

44 ¿Adónde fueron?

▶ **Completa** estas oraciones.

1. Rita fue a una _____ para comprarse unos aretes.

2. Rita fue a la _____ para comprar un libro sobre el carnaval de Oruro.

3. Diana y Rita fueron a una _____ para comprar recuerdos de Bolivia.

4. Diana fue al _____ para comprar unos periódicos y unas revistas.

5. Diana y Rita fueron a la _____ para comprar un CD.

45 **Las compras de Rita y Diana**

▶ **Escucha** y decide. ¿Qué cosas compraron Diana y Rita en Oruro?

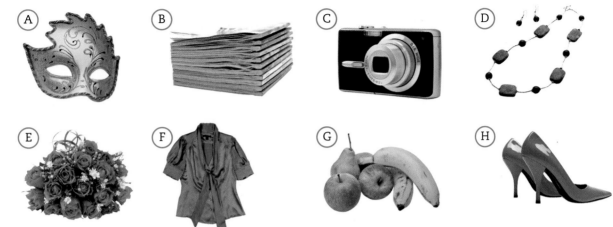

Ⓐ Ⓑ Ⓒ Ⓓ

Ⓔ Ⓕ Ⓖ Ⓗ

▶ **Escribe.** ¿Qué compraron y adónde fueron Rita y Diana?

46 **Los recuerdos**

▶ **Habla** con tu compañero(a). ¿Cuándo compraste regalos para tu familia
o para tus amigos(as)? ¿Qué compraste? ¿Dónde?

Modelo   A. *¿Qué compraste?*
            B. *A mi mamá le compré una pulsera porque le gustan mucho las joyas.*
            A. *¿Dónde la compraste?*
            B. *En una joyería.*

COMPARACIONES

El aguayo, un textil tradicional

El aguayo es un textil tradicional de las zonas andinas de Perú
y Bolivia. Es un cuadrado de lana o de algodón tejido con figuras
y motivos simbólicos. En estas regiones, cada mujer tiene un aguayo.

Los aguayos tienen múltiples usos. Se usan como prenda de vestir, para llevar
a los niños pequeños, para sentarse, para llevar mercancías *(merchandise)*,
para poner alimentos encima… Pero principalmente son una muestra de identidad
y de la cultura de cada región.

47 **Piensa y explica.** ¿Conoces alguna prenda similar al aguayo? ¿De qué país
es? Descríbela y explica para qué sirve.

Gramática

Verbos irregulares en el pretérito.
Ser, *ir*, *decir*, *tener*, *estar* y *hacer*

- These are some common irregular verbs in the preterite:

VERBOS SER E IR. PRETÉRITO

Singular		Plural	
yo	fui	nosotros nosotras	fuimos
tú	fuiste	vosotros vosotras	fuisteis
usted él ella	fue	ustedes ellos ellas	fueron

VERBO DECIR. PRETÉRITO

Singular		Plural	
yo	dije	nosotros nosotras	dijimos
tú	dijiste	vosotros vosotras	dijisteis
usted él ella	dijo	ustedes ellos ellas	dijeron

VERBO TENER. PRETÉRITO

Singular		Plural	
yo	tuve	nosotros nosotras	tuvimos
tú	tuviste	vosotros vosotras	tuvisteis
usted él ella	tuvo	ustedes ellos ellas	tuvieron

VERBO ESTAR. PRETÉRITO

Singular		Plural	
yo	estuve	nosotros nosotras	estuvimos
tú	estuviste	vosotros vosotras	estuvisteis
usted él ella	estuvo	ustedes ellos ellas	estuvieron

VERBO HACER. PRETÉRITO

Singular		Plural	
yo	hice	nosotros nosotras	hicimos
tú	hiciste	vosotros vosotras	hicisteis
usted él ella	hizo	ustedes ellos ellas	hicieron

48 **Compara.** ¿En inglés también hay verbos irregulares en el pasado? Pon algunos ejemplos.

49 **La fiesta de Oruro**

▶ **Completa** estas oraciones.

1. Yo _____ en el carnaval de Oruro.
   estar
2. Rita _____ a la joyería.
   ir
3. ¿Tú _____ tiempo para ir de compras?
   tener
4. La fiesta de disfraces _____ ayer.
   ser

▶ **Escribe.** ¿Qué hicieron Rita y Diana ayer?

Modelo   estar ⟶ *Rita y Diana estuvieron en Oruro para asistir al carnaval.*

① hacer

② estar

③ ir

51 ¿Recuerdas?

 ▶ **Escucha** y une las dos columnas. ¿Quién hizo estas cosas?

Ⓐ

1. ir a cenar a un restaurante
2. tener una fiesta
3. estar enferma
4. ir a comprar ropa de abrigo
5. ser voluntarias en una asociación
6. hacer fotos con su cámara nueva

Ⓑ

a. Andy
b. Mack
c. Diana y Rita
d. Patricia y Tess
e. Janet
f. Tim

52 ¿Qué hicieron ustedes?

▶ **Habla** con tres compañeros(as). Pregúntales qué hicieron la semana pasada. ¿Tienen alguna coincidencia?

Modelo   A. *¿Qué hicieron la semana pasada?*
         B. *Yo fui a ver un partido de béisbol.*

CONEXIONES: CIENCIAS

El mal de altura

Bolivia es un país muy elevado. Su altitud media es de 3.658 metros (12.000 pies). En algunas zonas altas, los visitantes pueden sufrir el llamado «mal de altura» o «mal de montaña»: les duele la cabeza, se sienten cansados o mareados (*dizzy*), no pueden respirar (*breathe*) o tienen náuseas.

Los expertos recomiendan subir gradualmente para acostumbrarse (*get used to*) a la altitud.

53 **Explica.** ¿Por qué crees que la altitud puede producir esos síntomas?

Comunicación

54 **¿Comprendes?**

▶ **Lee** el mensaje de correo de Diana y decide si las oraciones son ciertas
o falsas. Después, corrige las oraciones falsas.

Mensaje nuevo

Para:

Cc:

Asunto:

Hola, Pablo. ¿Cómo estás? Yo estoy con mi tía en Oruro, una ciudad boliviana. Ayer salimos
a la calle para ver las celebraciones del carnaval. Vimos un desfile con mucha gente
disfrazada y bandas tocando música típica. ¡Qué espectáculo!
Más tarde, mi tía fue a una tienda de disfraces porque decidió vestirse como los participantes
del desfile. Compró un disfraz y una máscara. Yo fui a una tienda de bisutería y me compré
unos aretes y un collar. Mañana vamos a un mercado de artesanía.
Un beso de tu amiga,
Diana

---

1. Diana y su tía hicieron un viaje a una ciudad mexicana.
2. Ayer ellas se quedaron en casa.
3. En el desfile participó poca gente.
4. Diana fue a un quiosco a comprar unos aretes y un collar.
5. Diana y Rita fueron ayer a comprar comida al mercado.

55 **El diario de Rita**

▶ **Escribe** una página del diario de Rita. ¿Qué hicieron ayer Diana y ella en Oruro?

Por la mañana	Por la tarde	Por la noche
1 IR	3 COMPRAR	5 CENAR
2 ESTAR	4 VER	6 VOLVER

56 **Los lugares de la comunidad**

▶ **Escucha** y une las tres columnas. ¿Qué compró cada persona? ¿Dónde?

Ⓐ	Ⓑ	Ⓒ
Diana	un libro	centro comercial
Rita	unos aretes y un collar	quiosco
Mack	una revista y unos periódicos	librería
Tim	un suéter de lana y un abrigo azul	tienda de artesanía
Andy	unas gafas de sol	tienda de complementos
Janet	regalos para su familia	joyería

▶ **Escribe** oraciones con la información anterior.

Modelo *Andy compró una revista y unos periódicos en un quiosco.*

Final del desafío

Hola. Estoy buscando a mi tía. Estuvo aquí hace media hora.

¡Huy! Aquí entra y sale mucha gente.

Es una señora morena. Hoy salió de casa con un vestido morado.

¡Ah, sí! ¡La señora americana! Se fue a la peluquería, en el centro comercial.

Compró un disfraz de rayas y una máscara como esta.

Lo siento, yo no soy tu tía Rita.

57 **¿Quién es Rita?**

▶ **Escribe.** Diana tiene problemas. Su tía está disfrazada y ella no puede encontrarla. Dibuja y escribe el final de la historia.

La montaña de plata

Tim and Mack are in the Bolivian town of Potosí, where the Spanish colonists mined the largest silver deposit in the world in the 16th century. The *Casa de la Moneda* in Potosí minted large amounts of coins. Using the coat of arms of the Bolivian flag, Mack and Tim must solve a riddle that will lead them to a valuable coin.

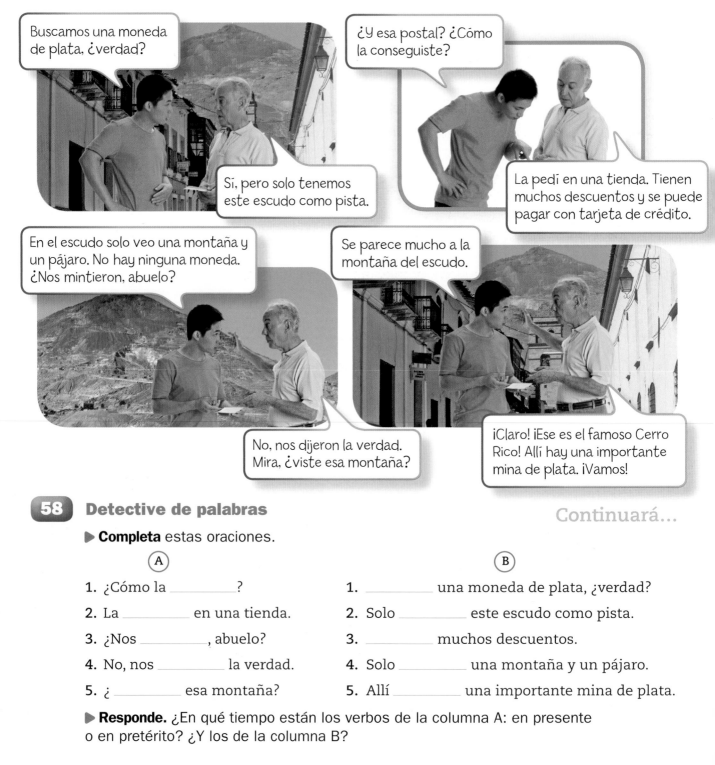

Buscamos una moneda de plata, ¿verdad?

¿Y esa postal? ¿Cómo la conseguiste?

Sí, pero solo tenemos este escudo como pista.

La pedi en una tienda. Tienen muchos descuentos y se puede pagar con tarjeta de crédito.

En el escudo solo veo una montaña y un pájaro. No hay ninguna moneda. ¿Nos mintieron, abuelo?

Se parece mucho a la montaña del escudo.

No, nos dijeron la verdad. Mira, ¿viste esa montaña?

¡Claro! ¡Ese es el famoso Cerro Rico! Allí hay una importante mina de plata. ¡Vamos!

58 **Detective de palabras**

Continuará...

▶ **Completa** estas oraciones.

Ⓐ

1. ¿Cómo la _____?

2. La _____ en una tienda.

3. ¿Nos _____, abuelo?

4. No, nos _____ la verdad.

5. ¿ _____ esa montaña?

Ⓑ

1. _____ una moneda de plata, ¿verdad?

2. Solo _____ este escudo como pista.

3. _____ muchos descuentos.

4. Solo _____ una montaña y un pájaro.

5. Allí _____ una importante mina de plata.

▶ **Responde.** ¿En qué tiempo están los verbos de la columna A: en presente o en pretérito? ¿Y los de la columna B?

59 **¿Comprendes?**

▶ **Responde** a estas preguntas.

1. ¿Dónde están Tim y Mack?
2. ¿Qué están buscando?
3. ¿Qué consiguió Mack? ¿Dónde lo consiguió?
4. ¿Qué información importante vio Mack en el escudo?

60 **¿De qué están hablando?**

▶ **Escucha** y decide. ¿De qué fotografía están hablando Tim y Mack?

1

2

3

▶ **Escucha** otra vez y escribe las palabras que mencionan.

montaña   mapa   bandera   plata   escudo   moneda   pájaro

▶ **Escribe** una oración para describir cada fotografía.

CULTURA

Potosí

Potosí es una ciudad de Bolivia famosa por sus antiguas minas de plata. Está situada al sur, a más de 4.000 metros (13.000 pies) sobre el nivel del mar; se considera la tercera ciudad más alta del mundo.

En Potosí hay una montaña que se conoce como Cerro Rico por la cantidad de plata que se encontró en ella. Desafortunadamente (*unfortunately*), en las minas hay muy poca plata.

61 **Investiga.** ¿Qué minerales se explotan en los Estados Unidos? ¿Cuáles son las zonas mineras más importantes?

Vocabulario

Las compras

El dinero

el billete

la moneda

la tarjeta de crédito

El precio

$20 · es barato

$1400 · es caro

CAJA · la fila

la caja

el cajero

¿Es usted la última?

el probador

probarse ropa

la etiqueta

¿Puedo ayudarlo?

el dependiente

Sí. Mi amigo me pidió un recuerdo de Bolivia. ¿Este gorro tiene descuento?

el cliente

| pagar en efectivo | pagar con tarjeta | estar de moda | estar en oferta | quedar bien/mal | quedar pequeño/grande |

62 **De compras**

▶ **Completa** estas oraciones.

1. Inés se prueba una camisa en el _____.
2. La tienda bajó los precios. Por eso compramos la ropa con _____.
3. La señora Gómez tiene que esperar porque hay una _____ para pagar.
4. Martín mira la _____ porque quiere saber el precio de los zapatos.
5. Si la tienda no acepta tarjetas de crédito, tienes que pagar en _____.
6. Mi padre no se compra el traje porque no le _____ bien.

63 **¿Qué pasa en la tienda?**

▶ **Escucha** y decide si las oraciones sobre estas fotos son ciertas (C) o falsas (F). Después, corrige las oraciones falsas.

64 **Tu día de compras**

▶ **Responde** a estas preguntas sobre tu último día de compras.

1. ¿Adónde fuiste?
2. ¿Qué compraste?
3. ¿Te probaste algo?

4. ¿Compraste algo con descuento?
5. ¿Cómo pagaste?
6. ¿Tuviste que esperar en una fila?

▶ **Habla** con tu compañero(a) sobre las experiencias de compras de ustedes dos. ¿Cuál fue más divertida?

COMUNIDADES

LOS MERCADILLOS

En muchos países se puede comprar ropa, zapatos, complementos y otros productos en los mercadillos. Los mercadillos son mercados al aire libre que se suelen instalar un día determinado de la semana.

Los precios generalmente son más bajos en los mercadillos que en las tiendas. En algunos se puede regatear (*bargain*). También hay puestos (*stalls*) donde venden ropa y productos de segunda mano (*second-hand*).

65 **Compara.** ¿Qué diferencias hay entre los mercadillos del mundo hispano y los mercados de pulga o las tiendas *outlet* de los Estados Unidos?

DESAFÍO 4

Gramática

Verbos en *-ir* con raíz irregular en el pretérito

- In Spanish, *-ir* verbs that are e > i stem-changing in the present tense (pedir > pido) have the same change in the third person of the preterite tense.

  e > i → pedir: él pide (presente), él pidió (pretérito)

- The verbs dormir and morir are also irregular in the third person of the preterite tense. In this case, the o of the stem changes to u.

  o > u → dormir: él durmió

VERBO PEDIR. PRETÉRITO

Singular		Plural	
yo	pedí	nosotros nosotras	pedimos
tú	pediste	vosotros vosotras	pedisteis
usted él ella	pidió	ustedes ellos ellas	pidieron

VERBO DORMIR. PRETÉRITO

Singular		Plural	
yo	dormí	nosotros nosotras	dormimos
tú	dormiste	vosotros vosotras	dormisteis
usted él ella	durmió	ustedes ellos ellas	durmieron

- Other verbs conjugated like pedir in the preterite are:

  elegir *(to choose)*   medir *(to measure)*   competir *(to compete)*
  vestirse *(to get dressed)*   repetir *(to repeat)*   corregir *(to correct)*
  preferir *(to prefer)*   servir *(to serve)*   convertir *(to turn into)*
  sentirse *(to feel)*   despedirse *(to say goodbye)* mentir *(to lie)*
  seguir *(to follow)*   conseguir *(to get)*

66 **Piensa.** ¿En inglés los verbos también tienen raíz y terminación? ¿Hay verbos con la raíz irregular, como en español?

67 **¿Qué hicieron ayer?**

▶ **Escribe** oraciones en pasado con estos elementos.

Modelo 1. *Ayer yo elegí unos zapatos muy baratos.*

1. ayer - yo - elegir - unos zapatos - muy baratos
2. anoche - tú - dormir - en casa de una amiga
3. hace dos días - mi planta - morirse
4. esta mañana - Tim - pedir - al dependiente - una chaqueta
5. ayer - yo - ir - a la librería - y conseguir - una novela de aventuras

68 **La fiesta sorpresa**

▶ **Escucha.** Tim y Mack organizaron una fiesta para su guía boliviano. Une los personajes con las acciones apropiadas. Después, escribe oraciones completas.

Ⓐ

1. Tim
2. Tess y Patricia
3. Rita
4. Mack
5. Andy y Janet
6. Diana

Ⓑ

a. vestirse con ropa típica de Bolivia
b. conseguir los refrescos
c. elegir un regalo
d. pedir ayuda para preparar la comida
e. servir los postres
f. despedirse de los invitados

Modelo 1. *Tim sirvió los postres.*

69 **Al final del día**

▶ **Habla** con un compañero(a). ¿Qué hicieron los personajes ayer?

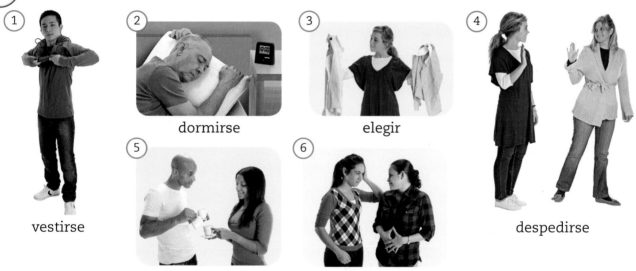

① vestirse

② dormirse

③ elegir

④ despedirse

⑤ servir

⑥ sentirse mal

CONEXIONES: LENGUA

Vale un potosí

En español, la expresión «valer un potosí» significa que algo es muy valioso (*valuable*). Esta expresión procede de la ciudad boliviana de Potosí, donde existió la mina de plata más grande del mundo durante el imperio español.

70 **Compara.** ¿Qué expresiones hay en inglés para indicar que algo es muy valioso?

Comunicación

71 **Las compras de Tim**

▶ **Lee** la conversación entre Tim y Janet y decide si estas oraciones son ciertas o falsas.

TIM:	¿Te gustó la camisa a rayas que compré ayer?
JANET:	¿La camisa roja que te pusiste esta tarde? No mucho… Es que no me gustó el color. Y creo que te queda grande.
TIM:	El color no me importa. Es muy cómoda y conseguí un buen descuento.
JANET:	¿Quieres ir conmigo de compras mañana?
TIM:	De acuerdo.
JANET:	Esta mañana vi una camisa amarilla de cuadros perfecta para ti.
TIM:	Bueno, pero no me gusta mucho el color amarillo. No soy un experto, pero…
JANET:	Yo sí, Tim. Creo que el amarillo te queda muy bien. Y además está de moda este año.
TIM:	De acuerdo, me la pruebo mañana. Pero… si me queda bien, tú me regalas la camisa, ¿ok?
JANET:	¡Jajajaja!

1. Tim y Janet fueron juntos a una tienda de ropa.
2. Tim se compró una camisa amarilla.
3. A Janet no le gustó la camisa de Tim.
4. Janet vio una camisa de rayas para Tim.
5. Tim piensa que el color amarillo le queda bien.
6. Tim decidió probarse la camisa que eligió Janet.

▶ **Escribe** una conversación con tu compañero(a). Imagina que están en un chat y hablan de las compras que hicieron.

72 **Un mensaje en el contestador**

▶ **Escucha.** Tim dejó un mensaje para su mamá. Toma notas de lo que dice. Después, escribe un resumen.

El mes pasado	La semana pasada	Anteayer	Ayer	Hoy
				llamó por teléfono

73 **¿Qué compraron?**

▶ **Habla** con tres compañeros(as) sobre sus últimas compras. Toma notas.

Nombre	¿Qué compró?	¿Dónde?	¿Cuánto costó?	¿Cómo pagó?
William	una camiseta roja	una tienda de ropa	barata	en efectivo

▶ **Escribe** un párrafo con la información de la tabla.

Final del desafío

Queremos comprar una moneda de plata.

Tienen que ir a la Real Casa de la Moneda.

9 de noviembre

Potosí, Bolivia

Finalmente conseguimos resolver el desafío. Vimos muchas monedas de plata en la Casa de la Moneda. Pero, ¿comprar una? ¡Qué va! La Casa de la Moneda es un museo. ¡Y además esas monedas valen miles de dólares! Eso sí, en la tienda del museo compré una postal con una moneda de plata. Y una camiseta para mi abuelo. Pero elegí una camiseta un poco pequeña, no le queda bien. Luego volví a la tienda y le compré otra. No me la cambiaron porque quité la etiqueta, pero bueno. Por suerte la camiseta no me costó un potosí. 😊

74 **¿Qué pasó?**

▶ **Lee** el blog de Tim y escribe un guión sobre el final del desafío. Después, represéntalo con tus compañeros(as).

 **TU DESAFÍO** Visita la página web. Escucha las preguntas de tu *Minientrevista Desafío 4* y escribe las respuestas.

ESCUCHAR

 75 **¡Rebajas!**

▶ **Escucha** un anuncio de un centro comercial y decide si estas afirmaciones son ciertas o falsas.

1. Hay descuentos en las secciones de ropa y zapatería.
2. Tienen pantalones para hombre de todas las tallas.
3. Hay faldas de muchos colores.
4. No hay descuentos en ropa para niños.
5. Hay aretes y collares muy baratos.

LEER Y HABLAR

76 **Un cuestionario**

▶ **Completa** este cuestionario sobre tus gustos.

Las compras y tú

1. ¿Dónde prefieres comprar ropa?
   ☐ En centros comerciales.
   ☐ En tiendas de ropa.
   ☐ En mercados y mercadillos.

2. ¿Qué prendas llevas normalmente?
   ☐ Jeans y camisetas anchas, cómodas.
   ☐ Pantalones y camisas o blusas.
   ☐ Vestidos o trajes.

3. ¿Qué calzado prefieres?
   ☐ Zapatos.
   ☐ Tenis.
   ☐ Botas.

4. ¿Usas complementos? ¿Cuáles?
   ☐ Gafas de sol.
   ☐ Sombrero.
   ☐ Reloj.

5. ¿Cuál de estas prendas no llevas nunca?
   ☐ Pantalón corto.
   ☐ Gorra.
   ☐ Sandalias.

6. ¿Qué diseño prefieres?
   ☐ Las rayas o los cuadros.
   ☐ Los lunares.
   ☐ Los colores lisos.

7. ¿Cuál es tu color favorito?
   ☐ El rojo.
   ☐ El negro.
   ☐ El azul.

8. ¿Qué miras cuando vas a comprar ropa?
   ☐ Si está en oferta.
   ☐ Si me queda bien.
   ☐ Si está de moda.

▶ **Compara** tus respuestas con las de tu compañero(a). ¿Tienen gustos similares?

LEER Y ESCRIBIR

77 **Ropa tradicional**

▶ **Lee** este texto y complétalo.

sombrero   prendas   falda   rojos   complementos

algodón   colores   modernos   fiestas   prenda

La ropa tradicional andina

La industria textil en los Andes es muy importante. Los tejidos son apreciados en todo el mundo por la variedad de _____1_____ y diseños. Estas son algunas _____2_____ tradicionales típicas de la zona andina:

Pollera

Es una _____3_____ de lana. Las mujeres llevan muchas veces tres o cuatro polleras a la vez, y pueden llevar hasta quince para _____4_____ especiales.

Poncho

Es una _____5_____ de abrigo. Los ponchos son de lana y normalmente son _____6_____ y están decorados con rayas y otros diseños. Algunos los llevan habitualmente, pero muchas personas se visten con ponchos en los festivales y días especiales.

Montera

Es un _____7_____ de lana o de _____8_____ con colores brillantes y diseños muy variados. Muchas veces se puede identificar la comunidad de origen de una persona por el tipo de montera que lleva.

Actualmente también se fabrica ropa y _____9_____ basados en las prendas tradicionales andinas, pero con diseños más _____10_____ y sofisticados.

▶ **Habla** con tu compañero(a). ¿Te gustan estas prendas? ¿Cómo es la ropa tradicional de tu comunidad?

▶ **Escribe.** Busca más información sobre prendas tradicionales de los Andes y escribe un texto describiéndolas. Incluye fotos o dibujos.

El encuentro

En la avenida Olmedo de Guayaquil

The pairs gather in the *avenida Olmedo* in Guayaquil. Now, each pair must tell whether they succeeded or not.

Querido diario:
¡Conseguimos el desafío! Mi hermana y yo subimos al Chimborazo y recogimos nieve. Luego hicimos un sorbete de volcán. ¡Fue increíble!

10 de noviembre
Nosotras corrimos en una carrera de llamas. Y fuimos las primeras en llegar.

11 de noviembre
Mi tía y yo estuvimos en el carnaval de Oruro. ¡Fue una experiencia muy interesante! Ella se vistió con un disfraz y una máscara. Yo la encontré… ¡pero fue difícil!

Al final resolvimos el enigma de la bandera boliviana. Fuimos a la Real Casa de la Moneda y vimos las monedas de plata. Pero tuvimos que comprar una moneda un poco más barata…

78 Recuerdos de Ecuador

▶ **Escucha** y completa este diálogo.

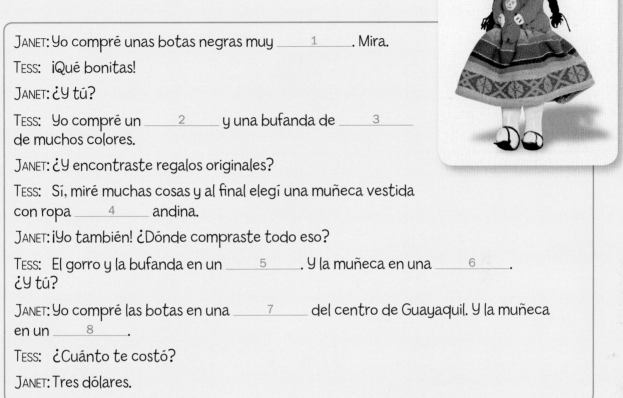

JANET: Yo compré unas botas negras muy ____1____. Mira.

TESS: ¡Qué bonitas!

JANET: ¿Y tú?

TESS: Yo compré un ____2____ y una bufanda de ____3____ de muchos colores.

JANET: ¿Y encontraste regalos originales?

TESS: Sí, miré muchas cosas y al final elegí una muñeca vestida con ropa ____4____ andina.

JANET: ¡Yo también! ¿Dónde compraste todo eso?

TESS: El gorro y la bufanda en un ____5____. Y la muñeca en una ____6____. ¿Y tú?

JANET: Yo compré las botas en una ____7____ del centro de Guayaquil. Y la muñeca en un ____8____.

TESS: ¿Cuánto te costó?

JANET: Tres dólares.

▶ **Escribe** un diálogo similar con tu compañero(a). Después, represéntenlo. Incluyan:

– La ropa que compraron.

– Los recuerdos y los regalos que compraron.

– Las tiendas y lugares donde compraron.

– El precio que pagaron.

Un diario incluye experiencias personales y anécdotas. Puedes escribirlo en primera persona y en pasado.

79 Las votaciones

▶ **Lee** los diarios de los personajes de la página 172. ¿Cuál te gusta más? ¿Por qué?

▶ **Escribe** un diario. Estas preguntas te pueden ayudar.

1. ¿Qué hiciste la semana pasada? ¿Compraste algo?

2. ¿Adónde fuiste? ¿Con quién?

3. ¿Fue divertido?

Andes centrales

COLOMBIA

Quito
ECUADOR

PERÚ

Lima

OCÉANO
PACÍFICO

BRASIL

BOLIVIA

La Paz

PARAGUAY

CHILE

ARGENTINA

0 50 100
━━━━━━ millas
━━━━━━ kilómetros
0   115 230

Nacionalidades

Ecuador ⟶ ecuatoriano(a)

Perú ⟶ peruano(a)

Bolivia ⟶ boliviano(a)

La cordillera de los Andes atraviesa tres países con rasgos culturales comunes: Ecuador, Perú y Bolivia. En esta área se desarrollaron importantes culturas indígenas, en especial la cultura inca.

– Ecuador debe su nombre a su situación: por su territorio pasa la línea ecuatorial terrestre. Su capital es Quito.

– Perú es la cuna de la civilización inca. Su capital es Lima.

– Bolivia es el único país de esta zona que no tiene salida al mar. Su capital, Sucre, está a 9.153 pies de altura. La Paz es la sede del gobierno y está a 11.492 pies.

¿Sabes que la moneda de Ecuador es el dólar?

80 **Tres países andinos**

▶ **Observa** el mapa e identifica a qué país de los Andes centrales se refieren estas oraciones.

1. No tiene playa.
2. Tiene territorio en el hemisferio norte y en el hemisferio sur.
3. Es un país más grande que los otros dos.

1. Quechuas y aymaras

En la región andina gran parte de la población es indígena (quechua y aymara) o mestiza. Los indígenas conservan sus tradiciones y van incorporando otras de origen europeo. Un ejemplo lo vemos en el sombrero hongo (*derby*) de las mujeres bolivianas. Se trata de un sombrero pequeño y duro que llevaron a Bolivia los británicos en la década de 1920.

(1) Mujeres bolivianas con sombrero hongo.

2. Los equecos

Los equecos son muñecos (*dolls*) tradicionales de la cultura andina, en particular, de la cultura aymara. Están hechos de barro y pueden llevar distintas cosas, como dinero o comida, que representan aquello que queremos conseguir.

(2) Equecos.

(3) Tortugas de las islas Galápagos.

3. Las islas Galápagos

Las islas Galápagos pertenecen a Ecuador y se encuentran a 603 millas de su costa. La situación alejada de este archipiélago las convierte en una reserva excepcional y un «museo vivo» de especies únicas estudiado por los biólogos desde el siglo XIX.

81 **La vida en altura**

▶ **Imagina** y explica. ¿Cómo influye la altura en el modo de vida de los habitantes de la región andina?

- Ropa
- Comida
- Bebida
- Otras cosas

«Para vivir en altura: andar despacito y comer poquito.»

Fiesta popular boliviana.

Textiles andinos bolivianos

La cultura tradicional andina conserva en el presente su riqueza. Un reflejo de esta cultura milenaria es la elaboración de tejidos[1], una tradición muy arraigada[2] en la cultura andina, llamada «la civilización del tejido».

En Bolivia, más de 400 comunidades elaboran sus propias vestimentas[3] típicas con tejidos que hablan de la historia y la cultura de la comunidad. Cada comunidad tiene su tejido, con sus colores, sus figuras y su estilo. Los artesanos elaboran sus tejidos con lana de alpaca, vicuña, llama u oveja, o con fibra vegetal de algodón.

Se pueden visitar las exposiciones de tejidos y de piezas de la vestimenta andina en el Museo Nacional de Etnografía y Folklore y en el Museo del Arte Textil Andino Boliviano de La Paz, y admirar el colorido y la belleza de uncus, chullos y aguayos.

El *uncu* es una prenda utilizada antiguamente por los hombres en fiestas rituales o como vestimenta matrimonial.

El *chullo* es el tradicional gorro de lana con orejeras. Es una prenda masculina. Su tejido es grueso[4] y multicolor.

El *aguayo* es una pieza cuadrada de lana. Lo usan las mujeres para llevar a los bebés y niños a la espalda o para transportar productos.

---

1. *textiles*   2. *deeply rooted*   3. *clothing*   4. *thick*

COMPRENSIÓN

82 **Sobre los textiles andinos**

▶ **Completa** estas oraciones de acuerdo con el texto.

a. La cultura andina conserva...
b. La elaboración de tejidos es...
c. En Bolivia, muchas comunidades...
d. El tejido de cada comunidad tiene...

83 **Características de los textiles**

▶ **Escribe** el nombre de las prendas tradicionales de las fotografías. Después, descríbelas y di para qué sirven.

①

②

ESTRATEGIA Hacer inferencias

84 **También lo dice el texto**

▶ **Escribe** las palabras del texto que sustentan *(support)* estas inferencias.

☐	→	1. La cultura andina es muy antigua.
☐	→	2. Los indígenas dan mucha importancia a la ropa tradicional.
☐	→	3. Los tejidos tradicionales son una manifestación artística de las culturas indígenas.
☐	→	4. Los tejidos tienen un valor simbólico en las comunidades andinas.
☐	→	5. En las montañas de los Andes hace frío.

 TU DESAFÍO Visita la página web para aprender más sobre el arte textil de Taquile.

REPASO Vocabulario

La ropa y los complementos

		Complementos	
el abrigo	coat	el anillo	ring
la bata	robe	los aretes	earrings
la corbata	tie	el bolso	purse
el impermeable	raincoat	el collar	necklace
el pijama	pajamas	las gafas de sol	sunglasses
la sudadera	sweatshirt	la gorra	cap
el traje	suit	la pulsera	bracelet
el traje de baño	swimsuit	el reloj	watch

Calzado

las zapatillas	slippers

Describir la ropa

		Colores	
el número	shoe size	amarillo(a)	yellow
la talla	size	anaranjado(a)	orange
		azul	blue
Características		blanco(a)	white
cómodo(a)	comfortable	de color café	brown
incómodo(a)	uncomfortable	dorado(a)	gold
		gris	gray
Diseños		morado(a)	purple
de cuadros	plaid	negro(a)	black
de lunares	polka dot	plateado(a)	silver
de rayas	striped	rojo(a)	red
liso(a)	plain	rosado(a)	pink
		verde	green
Materiales			
de algodón	cotton	colores claros	light colors
de cuero	leather	colores oscuros	dark colors
de lana	wool		

Tiendas y establecimientos

el centro comercial	shopping mall
la farmacia	drugstore
la joyería	jewelry store
la librería	bookstore
la papelería	stationery store
la peluquería	hair salon
la perfumería	perfume store
el quiosco	kiosk
el supermercado	supermarket
la zapatería	shoe store
la tienda de artesanía	handicrafts store
la tienda de bisutería	costume jewelry store
la tienda de deportes	sports store
la tienda de disfraces	costume shop
la tienda de música	music store
la tienda de regalos	gift shop
la tienda de ropa	clothing store
el ascensor	elevator
las escaleras mecánicas	escalator

Las compras

		El dinero		Expresiones	
la caja	cash register	el billete	bill	estar de moda	to be in style
el/la cajero(a)	cashier	la moneda	coin	estar en oferta	to be on sale
el/la cliente(a)	customer	la tarjeta			
el/la dependiente(a)	salesclerk	de crédito	credit card	pagar con tarjeta	to pay by credit card
el descuento	discount			pagar en efectivo	to pay in cash
la etiqueta	tag, label	**El precio**			
la fila	line	ser barato(a)	to be cheap, inexpensive	probarse ropa	to try clothes on
el probador	fitting room			quedar bien	to fit well
		ser caro(a)	to be expensive	quedar mal	to fit badly
				quedar grande	to be too big
				quedar pequeño	to be too small

DESAFÍO 1

1 **La ropa adecuada.** Lee estas oraciones
y elige la ropa adecuada para cada situación.

1. Ernesto estuvo en un cámping en la montaña.
2. Julieta fue al cumpleaños de su prima Eva.
3. Antonio se durmió temprano.
4. María fue a la playa con sus amigos.
5. Luis fue a la boda de su amigo Pedro.

vestido	pijama
collar	sudadera
botas	traje de baño
corbata	zapatillas
traje	pantalones cortos

DESAFÍO 2

2 **Los gustos de Celia.** Completa las oraciones con la palabra correcta.

Me gusta este poncho de _____ porque es muy _____ .
lana/talla   cómodo/incómodo

Tiene _____ claros y oscuros. También me gustan esas botas
colores/sabores

de _____ y aquella falda de _____ .
caro/cuero   lunares/collares

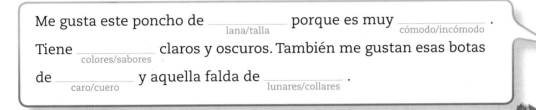

DESAFÍO 3

3 **Lugares.** Relaciona cada oración con la imagen adecuada.

1. Compraron estos
   cuadernos en
   la papelería.

2. Carlos estuvo en dos
   mercados esta mañana.

3. ¿Fuiste a la peluquería
   ayer por la tarde?

DESAFÍO 4

4 **Problemas en la tienda.** Completa el texto.

fila	etiqueta	bien	tarjeta	probador

Problemas en la tienda

Quiero comprar este impermeable, pero no tiene ___1___ y no sé el precio. Además,

no hay ___2___ en la tienda para saber si me queda ___3___ o mal. La ___4___ para pagar

es muy larga y creo que no puedo pagar con ___5___ . ¡Me voy a otra tienda!

REPASO Gramática

Verbos regulares. Pretérito (págs. 142 y 150)

	COMPRAR	COMER	ESCRIBIR
yo	compré	comí	escribí
tú	compraste	comiste	escribiste
usted, él, ella	compró	comió	escribió
nosotros(as)	compramos	comimos	escribimos
vosotros(as)	comprasteis	comisteis	escribisteis
ustedes, ellos(as)	compraron	comieron	escribieron

Verbos con cambios ortográficos

Verbs ending in -car, -gar, or -zar change spelling in the yo form:

buscar ⟶ yo busqué
llegar ⟶ yo llegué
empezar ⟶ yo empecé

Marcadores temporales de pasado (pág. 150)

el año pasado — *last year*
el mes pasado — *last month*
la semana pasada — *last week*
anteayer — *the day before yesterday*
anoche — *last night*
ayer — *yesterday*

Hace + time expression + que + verb in the preterite tense

Verb in the preterite tense + hace + time expression

Verbos irregulares. Pretérito (pág. 158)

	SER e IR	DECIR	TENER	ESTAR	HACER
yo	fui	dije	tuve	estuve	hice
tú	fuiste	dijiste	tuviste	estuviste	hiciste
usted, él, ella	fue	dijo	tuvo	estuvo	hizo
nosotros(as)	fuimos	dijimos	tuvimos	estuvimos	hicimos
vosotros(as)	fuisteis	dijisteis	tuvisteis	estuvisteis	hicisteis
ustedes, ellos(as)	fueron	dijeron	tuvieron	estuvieron	hicieron

Verbos en -ir con raíz irregular. Pretérito (pág. 166)

	PEDIR	DORMIR
yo	pedí	dormí
tú	pediste	dormiste
usted, él, ella	pidió	durmió
nosotros(as)	pedimos	dormimos
vosotros(as)	pedisteis	dormisteis
ustedes, ellos(as)	pidieron	durmieron

DESAFÍO 1

5 **Actividades.** Escribe una oración sobre lo que hicieron estas personas ayer.

Modelo Patricia y yo - almorzar juntas ⟶ *Ayer Patricia y yo almorzamos juntas.*

1. Gloria - comprar una sudadera y un reloj
2. Marieta y Vero - practicar deporte
3. Yo - empezar las clases de guitarra
4. Luisa y yo - hablar por teléfono

DESAFÍO 2

6 **En el pasado.** Responde a las preguntas con una oración completa.

1. ¿Pablo y Ángel corrieron el maratón?
2. ¿Aprendiste a nadar el verano pasado?
3. ¿Ustedes salieron ayer por la tarde?
4. ¿Comiste en un restaurante peruano?

DESAFÍO 3

7 **De vacaciones.** Elige la forma verbal correcta y completa el texto.

CECILIA: Ana me _____1_____ que _____2_____ de vacaciones a Perú.
dijeron/dijo   fue/fuiste

BRUNO: Sí, el verano pasado _____3_____ a Perú con mi familia.
fue/fui

CECILIA: ¡Qué bien! ¿Dónde _____4_____?
estuvo/estuvieron

BRUNO: _____5_____ en Lima y en los Andes peruanos. _____6_____
Estuvimos/estuvisteis   Hicimos/Hicieron
muchas cosas, pero quiero regresar a Perú el próximo año. ¡Es un país
muy especial!

DESAFÍO 4

8 **¿Qué hicieron?** Escribe oraciones en pasado con estos elementos.

1. ayer - ella - pedir - un postre delicioso
2. anoche - nosotros - servir la cena - en el jardín
3. la semana pasada - mis primos - dormir - en mi casa
4. hace dos días - mi padre - sentirse - mal del estómago

CULTURA

9 **Conoce la región andina.** Responde a las siguientes preguntas.

1. ¿Por qué países pasa la cordillera de los Andes?
2. ¿Qué es El Chimborazo?
3. ¿Qué sabes del carnaval de Oruro?
4. ¿Cómo es la ropa tradicional andina?

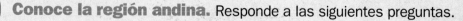

Una revista sobre

moda andina

Imagine that you are the editor of an international fashion magazine and have to write a section about clothing in the Andes region of South America. You will write about six outfits for this magazine. Each outfit must be in color, priced, and have a short description.

PASO 1 Decide la ropa de tu colección

- Answer the following questions to decide what clothing you will put together for your six outfits.
  - ¿Es ropa para hombres o para mujeres? ¿Es ropa para gente joven, para personas mayores o para niños?
  - ¿Es ropa de invierno o ropa de verano?
  - ¿Es ropa de vestir, ropa informal o ropa deportiva?
  - ¿Qué complementos necesita?

- Select the clothing you will include in your magazine article. You can draw your clothing items or cut them out of a magazine. Also, you can find images on the Internet about fashion events in Andean countries, such as PerúModa.
- When you have all the pieces, place your outfits side by side to ensure they are all complete, including shoes and accessories.

PASO 2 Pon el precio

- Decide how much your outfits will cost and create a price list.
  - Vestido: 40 dólares
  - Botas: 30 dólares

You can use the Internet again to investigate about prices. Think about these questions to set a price for each piece.

  - ¿Los precios son adecuados al material (lana, algodón…)?
  - ¿Y al tipo de ropa (elegante, informal…)?

PASO 3 Escribe el texto

- Write a description of each outfit using two or more complete sentences. Include the name of each piece, the color, the material, how much it costs, and where one can find it.

El vestido verde es de algodón y cuesta 80 dólares. Lo puedes encontrar en la tienda Moda Total, en el centro comercial Miraflores.

El collar y el bolso son...

PASO 4 Prepara las páginas de la sección

- Take one large piece of paper and fold it in half. Design the cover or the first page of your magazine section: give a name to your section and select a photo or a drawing for the first page.

- Spread your collection across each of the remaining blank pages. Do not put anything in the crease of the page. Put the texts with the correct images and be sure your pages are neatly designed and organized.

PASO 5 Presenta tu trabajo

- Once you have finished, share your magazine article with your classmates. Select the clothing you would most like to buy from the other magazines and talk to your classmates.

    Modelo Me gusta esta pulsera de cuero.
    Es bonita, barata y...

Unidad 3

Autoevaluación

¿Qué has aprendido en esta unidad?

Do the following activities to evaluate how well you understood this unit's concepts.

Evaluate your skills. For each item, say Very well, Well, or I need more practice.

a. Can you talk about clothing?
- ▶ Describe what you are wearing to a classmate.
- ▶ Ask a classmate where he or she purchased each article of clothing he or she is wearing.

b. Can you describe clothes?
- ▶ Look through the textbook and describe the clothing items you see to a classmate.
- ▶ Tell your classmate how long ago you wore the same items as the ones you see in the textbook.

c. Can you talk about places in the community?
- ▶ Tell a classmate the names of the different stores in your community.
- ▶ Tell a classmate about the last time you went to the stores in your community.

d. Can you talk about past shopping experiences?
- ▶ Walk a classmate through your last clothes-shopping experience.

Norteamérica

La herencia hispana

DESAFÍO **2**

DESAFÍO **1**

▶ **To talk about food**

Vocabulario
Los alimentos

Gramática
Expresar cantidad.
Los indefinidos

Fruto del cacao

Pan de muerto

▶ **To give commands related to shopping**

Vocabulario
Comprar comida

Gramática
El imperativo afirmativo singular

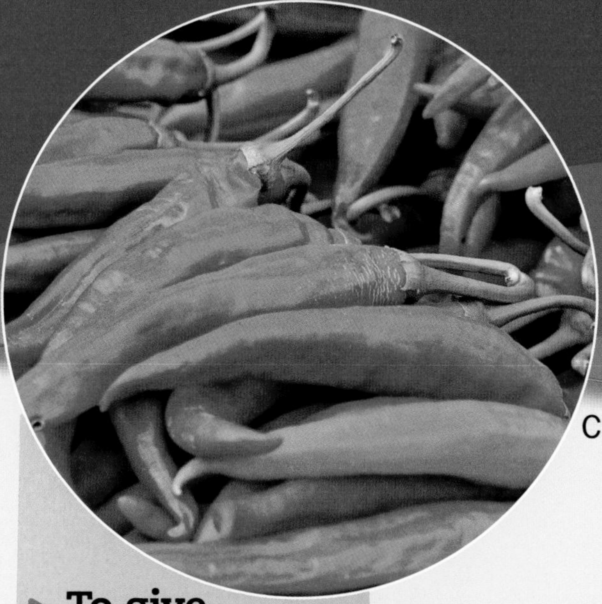

Chiles

▶ **To give commands related to cooking**

Vocabulario
En la cocina

Gramática
El imperativo afirmativo plural

DESAFÍO
3

▶ **To communicate in common dining-related situations**

Vocabulario
En el restaurante

Gramática
El imperativo negativo

DESAFÍO
4

Mole poblano

La llegada

En Santa Fe

The pairs are at a Mexican restaurant in Santa Fe, the capital of New Mexico. Before they depart, they must taste the spiciest dishes on the menu.

1 **¿Comprendes?**

▶ **Elige** en cada caso la información correcta y escribe las oraciones.

1. Janet quiere pollo con papas **de primero / de segundo**.
2. Para quitar el picante deben tomar **agua / leche**.
3. A Mack **le encanta / no le gusta** el picante.
4. Janet pide **un taco picante / pescado frito**.
5. Tim pide **un bote / una caja** de salsa picante.
6. Los frijoles de Patricia **son picantes / no son picantes**.

EXPRESIONES ÚTILES

¿Me pasas la sal, por favor?

To order food in a restaurant:

–¿Qué van a comer?

–**De primero…/segundo…/postre…**

–¿Y para beber?

–**Para mí,** agua mineral.

To ask the waiter for something:

¿**Nos trae** otra servilleta, por favor?

¿**Nos puede traer** un poco más de agua, por favor?

To ask for something on the table:

¿**Me das/Me pasas** la salsa?

¿**Puedes darme/pasarme** la salsa?

Dame/Pásame la salsa, por favor.

2   Expresiones

▶ **Escucha** y elige la respuesta adecuada.

1. **a.** De primero, una sopa.
   b. Para mí, fruta.

2. **a.** Sí, señora.
   b. ¿Qué van a tomar?

3. **a.** Sí, toma.
   b. De segundo, carne con papas.

3   Diálogos incompletos

▶ **Completa** los bocadillos.

①   ¿Me puede _____1_____ un tenedor, por favor?

②   ¿Qué van a comer?

Para mí, de ___2___, una ensalada. Y de ___3___, salmón.

③   ¿Me ___4___ el agua?

Sí, claro.

¿Quién ganará?

4 **Los desafíos**

▶ **Habla.** ¿Cuál será el desafío para cada pareja? Piénsalo y coméntalo con tus compañeros(as).

DESAFÍO ①

¿Un pan de muerto?

Tim y Mack

DESAFÍO ②

La moneda más antigua de América

Andy y Janet

DESAFÍO ③

Un concurso de chile en San Antonio

Diana y Rita

DESAFÍO ④

El ingrediente secreto de Cholula

Tess y Patricia

▶ **Habla.** Las parejas viajan a los Estados Unidos y a México. ¿Qué sabes de México? ¿Hay zonas de herencia hispana en los Estados Unidos? Coméntalo con tus compañeros(as).

LA TAREA

Una receta

5 **La tarea final**

▶ **Decide.** ¿Qué tarea tienen que hacer los personajes al final? ¿Qué pareja crees que ganará?

¿Un pan de muerto?

What is your favorite type of bread? How about "bread of the dead"? That's right. Tim and Mack have to make *pan de muerto*. The name of the recipe alludes to *Día de Muertos*. Adela, a baker from Oaxaca de Juárez, México, will judge their results.

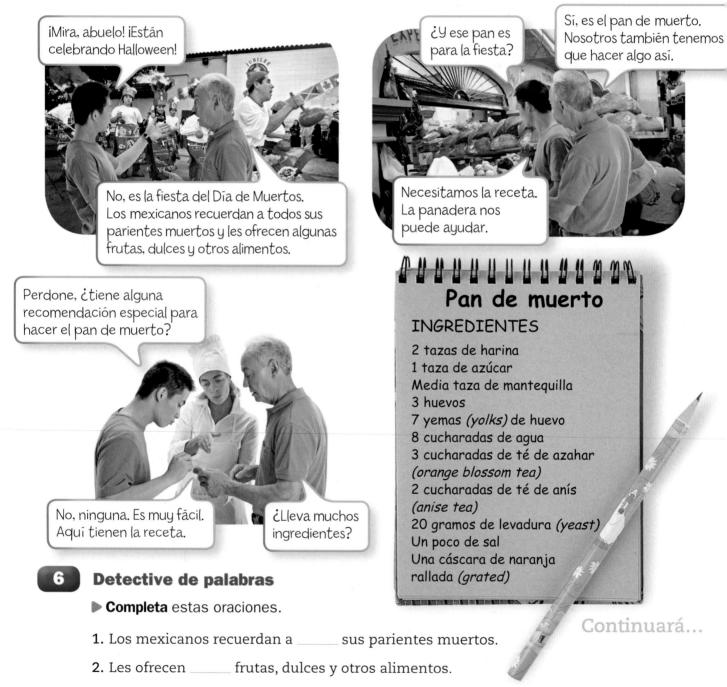

¡Mira, abuelo! ¡Están celebrando Halloween!

No, es la fiesta del Día de Muertos. Los mexicanos recuerdan a todos sus parientes muertos y les ofrecen algunas frutas, dulces y otros alimentos.

¿Y ese pan es para la fiesta?

Sí, es el pan de muerto. Nosotros también tenemos que hacer algo así.

Necesitamos la receta. La panadera nos puede ayudar.

Perdone, ¿tiene alguna recomendación especial para hacer el pan de muerto?

No, ninguna. Es muy fácil. Aquí tienen la receta.

¿Lleva muchos ingredientes?

Pan de muerto
INGREDIENTES

2 tazas de harina
1 taza de azúcar
Media taza de mantequilla
3 huevos
7 yemas *(yolks)* de huevo
8 cucharadas de agua
3 cucharadas de té de azahar *(orange blossom tea)*
2 cucharadas de té de anís *(anise tea)*
20 gramos de levadura *(yeast)*
Un poco de sal
Una cáscara de naranja rallada *(grated)*

6 **Detective de palabras**

▶ **Completa** estas oraciones.

1. Los mexicanos recuerdan a _____ sus parientes muertos.

2. Les ofrecen _____ frutas, dulces y otros alimentos.

3. ¿Tiene _____ recomendación especial para hacer el pan de muerto?

4. No, _____. Es muy fácil.

5. ¿Lleva _____ ingredientes?

Continuará...

7 Pan de muerto

▶ **Lee** la receta del pan de muerto y ayuda a Tim y a Mack a clasificar los ingredientes.

Ingredientes líquidos	Ingredientes sólidos
	la harina

8 Los alimentos

▶ **Escribe** el nombre de estos alimentos.

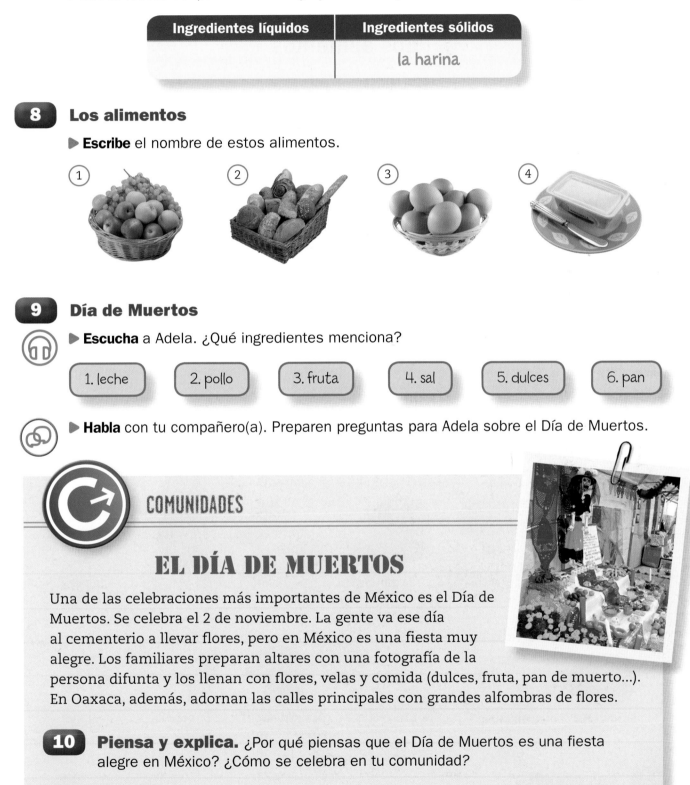

1
2
3
4

9 Día de Muertos

▶ **Escucha** a Adela. ¿Qué ingredientes menciona?

1. leche 2. pollo 3. fruta 4. sal 5. dulces 6. pan

▶ **Habla** con tu compañero(a). Preparen preguntas para Adela sobre el Día de Muertos.

COMUNIDADES

EL DÍA DE MUERTOS

Una de las celebraciones más importantes de México es el Día de Muertos. Se celebra el 2 de noviembre. La gente va ese día al cementerio a llevar flores, pero en México es una fiesta muy alegre. Los familiares preparan altares con una fotografía de la persona difunta y los llenan con flores, velas y comida (dulces, fruta, pan de muerto...). En Oaxaca, además, adornan las calles principales con grandes alfombras de flores.

10 Piensa y explica. ¿Por qué piensas que el Día de Muertos es una fiesta alegre en México? ¿Cómo se celebra en tu comunidad?

→ TU DESAFÍO Visita la página web para aprender más sobre el Día de Muertos en México.

Vocabulario

Los alimentos

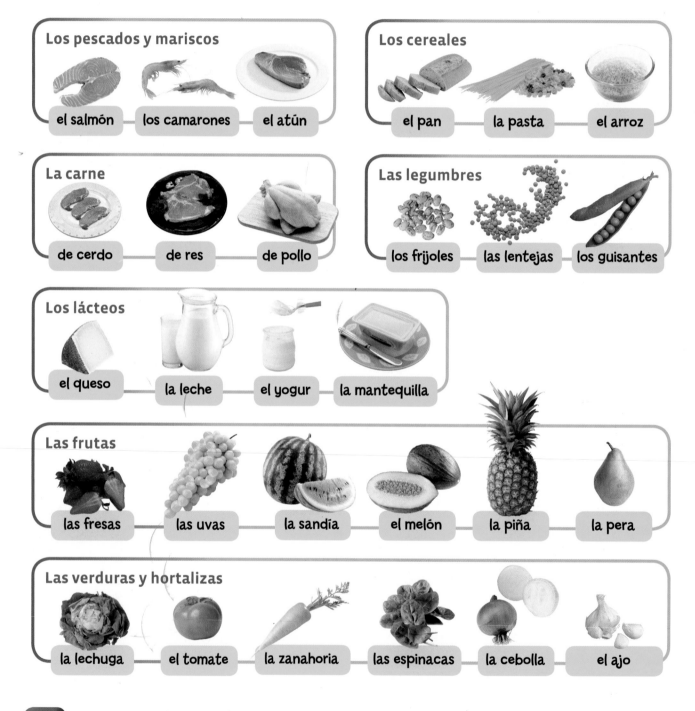

Los pescados y mariscos
- el salmón
- los camarones
- el atún

Los cereales
- el pan
- la pasta
- el arroz

La carne
- de cerdo
- de res
- de pollo

Las legumbres
- los frijoles
- las lentejas
- los guisantes

Los lácteos
- el queso
- la leche
- el yogur
- la mantequilla

Las frutas
- las fresas
- las uvas
- la sandía
- el melón
- la piña
- la pera

Las verduras y hortalizas
- la lechuga
- el tomate
- la zanahoria
- las espinacas
- la cebolla
- el ajo

11 **Las comidas**

▶ **Escribe.** ¿Qué alimentos tomas normalmente en el desayuno, el almuerzo y la cena?

1. Desayuno: yogur...   2. Almuerzo: _____   3. Cena: _____

12 El restaurante recomendado

▶ **Escucha** a Tim y decide si estas afirmaciones son ciertas o falsas.

1. El restaurante está en México D. F.
2. Las verduras son muy frescas (fresh).
3. Mack comió una ensalada deliciosa.
4. La ensalada tiene espinacas.
5. Tim pidió tacos.
6. A Tim le encanta el picante.

13 Alimentos preferidos

▶ **Habla** con tu compañero(a). ¿Qué alimentos comen estas personas?

1. Luisa es vegetariana.
2. Javier come muchas proteínas.
3. A Carmen y a Manuel les gusta todo (everything).
4. A Alicia le encantan las verduras.

Modelo 1. *Luisa come lechuga, espinacas, naranjas…*

▶ **Escribe.** ¿Qué te gusta comer a ti?

14 Una dieta equilibrada

▶ **Escribe** un menú equilibrado para el desayuno, el almuerzo y la cena.

▶ **Compara** tu menú con el menú de tu compañero(a) y contesta. ¿Qué menú es más saludable?

COMPARACIONES

La tortilla

La palabra tortilla significa algo distinto dependiendo si estás en España o en Latinoamérica. En España es un plato que lleva papas y huevo. En México y otros países es un pan aplastado (flat) de maíz o de trigo (wheat) que acompaña las comidas.

15 Compara. ¿Qué alimentos sirven normalmente en tu país para acompañar las comidas? ¿Y en otros países?

⚑→ TU DESAFÍO Visita la página web para aprender más sobre alimentos de México.

Gramática

Expresar cantidad. Los indefinidos

- To express quantity, you can refer to nouns using specific numbers or non-specific terms of number. These are called *indefinites*.

    Hay **tres** fresas en el plato.   Hay **algunos** tomates allí.

- These are the most common indefinites:

PRINCIPALES INDEFINIDOS

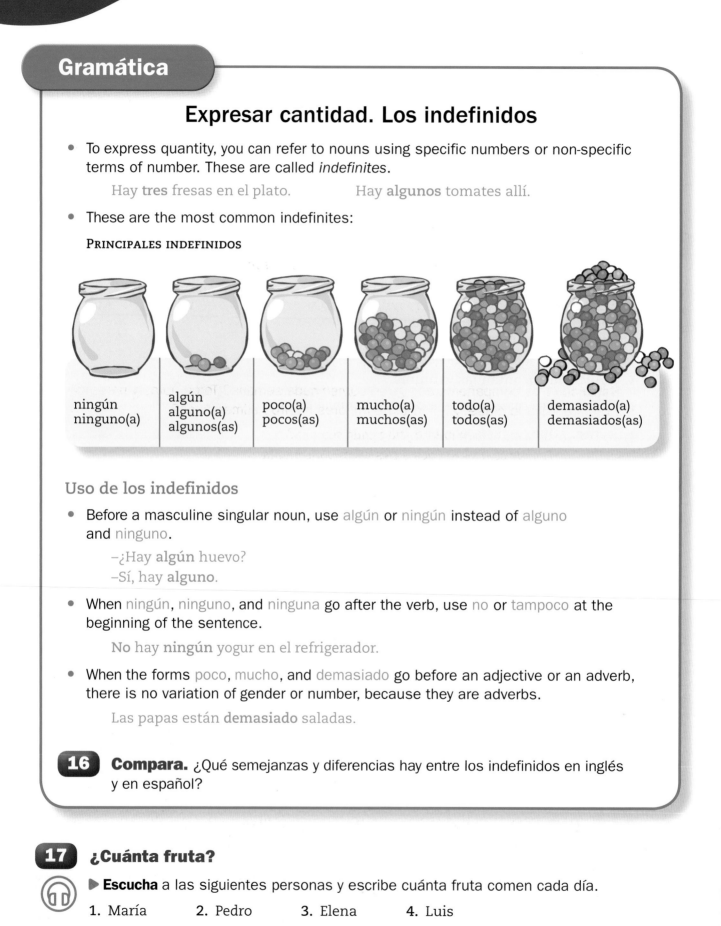

| ningún
ninguno(a) | algún
alguno(a)
algunos(as) | poco(a)
pocos(as) | mucho(a)
muchos(as) | todo(a)
todos(as) | demasiado(a)
demasiados(as) |

Uso de los indefinidos

- Before a masculine singular noun, use algún or ningún instead of alguno and ninguno.

    –¿Hay **algún** huevo?
    –Sí, hay **alguno**.

- When ningún, ninguno, and ninguna go after the verb, use no or tampoco at the beginning of the sentence.

    No hay **ningún** yogur en el refrigerador.

- When the forms poco, mucho, and demasiado go before an adjective or an adverb, there is no variation of gender or number, because they are adverbs.

    Las papas están **demasiado** saladas.

16 **Compara.** ¿Qué semejanzas y diferencias hay entre los indefinidos en inglés y en español?

17 **¿Cuánta fruta?**

▶ **Escucha** a las siguientes personas y escribe cuánta fruta comen cada día.

1. María   2. Pedro   3. Elena   4. Luis

18 **¿Qué hacemos para cenar?**

▶ **Completa** el diálogo entre Tim y Mack.

| algún | poca | demasiado | todos | mucha | poco |

TIM: ¿Qué tenemos para cenar, abuelo? Tengo ___1___ hambre.

MACK: No sé, vamos a la cocina. Mira, hay arroz. Y a ti te encanta.

TIM: Sí, pero hay muy ___2___.

MACK: No importa. Yo puedo comer otra cosa.

TIM: ¿Quieres ___3___ huevo? Hay tres.

MACK: No, gracias. Puedes comerte tú ___4___ los huevos.

TIM: ¡No! ¡Es ___5___! Solo quiero dos.

MACK: Mañana hacemos la compra. Hay muy ___6___ comida en el refrigerador.

19 **Una encuesta**

▶ **Habla** con tres compañeros(as). ¿Qué comen cada semana? Toma notas y presenta los resultados a la clase. ¿Quién tiene mejores hábitos alimenticios?

Modelo   A. *¿Ustedes comen mucha fruta cada semana?*
　　　　　B. *No. Solo como fruta dos o tres veces por semana.*

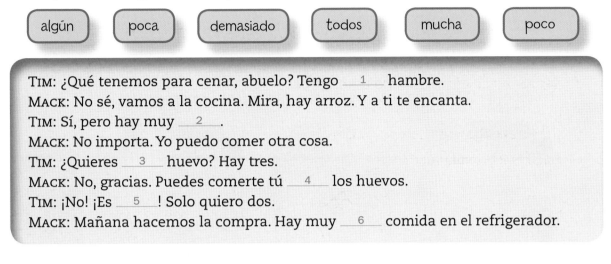

	Sally	Jane	Matt
	poca		

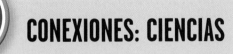

CONEXIONES: CIENCIAS

¿Fruta o fruto?

La palabra *fruta* se aplica a los frutos comestibles. El fruto es la parte de la planta que protege a las semillas (*seeds*).
Hay dos tipos de frutos: los frutos secos, como la almendra (*almond*), la avellana (*hazelnut*) y la nuez (*walnut*), y los carnosos, como el durazno (*peach*), la manzana y las uvas.

20 **Piensa y explica.** ¿Qué fruta abunda más en los climas fríos? ¿Y en los climas cálidos?

Comunicación

21 **Las diferencias**

▶ **Compara** las fotografías y escribe una lista de diferencias. Utiliza los indefinidos.

Modelo *En la foto 1 hay muchos tomates y en la foto 2 hay pocos.*

22 **¿Qué le gusta más?**

▶ **Escucha** a Tim y escribe. ¿Cuánto le gustan estos alimentos?

▶ **Habla** con tus compañeros(as). ¿Cuánto les gustan esos alimentos?

Modelo A. *¿A ti te gusta el salmón?*

　　　　B. *Sí, me gusta mucho.*

23 **La mejor dieta**

▶ **Escribe.** El médico recomienda una dieta sana a Mack. Busca cinco errores en esta lista y corrígela.

¿Una dieta sana?

1. Come pocas verduras.
2. Come muchas frutas, como fresas, piña y salmón.
3. Come algo de carne durante la semana. Puedes comer carne de res, pollo o camarones.
4. Come pescado. Es bueno porque ningún pescado tiene proteínas.
5. Cocina con mucha mantequilla y mucho aceite.

24 **¿Qué comemos?**

▶ **Escribe** una lista de los alimentos que prefieres en cada una de las siguientes situaciones. Depués, compara la lista con la de tu compañero(a).

Cuando hace calor.

Cuando estás enfermo(a).

Cuando hace frío.

Cuando estás en la escuela.

Final del desafío

Ya tenemos todos los ingredientes, abuelo. ¡Vamos a hacer el pan!

¿Esto es un poco de mantequilla?

Hay que medirlos bien.

¡Huy, Tim! ¡Ten cuidado! Eso es mucha mantequilla...

Yo puse dos tazas de ___1___, una taza de azúcar y tres ___2___.

¡Yo puse ___3___ harina, ___4___ azúcar y ___5___ huevos!

El blog de Tim

Oaxaca, 8 de diciembre

Al principio pensé, ¡qué fácil! Pero no medí los ingredientes. En vez de poner dos tazas de harina puse mucha harina. En lugar de poner una taza de azúcar puse demasiada azúcar. Y en lugar de poner tres huevos puse pocos huevos. Creo que usar palabras como *poco*, *mucho* o *demasiado* no es una buena forma de cocinar...

COMENTARIOS (0)   ENVIAR UN COMENTARIO

25 **¿Cuánta harina es *mucha harina*?**

▶ **Lee y escribe.** Tim y Mack terminaron su pan de muerto, con resultados distintos. Lee el diálogo y el blog, y completa los bocadillos.

La moneda más antigua de América

Andy and Janet are at Hacienda La Luz, a farm and cacao museum in the Mexican state of Tabasco. Their task is to find the oldest currency in the Americas. Amalia shares with them the many secrets of chocolate. But there are no coins to be found!

Hola, muchachos. Bienvenidos a la Hacienda La Luz.

¡Qué verduras más frescas!

Sí, las cultivamos aquí. Solo compramos la carne y las botellas de leche en el supermercado.

Hola. Estamos buscando la moneda más antigua de América. ¿Sabes dónde está?

Claro. Acompáñenme.

Aquí cultivamos cacao. Producimos miles de kilos cada año.

Toma, Andy. Abre el fruto con el cuchillo. ¡Pero ten cuidado!

¿Qué son estos granos?

¿Y la moneda?

Espera un poco, Janet.

Son las semillas del cacao. Con ellas hacemos el chocolate. Pruébalas.

¡¡¡Están muy amargas!!!

Continuará...

26 **Detective de palabras**

▶ **Completa** estas oraciones.

1. _____ cuidado.
2. _____ un poco.
3. _____ el fruto.
4. _____ , Andy.
5. _____ las.

27 **¿Comprendes?**

▶ **Escribe** la respuesta a estas preguntas.

1. ¿Dónde están Janet y Andy?
2. ¿Qué buscan Janet y Andy en la Hacienda La Luz?
3. ¿Por qué están tan frescas las verduras?
4. ¿Qué usa Andy para abrir el fruto de cacao?
5. Según Janet, ¿cómo están las semillas del cacao?

28 **¿Qué dicen?**

▶ **Habla** con tu compañero(a). Escriban un diálogo para cada una de estas fotos.

Modelo JANET: *¿Qué cultivan aquí?*
       AMALIA: *Verduras.*

① ② ③ ④

CULTURA

La ruta del cacao

El estado de Tabasco, al sureste de México, está muy relacionado con la historia del cacao. Allí se produce el 75 % del chocolate del país.

En Tabasco se puede seguir la ruta del cacao y visitar alguna hacienda cacaotera para aprender cómo se siembra (*plant*) y se cosecha (*harvest*) el cacao, y cómo se hace el excelente chocolate de la zona.

MÉXICO

Tabasco

0   175   350
▬▬▬▬▬▭▭ millas
▬▬▬▬▬▭▭ kilómetros
0   300   600

Mapa del estado de Tabasco.

29 **Piensa y explica.** ¿Cuántos productos derivados del cacao tienes en casa?

 **→ TU DESAFÍO**   Visita la página web para aprender más cosas sobre la ruta del cacao.

Vocabulario

Comprar comida

Los envases

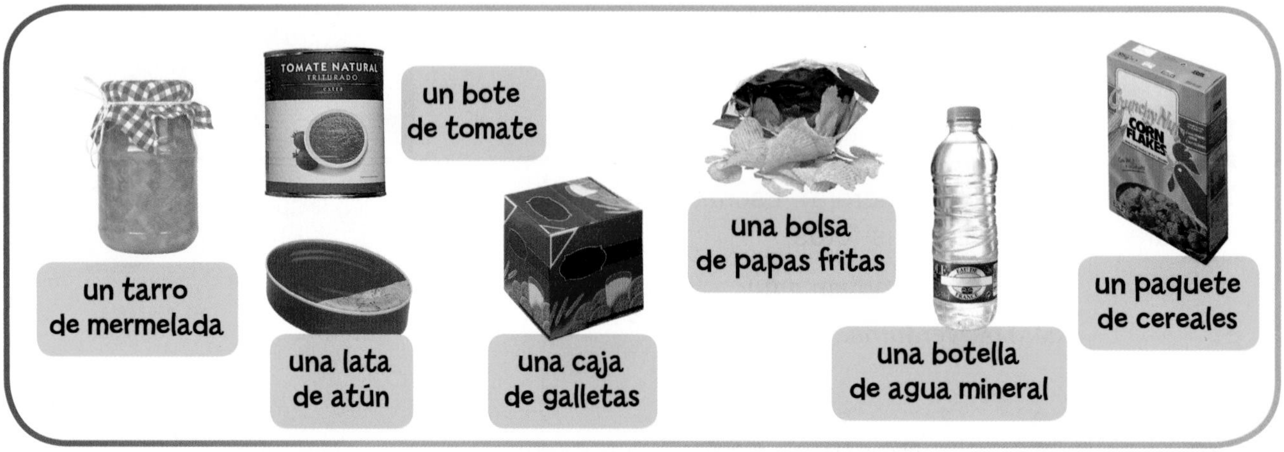

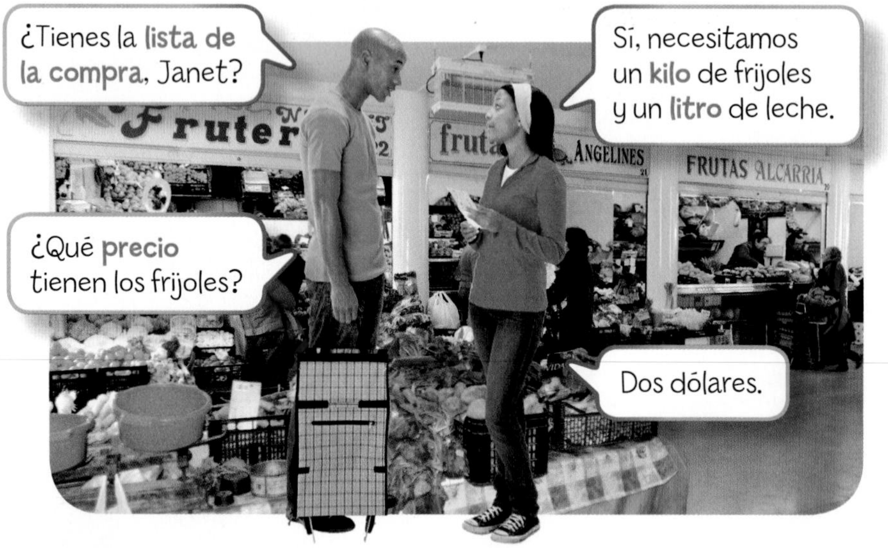

un bote
de tomate

una bolsa
de papas fritas

un paquete
de cereales

un tarro
de mermelada

una lata
de atún

una caja
de galletas

una botella
de agua mineral

¿Tienes la lista de la compra, Janet?

Sí, necesitamos un **kilo** de frijoles y un **litro** de leche.

¿Qué **precio** tienen los frijoles?

Dos dólares.

Acciones

comprar / hacer la compra

vender

costar

pedir

pesar

hacer cola / fila

30 **Las compras**

 Une las dos columnas.

(A)

1. una botella de _____.
2. dos cajas de _____.
3. un bote de _____.
4. una bolsa de _____.
5. dos latas de _____.
6. un paquete de _____.

(B)

a. papas
b. galletas
c. atún
d. salsa picante
e. leche
f. azúcar

31 **¿Qué hay en la lista?**

▶ **Escucha** la conversación entre Andy y Janet en el supermercado. ¿Qué productos compran?

① ② ③ ④

⑤ ⑥ ⑦

32 **Una ensalada de fruta**

▶ **Lee** la lista de Janet y clasifica los alimentos en la tabla. ¿Cuáles sirven para hacer una ensalada de fruta?

sirven	no sirven
una sandía	

▶ **Habla** con tu compañero(a). ¿Qué más frutas sirven para hacer una ensalada? Haz una lista de la compra.

Lista de la compra

Una sandía
Dos tarros de guisantes
Un kilo de peras
Un bote de salsa de tomate
Medio kilo de uvas
Una botella de leche
Una lata de atún
Una piña

 **CULTURA**

El chocolate

El chocolate se obtiene de las semillas del cacao, un alimento que procede de América. Los mayas cultivaban (*grew*) el árbol del cacao hace 2.500 años.

Para los mayas y los aztecas, el cacao era (*was*) un regalo de los dioses y lo utilizaban (*used*) como moneda. El emperador azteca Moctezuma dio una taza de chocolate al conquistador Hernán Cortés y los españoles descubrieron el poder energético del chocolate y su valor económico.

Indígena mexicana preparando chocolate. Museo de América (Madrid).

33 **Investiga.** ¿Qué otras cosas curiosas se usaron como moneda en el pasado?

Gramática

El imperativo afirmativo singular

- To tell one person to do something, use an informal or a formal command.

  Camina más rápido, por favor.   **Come** tu almuerzo.   **Escribe** la receta.

EL IMPERATIVO REGULAR. FORMAS DEL SINGULAR

Caminar	Comer	Escribir	
camina	come	escribe	tú
camine	coma	escriba	usted

Note: Commands are generally used without a subject pronoun, or with the pronoun after the verb.

Come pollo con arroz. Está delicioso.

Coma usted pollo con arroz. Está delicioso.

- Tú commands are based on the tú form of the present tense without the final -s. Therefore, if the tú form is irregular, the tú command is also irregular.

  tú caminas ⟶ camina   tú comes ⟶ come   tú escribes ⟶ escribe
  tú pides ⟶ pide   tú cierras ⟶ cierra   tú pruebas ⟶ prueba

- Usted commands are based on the yo form of the present tense, substituting the -o for these endings:

  1. -e for -ar verbs: yo camino ⟶ camine

  2. -a for -er, -ir verbs: yo como ⟶ coma; yo escribo ⟶ escriba

  Therefore, if the yo form is irregular, the usted command is also irregular.

  yo cierro ⟶ cierre   yo pruebo ⟶ pruebe   yo pido ⟶ pida   yo salgo ⟶ salga

Irregularidades especiales

- These verbs have special irregularities:

IMPERATIVOS CON IRREGULARIDADES ESPECIALES

Tener	Hacer	Poner	Venir	Salir	
ten	haz	pon	ven	sal	tú
tenga	haga	ponga	venga	salga	usted

Ser	Decir	Ir	Dar	
sé	di	ve	da	tú
sea	diga	vaya	dé	usted

34 **Piensa.** ¿Cómo se forma el imperativo en inglés? ¿Hay formas diferentes para el imperativo formal e informal?

35 ## La forma correcta

▶ **Decide** cuál es la forma de imperativo para la persona *tú*.

1. viajas - viaja
2. prueba - pruebo
3. venden - vende
4. subimos - sube
5. hace - haz
6. pongo - pon
7. sirve - servir
8. duermes - duerme
9. salgo - sal

36 **Instrucciones de viaje**

▶ **Lee** la lista de las cosas que hay que hacer.
Escribe las instrucciones que Janet le da a Andy.

Modelo Preparar la mochila. → *Prepara la mochila.*

> ### Instrucciones para Andy
> 1. *Hacer la lista de la compra.*
> 2. *Comprar pan.*
> 3. *Preparar unos sándwiches.*
> 4. *Llenar una botella de agua.*
> 5. *Poner una bolsa de papas en la mochila.*
> 6. *Meter las latas de atún en la mochila.*

37 **¿En casa o en el supermercado?**

▶ **Escucha** y decide. ¿Dónde se hace cada actividad?

	1	2	3	4	5	6	7	8
En casa	X							
En el supermercado								

38 **Sugerencias**

▶ **Habla** con tu compañero(a). La mamá de Janet va a México de visita.
¿Qué sugerencias pueden hacerle?

1. ¿Debo salir por la mañana o por la tarde? → *Salga por la mañana. Hace menos calor.*
2. ¿Debo comer pescado o unos sándwiches?
3. ¿Debo bañarme en la playa o en la piscina del hotel?
4. ¿Debo ir a la ruta del cacao o a la ruta de los tesoros coloniales?

CONEXIONES: LENGUA

Los nombres científicos

El árbol del cacao es el cacaotero (*cacao tree*). Y el nombre
científico del cacaotero es *Theobroma cacao. Theobroma* es
una palabra griega que significa *alimento de los dioses.*

39 **Piensa y explica.** La palabra *cacao* viene del náhuatl *cacáhuatl.*
Las palabras *chilli, tomatl* y *ahuacatl* también son del náhuatl. ¿Qué crees
que significan esas palabras en español?

Comunicación

40 Los ingredientes necesarios

▶ **Escribe** la lista de la compra con los ingredientes necesarios para preparar tu plato favorito. Usa estas palabras.

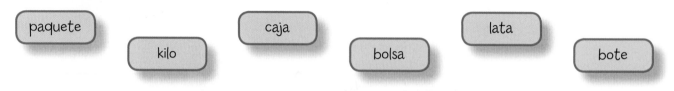

paquete   kilo   caja   bolsa   lata   bote

▶ **Lee** la lista de la compra de tu compañero(a). ¿Cuál crees que es su plato favorito?

41 Órdenes

▶ **Imagina** que estás en estos lugares. Dile a tu compañero(a) qué tiene que hacer. Usa el imperativo.

1. una tienda de bisutería
2. la clase de Español
3. un museo
4. la cocina
5. el supermercado
6. una tienda de ropa

Compra una pulsera.

42 Consejos apropiados

▶ **Escucha** y escribe qué problemas tienen Andy y Janet. Las fotografías pueden ayudarte.

① Lista de la compra
1 caja de galletas
1 kilo de frijoles

② ③ Naranja Limón ④

▶ **Escribe** un consejo apropiado para cada problema.

Modelo 1. *Haz la lista de la compra antes de ir al supermercado.*

▶ **Compara** tus consejos con los de tu compañero(a). ¿Son similares?

▶ **Escribe** un eslogan para el anuncio de uno de estos alimentos.

Modelo   tortillas ⟶ *Come tortillas. Descubre el sabor de México.*

Final del desafío

Este método tiene más de mil años.

¡Qué interesante! ¡Janet, ___2___ una foto!

___1___, usamos las semillas para preparar el chocolate, pero no as comemos!

Pero ___3___, ¿dónde está la moneda más antigua de América?

___4___, Janet. Esta es la moneda más antigua de América.

44 ¿Una moneda de chocolate?

▶ **Completa.** Andy y Janet descubren que la moneda más antigua de América fue el cacao. Lee su diálogo y complétalo con las formas correctas de imperativo.

dime   mira   toma   saca

 **→ TU DESAFÍO**   Visita la página web. Escucha las preguntas de tu *Minientrevista Desafío 2* y escribe las respuestas.

DESAFÍO 3   Dar instrucciones relacionadas con la cocina

Un concurso de chile en San Antonio

Diana and Rita have bought an assortment of chilies in a local market in San Antonio, Texas, and must prepare a recipe for an outdoor *chile con carne* contest. María, one of their fellow contestants, gives them advice.

Tía, ¿no es esta la famosa fortaleza de El Álamo?

Sí. El concurso de chile con carne va a ser aquí.

Primero, pelen la cebolla y córtenla en trozos pequeños. Luego, añadan la salsa de tomate.

De acuerdo. Yo lo hago. Tía, corta tú el ajo.

Terminen de picar los ingredientes y pónganlos en la olla poco a poco.

Y ahora hay que poner el chile, ¿verdad?

Sí. Pelen los chiles y fríanlos.

Hay muchos tipos. ¿Cuál ponemos? ¿Y cuánto?

Continuará...

45 **Detective de palabras**

▶ **Completa** estas oraciones.

1. Primero, tienen que _____ la cebolla.

2. Luego, hay que _____ la cebolla en trozos pequeños.

3. Después, tienen que _____ la salsa de tomate.

4. A continuación, hay que _____ de picar los ingredientes.

5. Luego, hay que _____ los ingredientes en la olla.

6. Finalmente, hay que pelar y _____ los chiles.

poner
añadir
terminar
freír
pelar
cortar

46 **Chile con carne**

▶ **Elige.** ¿Qué ingredientes necesitan Rita y Diana para cocinar chile con carne?

leche	salsa de tomate	papas	chile
carne	lechuga	ajo	cebolla

47 **Paso a paso**

▶ **Escucha** a Rita y ordena las fotografías.

Ⓐ   Ⓑ   Ⓒ   Ⓓ

▶ **Escribe** una oración para describir cada fotografía en el orden correcto.

CONEXIONES: HISTORIA

El Álamo

La famosa fortaleza de El Álamo está situada en la ciudad de San Antonio (Texas). La construcción de la fortaleza empezó en 1724. Originalmente fue una misión: la Misión de San Antonio de Valero. Fue la fortaleza más importante en la Revolución de Texas, cuando Davy Crockett y algunos texanos lucharon contra los mexicanos. Hoy en día es un museo.

48 **Piensa y explica.** ¿Qué sabes sobre El Álamo? ¿Qué ocurrió allí?

▶ **TU DESAFÍO** Visita la página web para aprender más sobre El Álamo.

Vocabulario

En la cocina

Utensilios

la sartén
la olla
la cazuela
el bol
la bandeja
la jarra

Condimentos

el aceite
el vinagre
la sal
la pimienta
el azúcar
la salsa de tomate
la mayonesa
la mostaza

Acciones

pelar
cortar
mezclar
echar

batir
cocer/hervir
freír
asar

49 **Utensilios y condimentos**

▶ **Completa** estas oraciones.

| azúcar | cazuela | sartén | vinagre | bol | jarra |

1. Voy a hervir la pasta en una _____.
2. La carne la frío en la _____.
3. ¿Quieres _____ para el café?
4. Lleva la _____ de agua a la mesa, por favor.
5. Echa los ingredientes en un _____.
6. Me gustan las ensaladas con aceite y _____.

50 **Adivina, adivinanza**

 ▶ **Escucha** las definiciones. ¿A qué fotografía se refiere cada una?

Ⓐ   Ⓑ   Ⓒ   Ⓓ

51 **¡A cocinar!**

▶ **Lee** esta receta y ordena los pasos que faltan.

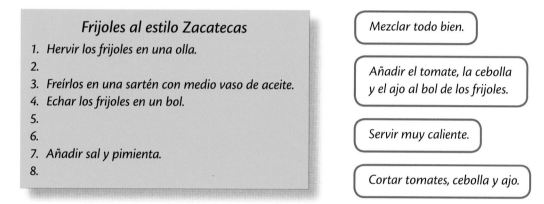

Frijoles al estilo Zacatecas

1. Hervir los frijoles en una olla.
2.
3. Freírlos en una sartén con medio vaso de aceite.
4. Echar los frijoles en un bol.
5.
6.
7. Añadir sal y pimienta.
8.

Mezclar todo bien.

Añadir el tomate, la cebolla y el ajo al bol de los frijoles.

Servir muy caliente.

Cortar tomates, cebolla y ajo.

▶ **Escribe** la receta usando la forma *tú* del imperativo.

Modelo   *Hierve los frijoles.*

52 **Tu plato favorito**

▶ **Habla** con tu compañero(a). ¿Cuál es tu plato favorito? ¿Qué ingredientes y utensilios necesitas para prepararlo?

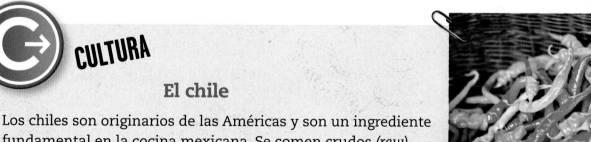

CULTURA

El chile

Los chiles son originarios de las Américas y son un ingrediente fundamental en la cocina mexicana. Se comen crudos (*raw*), cocidos (*boiled*) o fritos (*fried*). Hay muchas variedades de chiles dulces y picantes, con formas y colores distintos.

53 **Piensa y explica.** ¿Alguna vez probaste los chiles? ¿Dónde? ¿En tu comunidad es habitual la comida picante?

→ **TU DESAFÍO** Visita la página web para aprender más cosas sobre el chile.

Gramática

El imperativo afirmativo plural

- To tell more than one person what to do, use plural commands.

  Señores, **prueben** el chile.

EL IMPERATIVO REGULAR. FORMAS DEL PLURAL

Caminar	Comer	Escribir	
camin**ad**	com**ed**	escrib**id**	vosotros(as)
camin**en**	com**an**	escrib**an**	ustedes

Note: Like in other cases, the vosotros form is used in Spain to give informal plural commands. In the Americas, the ustedes form is used in formal and informal plural commands.

- Vosotros(as) commands are always regular. They are formed by changing the -r of the infinitive to a -d.

  caminar ⟶ camin**ad**   comer ⟶ com**ed**   escribir ⟶ escrib**id**

- Ustedes commands are formed by adding an -n to the usted command form.

  1. -ar verbs: usted camine ⟶ camin**en**
  2. -er and -ir verbs: usted coma ⟶ com**an**; usted escriba ⟶ escrib**an**

  If the usted command is irregular, the ustedes command is also irregular.

  cierre (usted) ⟶ **cierren**   vuelva (usted) ⟶ **vuelvan**   pida (usted) ⟶ pidan

Irregularidades especiales

- As in usted commands, these verbs have irregular ustedes command forms:

Tener	Hacer	Poner	Venir	Salir	Ser	Decir	Ir	Dar
tengan	hagan	pongan	vengan	salgan	sean	digan	vayan	den

El imperativo con pronombres

- Attach object pronouns to the end of affirmative singular and plural commands:

  Pruebe el pollo. ⟶ **Pruébelo.**   Pidan la ensalada. ⟶ **Pídanla.**

54 **Piensa.** En español se usa una forma verbal para dar órdenes a un grupo de personas. ¿Qué se usa en inglés?

55 **Simón dice**

▶ **Habla.** Da cinco instrucciones a tus compañeros(as). Usa la forma *ustedes* del imperativo. Ellos(as) tienen que representar lo que les pides.

Modelo *Escriban su nombre en la pizarra.*

56 Recomendaciones

▶ **Une** las dos columnas. Después, escribe las recomendaciones correspondientes.

Ⓐ

1. Tenemos hambre.
2. Nos encanta la comida picante.
3. Estamos listas para pedir.
4. La comida está sosa.
5. Tenemos sed.
6. Queremos un postre dulce.

Ⓑ

a. probar el chile con carne
b. pedir una bebida
c. ir a un restaurante
d. pedir sal
e. comer un pastel de chocolate
f. llamar al mesero

Modelo   Tenemos sed. ⟶ *Pidan una bebida.*

57 Una visita sorpresa

▶ **Habla** con tu compañero(a). Imagina que Diana y Rita visitan tu ciudad. ¿Qué recomendaciones pueden hacerles?

Modelo

> Vengan a San Francisco en primavera. El tiempo es muy bueno.

> Y vayan a comer al restaurante italiano de la calle principal. La comida es buenísima.

COMUNIDADES

LOS HORARIOS

Los horarios de las comidas no son los mismos en todos los países. Por ejemplo, en México el desayuno es entre las ocho y las nueve de la mañana; el almuerzo es entre la una y las tres de la tarde; y la cena suele ser a partir de las ocho de la noche.

58 Compara y explica. Compara estos horarios con los tuyos. ¿Son diferentes? ¿Por qué crees que hay diferencias?

Comunicación

59 **Un postre delicioso**

▶ **Completa** esta receta de cocina.

| mezclar | batir | echar | pelar | freír |

Dulce de plátano

Ingredientes:

3 plátanos
200 gramos de azúcar
1 taza de crema
5 gramos de vainilla
50 gramos de mantequilla

Preparación:

_____1_____ los plátanos y cortarlos.

Poner mantequilla en una sartén y _____2_____ los plátanos. Colocarlos en un plato.

_____3_____ la vainilla y 100 gramos de azúcar en un bol. _____4_____ la mezcla por encima del plátano.

Poner la crema en un bol, añadir el resto del azúcar y _____5_____ bien. Echar la crema por encima del plátano.

▶ **Escribe** la receta usando la forma *ustedes* del imperativo.

60 **La escuela de cocina**

▶ **Escribe** órdenes para los alumnos de esta escuela de cocina. Usa el imperativo.

Modelo 1. *Pelen las papas.*

La mesera nueva

▶ **Escucha.** Diana y Rita están en un restaurante. Decide si las recomendaciones de la mesera son lógicas o ilógicas.

	Lógico	Ilógico
1		
2		
3		
4		

Final del desafío

Midan bien los ingredientes.

Pica bien los chiles, Diana.

Sí. Hay que poner dos chiles y medio, tía.

Tiene buena pinta. Pruébenlo.

No, ustedes primero. Díganme si está bien.

¡No hay tiempo!

Chile con carne

- 1/2 kilo de carne picada
- 200 gramos de cebollas
- 1 diente de ajo (garlic clove)
- 3 tomates
- 3 cucharadas de aceite
- 2 1/2 cucharaditas de chile
- 1 cucharadita de pimienta
- Sal

CONCURSO ANUAL DE CHILE CON CARNE

62 ## ¿Qué les pasa a Diana y a Rita?

▶ **Escribe.** ¿Qué problema hay con el plato de Diana y Rita? ¿Por qué? ¿Qué pasa después? Escribe el final del desafío. Después, represéntalo con tus compañeros(as).

El ingrediente secreto de Cholula

Tess and Patricia are in San Pedro de Cholula, México, one of the oldest cities in the Americas. They will have to taste the famous *mole poblano*, and a new recipe cooked with an ancient ingredient. What is it? The answer lies within the innermost part of the Great Pyramid of Cholula.

Buenos días.
¿Qué van a comer?

De primer plato, yo quiero sopa de tortilla. Se ve deliciosa.

Y yo, unas quesadillas.

¿Qué lleva el mole poblano?

El mole es una salsa típica de esta zona. Se sirve con pollo asado.

¿Es un plato picante?

El mío tiene un sabor delicioso... ¿Qué ingrediente es?

No preguntes, Tess, tienes que descubrirlo tú sola.

El secreto está en la Gran Pirámide de Cholula.

¿Es allí arriba? ¡Vamos!

No corras, Tess. Aquello es una iglesia. La pirámide está debajo.

Continuará...

63 **Detective de palabras**

▶ **Completa** estas oraciones.

1. ¿Qué van a _____?
2. ¿Qué _____ el mole poblano?
3. El mole se sirve con pollo _____.
4. ¿Es un plato _____?

64 **¿Comprendes?**

▶ **Responde** a estas preguntas.

1. ¿Dónde están Tess y Patricia?
2. ¿Qué pide Tess de primer plato?
3. ¿Qué plato típico prueban?
4. ¿Dónde está la respuesta sobre el ingrediente secreto?
5. ¿Dónde está la pirámide?

65 **La iglesia y la pirámide**

▶ **Escucha** y decide si estas oraciones son ciertas o falsas.

1. Tess está nerviosa.
2. El ingrediente secreto del mole está en la iglesia.
3. La pirámide está encima de la iglesia.
4. En la pirámide hay muchos túneles.
5. A Tess no le gustan los túneles porque están muy oscuros.

66 **Tus experiencias**

▶ **Pregunta** a tu compañero(a).

1. ¿Conoces la cocina mexicana?
2. ¿Te gusta probar platos nuevos?

3. ¿Te gusta la comida picante?
4. ¿Alguna vez probaste el mole?

CULTURA

El mole

Es una salsa típica de la cocina mexicana que se prepara con distintos tipos de chiles y muchas especias. Se sirve con pollo o pavo. Hay muchas variedades de mole. El más famoso es el mole poblano. Contiene más de veinte ingredientes, además del chile y el chocolate.

La palabra *mole* viene del náhuatl y significa *salsa*. Hay muchas teorías sobre el origen de este plato. Empezó a prepararse en época prehispánica y durante el periodo colonial se le añadieron ingredientes procedentes de Asia y de Europa.

67 **Piensa y explica.** ¿Qué platos conoces que combinan ingredientes de varias partes del mundo?

⚑→ TU DESAFÍO Visita la página web para aprender más sobre el mole poblano.

Vocabulario

En el restaurante

¿Van a pedir el **menú del día**?

Sí. Yo **de primero** quiero sopa de verduras. Y **de segundo**, carne empanada.

En la mesa

el cuchillo

la servilleta

el tenedor

el mantel

la cuchara

el vaso

Tráigame la **cuenta**, por favor.

¿Cómo está?

agrio(a)	bueno(a)
dulce	malo(a)
picante	delicioso(a)
salado(a)	caliente
soso(a)	frío(a)
amargo(a)	fresco(a)

¿Le damos una **propina** al mesero?

Preparación de los alimentos

frito(a)

asado(a)

a la plancha

cocido(a)/hervido(a)

empanado(a)

68 ### En el restaurante

▶ **Elige** la opción correcta.

1. Esta sopa está muy _____, no sabe a nada.   a. sosa   b. salada
2. De segundo, yo quiero carne _____.   a. mala   b. a la plancha
3. Pues yo voy a comer pollo _____.   a. asado   b. soso
4. Estas verduras son muy _____, están deliciosas.   a. frías   b. frescas
5. No me gusta el café, está muy _____.   a. empanado   b. amargo

69 **¿Qué se dice?**

 ▶ **Escucha** y relaciona cada diálogo con la fotografía correspondiente.

A

B

C

D

70 **¿Cómo se prepara?**

▶ **Habla** con tu compañero(a). Nombra una comida y digan cómo se prepara.

Modelo

El arroz.

Se prepara hervido.

¡...o frito!

CULTURA

Los restaurantes tex-mex

La comida tex-mex representa el contacto entre la cultura estadounidense y la mexicana. Algunos ingredientes populares son los chiles, el queso, la carne, los frijoles, las tortillas y las especias.

La comida tex-mex es muy popular en el suroeste de los Estados Unidos pero hay restaurantes que la sirven en muchas partes del mundo.

71 **Piensa y habla.** ¿Es popular la comida tex-mex donde vives? ¿Te gusta? ¿Hay otros restaurantes en tu ciudad que representan una fusión de culturas?

Gramática

El imperativo negativo

- Use negative commands when telling someone what not to do.

    Nico, **no bebas** refrescos.   Chicos, **no coman** dulces.

IMPERATIVO NEGATIVO. VERBOS REGULARES

Caminar	Comer	Escribir	
no camines	no comas	no escribas	tú
no camine	no coma	no escriba	usted
no caminéis	no comáis	no escribáis	vosotros(as)
no caminen	no coman	no escriban	ustedes

Note: The usted and ustedes negative commands are the same as in the affirmative, with the word no.

Abra la puerta, por favor.

→ **No abra** la puerta.

- Some verbs have irregular negative command form:

VERBOS IRREGULARES EN EL IMPERATIVO NEGATIVO

Dar	Estar	Ir	Ser	
no des	no estés	no vayas	no seas	tú
no dé	no esté	no vaya	no sea	usted
no deis	no estéis	no vayáis	no seáis	vosotros(as)
no den	no estén	no vayan	no sean	ustedes

- Verbs that are irregular in the first person of the present tense have the same change in the negative tú, usted and ustedes command forms and, sometimes, in the vosotros(as) form.

    yo cierro → no cierres   yo digo → no digas   yo hago → no hagas

    yo vuelvo → no vuelvas   yo pido → no pidas   yo salgo → no salgas

El imperativo negativo con pronombres

- With negative commands, place object and reflexive pronouns between no and the command:

    No **lo** cocinen.   No **nos** llame.   No **te** levantes.

72 **Piensa.** En español hay formas distintas de mandatos dependiendo del grado de formalidad. ¿Hay formas distintas en inglés?

73 **Buenos hábitos**

▶ **Escribe.** ¿Qué no debe hacer Diana si quiere mantenerse en forma?

Modelo *No comas muchas papas fritas.*

74 **El buen chef**

▶ **Escucha** y decide si estas afirmaciones son ciertas o falsas.

1. Hay que usar siempre productos en lata.
2. No deben usar el mismo aceite muchas veces. No es saludable.
3. Es importante poner mucha sal para dar sabor a los platos.
4. Hay que cocinar los alimentos mucho tiempo.
5. Pueden guardar el pescado muchos días en el refrigerador.

▶ **Escribe** órdenes negativas a partir de las oraciones anteriores.
Usa la forma *ustedes*.

Modelo *No usen siempre productos en lata. Usen productos frescos.*

75 **Consejos**

▶ **Habla** con tu compañero(a). ¿Qué puedes decir a estas personas? Usa imperativos afirmativos y negativos en forma *tú* o *usted*.

Modelo una persona que tiene frío ⟶ *No comas helado. Bebe un té caliente.*

1. un(a) amigo(a) que tiene calor
2. un(a) compañero(a) de clase que va a un restaurante mexicano
3. un(a) profesor(a) que bebe mucho café
4. un(a) niño(a) que come muy poco
5. un(a) amigo(a) con dolor de estómago
6. una persona que tiene que perder peso

COMUNIDADES

¿VOSOTROS O USTEDES?

La forma *usted* se emplea para dirigirse a alguien en una situación formal. Sin embargo, con el plural *ustedes* hay algunas diferencias de uso entre los países hispanohablantes.

En las Américas y en parte de España *ustedes* se emplea tanto en situaciones formales como informales. Pero en muchas zonas de España se usa la forma *vosotros* en situaciones informales.

 76 **Piensa y explica.** ¿Hay formas de expresar el respeto en tu idioma? ¿Cómo te diriges a alguien en una situación formal?

Comunicación

77 **La cena sorpresa**

▶ **Escucha** a Diana. ¿Qué le sugiere Rita?

1. _____ al supermercado.
   <u>Ve/No vayas</u>

2. _____ una torta de chocolate.
   <u>Haz/No hagas</u>

3. _____ huevos con mayonesa.
   <u>Pon/No pongas</u>

4. _____ sopa con chiles.
   <u>Cocina/No cocines</u>

5. _____ a tus amigos nada sobre la cena.
   <u>Diles/No les digas</u>

6. _____ los platos y los vasos.
   <u>Lava/No laves</u>

78 **¡Mi receta va a ganar!**

▶ **Completa** el diálogo con las formas *usted* de imperativo.

La receta de María

MARÍA: Diana, no _____1_____ la carne todavía. Y no se _____2_____ los chiles.
   hacer   olvidar
   Ahora necesito la cebolla. ¡Rápido!

DIANA: Tranquila. No _____3_____ impaciente, por favor.
   ser

MARÍA: Ok. Tenemos que esperar un poco. No
   _____4_____ los chiles con la carne por el momento.
   poner

DIANA: Muy bien, María. No se _____5_____.
   preocupar
   Todo va a salir bien.

MARÍA: Claro. ¡Mi receta va a ganar!

79 **Consejos para vivir mejor**

▶ **Habla** con tus compañeros(as). Piensen cinco problemas y escriban dos consejos para cada uno usando el imperativo negativo.

Modelo Tenemos mucha tarea cada día.

→ *Empiecen a hacer la tarea en clase.*

→ *No esperen mucho tiempo para hacer la tarea después de clase.*

80 Mi menú

▶ **Escribe** un menú con varios platos y descríbelos: ingredientes, forma de preparación, sabor...

▶ **Presenta** tu menú a la clase y haz recomendaciones a tus compañeros(as). Puedes usar estos verbos.

| comer | beber | elegir | pedir | probar |

Final del desafío

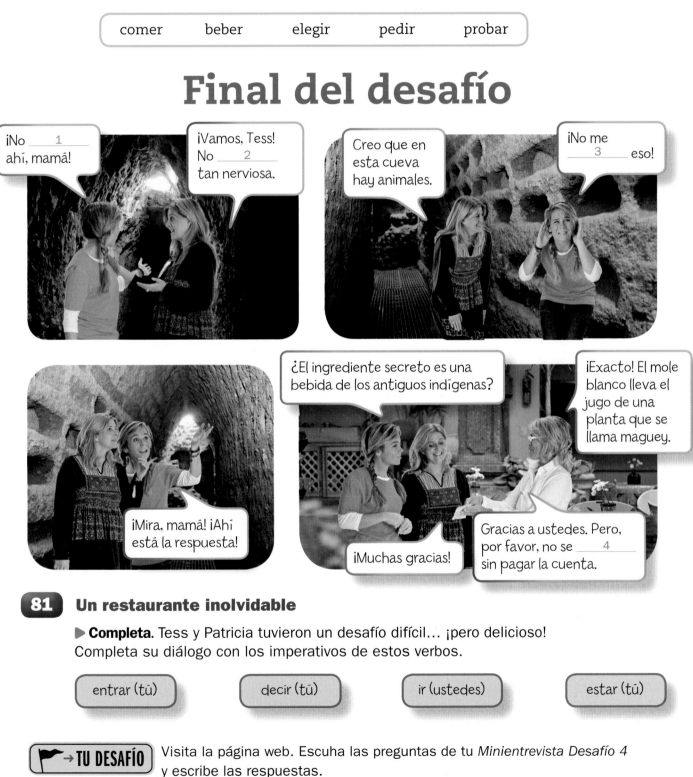

¡No ___1___ ahí, mamá!

¡Vamos, Tess! No ___2___ tan nerviosa.

Creo que en esta cueva hay animales.

¡No me ___3___ eso!

¡Mira, mamá! ¡Ahí está la respuesta!

¿El ingrediente secreto es una bebida de los antiguos indígenas?

¡Exacto! El mole blanco lleva el jugo de una planta que se llama maguey.

¡Muchas gracias!

Gracias a ustedes. Pero, por favor, no se ___4___ sin pagar la cuenta.

81 Un restaurante inolvidable

▶ **Completa**. Tess y Patricia tuvieron un desafío difícil... ¡pero delicioso! Completa su diálogo con los imperativos de estos verbos.

| entrar (tú) | decir (tú) | ir (ustedes) | estar (tú) |

→ TU DESAFÍO Visita la página web. Escuha las preguntas de tu *Minientrevista Desafío 4* y escribe las respuestas.

ESCUCHAR

82 **Los chiles rellenos**

▶ **Escucha** la conversación de Rita y su hermana y decide si estas afirmaciones son ciertas o falsas.

1. A Rita no le gustan los chiles.
2. La hermana de Rita quiere la receta de los chiles rellenos.
3. Para preparar los chiles rellenos necesitan tres kilos de chiles.
4. Primero se cortan los chiles y después se pone dentro el queso.
5. Hay que freír los chiles en una sartén con mantequilla.
6. Los chiles rellenos son un plato dulce y delicioso.

▶ **Escucha** otra vez y corrige las afirmaciones falsas.

ESCUCHAR Y HABLAR

83 **Un restaurante auténtico**

▶ **Lee** el menú y responde a estas preguntas.

MENÚ DEL CHEF

1 primer plato + 1 segundo plato + 1 postre o café = $ 11,99

Primer plato	Segundo plato	Postre
Ensalada de aguacate	Mole poblano con pollo	Torta de chocolate
Sopa de pollo	Carne asada de res con papas	Helado
Frijoles con arroz	Tacos de pescado	Fruta
	Camarones con salsa	

1. ¿Cuántos platos comes si pides el menú del chef?
2. ¿Hay alguna sopa en el menú?
3. ¿Qué platos contienen carne?
4. ¿Hay algún plato con pescado o marisco?

▶ **Escucha** y escribe. ¿Qué platos del menú recomienda el mesero?

▶ **Habla** con tu compañero(a). ¿Qué platos le recomiendas? ¿Por qué?

HABLAR Y ESCRIBIR

 84 **¡Vamos al supermercado!**

▶ **Habla** con tu compañero(a). ¿Cuál es su plato favorito?
¿Qué ingredientes lleva? ¿Cómo se prepara?
Hagan una lista de la compra con todo lo necesario.

¿Qué lleva la
ensalada César?

Lleva lechuga,
pollo, queso...

La lista de la compra

1 lechuga

150 gramos de pollo

40 gramos de queso

...

LEER, ESCRIBIR Y HABLAR

85 **¡Vengan al restaurante Tepoztlán!**

▶ **Lee** el anuncio de un nuevo
restaurante mexicano y complétalo
con las formas de imperativo
usted de estos verbos.

tener	venir
probar	pedir
escuchar	beber

▶ **Escribe** un anuncio similar
con tu compañero(a).

▶ **Habla** con tus compañeros(as).
En grupos, elijan un restaurante
para visitar y decidan
qué van a comer y a beber.

Restaurante Tepoztlán

Un restaurante para disfrutar

El restaurante Tepoztlán abre sus
puertas el próximo sábado. Disfrute
de un auténtico ambiente mexicano.

_____1_____ nuestros platos típicos.
_____2_____ o los tacos al pastor, son
nuestra especialidad. _____3_____
nuestros deliciosos jugos de fruta
fresca y pida alguno de nuestros
postres típicos.

_____4_____ a nuestros mariachis
mientras disfruta de una auténtica
comida mexicana.

Y no _____5_____ miedo al picante,
preparamos los platos a su gusto.

¡_____6_____ pronto! y... ¡dígaselo
a sus amigos!

El encuentro

En el Camino Real de Tierra Adentro

The pairs gather in Santa Fe, in front of the *Camino Real de Tierra Adentro* Heritage Center. The four pairs have all completed their tasks, and they have written typical Mexican recipes.

A mí no me salió el pan de muerto, pero el abuelo lo hizo muy bien.

Descubrimos que la moneda más antigua del continente es el cacao.

Y aprendimos a preparar pollo en salsa de chocolat

Y trajimos una receta de enchiladas de pollo al mole.

Nosotras preparamos un chile con carne muy picante.

Al final descubrimos el ingrediente secreto del mole poblano.

Y también cocinamos frijoles.

Y conseguimos la receta de la sopa de manzana.

86 Las recetas

▶ **Lee.** Las cuatro parejas llevaron sus recetas. ¿Cuál crees que corresponde a cada plato?

1. Enchiladas de pollo al mole. (Tim y Mack)
2. Pollo en salsa de chocolate. (Andy y Janet)
3. Sopa de manzana. (Diana y Rita)
4. Frijoles cocidos. (Tess y Patricia)

B

... lávenlos y pónganlos 12 horas en un bol con agua. Échenlos en una cazuela con las especias. Cuézanlos dos horas. Después, añadan la cebolla y...

A

... lávelas, pélelas y córtelas en trozos. Échelas en un bol. Añada mantequilla sin sal, crema agria y un poco de sal y pimienta. Bata todos los ingredientes con un poco de caldo de pollo. Cocínelo diez minutos en una sartén y añada sal a la sopa.

D

Coloque las tortillas en una fuente y ponga el pollo encima. Corte cebolla y añádala. Después, eche el mole y cocine todo en el horno...

C

Calienta el aceite y la mantequilla en una sartén. Pon los trozos de pollo y fríelos. Corta las cebollas y échalas en la sartén. Añade el cacao y la salsa de tomate...

▶ **Lee** otra vez las recetas. ¿En qué forma del imperativo está escrita cada una: *tú*, *usted* o *ustedes*?

Una receta de cocina tiene que incluir todos los ingredientes necesarios, las cantidades exactas y las instrucciones. Puedes escribirla en imperativo.

87 Las votaciones

▶ **Decide.** ¿Qué receta de las parejas te gusta más? ¿Por qué?

▶ **Escribe** la receta de tu plato favorito.

▶ **Habla** con tu compañero(a). Explícale cómo se prepara tu plato favorito y pregúntale por el suyo.

Norteamérica

Washington

ESTADOS UNIDOS

OCÉANO
ATLÁNTICO

MÉXICO

OCÉANO
PACÍFICO

Ciudad
de México

GUATEMALA HONDURAS

CUBA

REPÚBLICA
DOMINICANA

HAITÍ

JAMAICA

0 90 180
millas
kilómetros
0 175 350

ALASKA

0 175 350
millas
kilómetros
0 305 610

0 100 200
millas
kilómetros
0 175 350

ISLAS
HAWÁI

Nacionalidades

Estados Unidos → estadounidense

México → mexicano(a)

México, la Florida y el suroeste de los Estados Unidos pertenecieron a la corona española desde el siglo XVI hasta el siglo XIX. Por eso, California, Arizona, Nevada, Utah, Colorado, Nuevo México, Texas y Florida comparten con México las raíces hispanas. Los nombres de algunos lugares muestran ese origen hispano.

México, con 112 millones de habitantes, es hoy el país con más hablantes de español del mundo. Le siguen los Estados Unidos con 50,5 millones de hispanos, la mayoría de origen mexicano, según datos de la Oficina del Censo del año 2010. De ellos, unos 40 millones hablan normalmente español.

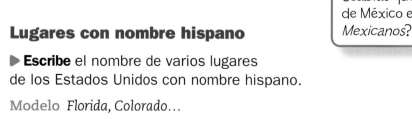

¿Sabías que el nombre oficial de México es *Estados Unidos Mexicanos*?

88 **Lugares con nombre hispano**

▶ **Escribe** el nombre de varios lugares de los Estados Unidos con nombre hispano.

Modelo *Florida, Colorado…*

1. El Camino Real de Tierra Adentro

Durante la época colonial, los españoles crearon o ampliaron caminos en el territorio que hoy ocupan México, la Florida y los estados del suroeste de los Estados Unidos. El más importante es el Camino Real de Tierra Adentro, que une Santa Fe con Ciudad de México. Este camino fue una vía de intercambio económico y cultural.

Mapa del virreinato de Nueva España (1767)

Día del Parque Chicano (San Diego).

2. Los chicanos

La palabra *chicano* proviene de *mexicano*. Los chicanos son ciudadanos de los Estados Unidos descendientes de mexicanos. La cultura chicana es una mezcla de las culturas estadounidense y mexicana con características propias.

89 **El Camino Real**

▶ **Copia** la ruta del Camino Real y sitúa en ella estas ciudades.

- Alburquerque
- Santa Fe
- Aguascalientes
- Ciudad de México
- El Paso

ESTADOS UNIDOS

Las Cruces

Chihuahua
Conchos   Parral
Cerro Gordo
Durango   Pasaje de Cuencamé
           Fresnillo
Zacatecas   San Luis Potosí
Guanajuato   Querétaro
San Miguel El Grande

MÉXICO   BELICE

GUATEMALA

```
0   100  200
        millas
        kilómetros
0   175  350
```

Plato e ingredientes del guacamole.

Read instructional texts

Instructional texts are those that contain rules or instructions to do something.

Recognizing the structure and characteristic language of instructional texts can help you understand them better.

The main characteristics of instructional texts are:

– They main have a practical objective. For example, to prepare a meal or to turn on electrical appliances.

– In order to achieve that objective, they outline a clear, concise sequence of actions.

– These actions are normally listed as commands or using the forms *tener que*, or *hay que*, or the infinitive.

La receta del guacamole

Puebla, 28 de octubre de 2011

Querido nieto:

¿Cómo estás? ¿De verdad vas a preparar guacamole para la fiesta de la escuela? ¡Qué bien! El guacamole es una salsa mexicana muy popular y muy fácil de preparar. ¡Con los tacos y con la carne está delicioso! Aquí tienes la receta:

Guacamole

Ingredientes:

2 aguacates[1] maduros   1 diente de ajo
1 chile serrano   Unas hojas de cilantro fresco
80 gramos de tomates   Sal
40 gramos de cebolla   El jugo de medio limón

Preparación:

1.° Corta los tomates en cubos pequeños, pica la cebolla, el ajo y el cilantro. Pon cada cosa en un bol.

2.° Pela los aguacates y aplástalos[2] con un tenedor.

3.° Muele[3] el chile y añade la sal.

4.° Mezcla el aguacate con el chile molido y con el tomate.

5.° Añade a la mezcla la cebolla, el ajo, el cilantro y el jugo de limón.

Recuerda que si lo quieres más picante, tienes que poner más chiles.

¡Mucha suerte con la receta y disfruta!

Muchos besos.

Tu abuela

---

1. *avocados*   **2.** *mash them*   **3.** *Crush*

COMPRENSIÓN

90 **Sobre el guacamole**

▶ **Decide** si estas afirmaciones son ciertas o falsas.

1. Los mexicanos no comen los tacos con guacamole.
2. El guacamole combina bien con la carne.
3. El ingrediente principal del guacamole es el aguacate.
4. El guacamole es picante porque lleva chiles.

91 **Para hacer guacamole**

▶ **Escribe** la acción correspondiente a cada imagen en infinitivo. Después, ordena las imágenes de acuerdo con la receta del guacamole.

ESTRATEGIA **Leer textos prescriptivos**

92 **La receta**

▶ **Completa** un esquema como este con los pasos de la receta. Puedes utilizar las formas *hay que*, *tener que*, o el imperativo.

> Primero, tienes que cortar los tomates, la cebolla, el ajo y el cilantro.

> Después,

> A continuación,

> Luego,

> Por último,

⚑→ TU DESAFÍO Visita la página web para aprender otra receta mexicana.

Los alimentos

Los pescados y mariscos

el atún	*tuna*
los camarones	*shrimp*
el salmón	*salmon*

Los cereales

el arroz	*rice*
el pan	*bread*
la pasta	*pasta*

La carne

de cerdo	*pork*
de pollo	*chicken*
de res	*beef*

Las legumbres

los frijoles	*beans*
los guisantes	*peas*
las lentejas	*lentils*

Los lácteos

la leche	*milk*
la mantequilla	*butter*
el queso	*cheese*
el yogur	*yogurt*

Las frutas

las fresas	*strawberries*
el melón	*melon*
la pera	*pear*
la piña	*pineapple*
la sandía	*watermelon*
las uvas	*grapes*

Las verduras y hortalizas

el ajo	*garlic*
la cebolla	*onion*
las espinacas	*spinach*
la lechuga	*lettuce*
el tomate	*tomato*
la zanahoria	*carrot*

Comprar comida

la lista de la compra	*shopping list*
el litro	*liter*
el kilo	*kilogram*
el precio	*price*

Los envases

la bolsa	*bag*
el bote	*can*
la botella	*bottle*
la caja	*box*
la lata	*can*
el paquete	*package*
el tarro	*jar*

Acciones

comprar	*to buy*
costar	*to cost*
hacer cola/fila	*to stand in line*
hacer la compra	*to shop*
pedir	*to ask for*
pesar	*to weigh*
vender	*to sell*

En la cocina

Utensilios

la bandeja	*tray*
el bol	*bowl*
la cazuela	*casserole dish*
la jarra	*pitcher*
la olla	*pressure cooker*
la sartén	*frying pan*

Acciones

asar	*to roast*	hervir	*to boil*
batir	*to beat*	mezclar	*to mix*
cocer	*to boil*	pelar	*to peel*
cortar	*to cut*		
echar	*to put*		
freír	*to fry*		

Condimentos

el aceite	*oil*	la pimienta	*pepper*
el azúcar	*sugar*	la sal	*salt*
la mayonesa	*mayonnaise*	la salsa de tomate	*tomato sauce*
la mostaza	*mustard*	el vinagre	*vinegar*

En el restaurante

la cuenta	*check*
el menú del día	*specials*
el primer plato	*appetizer*
el segundo plato	*entrée*
el postre	*dessert*
la propina	*tip*

Preparación de los alimentos

a la plancha	*grilled*
asado(a)	*roasted*
cocido(a)/hervido(a)	*boiled*
empanado(a)	*breaded*
frito(a)	*fried*

¿Cómo está?

agrio(a)	*sour*	fresco(a)	*fresh*
amargo(a)	*bitter*	frío(a)	*cold*
bueno(a)	*good*	malo(a)	*bad*
caliente	*hot*	picante	*hot (spicy)*
delicioso(a)	*delicious*	salado(a)	*salty*
dulce	*sweet*	soso(a)	*tasteless*

En la mesa

la cuchara	*spoon*
el cuchillo	*knife*
el mantel	*tablecloth*
la servilleta	*napkin*
el tenedor	*fork*
el vaso	*glass*

DESAFÍO 1

1 **Un almuerzo especial.** Clasifica estos ingredientes.

entrantes 	platos principales	postres
ensalada		

salmón   fresas
espinacas   ensalada
carne de res helado
sopa   atún
yogur   pollo

DESAFÍO 2

2 **Envases.** Relaciona cada envase con la fotografía correspondiente.

1. un tarro
2. una caja
3. una botella
4. una lata

Ⓐ   Ⓑ   Ⓒ   Ⓓ

DESAFÍO 3

3 **¡Vamos a cocinar!** Completa estas oraciones.

pelar
vinagre
hervir
sartén
azúcar

1. A esta ensalada le falta un poco de ___1___.
2. Primero tienes que ___2___ las papas y luego freírlas.
3. Vamos a ___3___ la pasta en esta cazuela.
4. Este postre no tiene mucho ___4___, no está muy dulce.
5. Echa el huevo en la ___5___.

DESAFÍO 4

4 **¿Frito o empanado?** Responde a las siguientes preguntas.

cocido(a)   frito(a)   asado(a)   empanado(a)

Modelo ¿Cómo preparas las verduras? ⟶ *Las preparo cocidas.*

1. ¿Cómo preparas el pollo?
2. ¿Cómo preparas los huevos?
3. ¿Cómo preparas la pasta?

Expresar cantidad. Los indefinidos (pág. 194)

ningún, ninguno(a)   *no, (not) any, none*
algún, alguno(a),
  algunos(as)   *a few, any, one, some*
poco(a), pocos(as)   *some, few*

mucho(a), muchos(as)   *many, a lot of*
todo(a), todos(as)   *all, every, throughout*
demasiado(a),
  demasiados(as)   *too much, too many*

El imperativo afirmativo (pág. 202 y 210)

IMPERATIVO REGULAR

CAMINAR	COMER	ESCRIBIR	
camina	come	escribe	tú
camine	coma	escriba	usted
caminad	comed	escribid	vosotros(as)
caminen	coman	escriban	ustedes

IRREGULARIDADES ESPECIALES

TENER	HACER	PONER	VENIR	SALIR	SER	DECIR	IR	DAR	
ten	haz	pon	ven	sal	sé	di	ve	da	tú
tenga	haga	ponga	venga	salga	sea	diga	vaya	dé	usted
tened	haced	poned	venid	salid	sed	decid	id	dad	vosotros(as)
tengan	hagan	pongan	vengan	salgan	sean	digan	vayan	den	ustedes

El imperativo negativo (pág. 218)

IMPERATIVO NEGATIVO REGULAR

CAMINAR	COMER	ESCRIBIR	
no camines	no comas	no escribas	tú
no camine	no coma	no escriba	usted
no caminéis	no comáis	no escribáis	vosotros(as)
no caminen	no coman	no escriban	ustedes

IRREGULARIDADES ESPECIALES

DAR	ESTAR	IR	SER	
no des	no estés	no vayas	no seas	tú
no dé	no esté	no vaya	no sea	usted
no deis	no estéis	no vayáis	no seáis	vosotros(as)
no den	no estén	no vayan	no sean	ustedes

DESAFÍO 1

5 **¿Cuántos hay?** Mira los dibujos y escribe oraciones con indefinidos.

Modelo 1. *Hay muchas manzanas.*

①  ②  ③  ④

DESAFÍO 2

6 **Instrucciones.** Escribe las instrucciones que una madre da a su hijo.

Modelo Comer el pollo. ⟶ *Come el pollo. Cómelo.*

1. Beber el jugo de naranja.
2. Poner los sándwiches en la mesa.
3. Preparar la mochila.
4. Decir la verdad.

DESAFÍO 3

7 **Sugerencias.** Une las dos columnas y escribe recomendaciones con la forma *ustedes*.

Modelo Nos gusta el pescado. ⟶ *Pidan el salmón con papas.*

1. Tenemos sed.
2. Queremos un postre ligero.
3. Nos gusta mucho la pasta.

a. probar el helado de melón
b. comer los espaguetis con salsa de tomate
c. beber té frío con limón

DESAFÍO 4

8 **Consejos.** Usa el imperativo negativo y escribe oraciones con lo que no deben hacer estas personas.

Modelo Tus hermanos están corriendo por el pasillo. ⟶ *No corran por el pasillo.*

1. Hace calor y tus padres están cerrando las ventanas.
2. Tu hermano pone dos cuadernos encima de tu cama.
3. Tu prima quiere alimentarse bien y está comiendo helado de chocolate.

CULTURA

9 **En Norteamérica.** Responde a las siguientes preguntas.

1. ¿Cómo se celebra el Día de Muertos en México?
2. ¿Qué alimento utilizaron los mayas como moneda?
3. ¿Qué sabes sobre El Álamo?
4. ¿Qué es el mole?

Un menú con

ingredientes americanos

In this project you will create a dish made with an indigenous American ingredient in the recipe. After you create the dish individually, you will come together as a group to share your dishes and to create a menu. *¡Buen provecho!*

PASO 1 Decide qué plato vas a hacer

- Research native American foods and ingredients in order to decide which dish you will prepare. Use these questions to guide you:

  –¿Qué alimentos de origen americano conoces?

  –¿Cuáles prefieres?

  –¿Cómo se llaman esos alimentos en español?

  –¿Qué vas a preparar: un primer plato, un plato principal, un postre?

  –¿Qué plato vas a cocinar?

PASO 2 Busca la receta

- Research recipes for the type of dish you have selected. You need to know the ingredients, the measurements, and how to prepare your dish. In order to organize the information about your recipe, make a card like this one:

Ensalada de maíz

Ingredientes	Preparación
3 tazas de maíz	–Colocar los ingredientes en un bol.
2 tazas de tomates	–Mezclar.
½ taza de pimientos verdes	–Echar aceite, vinagre y sal.
½ taza de aguacates	–Cubrir.
1 cucharada de aceite y vinagre	–Llevar al refrigerador.

- Find photos to illustrate your recipe. You can get photos in magazines or on the Internet, or you can draw them yourself.

PASO 3 Escribe la receta

- Write the recipe with the information that you have obtained. It must be very detailed so that anyone can follow the steps to make your dish. Add a picture to illustrate your dish.

Ensalada de maíz

Ingredientes:
3 tazas de maíz fresco
2 tazas de tomates
½ taza de pimientos
...

Preparación:
Mezcla el maíz, los tomates...

- Combine your recipe with your classmates' recipes to make a cookbook. Organize your recipes by appetizers, entrées, and desserts.

PASO 4 Prepara tu menú favorito

- Choose two dishes that complement the recipe that you have prepared. They might be an appetizer and a dessert or an appetizer and an entrée, for example.

- Write an attractive menu with the dishes that you have chosen. Include some information in Spanish about each dish.

Primer plato

- **Ensalada de maíz**

  Este plato lleva maíz, tomates, pimientos verdes, aguacate, aceite y vinagre.

Segundo plato

- **Pollo con mole**

  Este plato lleva pollo, mole, limón, cilantro, sal y pimienta.

Postre

- **Torta de chocolate**

  Este plato lleva chocolate negro, harina, azúcar, huevos y extracto de vainilla.

- Present your menu to the class.
  Choose the best menu with your classmates.

Unidad 4

Autoevaluación

¿Qué has aprendido en esta unidad?

Do these activities to evaluate how well you can manage in Spanish.

Evaluate your skills. For each item, say Very well, Well, or I need more practice.

a. Can you talk about food?
▶ Describe your favorite foods to a classmate.
▶ Describe your least favorite foods to a classmate.

b. Can you express shopping–related commands?
▶ Tell your classmate in what container he or she should buy the following products.
pan atún refrescos galletas uvas

c. Can you talk about and give commands related to cooking?
▶ Tell your classmate your favorite condiments and on what food you use them.
▶ Tell your classmate how you cook the foods on which you put the condiments.

d. Can you communicate in common dining–related situations?
▶ In groups, role–play a scene in a restaurant. Be sure to ask how each person wants his or her food prepared and what flavors he or she wants incorporated in the meal.

UNIDAD 5

España

Entre el Atlántico y el Mediterráneo

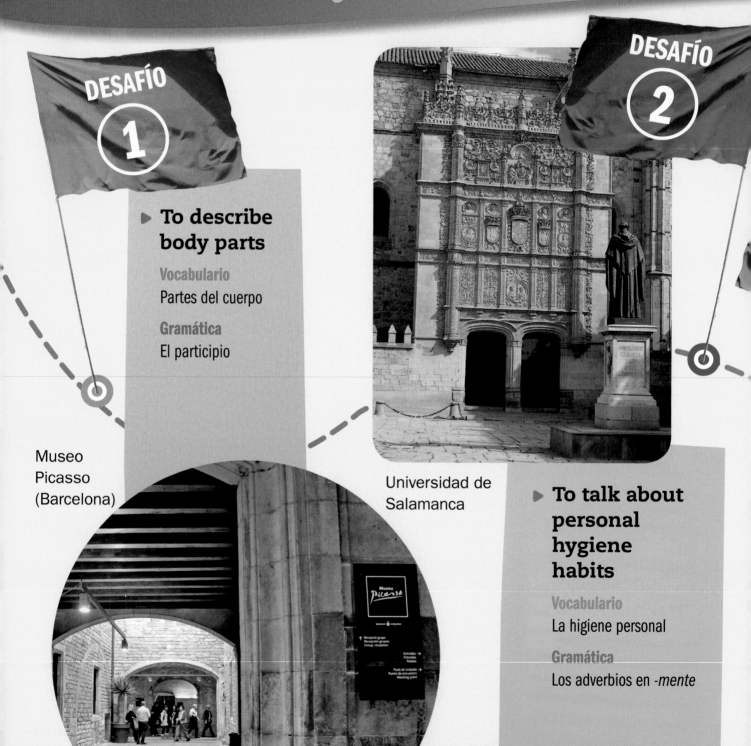

DESAFÍO 1

▶ **To describe body parts**

Vocabulario
Partes del cuerpo

Gramática
El participio

Museo
Picasso
(Barcelona)

DESAFÍO 2

Universidad de
Salamanca

▶ **To talk about personal hygiene habits**

Vocabulario
La higiene personal

Gramática
Los adverbios en -mente

DESAFÍO 3

▶ **To talk about illness and health care**

Vocabulario
La salud: síntomas y enfermedades

Gramática
Por y *para*

Gazpacho

DESAFÍO 4

▶ **To recommend healthy habits**

Vocabulario
Hábitos saludables

Gramática
Hacer recomendaciones

Los Sanfermines (Pamplona)

La llegada

En Sevilla

The pairs gather at the *Plaza de España* in Seville. They travel from Seville to Palos de la Frontera, in Huelva, the town where Christopher Columbus sailed out from in 1492. There, our friends must solve a riddle: *¿Cuál es la niña más famosa de Palos?*

Hace mucho calor y no hay niños en la calle. ¿Preguntamos en aquella farmacia?

Olvídalo, mamá. A estas horas todas las tiendas están cerradas.

Disculpe, ¿sabe dónde está la niña?

¿Qué niña?

Perdone, ¿puede ayudarnos? ¿Conoce a la niña más famosa de Palos?

¿La niña más famosa de Palos? Vayan al puerto.

Vamos, Janet. Hay que encontrar a la niña.

1 ¿Comprendes?

▶ **Une** cada pregunta con la respuesta adecuada.

1. ¿En qué ciudad se reúnen los personajes?
2. ¿A qué pueblo van a buscar los desafíos?
3. ¿Qué es la Niña?
4. ¿Dónde está la Niña?
5. ¿Dónde están escondidos los desafíos?
6. ¿Cómo están las tiendas?

a. En el puerto.
b. Cerradas.
c. En el barco.
d. En Sevilla.
e. Un barco.
f. A Palos de la Frontera.

EXPRESIONES ÚTILES

¿Cómo te sientes?

To get someone's attention:

Perdón / Perdona...   Perdone...
Disculpa...   Disculpe...

To ask about and to express that you are familiar with a person or place:

–¿Conoces a mi profesor?   –¿Conoces mi país?
–Sí, lo conozco.   –No, no lo conozco.

To ask for help:

¿Me ayudas?   ¿Me ayuda?
¿Puedes ayudarme?   ¿Puede ayudarme?

To ask someone how he/she feels:

¿Qué tal te encuentras?   ¿Qué tal se encuentra?
¿Cómo te sientes?   ¿Cómo se siente?
¿Cómo estás?   ¿Cómo está?

2 Expresiones

▶ **Escucha** y relaciona. ¿A qué fotografía corresponde cada oración?

3 Conversaciones

▶ **Completa** estos diálogos con las expresiones útiles.

1. – ___1___, ¿sabe usted dónde está el barco?   3. –Mamá, pareces cansada. ¿___4___?
   –No, lo siento. No lo sé.   –Me encuentro un poco enferma.

2. – ___2___, ¿hay alguna farmacia cerca?   4. – Necesito encontrar el puerto. ___5___.
   –Lo siento, no ___3___ esta ciudad.   –Sí, claro. Está al final de esta calle.

¿Quién ganará?

4 Los desafíos

▶ **Habla.** ¿Cuál será el desafío para cada pareja? Piénsalo y coméntalo con tus compañeros(as).

DESAFÍO ①

Una margarita cubista

Tess y Patricia

DESAFÍO ②

La rana de la suerte

Diana y Rita

DESAFÍO ③

Los encierros de Pamplona

Tim y Mack

DESAFÍO ④

Gazpacho para todos

Andy y Janet

▶ **Habla.** ¿En qué país son los desafíos?
¿Qué sabes de ese país?
Coméntalo con tus compañeros(as).

5 La tarea final

▶ **Decide.** ¿Qué tarea tienen que hacer los personajes al final?
¿Qué pareja crees que ganará?

LA TAREA

Un reportaje fotográfico

Una margarita cubista

Tess and Patricia's task in Barcelona is an unusual and tricky one. They must find a cubist painting that depicts Margarita, a proper noun which is also the Spanish word for *daisy*. Their misinterpretation sets them on the wrong foot from the beginning.

> Este cuadro es muy raro, mamá. La niña tiene la cabeza muy grande y el cuerpo muy pequeño.

> Es un cuadro de Picasso basado en esta pintura de Velázquez.

> ¡Es verdad! Aquí se ven todos los detalles. Mira sus caras.

> Claro. Es un cuadro cubista. Pero en ese cuadro no hay una flor.

> Este cuadro también es de Picasso.

> Vamos, hija. Tenemos que buscar la famosa margarita.

> Me encanta la posición de la mujer con los codos apoyados en la mesa.

> A mí me gustan los labios pintados de rojo.

> Pero aquí no hay flores. ¡Este desafío es muy difícil!

Continuará...

6 **Detective de palabras**

▶ **Completa** estas oraciones.

1. La niña tiene la ___1___ muy grande y el ___2___ muy pequeño.

2. En el cuadro de Velázquez, se ven los detalles en las ___3___ de las chicas.

3. A Tess le encanta la posición de la mujer con los ___4___ apoyados en la mesa.

4. A Patricia le gustan los ___5___ pintados de rojo.

▶ **Responde** a estas preguntas.

1. ¿Dónde están Tess y Patricia?
2. ¿Qué están buscando?
3. ¿Cómo es la niña del primer cuadro? ¿Quién lo pintó?
4. ¿Quién es Velázquez?
5. ¿Cómo tiene los labios la mujer del segundo cuadro de Picasso?

8 ¿Qué ves tú?

▶ **Escucha** y relaciona cada descripción con la fotografía correspondiente.

Ⓐ  Ⓑ  Ⓒ

9 Tu cuadro

▶ **Dibuja** a tu compañero(a) o a otra persona que conozcas. Imita el estilo cubista de Picasso.

▶ **Describe** tu cuadro a tu compañero(a) y pregúntale por el suyo.

Modelo   A. *¿Esto es la cabeza?*
　　　　　 B. *No, es una pierna.*

 **CULTURA**

Pablo Picasso

Pablo Ruiz Picasso es uno de los pintores españoles más importantes del siglo XX. Nació en Málaga en 1881 y murió en Francia en 1973. Pintó más de dos mil cuadros y cultivó diversos estilos, entre ellos, el cubismo.

Muchas de sus obras están en el Museo Picasso de Barcelona y en el Museo Picasso de Málaga, pero hay cuadros de este autor en museos de todo el mundo.
Una de sus obras más conocidas, *Guernica*, está en el Museo Reina Sofía de Madrid.

10 **Piensa y explica.** ¿Te gusta el estilo cubista? ¿Por qué?

▶→ **TU DESAFÍO**   Visita la página web para aprender más sobre el cubismo.

Vocabulario

Partes del cuerpo

la cabeza

los dedos

la muñeca

el brazo

el cuello

el pecho

la rodilla

el pie

el hombro

el codo

la espalda

la mano

la cintura

la pierna

el tobillo

La cara

las cejas

las pestañas

las orejas

la boca

los dientes

los labios

la frente

los ojos

la nariz

las mejillas

la barbilla

11 ¿Dónde están?

▶ **Clasifica** estas partes del cuerpo.

la cabeza	el cuello
los hombros	las piernas
los pies	los tobillos
la espalda	el pecho
las manos	las rodillas

Encima de la cintura	Debajo de la cintura
la cabeza	

12 Actividades físicas

▶ **Escribe.** ¿Qué partes del cuerpo utilizas para realizar estas actividades?

Modelo   tocar la guitarra → *Toco la guitarra con los dedos.*

1. jugar al fútbol   **2.** hablar   **3.** cepillarte los dientes   **4.** pintar   **5.** bailar

13 ¿Cómo es?

▶ **Escucha** y decide. ¿A qué fotografía corresponde la descripción?

1   2   3   6   5   4

▶ **Escribe.** Elige una fotografía y escribe una descripción de esa persona.

Modelo   *Tiene la nariz grande y los ojos oscuros…*

▶ **Lee** el texto de tu compañero(a). ¿A qué persona corresponde su descripción?

COMPARACIONES

Los saludos y las despedidas

En cada cultura hay distintos gestos para saludar y despedirse. En España, como en otros países, es habitual estrechar la mano (*shake hands*), especialmente entre los hombres. Entre las mujeres es habitual saludarse y despedirse con dos besos en las mejillas. Y entre un hombre y una mujer, el saludo varía dependiendo del grado de formalidad. En otros países hispanos, es más común dar un solo beso.

14 Piensa. ¿En tu cultura es habitual saludarse con un beso? ¿Conoces otros gestos de otras culturas?

▶ TU DESAFÍO Visita la página web para aprender más sobre los saludos y las despedidas.

Gramática

El participio

- In Spanish, verbs have a form that is sometimes used as an adjective: the participle.

  María se maquilló. → María está **maquillada.**

- The past participle (participio) of a verb can be used as an adjective to describe a noun. Like other Spanish adjectives, the past participle must agree in number and gender with the noun described.

  María está **maquillada.** Lleva los labios **pintados.**

Formación del participio pasado

- The past participle is formed this way:

-ar verbs	Add the ending -ado.	pintar → pintado
-er and -ir verbs	Add the ending -ido.	vestir → vestido

- The following verbs have irregular past participles:

abrir	abierto	morir	muerto
decir	dicho	poner	puesto
descubrir	descubierto	romper	roto
escribir	escrito	ver	visto
hacer	hecho	volver	vuelto

- The past participle oído and the past participles ending in -aído and -eído have an accent.

  caer → **caído**   traer → **traído**   leer → **leído**   creer → **creído**

15 **Compara.** ¿Cómo se forma el participio pasado en inglés? ¿Hay formas irregulares?

16 **¿Cómo se forma?**

▶ **Completa** estas oraciones con los participios correspondientes.

1. ¡Cuidado! Los niños están _____.
   dormir
2. No entiendo este mensaje porque está _____ en alemán.
   escribir
3. Entra, la puerta está _____.
   abrir
4. Me gusta el cuadro de la mujer _____ en la silla.
   sentar
5. ¡Terminé! Todas las tareas están _____.
   hacer

17 **En el salón de clase**

▶ **Escucha** y completa estas oraciones.

1. Hay un chico _____ en el suelo.

2. Todos los libros están _____.

3. La puerta no está abierta, está _____.

4. Hay muchas chicas con los labios _____.

5. Hay una chica _____.

6. En la pizarra hay verbos _____ en español.

▶ **Escribe.** Mira a las personas y los objetos en tu salón de clase y decide si las oraciones anteriores son ciertas (C) o falsas (F). Si son falsas, corrígelas.

Modelo *En mi salón de clase no hay ningún chico sentado en el suelo.*

 18 **¿Qué pasa?**

▶ **Habla.** Describe estas fotografías. Usa participios pasados.

Modelo 1. *La chica está sorprendida. Tiene la boca abierta.*

①  ②  ③  ④

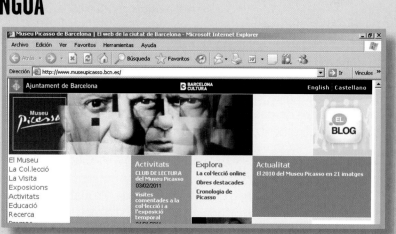

CONEXIONES: LENGUA

El catalán

En la fotografía puedes ver una reproducción de la página web del Museo Picasso de Barcelona. La página está escrita en catalán y tiene versiones en inglés y en castellano.

El catalán y el castellano son las lenguas oficiales de Cataluña, Baleares y la Comunidad Valenciana, regiones situadas en el este de España.

19 **Investiga.** ¿Sabes cuántas lenguas oficiales hay en España?

  **TU DESAFÍO** Visita la página web para aprender más sobre las lenguas oficiales de España.

Comunicación

 20 ¿Quién es quién?

▶ **Lee** las descripciones que hacen tres estudiantes sobre estos cuadros de Picasso. ¿A qué fotografía corresponde cada una?

Ⓐ

Marie Thèrese. Pablo Picasso.

Ⓑ

Los tres músicos. Pablo Picasso.

Ⓒ

Jacqueline agachada. Pablo Picasso.

1
Hay tres personas sentadas, se pueden ver las piernas y los pies. No se ven sus caras con claridad, pero se ven los ojos y la boca. También se ven las manos de dos personas. Están tocando instrumentos musicales.

2
Hay una mujer sentada en una silla. Tiene los ojos grandes y muy separados. Su nariz también es grande. Tiene los labios pintados de color amarillo. Tiene el pelo largo y lleva un sombrero.

3
Hay una mujer sentada. Probablemente está sentada en el suelo. Está muy seria. En su cara se pueden ver con claridad los ojos, las cejas, la nariz y los labios. Tiene el cuello muy largo y sus manos y sus pies son bastante grandes. Lleva un sombrero y un traje de rayas amarillas.

▶ **Escribe** una descripción de uno de los cuadros de este desafío. Léesela a tu compañero(a). Él/Ella tiene que adivinar a qué cuadro corresponde.

21 **Adivinanzas**

▶ **Escucha** estas adivinanzas sobre partes del cuerpo. ¿A qué fotografía corresponde cada una?

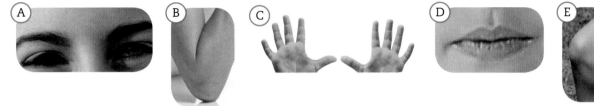

A B C D E

Final del desafío

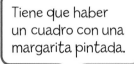

Tiene que haber un cuadro con una margarita pintada.

Quizás estamos en el museo equivocado.

Retrato de la madre del artista. Pablo Picasso.

Mamá, quiero comprar un cartel de ese cuadro.

Bien, pero ¿cómo se llama? ¿Te acuerdas?

¿Margarita de Austria? ¿Margarita es un nombre?

Esta es Margarita de Austria, la hija del rey Felipe IV.

¡Claro! ¡Esta niña es nuestra Margarita!

22 **Un recuerdo del museo**

▶ **Escribe.** Tess y Patricia deciden ir a la tienda del museo a comprar un cartel, pero no recuerdan el título. Escribe una descripción del cuadro para ayudarlas.

La rana de la suerte

Diana and Rita are in Salamanca, the city that is home to one of the oldest universities in the world. Together, they must find an elusive frog that, according to legend, all students at the university must see at least once if they don't want to fail their exams.

23 **Detective de palabras**

▶ **Completa** estas oraciones.

1. _____, en el hotel sirven desayunos hasta las diez y media.

2. Diana y Rita buscan la rana _____.

▶ **Responde** a estas preguntas.

1. ¿Qué tiene que hacer Diana antes de ir a desayunar?

2. ¿Qué haces tú antes de desayunar?

24 **¿Comprendes?**

▶ **Responde** a estas preguntas.

1. ¿Quién se levantó primero, Diana o Rita?
2. ¿A qué hora comen habitualmente los españoles?
3. ¿Por qué no se seca el pelo Diana?
4. ¿Por qué está cerrada la puerta de la universidad?
5. ¿Qué tienen que buscar Rita y Diana?

25 **La vida estudiantil**

▶ **Escucha** a unos estudiantes de la Universidad de Salamanca y relaciona cada diálogo con la fotografía correspondiente.

▶ **Habla** con tu compañero(a). ¿Cómo es para ti un día en la escuela? ¿Qué haces habitualmente?

CULTURA

La Universidad de Salamanca

La Universidad de Salamanca fue fundada en 1218. Es una de las universidades más antiguas de España y una de las más antiguas de Europa. Hoy tiene más de 30.000 estudiantes.

La fachada de la universidad es de piedra tallada (*sculpted*). En ella hay una pequeña rana de piedra sobre un cráneo (*skull*). La leyenda dice que los estudiantes que consiguen ver la rana tienen buena suerte en los exámenes.

26 **Piensa y habla.** ¿Cuál es la universidad más importante cerca de donde vives? ¿Conoces algún símbolo o leyenda relacionado con ella?

▶ **TU DESAFÍO** Visita la página web para aprender más sobre la Universidad de Salamanca.

Vocabulario

La higiene personal

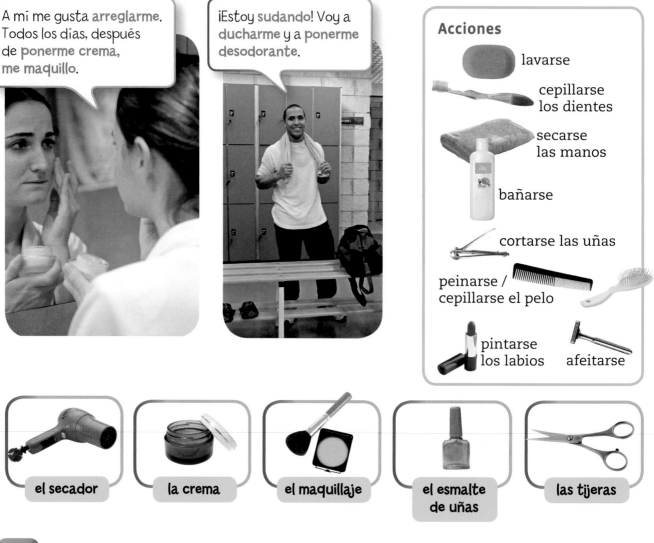

A mí me gusta **arreglarme**. Todos los días, después de **ponerme crema**, me **maquillo**.

¡Estoy **sudando**! Voy a **ducharme** y a **ponerme desodorante**.

Acciones

lavarse

cepillarse los dientes

secarse las manos

bañarse

cortarse las uñas

peinarse / cepillarse el pelo

pintarse los labios   afeitarse

el secador   **la crema**   **el maquillaje**   **el esmalte de uñas**   **las tijeras**

27 **Parejas lógicas**

▶ **Une.** ¿Con qué objeto se relaciona cada acción?

Ⓐ

1. lavarse las manos
2. cepillarse el pelo
3. secarse el pelo
4. ducharse
5. lavarse el pelo
6. secarse las manos
7. lavarse los dientes

Ⓑ

a. el champú
b. la pasta de dientes
c. la toalla
d. el gel
e. el cepillo
f. el jabón
g. el secador

¿Qué hago?

▶ **Representa** una acción relacionada con la higiene personal. Tus compañeros(as) tienen que adivinar cuál es.

Modelo   *¡Te peinas!*

29 **El horario de Diana**

▶ **Escucha** y completa la tabla. ¿Qué hace Diana?

De lunes a viernes	Los fines de semana
Se despierta temprano.	
	Desayuna.
Desayuna.	Se baña.
Se viste.	Se pone desodorante.
Se peina.	
	Se viste.

▶ **Escribe** un texto comparando tu rutina y la rutina de Diana.

Modelo   *De lunes a viernes Diana se despierta temprano, se ducha y desayuna. Yo también me despierto temprano, pero desayuno antes de ducharme.*

CULTURA

Los colegios mayores

Los colegios mayores son residencias para los estudiantes universitarios. Muchos dependen de la universidad, pero otros son autónomos (*independent*).

En las residencias suele haber dormitorios individuales y dobles. Normalmente tienen baño propio, pero a veces el cuarto de baño es compartido. Por lo general, ofrecen servicio de limpieza de las habitaciones y zonas comunes: cafetería, comedor, salas de estudio, gimnasio o piscina, etc.

30 **Compara.** ¿Dónde suelen alojarse los estudiantes universitarios en los Estados Unidos? ¿Cómo son los dormitorios y los baños: individuales o compartidos?

Gramática

Los adverbios en *-mente*

- Adverbs are words that express several circumstances:

  Place: aquí   Manner: bien   Quantity: mucho   Time: ayer   Frequency: nunca

  Siempre me cepillo los dientes después de comer.

- Words that express negation (no), affirmation (sí), or doubt (quizás) are also adverbs.

  Mi padre **no** se afeita todos los días.

Adverbios en *–mente*

- In Spanish, many adverbs are formed from adjectives by adding the suffix -mente to the feminine singular form.

Adjectives ending in -o.	Change -o to -a and add -mente.	lento → lentamente
Adjectives ending in -e or in a consonant.	Add -mente.	frecuente → frecuentemente habitual → habitualmente

- In many cases, the ending -mente means how one does an action (cuidadosamente, rápidamente, alegremente...). There are also some adverbs of frequency ending in -mente (habitualmente, generalmente, normalmente...).

- Some adjectives do not allow the formation of an adverb with -mente, like those that tell origin (español, peruano...) or those that describe physical or material qualities (rojo, caro...).

- When using a sequence of two or more adverbs, only add the ending -mente to the last one.

  Paco se afeita **lenta** y **cuidadosamente**.

31 **Compara.** ¿En inglés hay adverbios derivados de adjetivos, como los adverbios en -mente?

32 **¡Ayuda!**

▶ **Completa** estas oraciones con las formas correctas de los adverbios en *–mente*.

cuidadoso
fácil
lento
alegre
rápido
habitual

1. Me gusta este maquillaje porque se aplica ___**fácilmente**___.
2. Tess no suele hacer la tarea en casa. _____ va a la biblioteca.
3. Tim se arregla despacio, sin prisa. Él se viste _____.
4. Andy es muy deportista. Él corre _____.
5. Patricia tiene cuidado con el esmalte de uñas. Ella se pinta las uñas _____.
6. Mack se siente feliz por las mañanas. Se levanta _____.

33 **¿Encontraron la rana?**

▶ **Completa** este texto con las formas correctas de los adverbios en –*mente*.
Puede haber varias posibilidades.

fácil   cuidadoso   rápido   amable   tranquilo   normal

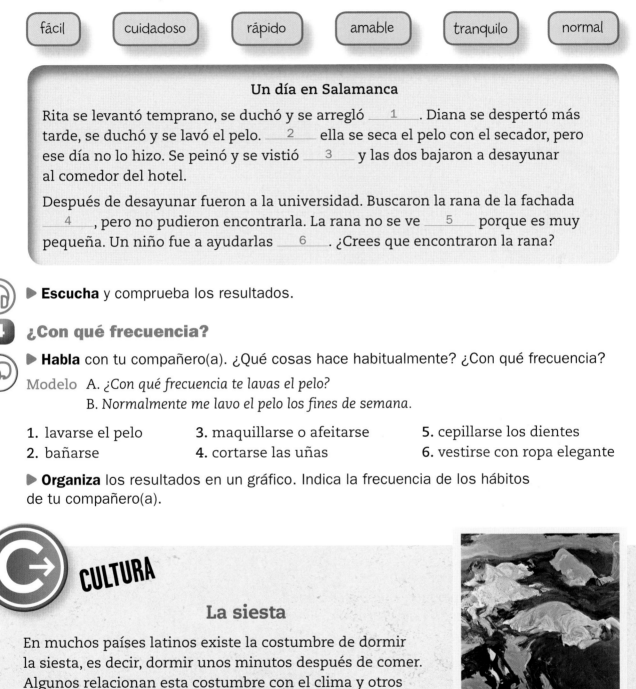

Un día en Salamanca

Rita se levantó temprano, se duchó y se arregló ___1___. Diana se despertó más tarde, se duchó y se lavó el pelo. ___2___ ella se seca el pelo con el secador, pero ese día no lo hizo. Se peinó y se vistió ___3___ y las dos bajaron a desayunar al comedor del hotel.

Después de desayunar fueron a la universidad. Buscaron la rana de la fachada ___4___, pero no pudieron encontrarla. La rana no se ve ___5___ porque es muy pequeña. Un niño fue a ayudarlas ___6___. ¿Crees que encontraron la rana?

▶ **Escucha** y comprueba los resultados.

34 **¿Con qué frecuencia?**

▶ **Habla** con tu compañero(a). ¿Qué cosas hace habitualmente? ¿Con qué frecuencia?

Modelo   A. *¿Con qué frecuencia te lavas el pelo?*
         B. *Normalmente me lavo el pelo los fines de semana.*

1. lavarse el pelo
2. bañarse
3. maquillarse o afeitarse
4. cortarse las uñas
5. cepillarse los dientes
6. vestirse con ropa elegante

▶ **Organiza** los resultados en un gráfico. Indica la frecuencia de los hábitos de tu compañero(a).

CULTURA

La siesta

En muchos países latinos existe la costumbre de dormir la siesta, es decir, dormir unos minutos después de comer. Algunos relacionan esta costumbre con el clima y otros con la cantidad de comida que se come en el almuerzo.

Joaquín Sorolla. *La siesta.*

La siesta no es una costumbre generalizada porque pocas personas almuerzan en casa, especialmente en las grandes ciudades.

35 **Explica.** ¿Crees que es una buena idea dormir la siesta? ¿Tienes algún momento de descanso durante el día?

Comunicación

36 **¡Mi horario cambió!**

▶ **Escucha** y completa una tabla como esta. ¿A qué hora hace estas actividades Diana en España? ¿Y en los Estados Unidos?

	En España	En los Estados Unidos
1. levantarse	A las ocho.	
2. desayunar		
3. almorzar		
4. dormir la siesta		
5. acostarse		

▶ **Escribe** un texto con la información anterior.

Modelo   *En España Diana se despierta a las ocho. Pero en los Estados Unidos*
ella se despierta a las…

 ▶ **Compara** el horario de Diana en España con el tuyo. Usa un gráfico para organizar tu trabajo y después coméntalo con tu compañero(a).

mi horario

el horario de
Diana en España

37 **Tu neceser**

▶ **Escribe.** ¿Qué productos de higiene llevas normalmente cuando viajas? Haz una lista.

Modelo

Gel
Crema solar
…

▶ **Habla** con tu compañero(a). ¿Llevan las mismas cosas?
¿Quién lleva más productos?

38 **¡Cómpraselo!**

▶ **Escribe** con tu compañero(a) un anuncio para un producto de higiene personal. Después, preséntalo a la clase.

Modelo   *El jabón «La rana verde» es el mejor para su familia. Es tan suave que puede usarlo diariamente.*

Final del desafío

Es muy pequeña. Pero si la buscan pacientemente, la pueden encontrar. Aquí siempre hay muchos turistas buscándola.

No. Es de piedra. Primero, busquen los cráneos. Luego fíjense ciudadosamente, uno por uno.

¿Pero es una rana de verdad?

¡Yo también! ¡Está justamente encima de un cráneo!

¡Sí, ya la veo!

39 **La rana**

▶ **Escribe.** ¿Finalmente encontraron la rana? Lee el diálogo y escribe el correo electrónico que le envió Diana a su mamá explicándole la experiencia en Salamanca.

 **→ TU DESAFÍO**   Visita la página web. Escucha las preguntas de tu *Minientrevista Desafío 2* y escribe las respuestas.

Los encierros de Pamplona

Tim and Mack always suspected they were given the most difficult challenges. This time is no different. Our friends will have to show their bravery by running in front of a herd of angry bulls along the streets of Pamplona during the *sanfermines*.

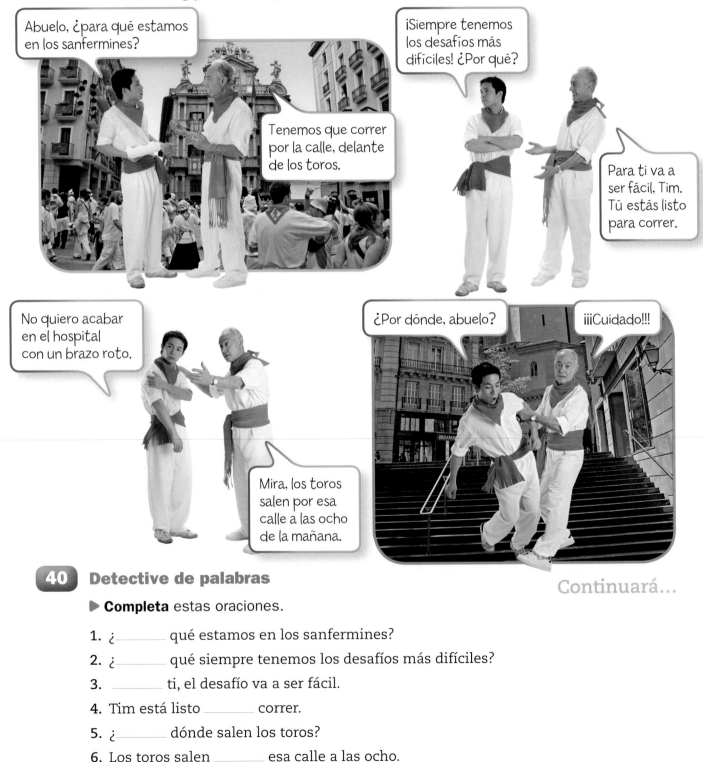

> Abuelo, ¿para qué estamos en los sanfermines?

> Tenemos que correr por la calle, delante de los toros.

> ¡Siempre tenemos los desafíos más difíciles! ¿Por qué?

> Para ti va a ser fácil, Tim. Tú estás listo para correr.

> No quiero acabar en el hospital con un brazo roto.

> Mira, los toros salen por esa calle a las ocho de la mañana.

> ¿Por dónde, abuelo?

> ¡¡¡Cuidado!!!

Continuará...

40 **Detective de palabras**

▶ **Completa** estas oraciones.

1. ¿_____ qué estamos en los sanfermines?

2. ¿_____ qué siempre tenemos los desafíos más difíciles?

3. _____ ti, el desafío va a ser fácil.

4. Tim está listo _____ correr.

5. ¿_____ dónde salen los toros?

6. Los toros salen _____ esa calle a las ocho.

41 ¡Que vienen los toros!

▶ **Decide** si estas oraciones son ciertas o falsas. Si son falsas, corrígelas.

1. Tim y su abuelo tienen que grabar la fiesta de los sanfermines.
2. Tim piensa que es un desafío fácil.
3. Tim no quiere correr delante de los toros.
4. Los toros salen a las nueve de la mañana.
5. En los sanfermines, los toros corren por la calle.
6. Tim tiene un pequeño accidente.

42 ¡No es justo!

▶ **Escucha** el mensaje de Tim y elige la respuesta más apropiada.

1. Tim está en la ciudad de…
   a. Barcelona   **b.** Pamplona   **c.** Sevilla
2. Tim piensa que su desafío es…
   a. fácil   **b.** divertido   **c.** peligroso
3. Tim cree que con este desafío puede terminar en…
   a. una calle   **b.** un hospital   **c.** un café
4. Tim opina que su abuelo está…
   a. enfermo   **b.** aburrido   **c.** loco

CULTURA

Los sanfermines

Los sanfermines es el nombre popular de las fiestas de San Fermín que se celebran del 6 al 14 de julio en Pamplona, la capital de la Comunidad Foral de Navarra, al norte de España.

La actividad más famosa de estas fiestas son los encierros. Cada día, a las ocho de la mañana, cientos de personas corren delante de seis toros por las calles de Pamplona hasta llegar a la plaza de toros. Es una actividad muy peligrosa y a veces hay accidentes muy graves.

Un encierro en Pamplona.

43 **Piensa y explica.** ¿Sabes algo más sobre los sanfermines? ¿Qué opinas de los encierros? ¿Hay alguna celebración similar en los Estados Unidos?

→ TU DESAFÍO Visita la página web para aprender más sobre los sanfermines.

Vocabulario

La salud: síntomas y enfermedades

Me pica el brazo.

el médico

Me duelen los oídos.

Tengo catarro. Estornudo mucho.

la paciente

la clínica

HOSPITAL

Toso mucho y tengo dolor de garganta.

la enfermera

Es alergia.

Urgencias

Tengo fiebre. Creo que es gripe.

HOSPITAL

Remedios

la aspirina   las pastillas   el jarabe   la inyección   la venda

44 ¿Qué enfermedad es?

▶ **Escucha** a tres pacientes. ¿Qué enfermedad tiene cada uno?

catarro   gripe   alergia

45 **Enfermedades y más enfermedades**

▶ **Escucha** y relaciona cada oración con el dibujo correspondiente.

Ⓐ  Ⓑ  Ⓒ  Ⓓ

▶ **Completa** estas oraciones. Después, escucha otra vez y comprueba los resultados.

1. Tengo que ir al dentista *(dentist)*, me _____ las muelas.
   <small>duele/duelen</small>

2. Yo tengo gripe. Toso y me _____ mucho la garganta.
   <small>duele/duelen</small>

3. Me _____ los brazos y las piernas porque tengo alergia.
   <small>pica/pican</small>

4. Tengo catarro. Estornudo mucho y me _____ la nariz.
   <small>pica/pican</small>

46 **¡Ay... doctor!**

▶ **Habla** con tu compañero(a). Tú eres médico(a) y tu compañero(a) es un(a) paciente. Decide qué remedio es mejor para cada enfermedad.

Modelo

Problemas
dolor de cabeza
tos
dolor de garganta
gripe
dolor de tobillo
catarro
dolor de oídos

Remedios
tomar una aspirina
tomar un jarabe
tomar unas pastillas
poner una inyección
poner una venda

> Doctora, me duele mucho la cabeza.

> Tome estas pastillas.

COMPARACIONES

La Seguridad Social

En España hay hospitales y clínicas privados, pero también hay un sistema público que garantiza la atención sanitaria *(health care)* de todos los ciudadanos.

Los pacientes pueden acudir a un centro de salud o, si es necesario, al servicio de urgencias *(emergency)* de los hospitales.

47 **Compara.** ¿Cómo funciona el sistema sanitario en tu país?

Gramática

Por y *para*

- *Por* and *para* can usually be translated as *for* in English, but they also have other meanings in Spanish.

Usos de *por*

- *Por* may be used to express the following:

cause or reason	No me puedo concentrar **por** el dolor de cabeza.
time periods during the day	Tomo este jarabe **por** las mañanas.
approximate time	Siempre tengo exámenes **por** Navidad.
approximate place	¿Hay una farmacia **por** aquí?
movement within an area	Los toros pasan **por** esa calle.

Usos de *para*

- *Para* may be used to express the following:

purpose	Este medicamento es **para** curar su enfermedad.
recipient of an action	La inyección es **para** Tim.
opinion	**Para** mí, este médico es muy bueno.
movement toward a place	Mack y Tim van **para** la clínica.
deadline	La cita es **para** mañana.

48 **Compara.** ¿A qué preposiciones equivalen por y para en inglés?

49 **¿Por o para?**

▶ **Completa** estas oraciones.

1. Tienes que tomar estas pastillas _____ la noche.
2. La tarea de Ciencias es _____ mañana.
3. Me gusta pasear _____ el centro de la ciudad.
4. Las aspirinas son _____ el dolor de cabeza.
5. Mañana salgo _____ Madrid.
6. Este regalo es _____ mi hermano.
7. Hay un hospital _____ el centro de la ciudad.
8. No entiendo _____ qué te da miedo ir al médico.

50 **Instrucciones**

▶ **Completa** las instrucciones de este medicamento con *por* o *para*.

Lea estas instrucciones antes de tomar el medicamento.

ALERGÍN

Indicaciones: Alergín es un medicamento ___1___ aliviar los problemas causados ___2___ la alergia.

Uso: Tome este medicamento dos veces al día: una ___3___ la mañana y otra ___4___ la noche antes de acostarse. Puede tomarlo después de las comidas ___5___ evitar posibles dolores de estómago.

Advertencias: Alergín no está indicado ___6___ mujeres embarazadas (*pregnant*). No tome este medicamento más de dos semanas. Si los síntomas continúan, consulte con su médico.

---

51 **Tus experiencias**

▶ **Responde** a estas preguntas. Usa *por* y *para*.

1. ¿Caminas mucho? ¿Por dónde paseas?
2. Para ti, ¿cuál es el mejor deporte?
3. ¿En qué momento del día prefieres practicar deporte?
4. ¿Tomas medicamentos alguna vez? ¿Para qué?

52 **Para sentirse mejor**

▶ **Habla** con tu compañero(a). ¿Qué cosas haces para sentirte bien? ¿Por qué?

Modelo   A. *¿Comes muchas frutas y verduras?*

           B. *Claro que sí. Para sentirse bien es importante comer frutas y verduras.*

COMPARACIONES

Los medicamentos

En España los medicamentos se venden exclusivamente en las farmacias. Es fácil identificarlas porque normalmente tienen una cruz (*cross*) de color verde en la puerta.

Muchos medicamentos se pueden comprar directamente, pero otros solo se venden con una receta (*prescription*) del médico. Los medicamentos se venden envasados. Normalmente hay que comprar el envase (*pack*) completo; no se puede comprar solo la dosis justa, como en otros países.

53   **Compara.** ¿Dónde se venden los medicamentos en tu país? ¿Se puede comprar la dosis justa? ¿Siempre es necesario llevar una receta del médico?

Comunicación

54 ¡Qué noche!

▶ **Lee** el mensaje de Tim y responde a estas preguntas.

Para:	
Cc:	
Asunto:	

Querida mamá:

Pamplona es fascinante. Esta semana celebran los sanfermines, una fiesta popular muy famosa en todo el mundo. Pero no todo son buenas noticias...

Anoche el abuelo y yo fuimos a un restaurante. ¡La cena fue deliciosa! Pero después de cenar los dos nos pusimos enfermos. Fuimos a una clínica y la médica nos dijo que tuvimos una alergia al pescado. Nos puso una inyección y nos dio un jarabe y unas pastillas para el abuelo. Hoy estamos mejor.

Mañana te escribo y te cuento más cosas. Te quiero mucho. Un beso.

Tim

1. ¿Cuándo se pusieron enfermos Tim y su abuelo?
2. ¿Fueron a ver a un médico?
3. ¿Por qué se sintieron mal?
4. ¿Qué le dio el doctor a Tim para sentirse mejor? ¿Y a Mack?
5. ¿Cómo se sienten ahora?

55 ¿Por qué?

▶ **Representa.** Mack quiere hacer muchas cosas en Pamplona, pero Tim le da excusas para no hacerlas. Con tu compañero(a), representa un diálogo entre Mack y Tim.

Ideas de Mack	Excusas de Tim
correr delante de los toros	dolor de rodillas
probar una comida típica	tener alergia a una comida
salir de fiesta	dolor de espalda
ir a bailar	tener gripe
ir a un concierto	dolor de oídos

Modelo

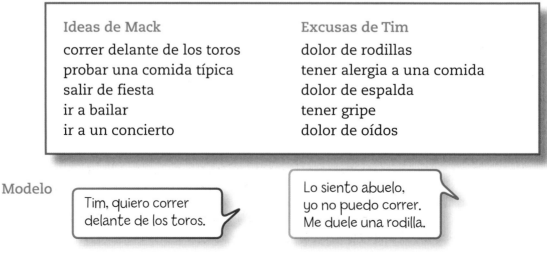

Tim, quiero correr delante de los toros.

Lo siento abuelo, yo no puedo correr. Me duele una rodilla.

▶ **Escribe** un problema de salud y una recomendación relacionada con cada fotografía.

Modelo *Toso mucho y me pica la garganta.* → *Tómate estas pastillas.*

 ①    ②    ③    ④

Final del desafío

MÉDICA: Toma aspirinas _____ el dolor. Tienes que

tomar una _____ la mañana, otra _____

la tarde y otra _____ la noche.

TIM: ¡Pero mañana tengo que correr en el encierro

con mi abuelo!

MÉDICA: Olvídalo. _____ mañana no vas a estar curado.

MACK: Tranquilo, Tim. Corro yo solo.

57   Tim está preocupado

▶ **Completa** la conversación con *por* o *para*. Después, escribe el mensaje de correo que le manda Mack a su esposa para explicarle lo que pasó con el desafío.

 →TU DESAFÍO   Visita la página web. Escucha las preguntas de tu *Minientrevista Desafío 3* y escribe las respuestas.

Gazpacho para todos

Andy and Janet went to Madrid for a quick visit. Now they are flying low in the AVE, a bullet train, on their way to Seville, where they must buy enough *gazpacho* for all their friends.

¿Esta es la famosa dieta mediterránea?

Perdone, necesitamos localizar el mejor gazpacho de Sevilla. ¿Puede ayudarnos?

Sí, queremos ofrecer una dieta deliciosa y equilibrada a nuestros viajeros.

¡Y rica en vitaminas!

Cerca de la plaza de toros hay un sitio muy bueno. Tienen que ir por allí.

¿Descansamos un rato?

Podemos subir a esa torre para buscar la plaza. Y así nos mantenemos en forma.

No, Andy. Hay que cumplir la misión. ¡Mira, allí está la plaza!

DON GAZPACHO

58 **Detective de palabras**

▶ **Completa** estas oraciones con un verbo.

1. _____ ofrecer una dieta equilibrada a nuestros viajeros.
2. _____ localizar el mejor gazpacho de Sevilla.
3. _____ que ir por allí.
4. _____ subir a esa torre.
5. _____ que cumplir la misión.

Continuará...

59 **¿Comprendes?**

▶ **Responde** a estas preguntas con oraciones completas.

1. ¿Cómo es el tipo de comida que ofrecen en el AVE?
2. ¿Qué tienen que hacer Andy y Janet en Sevilla?
3. ¿Qué ven Andy y Janet desde la torre?

▶ **Lee** la ficha de Cultura y explica:

1. ¿Qué es el gazpacho?
2. ¿Conoces algún alimento similar al gazpacho?

60 **¿De qué hablan?**

▶ **Escucha** las conversaciones y relaciónalas con estas fotos.

El AVE.

Restaurante en Sevilla.

La Giralda.

61 **¡Vamos a comer!**

▶ **Escribe.** Andy y Janet entran en un restaurante para comprar gazpacho. Escribe con dos compañeros(as) su diálogo con el mesero. Después, represéntenlo para la clase.

Modelo   A. *Buenos días. ¿Qué desean?*
         B. *Hola. Queremos comprar gazpacho para nuestros amigos.*

CULTURA

El gazpacho andaluz

El gazpacho es una sopa fría que se prepara con tomates frescos, pan, cebolla, pepino, pimiento, ajo, aceite de oliva, vinagre y sal. Es un plato típico de Andalucía, pero se come en toda España, especialmente en verano.

62 **Piensa.** ¿Cómo influye el clima en la dieta? ¿Puedes poner algunos ejemplos?

▶ **TU DESAFÍO** Visita la página web para aprender cómo se hace el gazpacho.

Vocabulario

Hábitos saludables

Yo **sigo una dieta equilibrada** para **estar sano**.

Yo **tomo vitaminas** y mucha fruta para **no enfermar**.

Ellos patinan y montan en bicicleta regularmente para estar en forma.

A él le gusta meditar y practicar yoga **para** mantenerse sano.

beber agua	comer bien	cuidarse	descansar	hacer deporte / hacer ejercicio

63 ¿Bueno o malo?

▶ **Habla** con tu compañero(a). ¿Estos hábitos son saludables o son malos hábitos?

1. Beber dos litros de refresco al día.
2. Hacer ejercicio una vez al año.
3. Practicar un deporte regularmente.
4. Seguir una dieta equilibrada.
5. Caminar o correr todos los días.

64 Para estar en forma

▶ **Escribe** una lista de todo lo que haces para estar en forma.

Modelo *Juego al tenis los fines de semana...*

▶ **Habla** con tus compañeros(as). ¿Tienen listas similares?

65 Un cuestionario

▶ **Lee** este cuestionario y elige el título más apropiado.

¿Llevas una vida sana?   **El deporte y tú**   **¿Eres un buen cocinero?**

1. ¿Practicas algún deporte?
   ☐ Sí, todos los días.
   ☐ Sí, frecuentemente.
   ☐ Sí, a veces.
   ☐ No, nunca.

2. ¿Caminas todos los días una hora?
   ☐ Sí.
   ☐ No.

3. ¿Comes frutas y verduras cada día?
   ☐ Sí.
   ☐ No.

4. ¿Bebes, al menos, un litro de agua al día?
   ☐ Sí.
   ☐ No.

5. ¿Comes dulces?
   ☐ Sí, todos los días.
   ☐ Sí, frecuentemente.
   ☐ Sí, a veces.
   ☐ No, nunca.

6. ¿Duermes las horas necesarias?
   ☐ Sí.
   ☐ No.

7. ¿Vas al médico regularmente?
   ☐ Sí.
   ☐ No.

8. ¿Te pones enfermo(a) a menudo?
   ☐ Sí.
   ☐ No.

▶ **Escribe** dos preguntas más para el cuestionario. Después, complétalo.

▶ **Habla** con tu compañero(a). Hazle el cuestionario y toma nota de sus respuestas. ¿Crees que lleva una vida saludable? ¿Por qué?

Modelo   *Pienso que llevas una vida muy saludable porque haces ejercicio y...*

COMUNIDADES

LA SALUD DE LOS ESPAÑOLES

Según datos del Instituto Nacional de Estadística del año 2009, el 71,6% de la población adulta come verduras y el 62,8% come frutas al menos una vez al día.

Respecto al ejercicio físico, el 62,3% de la población realiza alguna actividad física intensa o moderada a la semana.

66 **Explica.** Según los datos de la encuesta, ¿crees que los españoles llevan una vida saludable? ¿Piensas que las cifras son similares o muy distintas en tu país?

Gramática

Hacer recomendaciones

Hay que y tener que

- To make recommendations and to express obligation, use these structures:

  | hay que + infinitivo | tener que + infinitivo |

- Hay que is used in impersonal expressions and does not change form.

  Hay que tomar vitaminas.

- Tener que is used to say that someone in particular must do something. In this expression, you must conjugate the verb tener to make it agree with the subject.

  Javier **tiene que** comer más.   Yo **tengo que** cuidarme.

Otras estructuras

- The following expressions are also used to express obligation and to make recommendations. The verbs must agree with their subjects:

  | deber + infinitivo | No **debes** beber muchos refrescos.

  | necesitar + infinitivo | **Necesitas** hacer más ejercicio.

  | poder + infinitivo | **Puedes** hacer yoga para relajarte.

67 **Compara.** Algunas estructuras sirven para expresar obligación y para hacer recomendaciones. ¿Cómo distingues entre una orden y una recomendación en español? ¿Y en inglés?

68 **Recomendaciones**

▶ **Escucha** y completa estas recomendaciones de un médico.

1. Tim, tú _____ correr por las mañanas. Es un buen ejercicio.

2. Diana, tú _____ comer de forma más saludable.

3. Mack, _____ comer menos y hacer más ejercicio.

4. Janet, _____ caminar una hora todos los días para estar en forma.

5. Andy, tú _____ nadar. Es un ejercicio excelente.

6. Rita, tú _____ hacer yoga o practicar algún deporte para estar en forma.

▶ **Escribe** las recomendaciones anteriores usando otras estructuras.

Modelo   1. *Tim, tú tienes que correr por las mañanas. Es un buen ejercicio.*

69 **Buenos consejos**

▶ **Escribe** recomendaciones para estas personas.

Modelo 1. *Mary puede tomar vitaminas, fruta y jugos naturales.*

Mary está muy cansada.

Peter está nervioso.

Tom quiere estar más fuerte.

Anne no sabe qué deporte practicar.

70 **Para estar en forma**

▶ **Escribe** cuatro preguntas sobre hábitos saludables. Después, entrevista a tus compañeros(as) y toma nota de sus respuestas.

Modelo *William, ¿tú haces ejercicio?*

▶ **Presenta.** Prepara una lista de recomendaciones para tus compañeros(as) y preséntala a la clase.

Modelo *William debe practicar algún deporte.*

CONEXIONES: SALUD

La dieta mediterránea

La dieta mediterránea es propia de los países del Mediterráneo: España, Italia, Grecia... Su origen es muy antiguo y está muy relacionada con la forma de vida de estos pueblos.

Es una dieta equilibrada y muy variada. Se basa en el consumo de aceite de oliva y de productos frescos y de temporada (principalmente, alimentos vegetales), y en un consumo menor de pescado y marisco, carne, huevos y productos lácteos. Además, la dieta se complementa con ejercicio moderado.

71 **Piensa y explica.** ¿Por qué crees que la dieta mediterránea se considera tan saludable?

⚑→ TU DESAFÍO Visita la página web para aprender más sobre la dieta mediterránea.

Comunicación

72 **A cada uno, su dieta**

▶ **Escribe** y habla. Mira esta tabla y elabora una dieta ideal para tu compañero(a). Después, hazle las recomendaciones necesarias.

Modelo *Por la mañana debes desayunar cereales con leche y una manzana.*

Alimentos	Frecuencia
Papas, cereales, pan, pasta, arroz.	Todos los días (de 4 a 6 raciones)
Fruta y verdura.	Todos los días (de 3 a 4 raciones)
Leche, queso, yogur.	Todos los días (de 2 a 3 raciones)
Pescado, carne, pollo, huevos.	3 o 4 veces por semana
Refrescos, dulces, postres.	Ocasionalmente

73 **Janet está enferma**

▶ **Escucha** y decide. ¿Qué recomendaciones le hace el médico a Janet?

1. Hacer ejercicio.
2. Beber mucha agua.
3. Descansar.
4. Comer bien.
5. Tomar medicamentos.

74 **La mala vida**

▶ **Lee** el mensaje de correo de Andy y respóndele. ¿Qué recomendaciones puedes darle?

Mensaje nuevo

Para:
Cc:
Asunto:

Mi amigo Peter tiene muchos problemas. Siempre está cansado porque se acuesta muy tarde y no saca buenas notas porque no estudia, no hace la tarea y siempre está pensando en otras cosas durante la clase.

Creo que Peter no se encuentra bien porque no sigue una dieta equilibrada y tampoco hace ejercicio. Su hermano dice que tiene una bicicleta en casa, pero no la usa. ¿Puedes darme algunas recomendaciones para él? Gracias.

Andy

Modelo *Querido Andy, tu amigo Peter tiene que escuchar al profesor y estudiar más...*

▶ **Escucha** a varias personas y recomiéndales la actividad más apropiada para sus necesidades.

Modelo   *Tienes que nadar…*

Final del desafío

Necesitamos preparar gazpacho para ocho personas. ¿Nos puede enseñar cómo se hace?

Hay que poner tomate, pepino, cebolla, pimiento y un poco de aceite de oliva.

¿Y luego hay que batirlo mucho?

A mí me gusta líquido, pero puedes hacerlo a tu gusto. ¡Pruébenlo!

Humm. Está muy rico.

Claro, es un plato típico de la dieta mediterránea.

¡Oh, no!

Sí, y tiene muchas vitaminas. Nos lo llevamos hecho.

76 Un desastre de última hora

▶ **Escribe.** Andy tiene un accidente… ¡y el restaurante Don Gazpacho está cerrado! Escribe recomendaciones para ayudar a Andy y a Janet a preparar un buen gazpacho para sus amigos.

ESCRIBIR

77 **Unos apuntes errados**

▶ **Escribe.** Tim lee unos apuntes que tomó en clase, ¡pero hay errores! Decide si estas oraciones son ciertas o falsas. Después, corrige las oraciones falsas.

1. El codo, las pestañas y las cejas son partes de la cara.

2. Necesitas cortarte las uñas cada día.

3. Para cuidar el pelo hay que usar un buen desodorante.

4. Puedes usar crema para la cara y para el cuerpo.

5. Hay que lavarse los dientes todos los días.

LEER, ESCRIBIR Y HABLAR

78 **Buenas recomendaciones**

▶ **Lee** estas recomendaciones para una página web. ¿A qué categoría corresponde cada una?

1. Hay que visitar al médico una vez al año.

2. Debes cepillarte los dientes frecuentemente.

3. Necesitas beber al menos un litro de agua al día.

vidasaludable.com

Ayúdanos a elaborar una guía saludable. Envíanos sugerencias sobre estos temas:

HIGIENE PERSONAL	SALUD	DIETA

Participa y entra en el sorteo de un fin de semana en un balneario. ¡Anímate!

▶ **Escribe** otras recomendaciones para cada categoría.

▶ **Habla** con tus compañeros(as). Elijan las diez mejores recomendaciones.

HABLAR Y ESCRIBIR

 79 **Un día normal**

▶ **Representa** con tu compañero(a) una entrevista. ¿Qué recomendaciones de salud pueden hacer estas personas?

1. una médica   **2.** una dentista   **3.** un enfermero

ESCUCHAR Y ESCRIBIR

80 **Encuentra las diferencias**

▶ **Escucha.** Andy y Janet hablan mientras caminan por Sevilla. Escúchalos y escribe las diferencias entre lo que dicen y estas ilustraciones.

Modelo   1. *Andy dice que hay una chica patinando, pero en el dibujo está corriendo.*

CONEXIONES: ARTE

Un cuadro de Velázquez

Diego Velázquez es uno de los pintores españoles más importantes. Nació en Sevilla en 1599. Vivió en Madrid y fue pintor del rey Felipe IV. *Las Meninas* es probablemente su obra más famosa. En este cuadro aparecen la infanta Margarita, sus damas de compañía y Velázquez (el personaje que está pintando). También se ve a los reyes reflejados en el espejo (*mirror*).

Velázquez. *Las Meninas.*
Museo del Prado (Madrid).

81 **Describe** a los personajes del cuadro con tu compañero(a). Después, elige uno y escribe un párrafo con una descripción detallada.

El encuentro

En el Monasterio de la Rábida

The pairs gather in front of the *Monasterio de la Rábida*, where Christopher Columbus stayed before persuading the Spanish King and Queen to back his expedition. Did all the pairs succeed in their assignments?

Aquí está la famosa rana de la Universidad de Salamanca. Qué trabajo para encontrarla... ¡pero al final apareció!

Fuimos al Museo Picasso de Barcelona para buscar una flor... y encontramos la cara de otra Margarita.

Yo corrí un encierro... ¡pero detrás de los toros!

Tuvimos que aprender a preparar gazpacho, ¡y nos salió muy bien!

82 **Las fotografías de los personajes**

▶ **Completa** los pies de foto con *por* o *para*.

1

Buscamos la rana _____ toda la fachada de la universidad.

2

Encontramos la margarita _____ el guía del museo. Él nos dio la clave.

3

Mi abuelo y yo preparados _____ correr el encierro.

4

Aquí estamos preparando un gazpacho _____ nuestros amigos.

Un pie de foto debe ser breve. Tiene que explicar el contenido de la imagen.

83 **Las votaciones**

▶ **Lee** los pies de foto que escribieron los personajes. ¿Cuál crees que es mejor? ¿Por qué?

▶ **Elige** tres fotografías de esta unidad y escribe un pie de foto para cada una.

▶ **Lee** los pies de foto a tu compañero(a). Él/Ella tiene que adivinar a qué fotografías corresponden.

España y el Mediterráneo

Mar Cantábrico

FRANCIA

Santiago de Compostela Santander Bilbao
ESPAÑA

ANDORRA

Barcelona

Nacionalidades
España → español(a)

OCÉANO
ATLÁNTICO

PORTUGAL

Salamanca

Madrid

Toledo

Valencia

Islas Baleares

Mar Mediterráneo

Sevilla

Granada

0 35 70
millas
kilómetros
0 90 180

Ceuta

Melilla

OCÉANO ATLÁNTICO
Islas Canarias

España está situada al suroeste de Europa, entre el océano Atlántico y el mar Mediterráneo. Su territorio comprende la mayor parte de la península Ibérica, las islas Baleares, las islas Canarias y las ciudades de Ceuta y Melilla, situadas en el norte de África. La capital de España es Madrid.

España es un país mediterráneo y comparte muchos rasgos culturales con otros países mediterráneos de origen latino, como Francia o Italia.

84 **Conoce España**

▶ **Escribe.** Observa el mapa y relaciona las ciudades según su situación.

Modelo *Madrid está al norte de Toledo.*

1. Salamanca – Santiago de Compostela
2. Barcelona – Valencia
3. Bilbao – Santander
4. Toledo – Granada
5. Melilla – Ceuta

La cultura española tiene base latina. Y también fue importante la contribución de los árabes.

1. Paisaje mediterráneo

El este de la península Ibérica es un área de clima mediterráneo, con temperaturas suaves y plantaciones de naranjas, limones, palmeras y olivos. La flor del naranjo se llama *azahar* y su perfume es típico en las calles de ciudades como Valencia.

(1) Flor de azahar.

(2) Noche de San Juan (Alicante).

2. La Noche de San Juan

En muchos lugares de la costa mediterránea se celebra la Noche de San Juan. Esta fiesta tiene lugar el 24 de junio y coincide con la llegada del verano. Esa noche se encienden hogueras *(bonfires)* y algunas personas saltan por encima de las brasas *(embers)*.

Existe la creencia de que la Noche de San Juan es mágica y se hacen algunos ritos para pedir deseos.

3. Las lenguas romances

España es la cuna del español. El español es una lengua de origen latino, como el portugués, el francés, el italiano o el rumano. El latín era la lengua que hablaban los antiguos romanos.

El español se habla en toda España. Pero en España se hablan también otras lenguas: el gallego en Galicia, el vasco en el País Vasco y el catalán en la zona del Mediterráneo (Cataluña, Baleares y Valencia).

85 **Sopa de letras**

▶ **Encuentra** en la sopa de letras el nombre de siete lenguas romances.

SOPA DE LETRAS

C	A	T	A	L	Á	N	D	O	E
A	S	R	A	U	A	L	I	R	S
Ó	G	I	O	F	E	N	T	E	P
V	F	Y	G	I	Ó	N	A	A	A
R	R	Y	E	O	É	Y	L	U	Ñ
S	A	O	L	N	A	M	I	N	O
A	N	Y	L	A	R	Y	A	L	L
É	C	Y	A	M	S	Y	N	A	F
S	É	U	G	U	T	R	O	P	E
A	S	Y	U	R	E	S	D	A	S

Salvador Dalí. *Figura en una ventana*. 1925. Museo Nacional Centro de Arte Reina Sofía. Madrid.

Figura en una ventana,
de Salvador Dalí

Uno de los cuadros más famosos de Salvador Dalí (1904-1989) es *Figura en una ventana*. Esta obra representa a una mujer de espaldas mirando el paisaje por la ventana. La joven es la hermana del pintor, Ana María. Está en la casa familiar de veraneo y el paisaje visto desde la ventana es la bahía de Cadaqués, en la costa mediterránea.

La muchacha tiene el pelo largo, recogido en la nuca, y está apoyada en la ventana. Como una escultura clásica, la joven contempla pensativa el mar y el horizonte. Su vestido, claro y ligero, dibuja su cuerpo. Las cortinas, azules y onduladas[1], enmarcan[2] la figura de la muchacha. No vemos su rostro, pero podemos imaginar su mirada tranquila y melancólica. Un cielo triste y un mar en calma entran por la ventana como una suave brisa.

Figura en una ventana es una pintura realista. A través de la muchacha, la ventana se abre al espectador; la joven nos introduce en el paisaje y nos invita a mirar más allá.

---

1. *wavy*   2. *frame*

COMPRENSIÓN

Salvador Dalí.

86 **¿Qué sabes del cuadro?**

▶ **Responde** a las siguientes preguntas.

1. ¿Quién pintó *Figura en una ventana*?
2. ¿Qué representa el cuadro?
3. ¿Quién es la mujer del cuadro?
4. ¿Dónde está la playa del cuadro?
5. ¿De qué estilo es esta pintura?

ESTRATEGIA Leer textos descriptivos

87 **Tipos de descripción**

▶ **Lee** otra vez el texto y escribe tres ejemplos de descripción objetiva y tres de descripción subjetiva.

88 **Recursos para describir**

▶ **Escribe** algunos recursos utilizados en el texto para describir el cuadro de Dalí.

Adjetivos calificativos	Comparaciones y metáforas

89 **Tu texto descriptivo**

▶ **Escribe** una descripción de este cuadro de Dalí. Se titula *Muchacha de espaldas*. ¿Reconoces a la modelo del pintor?

Salvador Dalí. *Muchacha de espaldas*. 1925. Museo Nacional Centro de Arte Reina Sofía. Madrid.

▶ TU DESAFÍO Visita la página web para aprender más sobre la obra de Dalí.

Partes del cuerpo

el brazo	arm
la cabeza	head
la cintura	waist
el codo	elbow
el cuello	neck
los dedos	fingers, toes
la espalda	back
el hombro	shoulder
la mano	hand
la muñeca	wrist
el pecho	chest
el pie	foot
la pierna	leg
la rodilla	knee
el tobillo	ankle

La cara

la barbilla	chin
la boca	mouth
las cejas	eyebrows
los dientes	teeth
la frente	forehead
los labios	lips
las mejillas	cheeks
la nariz	nose
los ojos	eyes
las orejas	ears
las pestañas	eyelashes

La higiene personal

el cepillo	hairbrush
el champú	shampoo
la crema	moisturizing cream
el esmalte de uñas	nail polish
el gel	gel
el jabón	soap
el maquillaje	makeup
la pasta de dientes	toothpaste
el secador	hair dryer
las tijeras	scissors
la toalla	towel

Acciones

afeitarse	to shave
arreglarse	to get ready
bañarse	to take a bath
cepillarse	to brush (one's hair, teeth)
cortarse las uñas	to cut one's nails
ducharse	to take a shower
lavarse	to wash (up)
maquillarse	to put makeup on
peinarse	to comb (one's hair)
pintarse	to put makeup on
pintarse los labios	to put lipstick on
ponerse desodorante	to put deodorant on
secarse	to dry (one's hands, face, hair)
sudar	to sweat

La salud: síntomas y enfermedades

la alergia	allergy	**Remedios**	
el catarro	cold	la aspirina	aspirin
el dolor	pain	la inyección	injection, shot
la fiebre	fever	el jarabe	cough syrup
la gripe	flu	la pastilla	pill
		la venda	bandage
doler	to hurt		
Me duele(n)...	I have a ... ache.		
estornudar	to sneeze	el / la enfermero(a)	nurse
picar	to itch	el / la médico(a)	doctor
toser	to cough	el / la paciente	patient
la clínica	clinic		
el hospital	hospital		

Hábitos saludables

beber agua	to drink water
comer bien	to eat well
cuidarse	to take care of oneself
descansar	to rest
estar en forma	to be in shape
estar / mantenerse sano(a)	to be / stay healthy
hacer deporte	to play sports
hacer ejercicio	to exercise
meditar	to meditate
montar en bicicleta	to ride a bicycle
patinar	to skate
practicar yoga	to do yoga
seguir una dieta equilibrada	to have a balanced diet
tomar vitaminas	to take vitamins

DESAFÍO 1

1 **Partes del cuerpo.** Une cada acción con una parte del cuerpo.

1. hablar
2. dibujar
3. caminar
4. ver

a. las manos y los dedos
b. la boca
c. los ojos
d. las piernas y los pies

DESAFÍO 2

2 **Una lista.** Clasifica estos hábitos de higiene.

cepillarse los dientes
cortarse las uñas
maquillarse
    o afeitarse
ducharse
secarse el pelo
ponerse crema
bañarse
peinarse
ponerse desodorante

Una vez al mes	Una vez por semana	Todos los días
		cepillarse los dientes

DESAFÍO 3

3 **¿Cuál es la solución?** Escribe. ¿Qué remedio les da el médico a estas personas?

Modelo   Tengo tos. → *Tome un jarabe.*

1. Me duele el tobillo.

2. Tengo gripe.

3. Me duele la cabeza.

4. Tengo dolor de garganta.

DESAFÍO 4

4 **¡Tienes que cuidarte!** Decide qué hábito saludable es mejor para estas personas.

practicar yoga

descansar

montar en bicicleta

1. Pedro está muy cansado.

2. A Ana no le gusta ir al gimnasio.

3. A Silvia le gusta meditar.

El participio (pág. 246)

PARTICIPIOS REGULARES

| -ar verbs | Add the ending -ado. | pintar → pint**ado** |
| -er and -ir verbs | Add the ending -ido. | vestir → vest**ido** |

PARTICIPIOS IRREGULARES

abrir	abierto	morir	muerto
decir	dicho	poner	puesto
descubrir	descubierto	romper	roto
escribir	escrito	ver	visto
hacer	hecho	volver	vuelto

Los adverbios en -mente (pág. 254)

| Adjectives ending in -o | Change -o to -a and add -mente. | lento → lenta**mente** |
| Adjectives ending in -e or in a consonant | Add -mente. | frecuente → frecuente**mente**
habitual → habitual**mente** |

Por y para (pág. 262)

Usos de por

- cause or reason
- time periods during the day
- approximate time
- approximate place
- movement within an area

Usos de para

- purpose
- recipient of an action
- opinion
- movement toward a place
- deadline

Hacer recomendaciones (pág. 270)

Hay que + infinitivo
Hay que **beber más agua.**

Tener que + infinitivo
Tienes que **cuidarte.**

Deber + infinitivo
Debes **hacer ejercicio.**

Necesitar + infinitivo
Necesitas **comer bien.**

Poder + infinitivo
Puedes **tomar vitaminas.**

DESAFÍO 1

5 **¡Todo terminado!** Responde a estas preguntas.

Modelo ¿Dónde está Miguel? (dormir en la sala)

→ *Miguel está dormido en la sala.*

1. ¿Dónde están sus tíos? (sentar en la cocina)
2. ¿En qué idioma está ese libro? (escribir en chino)
3. ¿Cómo están las tareas de la escuela? (hacer desde ayer)
4. ¿Cómo están los niños? (emocionar con la noticia)

DESAFÍO 2

6 **¿Cómo lo haces?** Completa estas oraciones.

> fácil
> habitual
> cuidadoso

1. _____ me corto las uñas cada semana.
2. Este maquillaje es muy bueno, se aplica _____.
3. Mi madre se pinta las uñas tranquila y _____.

DESAFÍO 3

7 **¿Por qué? ¿Para qué?** Une las tres columnas y escribe oraciones completas.

1. Fui a la farmacia		a. la calle Colombia.
2. La tarea de Ciencias es	por	b. comprar medicamentos.
3. El autobús no pasa	para	c. ver al médico.
4. Fueron al hospital		d. mañana.

DESAFÍO 4

8 **Buenas recomendaciones.** Escribe oraciones completas usando estructuras para hacer recomendaciones. Usa los verbos *deber*, *poder*, *tener* y *necesitar*.

Modelo tú - deber beber dos litros de agua. → *Debes beber dos litros de agua.*

1. Sus padres – hacer deporte con frecuencia.
2. Nosotros – seguir una dieta equilibrada.
3. Tú – descansar más.
4. Berta – comer más fruta.

CULTURA

9 **De viaje por España.** Responde a las siguientes preguntas.

1. ¿Qué sabes de Pablo Picasso?
2. ¿Dónde se celebran los sanfermines?
3. ¿Qué alimentos incluye la dieta mediterránea?

Una presentación sobre

hábitos de alimentación

In the Mediterranean, people have a high life expectancy, exceeded only by Japan. This may be attributed to dietary and personal hygiene habits.

In this project you will analyze the food guide of the United States and the food guide of Mediterranean countries in order to prepare a comparison between them. You will present the results of your report in a poster.

PASO 1 Analiza los hábitos de alimentación en los Estados Unidos

- In a small group, analyze the food guide of the United States. Look at the picture and answer the questions.

  – ¿Cuántos grupos componen el plato?

  – ¿Qué productos se deben comer con más frecuencia? ¿Y con menos frecuencia?

  – ¿Qué cantidad de proteínas hay que comer?

  – ¿Cuál es la proporción de lácteos adecuada?

VEGETALES	FRUTAS	GRANOS	LÁCTEOS	PROTEÍNAS
Consuma 2 ½ tazas al día	Consuma 2 tazas al día	Consuma 6 onzas al día	Consuma 3 tazas al día	Consuma 5 ½ onzas al día

PASO 2 Analiza los hábitos de alimentación en España y en el Mediterráneo

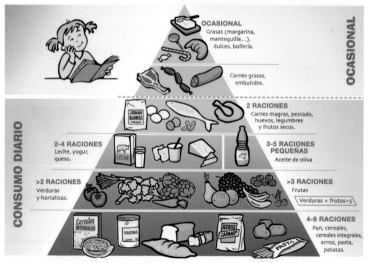

Fuente: Ministerio de Sanidad y Consumo (España).

- Look at the picture and answer the questions in order to analyze the food guide pyramid of the Mediterranean countries.

  – ¿En cuántos grupos se divide la pirámide?

  – ¿Qué productos hay que comer con más frecuencia? ¿Y con menos frecuencia?

  – ¿Cuántas porciones de carne se deben comer?

  – ¿Cuál es la proporción de lácteos adecuada?

PASO 3 Compara los hábitos y escribe tu presentación

- Based on your research and using your answers, compare the two food guides. Prepare a chart with the results of your comparison, including the similarities and differences.

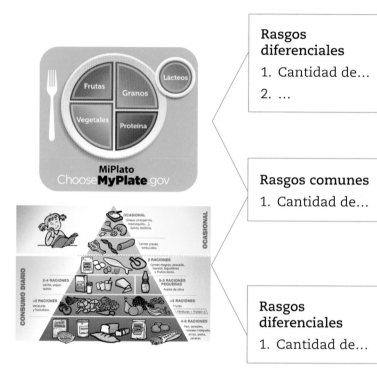

Rasgos diferenciales
1. Cantidad de...
2. ...

Rasgos comunes
1. Cantidad de...

Rasgos diferenciales
1. Cantidad de...

- Paste the chart with the comparison on a large piece of paper to display the results.

Modelo

En la dieta mediterránea y en la dieta de los Estados Unidos hay rasgos comunes. Por ejemplo, las dos recomiendan comer muchos vegetales y frutas.
También...

PASO 4 Presenta tu trabajo

- Create a poster to present your work to the class. Explain the results of your comparison.

- During each group's presentation, take notes about the things that you find most interesting and important, and talk to your classmates.

Unidad 5

Autoevaluación

¿Qué has aprendido en esta unidad?

Do these activities to evaluate how well you can manage in Spanish.

Evaluate your skills. For each item, say Very well, Well, or I need more practice.

a. Can you describe body parts?
▶ Tell a classmate what body parts you use when you swim, play baseball, and play chess.
▶ Describe how you perform each part of your hygiene routines.

b. Can you talk about personal hygiene habits?
▶ Tell a classmate your morning and evening hygiene routines.

c. Can you talk about illness and health care?
▶ Describe your health and how you feel during each season of the year. Then, describe why you feel that way in each season.

d. Can you recommend healthy habits?
▶ Tell a classmate what you do to live a healthy lifestyle.
▶ Tell your classmate what he or she should do to live a healthy lifestyle.

Caribe continental

En busca de El Dorado

DESAFÍO 2

El salto Ángel
(Venezuela)

DESAFÍO 1

▶ **To describe past habits**

Vocabulario
Viajes y excursiones

Gramática
El imperfecto

▶ **To talk about past actions**

Vocabulario
El tren y el avión

Gramática
Verbos irregulares en el pretérito. *Dar*, *poder*, *poner*, *querer*, *saber* y *venir*.

Laguna
de Guatavita
(Colombia)

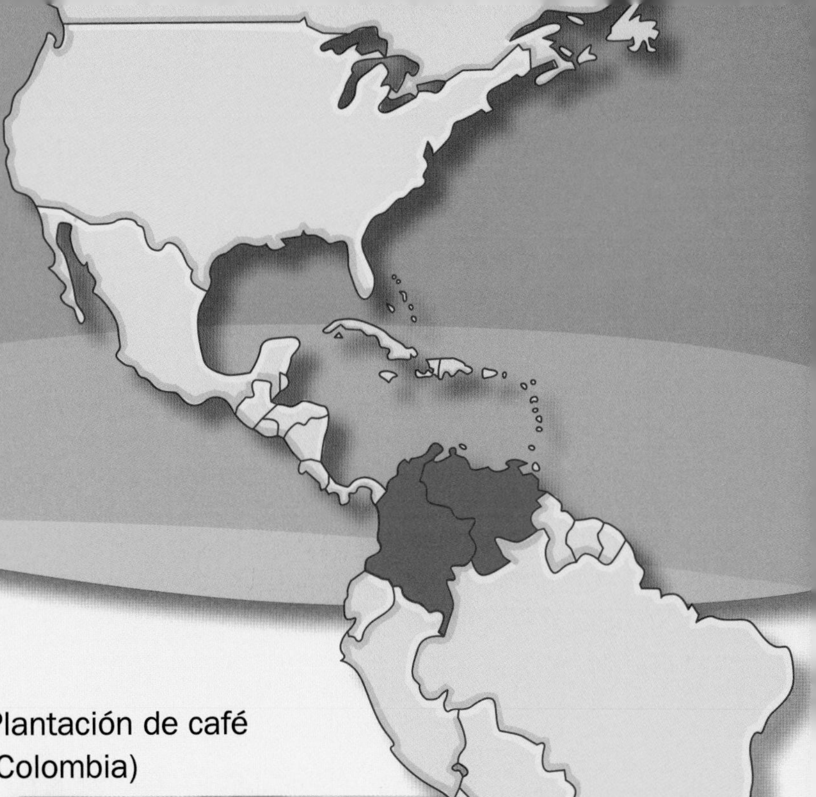

DESAFÍO 3

To talk about events in the past

Vocabulario
El coche

Gramática
Narrar hechos pasados. El pretérito y el imperfecto

Plantación de café (Colombia)

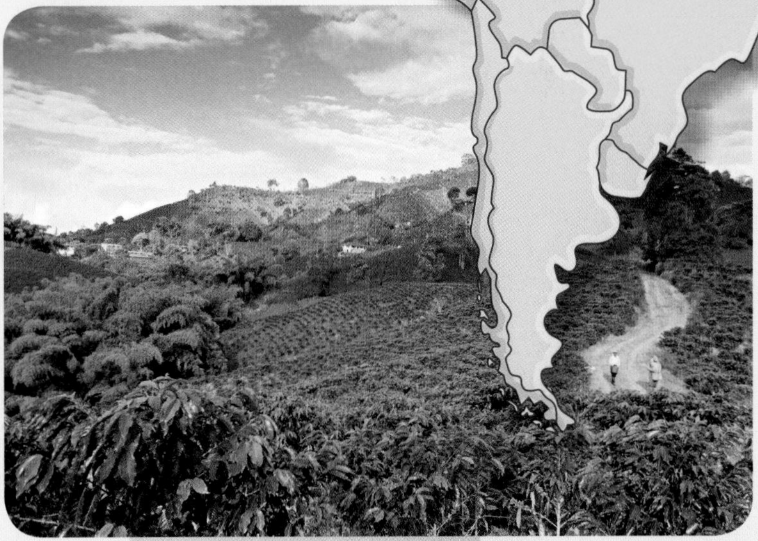

Caracas (Venezuela)

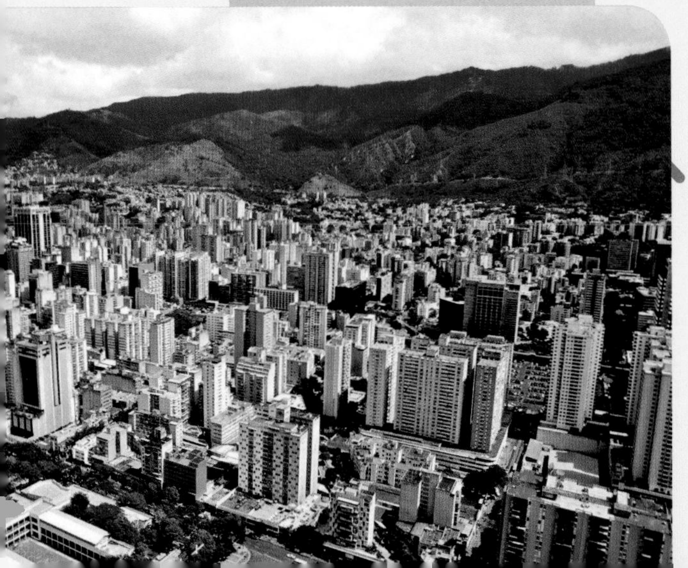

DESAFÍO 4

To tell an anecdote in the past

Vocabulario
El hotel
El banco

Gramática
Narrar y describir en pasado. El pretérito y el imperfecto

La llegada

En Cartagena de Indias

The pairs gather at the plaza overlooking the *Torre del Reloj*, one of the entryways of Cartagena de Indias, a walled city in Colombia located on the Caribbean Sea. Our friends' tasks are kept in the mightiest military bastion ever built.

Esa fortaleza es el Castillo de San Felipe de Barajas. Los ingleses intentaron tomarla en el siglo dieciocho.

¡Mack, eres una enciclopedia!

¡Qué va! Lo leyó en una revista cuando veníamos en el avión.

Aquí dice que tenemos que escribir una anécdota de nuestros viajes. ¡Qué divertido!

¡Hasta pronto!

1 ¿Comprendes?

▶ **Une** las palabras con sus correspondientes definiciones.

Ⓐ

1. maleta
2. recepcionista
3. oficina de turismo
4. avión
5. agencia de viajes

Ⓑ

a. Persona que trabaja en un hotel.
b. Lugar donde organizan y venden viajes.
c. Medio de transporte aéreo.
d. Lugar donde informan a turistas y visitantes.
e. Objeto para llevar la ropa en un viaje.

EXPRESIONES ÚTILES

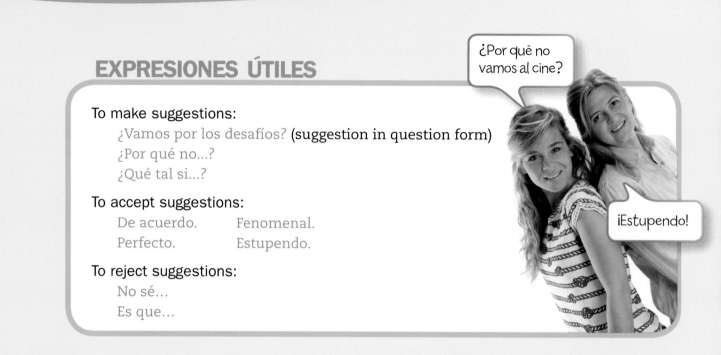

To make suggestions:

¿Vamos por los desafíos? (suggestion in question form)
¿Por qué no...?
¿Qué tal si...?

To accept suggestions:

De acuerdo.   Fenomenal.
Perfecto.   Estupendo.

To reject suggestions:

No sé...
Es que...

(bocadillo) ¿Por qué no vamos al cine?

(bocadillo) ¡Estupendo!

2 Expresiones

▶ **Escucha** y completa una tabla como esta.

	¿Qué sugieren?	¿Acepta la sugerencia?
1	Viajar en tren.	No. Prefiere viajar en coche.
2		
3		
4		

3 ¿Qué tal si...?

▶ **Habla** con tu compañero(a). Hazle sugerencias y responde a las suyas.

Modelo A. ¿Por qué no nos alojamos en un cámping?
        B. No sé... Yo prefiero ir a un hotel. Es más cómodo.

1 viajar en coche

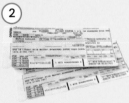

2 comprar boletos de ida y vuelta

3 pedir un plano en la oficina de turismo

4 cenar en el hotel

¿Quién ganará?

4 **Los desafíos**

▶ **Habla.** ¿Cuál será el desafío de cada pareja? Piénsalo y coméntalo con tus compañeros(as).

DESAFÍO ①

El tesoro más valioso de Colombia

Tess y Patricia

DESAFÍO ②

El salto Ángel

Andy y Janet

DESAFÍO ③

Un paseo en bus

Tim y Mack

DESAFÍO ④

El mejor café del mundo

Diana y Rita

▶ **Habla.** Los países de los desafíos son Colombia y Venezuela. ¿Qué sabes de esos lugares? Coméntalo con tus compañeros(as).

5 **La tarea final**

▶ **Decide.** ¿Qué tarea tienen que hacer los personajes al final? ¿Qué pareja crees que ganará?

LA TAREA

Una anécdota

El tesoro más valioso de Colombia

Tess and Patricia travel to Bogotá. They have to find El Dorado and take a picture of a golden raft. Will they find it?

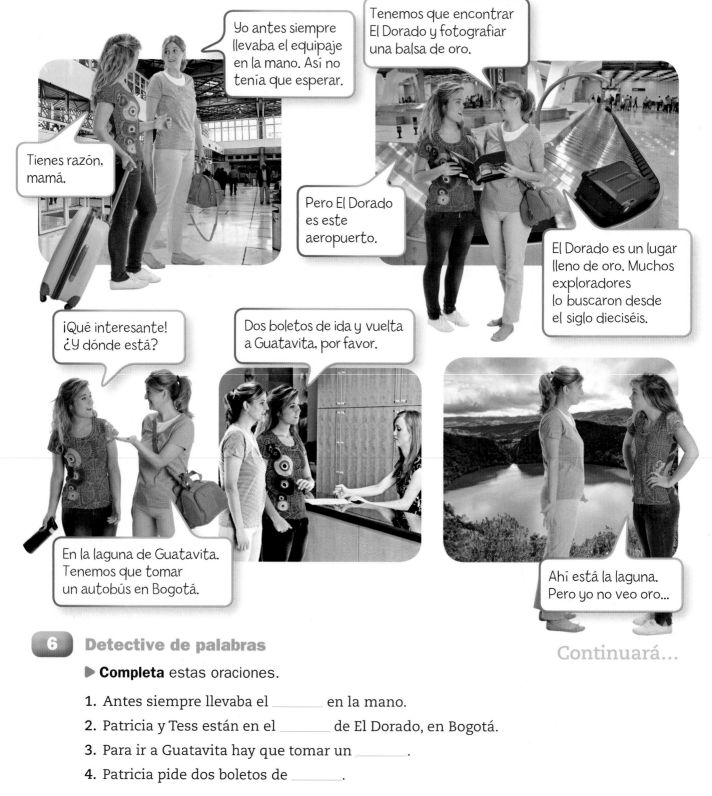

Yo antes siempre llevaba el equipaje en la mano. Así no tenía que esperar.

Tienes razón, mamá.

Tenemos que encontrar El Dorado y fotografiar una balsa de oro.

Pero El Dorado es este aeropuerto.

El Dorado es un lugar lleno de oro. Muchos exploradores lo buscaron desde el siglo dieciséis.

¡Qué interesante! ¿Y dónde está?

Dos boletos de ida y vuelta a Guatavita, por favor.

En la laguna de Guatavita. Tenemos que tomar un autobús en Bogotá.

Ahí está la laguna. Pero yo no veo oro...

6 **Detective de palabras**

Continuará...

▶ **Completa** estas oraciones.

1. Antes siempre llevaba el _____ en la mano.

2. Patricia y Tess están en el _____ de El Dorado, en Bogotá.

3. Para ir a Guatavita hay que tomar un _____.

4. Patricia pide dos boletos de _____.

▶ **Responde** a estas preguntas.

1. ¿Cómo se llama el aeropuerto de Bogotá?
2. ¿Qué tienen que hacer Tess y Patricia en este desafío?
3. ¿Qué es El Dorado?
4. ¿Adónde viajan Tess y Patricia desde Bogotá?
5. ¿Cómo van hasta ese lugar?

8 **El viaje a Guatavita**

▶ **Escucha** y elige la opción correcta.

1. El viaje a Guatavita dura _____.
   a. una hora   **b.** una hora y media   **c.** tres horas

2. En Guatavita Tess y Patricia van a ver _____.
   a. una laguna   **b.** una montaña   **c.** un río

3. Tess quiere _____ en la laguna.
   a. pasear en barca   **b.** nadar   **c.** tomar fotos

4. Patricia quiere _____ por el pueblo.
   a. ir de compras   **b.** montar a caballo   **c.** dar un paseo

5. Tess y Patricia van a dormir _____.
   a. en Guatavita   **b.** en Bogotá   **c.** cerca de la laguna

CULTURA

La leyenda de El Dorado

El Dorado es un lugar mítico lleno de oro (*gold*). Durante muchos años, varias expediciones buscaron este lugar por la selva amazónica.

Símbolo del jaguar.
Museo del Oro (Bogotá).

La leyenda de El Dorado tiene su origen en las ceremonias que los indígenas celebraban en la laguna de Guatavita, en los Andes colombianos. Los indígenas cubrían con oro el cuerpo del cacique, entraban en la laguna en una balsa (*raft*) y arrojaban (*threw*) piezas de oro y esmeraldas como ofrenda (*offering*) para los dioses.

En la laguna de Guatavita se encontraron varias piezas de oro que hoy están en el Museo del Oro de Bogotá.

9 **Piensa y explica.** ¿Conoces otras leyendas similares? ¿Crees en ellas? ¿Por qué?

→ TU DESAFÍO Visita la página web para aprender más sobre esta leyenda.

Vocabulario

Viajes y excursiones

¿Cuánto cuesta el viaje?

En este **folleto** vienen las **tarifas**.

el agente de viajes

la agencia de viajes

¿Hiciste el **equipaje**?

Sí. Recuerda llevar el **mapa**.

la maleta

la bolsa

Mira, ahí están los **horarios**.

la puerta

SALIDAS

LLEGADAS

Señores **viajeros**, la **salida** para Guatavita es a las doce y media.

¡Vamos! No quiero **perder** el **autobús**.

la estación de autobuses

la parada de autobús

Acciones

| salir | llegar | viajar | visitar | ir | volver |

10 **Planeando un viaje**

▶ **Ordena** los pasos que siguen Tess y Patricia para preparar su viaje.

a. Patricia hace las maletas.
b. Tess y Patricia hablan con un agente de viajes.
c. Tess y Patricia llegan a la estación de autobuses.
d. Tess y Patricia consultan las tarifas del viaje en un folleto.
e. Patricia paga los boletos.

11 El itinerario

▶ **Escucha** el mensaje del celular de Patricia y toma nota. Después, responde a estas preguntas.

1. ¿Quién es Antonio Guzmán?
2. ¿De qué ciudad salen Patricia y Tess?
3. ¿A qué lugar viajan?

4. ¿Qué día viajan?
5. ¿A qué hora sale el autobús?
6. ¿Cuál es la tarifa de los boletos?

12 Un viaje imaginario

▶ **Habla** y escribe. Tu compañero(a) y tú van a hacer un viaje. Toma notas de todos los detalles: ¿adónde van?, ¿cómo van?, ¿qué van a visitar?...

Modelo   A. *¿Adónde vamos?*
         B. *Podemos ir a Cartagena de Indias.*
         A. *De acuerdo. ¿Vamos en avión o en autobús?*

▶ **Pregunta** a otros(as) compañeros(as) por su viaje y responde a sus preguntas.

Modelo

¿Adónde van a viajar ustedes?

Vamos a ir a Bogotá.

¿Y qué van a visitar allí?

CONEXIONES: CIENCIAS SOCIALES

El aeropuerto internacional El Dorado

El aeropuerto internacional El Dorado es el más importante de Colombia y el cuarto aeropuerto con mayor movimiento de pasajeros de Latinoamérica. Recibe vuelos de toda América y de los principales aeropuertos europeos.

Este aeropuerto está situado a 15 kilómetros de Bogotá. Se inauguró en 1959 y recibió su nombre por la famosa leyenda de El Dorado.

13 Piensa y explica. ¿Conoces el nombre de algún aeropuerto de tu país? ¿Sabes por qué se llama así?

Gramática

El imperfecto

- We use the imperfect tense to talk about habitual actions or actions that happened repeatedly in the past.

    Cuando **tenía** un examen, Tess **estudiaba** mucho.

- There are only three irregular verbs in the imperfect tense: ser, ir, and ver. The other verbs are regular.

IMPERFECTO. VERBOS REGULARES

	Viajar	Volver	Salir
yo	viajaba	volvía	salía
tú	viajabas	volvías	salías
usted, él, ella	viajaba	volvía	salía
nosotros, nosotras	viajábamos	volvíamos	salíamos
vosotros, vosotras	viajabais	volvíais	salíais
ustedes, ellos, ellas	viajaban	volvían	salían

VERBOS IRREGULARES EN EL IMPERFECTO

	Ser	Ir	Ver
yo	era	iba	veía
tú	eras	ibas	veías
usted, él, ella	era	iba	veía
nosotros, nosotras	éramos	íbamos	veíamos
vosotros, vosotras	erais	ibais	veíais
ustedes, ellos, ellas	eran	iban	veían

Expresiones temporales que se usan con el imperfecto

- Some expressions that indicate frequency, like siempre, muchas veces, a menudo, or generalmente, can be used with the imperfect. You can also use these other expressions with the imperfect to express that an action was habitual:

    | antes | de pequeño(a) | cuando era pequeño(a) |
    | entonces | de niño(a) | cuando era joven |

    Cuando era pequeña, yo **vivía** en Nueva York.

14 **Compara.** ¿Cómo se expresa en inglés la idea de acción habitual en el pasado?

15 **Las costumbres de Tess**

▶ **Escucha** y decide. ¿Estas acciones de Tess corresponden al presente o al pasado?

1. hablar por teléfono con sus amigas
2. ver películas de acción
3. viajar mucho con Patricia
4. ir al parque con sus amigas
5. jugar al fútbol
6. ir de compras

16 Cuando eran pequeños

▶ **Escribe.** ¿Qué hacían los personajes durante sus vacaciones cuando eran niños(as)?

Modelo *Mack jugaba con coches.*

leer   montar   ver   jugar   ir

1. Diana

2. Tim

3. Andy

4. Tess

5. Rita

17 Unas vacaciones típicas

▶ **Escribe.** ¿Qué hacías en vacaciones cuando eras niño(a)?

1. ¿Adónde ibas?
2. ¿Con quién ibas?
3. ¿Qué llevabas?
4. ¿Qué hacías?
5. ¿A qué jugabas?

CULTURA

El Museo del Oro de Bogotá

El Museo del Oro de Bogotá tiene la mayor colección de orfebrería *(gold/silversmithing)* prehispánica del mundo. Allí se pueden ver objetos de oro, cerámica, piedra y textiles.

Una de las piezas más importantes del museo es una balsa de la cultura muisca que representa la ceremonia de El Dorado. Esta pieza apareció en 1969 en una cueva en Pasca junto a otros objetos de oro.

Balsa de oro.
Museo del Oro (Bogotá).

18 **Investiga.** ¿Qué tipo de objetos hay en el Museo del Oro de Bogotá?

▶ **TU DESAFÍO** Visita la página web para aprender más sobre este museo.

Comunicación

19 Consejos de una agente

▶ **Escucha** y escribe los consejos que da una agente de viajes a Tess y Patricia. ¿Son lógicos o ilógicos?

Consejos	Lógico	Ilógico
1. Hay que reservar el viaje con tiempo.	X	

▶ **Corrige** los consejos ilógicos.

20 Dificultades con el desafío

▶ **Lee** el mensaje de correo de Tess y complétalo. Usa el imperfecto.

▶ **Responde** a estas preguntas.

1. ¿Dónde está Tess?
2. ¿Quiénes vivían en ese territorio en el pasado?
3. ¿Qué hacían durante sus ceremonias religiosas?
4. ¿Qué tienen que hacer Tess y Patricia en este desafío?

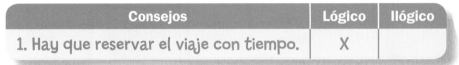

Hola, Ana. ¿Cómo estás?

Te escribo desde Guatavita (Colombia). Mi mamá y yo vinimos aquí para fotografiar una balsa de oro de la cultura muisca, pero no sabemos dónde está. Este desafío es un poco difícil...

Hasta ahora, mi mamá y yo no ___1___ mucho de la cultura muisca. Ellos ___2___ (saber) (vivir) en estas tierras antes de la llegada de los españoles. ___3___ una economía basada (Tener) en el cobre (copper), el carbón (coal) y el oro. También ___4___ maíz, papas y otros (cultivar) productos. Pero lo más interesante ___5___ sus ceremonias religiosas: los muiscas (ser) ___6___ a un cacique y ___7___ oro a sus dioses en la laguna. (elegir) (ofrecer)

¿Crees que la balsa de oro está en Guatavita? Tenemos que conseguir más información y completar nuestro desafío.

¡Hasta pronto!

Tess

21 **Recuerdos**

▶ **Escribe** un párrafo sobre recuerdos de tu infancia. Usa estas expresiones.

siempre   generalmente

frecuentemente

muchas veces   a menudo

Modelo

De pequeña vivía en el campo.
Mi hermano y yo jugábamos siempre
al fútbol con otros niños. Muchas
veces nadábamos en el río.

▶ **Habla** con tu compañero(a). ¿Hacían cosas similares?

Modelo   *De pequeño, yo jugaba al fútbol, pero mi compañero prefería jugar al baloncesto.*

Final del desafío

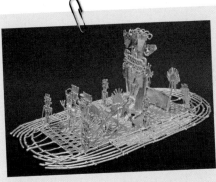

Al final no había
oro en Guatavita.
Hace muchos años
intentaron secar la
laguna y se llevaron
el oro que había en
el fondo. El Dorado
era una leyenda.
¡Qué desilusión!

Pero el viaje fue muy interesante y aprendimos muchas
cosas. Una mujer nos contó que en la laguna había
objetos de oro porque en Guatavita celebraban
la ceremonia de El Dorado. Y luego nos habló del Museo
del Oro. Fuimos a Bogotá y... ¡¡¡allí estaba la balsa!!!
Esta es la foto. Somos las mejores fans del español.

22 **¿Dónde está la balsa de oro?**

▶ **Escribe.** ¿Qué pasó en Guatavita? Escribe el diálogo entre Tess, Patricia y la mujer.
Después, represéntalo con dos compañeros(as).

 Visita la página web. Escucha las preguntas de tu *Minientrevista*
Desafío 1 y escribe las respuestas.

El salto Ángel

After witnessing the majestic power of Iguazú Falls in Argentina, Andy and Janet must now investigate another natural wonder of the South American continent. Their task is to fly over the Venezuelan rainforest and take an aerial photo of the tallest waterfall in the world.

¡Qué avión tan viejo! No hay primera clase.

¿Pudiste sacar la tarjeta de embarque?

Los chalecos salvavidas están debajo de los asientos.

No es necesario. Y tampoco se factura el equipaje. ¡Vámonos!

¡Yo nunca me puse un chaleco! ¡No sé hacerlo!

Vinimos muy tarde, Andy. No hay otro avión.

Tenemos que hacer una foto de la catarata. ¿Podemos acercarnos más?

¡Es espectacular! Siempre quise venir a este lugar.

Sí, pero no sé por qué vinimos. Dimos muchas vueltas... ¡Estoy mareado!

¿Crees que es necesario, Janet?

23 Detective de palabras

Continuará...

▶ **Completa** estas oraciones.

1. _____ muy tarde.
2. ¿_____ sacar la tarjeta de embarque?
3. ¡Yo nunca me _____ un chaleco!
4. Siempre _____ venir a este lugar.
5. _____ muchas vueltas.

▶ **Responde.** ¿Sabes a qué infinitivos corresponden esos verbos? ¿En qué tiempo verbal están?

24 **¿Qué hicieron?**

▶ **Ordena** estas oraciones según la fotonovela.

a. El piloto se acercó a la catarata (*waterfall*) y Janet hizo una foto.
b. Andy y Janet llegaron tarde al aeropuerto.
c. Andy se mareó porque el avión dio muchas vueltas.
d. Andy y Janet se sentaron en sus asientos.
e. Andy y Janet subieron al avión.

25 **¿Quién es?**

▶ **Escucha** y decide. ¿A quién se refiere cada oración?

	A Andy	A Janet	A los dos
1			
2			
3			
4			
5			

26 **¡Más información, por favor!**

▶ **Escribe** cinco preguntas para entrevistar a Andy y a Janet.

▶ **Habla.** Por turnos, haz las preguntas a dos compañeros(as) y responde a las suyas.

Modelo   A. *Janet, ¿no te dan miedo los aviones?*
　　　　　 B. *No, yo soy una chica atrevida.*

CONEXIONES: CIENCIAS

El salto Ángel

El salto Ángel es una famosa catarata del Parque Nacional de Canaima, en la selva venezolana. Tiene más de 3.000 pies de altura y es la caída libre de agua más alta del mundo.

Es mejor visitarlo durante la temporada de lluvia (de mayo a noviembre) porque las cascadas y los saltos de agua aumentan su volumen.

27 **Explica.** ¿Alguna vez viste cataratas? ¿Cómo se llaman? ¿Dónde están?

 **→ TU DESAFÍO** Visita la página web para aprender más sobre el Parque Nacional de Canaima y el salto Ángel.

Vocabulario

El tren y el avión

En la estación de tren

En el aeropuerto

los pasajeros

el vagón

el andén

la vía

El avión sale con retraso. No despega hasta las cinco.

10 la tarjeta de embarque

Este es un vuelo directo, sin escalas. Aterrizamos en Houston.

facturar el equipaje

En el avión

el equipaje de mano

el chaleco salvavidas

el asiento

el auxiliar de vuelo

el pasillo

boleto sencillo

boleto de ida y vuelta

primera clase

clase turista

28 ¿Lógico o ilógico?

▶ **Decide** si cada oración es lógica o ilógica. Corrige las oraciones ilógicas.

Modelo El tren circula por el andén → *Ilógica. El tren circula por la vía.*

1. El auxiliar de vuelo trabaja en un tren.
2. Un vuelo directo hace varias escalas.
3. Los viajeros facturan el equipaje de mano.
4. Normalmente es más caro viajar en primera clase que en clase turista.
5. Después de subir al avión, hay que mostrar la tarjeta de embarque.
6. Los viajeros esperan la llegada del tren en el vagón.

29 Fotos de viajes

▶ **Escucha.** ¿A qué fotografía corresponde cada oración?

A

B

C

D

E

30 Preguntas sobre viajes

▶ **Habla.** Por turnos, haz preguntas a tu compañero(a). Usa estas palabras.

Modelo   A. *¿Cuándo es necesario mostrar la tarjeta de embarque?*
         B. *Antes de subir al avión.*

¿qué?	¿por qué?
¿cómo?	¿adónde?
¿quién?	¿cuándo?

primera clase	el andén
el pasaporte	el avión
el tren	el boleto
el auxiliar de vuelo	el equipaje
la tarjeta de embarque	el retraso

CULTURA

La red de transportes en Venezuela

En Venezuela hay más de 60 aeropuertos. El más importante es el Aeropuerto Internacional Simón Bolívar, a 22 kilómetros de Caracas.

Por sus características geográficas, Venezuela tiene puertos (*ports*) muy importantes, que reciben barcos procedentes de todo el mundo.

Para viajar por el interior, Venezuela cuenta con una importante red de autopistas (*expressways*) y carreteras (*highways*). El sistema ferroviario (*rail system*) está en construcción y gran parte de las líneas férreas se destinan al transporte de hierro y carbón.

31 **Explica.** ¿Qué medios de transporte se utilizan más en tu país? ¿Por qué?

Gramática

Verbos irregulares en el pretérito.
Dar, *poder*, *poner*, *querer*, *saber* y *venir*

- Remember: we use the preterite tense to talk about completed actions in the past.

    Teresa **viajó** a Caracas la semana pasada.

- These are some common irregular verbs in the preterite:

VERBOS IRREGULARES EN EL PRETÉRITO

	Dar	Poder	Poner	Querer	Saber	Venir
yo	di	pude	puse	quise	supe	vine
tú	diste	pudiste	pusiste	quisiste	supiste	viniste
usted, él, ella	dio	pudo	puso	quiso	supo	vino
nosotros, nosotras	dimos	pudimos	pusimos	quisimos	supimos	vinimos
vosotros, vosotras	disteis	pudisteis	pusisteis	quisisteis	supisteis	vinisteis
ustedes, ellos, ellas	dieron	pudieron	pusieron	quisieron	supieron	vinieron

El agente de viajes nos **dio** un folleto.   Juan no **quiso** visitar el museo.
No **pude** comprar los boletos antes.   **¿Supiste** hacer la reserva por Internet?
Yo nunca me **puse** un chaleco salvavidas.   Ayer **vinimos** a esta agencia de viajes.

32 **Piensa.** Compara estas formas del pretérito. ¿Qué diferencia ortográfica hay entre ellas?

volvió - quiso
salió - vino
comió - pudo

33 **Hay que incluir a todos**

▶ **Une** las dos columnas.

Ⓐ   Ⓑ

1. Andy   a. pudieron viajar a Venezuela.
2. Yo   b. viniste conmigo al aeropuerto.
3. Andy y Janet   c. supe encontrar el hotel sin mirar el mapa.
4. Tú   d. no quiso acercarse a la catarata.
5. Janet y yo   e. pusimos las maletas debajo de los asientos.

▶ **Escribe** seis oraciones. Usa el pretérito de los verbos de la ficha de gramática.

Modelo *Ayer di un paseo por el parque.*

34 ¡Nos encanta viajar!

▶ **Escucha** y clasifica las formas verbales de las oraciones en una tabla como esta.

	Presente	Pretérito
1	vamos	
2		
3		
4		
5		
6		
7		
8		

▶ **Completa** la tabla con las formas verbales que faltan.

Modelo   1. *vamos* ⟶ *fuimos*

35 Una turista atrevida

▶ **Completa** el diario de Andy con las formas apropiadas del pretérito.

25 de abril

Janet y yo ___1___ tarde al aeropuerto y ___2___ que viajar en un avión muy pequeño.
        venir   tener

___3___ y nos ___4___ rápidamente. Cuando el avión ___5___ , yo ___6___ mucho
Subir   sentar   despegar   sentir
miedo.

Cuando ___7___ mirar por la ventana del avión, ___8___ la catarata. ¡El paisaje
         poder   ver
era impresionante!

Janet le ___9___ al piloto: «¿Podemos acercarnos más para hacer una foto?»
         decir

Afortunadamente, él no ___10___ . ¡Creo que mi hermana está loca!
                        querer

36 ¿Qué hicieron Janet y Andy en Canaima?

▶ **Habla.** Explica lo que hicieron Andy y Janet cuando llegaron a Canaima.
Usa estos verbos y expresiones.

Verbos		Expresiones	
tener	llegar	Primero	A continuación
volar	visitar	Luego	Más tarde
hacer	poder	Después	Finalmente
ver	querer		
ir	volver		

Comunicación

37 En el avión

▶ **Escucha** y decide si estas oraciones son ciertas o falsas.

1. Andy y Janet tuvieron que viajar en avión para llegar al salto Ángel.
2. Andy se sintió mal porque el avión dio muchas vueltas.
3. Andy miró el paisaje desde el avión.
4. Andy quiere bañarse en el río.
5. Janet es una viajera muy atrevida.
6. Andy prefiere viajar en barco.

38 El viaje de Andy y Janet

▶ **Completa** el blog de Janet con el pretérito de estos verbos.

ponerse
aterrizar
subir
ver
querer
llegar
volar
despegar
sentarse
hacer

Un día extraordinario

_____1_____ al aeropuerto a las seis de la mañana y _____2_____ al avión. Andy _____3_____ en su asiento. _____4_____ un poco nervioso porque no le gustan los aviones. Por fin el avión _____5_____. El piloto _____6_____ muy cerca del salto Ángel y yo _____7_____ una foto muy buena. Al final, el avión _____8_____ en el pequeño pueblo indígena de Kavac. Después de llegar, Andy _____9_____ explorar la montaña Auyantepuy. Allí nosotros _____10_____ un paisaje magnífico.

39 ¿Qué ves?

▶ **Escribe** un pie de foto para cada imagen. Usa el pretérito.

Modelo 1. _Unos viajeros miraron los horarios antes de subir al avión._

40 **Mi aventura**

▶ **Habla** con tu compañero(a) sobre algún viaje que hiciste en el pasado. Usa estas preguntas.

1. ¿Cuándo saliste?
2. ¿Adónde fuiste?
3. ¿Cómo fuiste?
4. ¿Qué viste?
5. ¿Qué compraste?
6. ¿Tuviste problemas durante el viaje?

Modelo   *El verano pasado, mi familia y yo salimos para....*

Final del desafío

 ver el salto Ángel a más de cuarenta kilómetros de distancia.

Janet se muy contenta. Siempre ____3____ ver este lugar.

Yo me asusté y le ____4____ la cámara a Janet. Ella ____5____ una foto fantástica.

41   **¡No tan cerca!**

▶ **Completa** los pies de foto con la forma correcta del pretérito de estos verbos.

hacer	querer	poner	dar	poder

Un paseo en bus

Are you ready for a bumpy ride? Tim and Mack have to drive a city bus through the busy streets of Caracas. Mack will be at the wheel. Will they make it?

Continuará...

42 **Detective de palabras**

▶ **Completa** estas oraciones.

1. Mientras Mack hablaba con el ___1___ del autobús, Tim llenó el ___2___ de ___3___.

2. Mack está sorprendido porque el autobús tiene tres ___4___.

3. Tim no tiene ___5___ de conducir.

4. Mack no sabe manejar con ___6___.

5. Tim piensa que Mack va a romper el ___7___.

43 **¿Comprendes?**

▶ **Responde** a estas preguntas.

1. ¿Qué hizo Tim mientras Mack hablaba con el conductor?
2. ¿Por qué se sorprende Mack cuando sube al autobús?
3. ¿Por qué no puede manejar Tim?
4. ¿Por qué Mack no maneja bien el autobús?
5. ¿Qué va a ocurrir si Mack no cambia de marcha?

44 **¡Al autobús!**

▶ **Escucha** y relaciona cada oración con la fotografía correspondiente.

CONEXIONES: CIENCIAS SOCIALES

El transporte público: el autobús

En Caracas, como en muchas ciudades en Latinoamérica, los autobuses son un medio de transporte común y barato. Pero funcionan de forma distinta a los autobuses en los Estados Unidos. No hay paradas establecidas y tienes que hacer una señal al conductor si quieres subir o bajar del bus.

45 **Compara.** ¿Qué tipo de transporte público hay en tu ciudad? ¿Funciona bien? ¿Cuál es el medio de transporte público más utilizado?

 **TU DESAFÍO** Visita la página web para aprender más sobre el transporte público en Venezuela.

Vocabulario

El coche

el volante

la ventanilla

el freno
frenar

el acelerador
acelerar

el embrague

el cinturón de
seguridad

Muy bien. En poco
tiempo vas a tener tu
licencia de conducir.

la instructora

el conductor

la autoescuela

el empleado

el tanque de
gasolina

la gasolinera

el motor

el faro

la rueda

arrancar

manejar

estacionar

poner una
multa

46 ¿Quién lo hace?

▶ **Completa** estas oraciones.

1. El _____ estaciona el coche.

2. El _____ pone una multa.

3. El _____ de la autoescuela enseña a manejar.

4. El _____ de la gasolinera echa gasolina.

policía

empleado

instructor

conductor

47 **Aprendiendo a manejar**

▶ **Escucha** las instrucciones y ordena estas fotografías.

Ⓐ

Ⓑ

Ⓒ

Ⓓ

48 **Un conductor cívico**

▶ **Completa** estos consejos del manual de una autoescuela.

Manual del buen conductor

Sé un conductor prudente y respetuoso:

1. Maneja con las dos manos sobre el _____.

2. No _____ el coche en una zona prohibida.

3. No tires papeles por la _____.

4. Recuerda ponerte siempre el _____.

5. _____ las señales de tráfico.

6. No olvides llenar el tanque de _____.

respetar
cinturón de seguridad
gasolina
estacionar
volante
ventanilla

CONEXIONES: MATEMÁTICAS

¿Litros o galones?

En Latinoamérica y en muchos otros países usan el sistema métrico. Por eso, los líquidos se miden en litros, no en galones, como en los Estados Unidos. Un galón equivale a 3,8 litros.

49 **Calcula.** ¿A cuántos galones equivalen 20 litros de gasolina?

Gramática

Narrar hechos pasados. El pretérito y el imperfecto

- The preterite and the imperfect are past tenses:
  - In general, use the **preterite** to talk about past actions or events that are presented as completed actions.

    Tim y Mack **llegaron** ayer a Venezuela.

  - On the other hand, use the **imperfect** to talk about ongoing actions or events in the past, without mentioning the end.

    Mack **manejaba** muy mal el autobús.

- The preterite and the imperfect are used frequently in the same sentence to talk about past actions that coincided in time:

  <u>Cuando **llegaste**</u>, <u>yo **hablaba** por teléfono</u>. (I was talking on the phone and,
     Acción terminada   Acción en desarrollo   at that moment, you arrived.)

  In these cases, you can also use the past progressive:

  Cuando llegaste, yo **estaba hablando** por teléfono.

- To relate two past actions you can use the conjunctions cuando and mientras:

  Cuando salí a la calle, empezó a llover.
  Mientras caminaba, pasó un taxi.

Usos del pretérito y el imperfecto

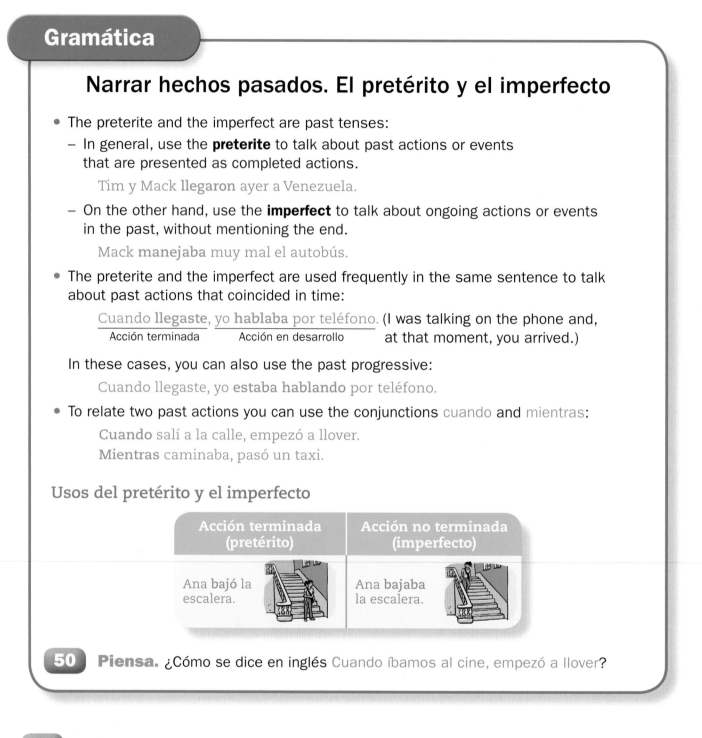

Acción terminada (pretérito)	Acción no terminada (imperfecto)
Ana **bajó** la escalera.	Ana **bajaba** la escalera.

50 **Piensa.** ¿Cómo se dice en inglés Cuando íbamos al cine, empezó a llover?

51 **Tim pasea por Caracas**

▶ **Escucha.** Tim le cuenta a su abuelo lo que le ocurrió mientras paseaba por las calles de Caracas. Escribe si estas acciones se expresan en pretérito o en imperfecto.

1. estar paseando por la calle
2. llamar alguien a Tim
3. hablar con el guía
4. tener un accidente un autobús
5. acercarse Tim y el guía
6. bajar el conductor del autobús
7. llegar la policía
8. estar enojados y gritar

52 ¿Qué pasó mientras...?

▶ **Escribe** oraciones con estos elementos. Usa la conjunción *mientras*.

Modelo   1. *Mientras subía al coche, oí un ruido.*

1. subir al coche (yo) - oír un ruido (yo)
2. estacionar el coche (tú) - llegar (un policía)
3. ponerse el cinturón (nosotros) - arrancar el coche (el conductor)
4. manejar (ella) - llamar por teléfono (yo)
5. echar gasolina (usted) - comprar un mapa (yo)

53 Las aventuras de Tim y Mack

▶ **Completa** estas oraciones. ¿Qué crees que les pasó a Tim y a Mack en Caracas?

1. Mack manejaba el autobús cuando...
2. Tim estaba durmiendo cuando...
3. Mientras Tim echaba gasolina en el autobús...
4. Tim y Mack estaban buscando un restaurante en Caracas cuando...
5. Tim estaba hablando por teléfono con su mamá cuando...
6. Mientras Mack y Tim iban para el hotel...

▶ **Dibuja.** Lee las oraciones de tu compañero(a) y elige una. Dibuja una tira cómica *(comic strip)* para ilustrarla y escribe un diálogo.

54 Mientras dormía...

▶ **Habla.** ¿Qué cosas inesperadas *(unforeseen)* pasaron ayer en tu casa? Cuéntaselas a tu compañero(a).

Modelo   A. *Ayer todos estábamos durmiendo cuando, de repente, oímos la alarma del coche.*
         B. *¿Y qué pasó?*

CONEXIONES: LENGUA

Los nombres de las cosas

En español, hay palabras que se dicen de forma distinta según los países. Por ejemplo, en Venezuela, el autobús se llama también *buseta* o simplemente *bus*; en México, *camión*; en Argentina, *colectivo*; y en las Antillas, *guagua*.

55 **Piensa y explica.** ¿En inglés hay también palabras que se dicen de forma distinta según la zona o los países? ¿Puedes poner algún ejemplo?

DESAFÍO 3

Comunicación

56 El blog de Tim

▶ **Completa** el blog de Tim.

estacionó
licencia
motor
pedales
gasolina
manejar
hablaba

En autobús por Caracas

14 de marzo

Ayer fue un día terrible. Mi abuelo tenía que ___1___ un autobús por las calles de Caracas. ¡Qué desafío tan difícil!

Mientras mi abuelo ___2___ con el conductor del autobús, yo eché ___3___. Después, los dos subimos al autobús. Cuando el abuelo estaba arrancando, se sorprendió, «¡Tiene tres ___4___!» Entonces empezó a manejar. ¡Pero puso la marcha atrás! Yo quise ayudarlo, pero no tengo ___5___ de conducir.
De pronto, el ___6___ empezó a hacer un sonido extraño.
Por fin, el abuelo ___7___ el autobús. ¡Manejar en Caracas no es igual que manejar en San Francisco!

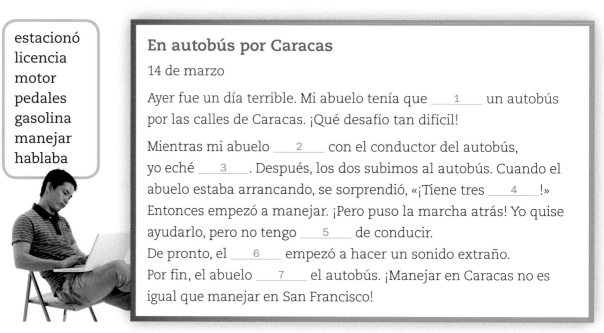

57 Reporteros

▶ **Escribe.** Mira el dibujo y escribe el nombre de estos objetos y personajes.

Modelo 1. *un gato*

▶ **Escribe** una noticia para explicar cómo ocurrió el accidente, por qué chocaron *(crashed)* los coches y qué daños *(damages)* tienen.

Modelo *Un hombre iba manejando por una calle. Llegó al semáforo y paró. Entonces…*

58 ¿Qué pasó?

▶ **Escribe.** Completa estas oraciones. Luego, compáralas con las de tu compañero(a).

1. Un día, mientras mi papá manejaba...
2. ... cuando mi mamá me llamó por teléfono.
3. Mientras yo echaba gasolina...
4. ... cuando, de pronto, el motor del coche se rompió.
5. Mientras mi mamá estacionaba el coche...

Final del desafío

Cuando ___2___ cambiando de marcha, el autobús se ___3___.
estar / parar

Abuelo, ¿por qué no ___1___ otra marcha?
poner

Claro, ¡es que no pisaste el embrague! ¡Y ___4___ el motor!
romper

Yo ___5___ enseñarte, abuelo, pero no tengo licencia de conducir.
querer

¡Abuelo, nos ___6___ mientras ___7___!
perder / caminar

¿Estás seguro? Bueno, vamos a tomar un taxi.

59 ¡Qué desastre!

▶ **Completa** el diálogo poniendo los verbos en pretérito o en imperfecto.

 **→ TU DESAFÍO** Visita la página web. Escucha las preguntas de tu *Minientrevista Desafío 3* y escribe las respuestas.

El mejor café del mundo

Coffee is the most well-known Colombian export. But do we really know how coffee beans become a tasty cup of coffee? Diana and Rita must harvest, roast, and grind enough coffee beans to make themselves a delicious cup of Colombian coffee.

¡Nela, esta hacienda es impresionante!

Gracias. Mi padre venía mucho a esta zona. Un día vio la casa, se enamoró de ella y la compró.

¿Reservaron dos habitaciones sencillas?

No, pedimos una habitación doble.

Ah, sí, aquí está. Una habitación doble con dos camas y baño completo.

Mi padre dirigía la hacienda, pero el año pasado ocupé su lugar.

¿Cómo se recoge el grano?

¿Tienes muchos huéspedes?

Sí. Antes solo trabajábamos en el café, pero ahora también nos dedicamos al turismo.

A mano. Una vez trajeron máquinas, pero rompían las plantas. Después les enseño cómo se prepara el café.

60 **Detective de palabras**

▶ **Une** cada palabra con su definición.

Continuará...

Ⓐ

1. hacienda cafetera
2. recepción
3. habitación doble
4. habitación sencilla
5. huésped

Ⓑ

a. Lugar donde se recibe a los clientes en un hotel.
b. Persona que se aloja en un hotel.
c. Dormitorio para una persona.
d. Plantación de café.
e. Dormitorio para dos personas.

61 **¿Comprendes?**

▶ **Responde** a estas preguntas.

1. ¿Dónde están Rita y Diana?
2. ¿Quién dirigía antes la hacienda? ¿Y ahora?
3. ¿Qué tipo de habitación reservaron Rita y Diana?
4. ¿De dónde provienen los ingresos de la hacienda?
5. ¿Cómo se recogen los granos de café?

62 **La reserva**

▶ **Escucha** la conversación entre Nela y Rita y completa estas oraciones.

1. Rita llama por teléfono para ___1___ una habitación.

2. Necesita una habitación para los días 19 y 20 de ___2___ .

3. Rita no quiere una habitación sencilla, sino una habitación ___3___ con ___4___ camas.

4. Todas las habitaciones tienen ___5___ .

5. Rita prefiere una ___6___ con vistas a la plantación de café.

▶ **Escribe** un diálogo con tu compañero(a) entre el/la recepcionista de un hotel y un(a) turista que reserva una habitación. Después, represéntenlo.

Modelo   A. *Buenos días. Quiero reservar una habitación sencilla, por favor.*
             B. *¿Para cuándo la quiere?*

CULTURA

El eje cafetero

En Colombia hay una zona llamada *eje cafetero* que es el principal centro productor y exportador de café del país. En esta zona hay muchas haciendas cafeteras que funcionan también como hoteles rurales y organizan actividades para conocer sus tradiciones y disfrutar del paisaje.

Las haciendas cafeteras tienen una arquitectura muy característica. Son de madera, tienen grandes balcones y están pintadas de muchos colores.

63 **Explica.** ¿Hay alguna zona en tu país famosa por el turismo rural? ¿Qué tipo de actividades ofrecen allí los hoteles?

⚑→ TU DESAFÍO   Visita la página web para aprender más sobre las haciendas cafeteras.

Vocabulario

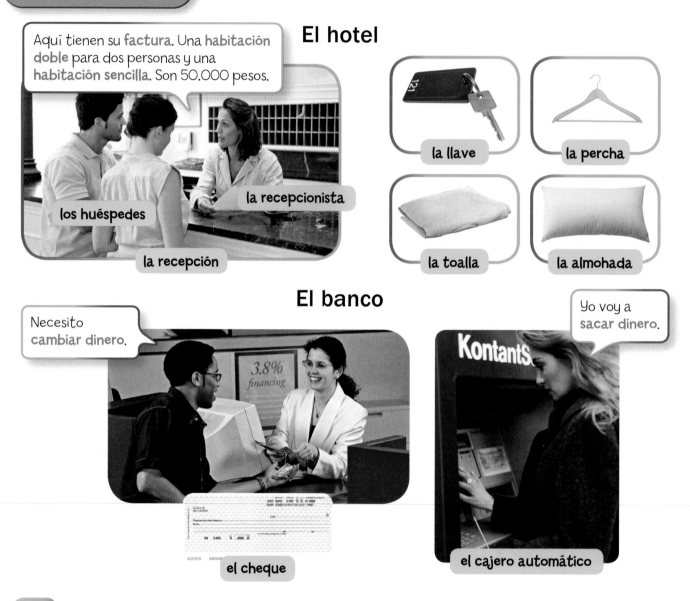

Aquí tienen su **factura**. Una **habitación doble** para dos personas y una **habitación sencilla**. Son 50.000 pesos.

El hotel

los huéspedes

la recepcionista

la recepción

la llave

la percha

la toalla

la almohada

El banco

Necesito **cambiar dinero**.

3.8% financing

el cheque

Yo voy a **sacar dinero**.

KontantS

el cajero automático

64 **De viaje**

▶ **Completa** estas oraciones con la opción correcta.

1. Los _____ se alojan en el hotel.
   a. huéspedes   b. recepcionistas

2. Aquí tienen la _____. Son 20.000 pesos.
   a. moneda   b. factura

3. Necesito una habitación _____.
   a. sencilla   b. reserva

4. En el hotel cambian las _____ todos los días.
   a. toallas   b. llaves

5. Esta es la _____ para entrar en la habitación.
   a. percha   b. llave

6. Voy al cajero a _____ dinero.
   a. pagar   b. sacar

7. Aquí no aceptan _____.
   a. cheques   b. monedas

65 Dólares y pesos

▶ **Completa** el mensaje de correo de Diana a sus padres.

	Mensaje nuevo	
Para:		
Cc:		
Asunto:		

¡Hola!

¿Qué tal están? En Colombia todo va bien. Ayer, la tía Rita y yo tuvimos que ir al ___1___ a ___2___ dinero. Por un dólar te dan más o menos 1.800 pesos colombianos. ¿Se imaginan?

Necesitábamos dinero para pagar el hotel porque no aceptan ___3___. La ___4___ cuesta 40.800 pesos por noche. Después de pagar la factura de dos noches y la comida, nos quedaron unos billetes y unas ___5___ y las dejamos de propina.

▶ **Responde** a estas preguntas.

1. ¿Cuántos pesos colombianos recibieron Diana y Rita por un dólar?
2. ¿Cuántas noches se quedaron Diana y Rita en el hotel?
3. ¿Cuánto dinero pagaron en el hotel?

66 En el banco

▶ **Escucha** la conversación entre una empleada y un cliente en el banco y responde a estas preguntas.

1. ¿Qué necesita el cliente?
2. ¿Necesita monedas o solo billetes?

3. ¿Qué pide el cliente después?
4. ¿Qué problema tienen en el banco?

▶ **Escribe.** Con tu compañero(a), escribe un diálogo entre un(a) empleado(a) de banco y alguien que necesita cambiar dinero. Después, represéntenlo.

CONEXIONES: ECONOMÍA

La economía de Colombia

La producción de café es muy importante en la economía colombiana. Colombia exporta café a todo el mundo y también exporta otros productos agrícolas, como plátanos, arroz, cacao o maíz.

Además de los recursos agrícolas, Colombia es un país muy rico en recursos minerales: oro, esmeraldas, petróleo, etc.

67 **Piensa.** ¿Hay producción de café en tu país? ¿De dónde viene el café que conoces?

Gramática

Narrar y describir en pasado. El pretérito y el imperfecto

El pretérito y el imperfecto en la narración

- When telling a story in the past, we use both the preterite and the imperfect tenses:
  - Use the **preterite** to talk about past actions or events that happened in the story.
  - Use the **imperfect** to describe characters and setting, and, in general, to explain the circumstances surrounding an event.

    El tiempo en Colombia **era** bueno, pero a veces **llovía**. Entonces nos **íbamos** a la hacienda y **preparábamos** café. Un día **llovió** tanto que no **pudimos** volver y nos **quedamos** en casa de unos amigos.

Narración de acciones o eventos (pretérito)	Descripción y explicación (imperfecto)
Ana **llamó** por teléfono.	Ana **era** morena.

Verbos con distintos significados

- Some verbs express a different meaning if they are used in the preterite or in the imperfect.

Imperfect	Preterite
Yo conocía a Nela. *(I knew Nela.)*	Yo conocí a Nela. *(I met Nela.)*
Tú podías ir a casa. *(You could go home.)*	Tú pudiste ir a casa. *(You managed to go home.)*
Ella quería llamar. *(She wanted to call.)*	Ella quiso llamar. *(She tried to call.)*
Tú sabías la verdad. *(You knew the truth.)*	Tú supiste la verdad. *(You found out the truth.)*

68 **Compara.** ¿Cómo se usan en inglés los tiempos del pasado en la narración?

69 **¿Qué hacían?**

▶ **Escribe.** ¿Qué estaban haciendo estas personas cuando Diana y Rita volvieron a la hacienda?

Ⓐ

Ⓑ

Ⓒ

70 **Un día de lluvia**

▶ **Lee** el mensaje de correo de Diana y clasifica los verbos en pasado en una tabla como esta.

Pretérito	Imperfecto
pasó	

Mensaje nuevo

Para:
Cc:
Asunto:

¡Hola, Tess!
¿Sabes lo que nos **pasó** ayer?
A las cinco de la tarde **salimos** de la hacienda para dar un paseo por el pueblo. Mi tía Rita **llevaba** unas sandalias y yo, unas botas. El tiempo **era** bueno y **hacía** calor. Pero de pronto **comenzó** a llover mucho. Las calles **estaban** llenas de agua y no **podíamos** caminar. Por suerte, **pasó** un autobús y nos **llevó** a la hacienda.

71 **De viaje por Colombia**

▶ **Escribe.** ¿Qué hicieron Diana y Rita en Colombia? Usa el pretérito.

Modelo 1. *Diana y Rita fueron a visitar el Museo del Oro de Bogotá.*

Museo del Oro (Bogotá).

Tienda de artesanía.

Puesto de fruta en un mercado.

Catedral de Bogotá.

Plato de sancocho.

Plaza de la Aduana (Cartagena de Indias).

▶ **Escribe** descripciones y circunstancias relacionadas con las acciones anteriores. Usa el imperfecto.

Modelo 1. *Diana y Rita fueron a visitar el Museo del Oro de Bogotá. Cuando llegaron, no había mucha gente.*

Comunicación

72 Una anécdota

▶ **Lee** la carta que escribe Rita a su amiga Luisa y elige la forma correcta de estos verbos.

> Luisa, ¿cómo estás? Yo estoy muy contenta. Me lo estoy pasando muy bien en este viaje. Estoy en una hacienda maravillosa de la zona cafetera de Colombia.
>
> Ayer mi sobrina y yo _____1_____ de excursión al Parque del Café. _____2_____ muchas
> ibamos/fuimos   Había/Hubo
> palmeras y muchas plantas de café. Diana y yo nos _____3_____ a descansar
> sentábamos/sentamos
> en una terraza y yo tomé el mejor café del mundo. Cuando _____4_____ en la terraza,
> estuvimos/estábamos
> se _____5_____ un turista que _____6_____ un sombrero colombiano. ¿Sabes quién era?
> acercó/acercaba   llevó/llevaba
> ¡Tu primo Pablo! ¡Qué casualidad!
>
> Escríbeme pronto. Un beso.
>
> Rita

73 ¿Cómo era la hacienda?

▶ **Escucha** la descripción de Diana y Rita. ¿En qué hacienda se alojaron?

Hacienda El Cobre

Antigua hacienda cafetera. Habitaciones dobles grandes y confortables. Todas con baño completo.

Hacienda La Argelia

Vistas fantásticas. Habitaciones dobles (con baño completo) y sencillas (baño opcional). Desayuno incluido.

Hacienda Colibrí

El hotel más barato del eje cafetero.

Posibilidad de hacer cámping. Habitaciones sencillas, dobles y triples.

▶ **Escribe.** Imagina que eres el/la director(a) de un nuevo hotel en el eje cafetero de Colombia. Escribe un anuncio y preséntalo.

▶ **Escribe.** Piensa en un viaje que hiciste y haz una lista de acciones (en pretérito) y de descripciones y circunstancias (imperfecto).

Acciones	Descripciones
Fui de cámping a la montaña.	Era verano. Llovía mucho.

▶ **Habla.** Usa tu lista para contar tu viaje a tu compañero(a).

Final del desafío

① Diana y Rita ___1___ estar recogiendo los granos de café cuando, de pronto, ___2___ empezar a llover.

② Cuando Diana y su tía ___3___ volver a la hacienda, salió el sol. Entonces ellas ___4___ secar los granos de café.

③ Vieron cómo los granos de café se tostaban lentamente. El olor ___5___ ser delicioso.

④ Mientras Diana ___6___ moler el café, Rita puso agua en la cafetera.

⑤ Luego, mientras Rita ___7___ preparar el café, Diana ___8___ ir a buscar a Nela.

⑥ Al final, Rita y Nela ___9___ tomar una taza del café más rico del mundo.

75 **¡Lo conseguimos!**

▶ **Completa.** ¡Por fin lograron hacer las tazas de café! Lee los pies de foto y complétalos con las formas correctas del pretérito o del imperfecto.

HABLAR

 De niño...

▶ **Habla** con tu compañero(a). ¿Qué hacías de pequeño(a) en la escuela? ¿Y durante las vacaciones?

Modelo   A. *De niño, me gustaba mucho ir a la escuela*
             porque siempre estábamos jugando.
         B. *A mí también me gustaba.*
             Nosotros jugábamos al fútbol.

ESCUCHAR Y ESCRIBIR

 ¡Qué mala suerte!

▶ **Escucha** a Tess. ¿Qué le pasó en Colombia? Escribe dos cosas que pasaron en cada lugar.

Modelo   *En el avión, Tess se sentó en su asiento. Después...*

1. En el avión...   2. En el hotel...   3. En el banco...

LEER

78 El viaje de Sandra

▶ **Completa** esta conversación poniendo los verbos en pretérito o en imperfecto.

SANDRA: ¡Hola, Louise!

LOUISE: ¡Hola, Sandra! ¿Cuándo ___1___ de tu viaje?
volver

SANDRA: Ayer por la noche.

LOUISE: ¿Y qué hiciste? Cuéntame cosas.

SANDRA: El lunes nosotros ___2___ a Bogotá. Yo ___3___
llegar   estar
un poco cansada porque el avión salió con retraso y llegamos
muy tarde. Mis amigos y yo ___4___ un taxi y fuimos al hotel.
tomar

LOUISE: ¿Cómo era el hotel?

SANDRA: ___5___ muy grande y estaba muy bien situado, en el centro
Ser
de la ciudad.

LOUISE: ¿Y qué hiciste en Bogotá?

SANDRA: Caminé por el centro histórico y tomé muchas fotos. Luego almorcé
en un restaurante fantástico. La comida ___6___ buenísima.
estar

LOUISE: ¿Fuiste a algún sitio famoso?

SANDRA: Sí, claro. Yo ___7___ el Museo del Oro. También vi la catedral
visitar
y di un paseo por el Parque de la Independencia.

LOUISE: ¿Y compraste muchas cosas?

SANDRA: No. Un día ___8___ en un mercado de artesanía, pero no ___9___ mucho
estar   tener
dinero. Solo ___10___ algunos regalos. Y a ti te ___11___ un recuerdo.
comprar   traer

LOUISE: ¡Qué bien! Muchas gracias, Sandra. ¿Nos vemos mañana?

SANDRA: Claro, llámame. Hasta mañana.

ESCRIBIR Y LEER

79 El mejor viaje

▶ **Escribe.** Imagina que ayer volviste de un viaje a otro país. Escribe un *post* en un blog de viajes sobre tus vacaciones. Puedes incluir esta información:

a. ¿Adónde fuiste? ¿Cuándo fuiste?

b. ¿Cómo era ese lugar?

c. ¿Qué medios de transporte utilizaste?

d. ¿Cómo eran los hoteles en los que te alojaste? ¿Y la gente?

e. ¿Qué hiciste allí? ¿Te pasó algo divertido?

▶ **Lee** el blog de tu compañero(a) y escribe un comentario.

El encuentro

En el castillo de San Felipe de Barajas

The pairs gather in Cartagena de Indias, in a plaza near the San Felipe de Barajas Castle, presided by a statue of the heroic Blas de Lezo.

Salimos de Bogotá para encontrar la balsa de oro.

El salto Ángel es una catarata espectacular.

Hicimos una foto, pero no pudimos acercarnos mucho... porque Andy se asustó.

¡Y tuvimos que regresar a Bogotá para encontrarla!

Manejamos un autobús en Caracas.

Nos alojamos en una hacienda cafetera y aprendimos a hacer café.

Sí, pero... ¡el abuelo rompió el motor porque no sabía manejar con marchas!

Yo trabajé muy duro... ¡pero no probé el café más rico del mundo porque no me gusta el café!

80 Las anécdotas de los personajes

▶ **Completa** las anécdotas de los personajes. ¿A qué anécdota corresponde cada oración?

a. El olor era delicioso.

b. Las vistas eran increíbles.

c. Estaba muy nervioso.

d. Era muy bonita, pero allí no había nada.

1

Nuestro desafío parecía fácil: teníamos que fotografiar una balsa de oro muisca.

En un folleto leímos que la balsa estaba en Guatavita. Allí los antiguos muiscas ofrecían oro a los dioses. Entonces tomamos un autobús y fuimos de Bogotá a Guatavita. Llegamos a la laguna. _____1_____. Preguntamos a una mujer y nos dijo que la balsa de oro estaba en el Museo del Oro de Bogotá. ¡Y tuvimos que volver a Bogotá!

2

Andy y yo fuimos al salto Ángel en un pequeño avión. Yo estaba muy emocionada, pero mientras volábamos, Andy se mareó.

Llegamos a la catarata y miré por la ventanilla. _____2_____. Mientras yo hablaba con el piloto, Andy intentó hacer una fotografía, pero no pudo porque tenía miedo. Al final, tuve que hacerla yo.

3

El abuelo y yo teníamos que manejar un autobús en Caracas. Cuando se sentó, estaba muy sorprendido. Mientras yo le explicaba que en Venezuela se maneja con marchas, él pisó el embrague... ¡pero se equivocó de marcha! _____3_____. Al final, el motor se rompió y tuvimos que volver andando al hotel. ¡Pero nos perdimos!

4

La tía Rita y yo fuimos a una hacienda cafetera. La propietaria era muy simpática.

Ella nos enseñó todo sobre el café: recogimos los granos, los secamos, los tostamos y al final preparamos un café auténtico de Colombia. _____4_____. Y mientras Rita y Nela se bebían el café, yo me fui a dar un paseo... porque no me gusta el café.

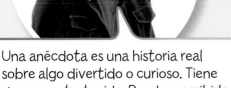

Una anécdota es una historia real sobre algo divertido o curioso. Tiene que ser entretenida. Puedes escribirla usando el pretérito y el imperfecto.

81 Las votaciones

▶ **Lee** las anécdotas de los personajes. ¿Cuál te gusta más? ¿Por qué?

▶ **Escribe** una anécdota real que recuerdes.

▶ **Lee** la anécdota de tu compañero(a). Después, hazle preguntas para conocer más detalles.

Modelo   A. ¿Había mucha gente?

B. No, estaba yo sola.

Caribe continental

Nacionalidades

Colombia → colombiano(a)

Venezuela → venezolano(a)

Colombia y Venezuela están en Suramérica, en la costa del mar Caribe. Los dos países tienen una cultura y una historia común y por eso tienen costumbres y tradiciones muy similares.

– Colombia debe su nombre a Cristóbal Colón. Su capital es Bogotá, donde se conserva un barrio colonial: La Candelaria. Las ciudades más importantes de la región caribeña son Santa Marta, Barranquilla y Cartagena de Indias, una de las ciudades coloniales más destacadas de América.

– Venezuela significa «pequeña Venecia». El nombre se debe a las casas de los indígenas sobre el lago Maracaibo, similares a las de Venecia en Italia. Su capital es Caracas. Tiene islas en el Caribe muy turísticas, como la isla Margarita.

82 ¿Venezuela o Colombia?

▶ **Lee** las descripciones y clasifícalas en un diagrama como este según correspondan a Venezuela, a Colombia o a ambos países.

1. Tiene costa en el océano Pacífico.
2. Su capital está en la costa.
3. El río Orinoco pasa por su territorio.
4. Tiene un lago muy grande.
5. Limita con Panamá.

Venezuela   Colombia

1. Símbolos nacionales

Colombia y Venezuela comparten los colores de la bandera: amarillo, azul y rojo. Y los dos países consideran la orquídea flor nacional.

(1) Orquídea.

2. El mestizaje y los bailes

Igual que en las Antillas, el mestizaje es una característica cultural en Colombia y Venezuela. Los ritmos africanos unidos a la tradición indígena y española dan lugar a una música con mucho ritmo.

En Colombia los bailes más conocidos son la *cumbia*, en la que suenan tambores, y el *vallenato*, característico de la costa caribeña y con sonido de acordeón. En Venezuela el baile nacional es el *joropo*, que se baila por parejas y es similar al vals. Para tocar su música se utiliza el arpa, el cuatro y las maracas.

(2) Niños bailando joropo.

3. Cocina del Caribe: color y sabor

Un elemento fundamental en la cocina de Colombia y de Venezuela es la *arepa*. Se trata de una torta de maíz que se puede comer sola o con carne y otros ingredientes.

Un plato muy extendido en estos países es el *sancocho*. El sancocho es una sopa hecha con muchos ingredientes: papa, yuca, plátano verde, frijoles y carne.

(3) Arepas.

83 **Recuerda**

▶ **Consulta** los mapas culturales de las unidades 1 (págs. 70-71) y 2 (págs. 122-123) y escribe tres características de Colombia y Venezuela comunes a la cultura caribeña.

▶ **Lee** a tu compañero(a) las características que has escrito. ¿Coinciden?

Laguna de Guatavita.

READING STRATEGY
Read informative texts

Informative texts are used to present or **explain** cultural, scientific, or technological information.

Informative texts usually consist of three fundamental parts:

– **Introduction:** the presentation of the topic.
– **Body:** the main section which explains the topic.
– **Conclusion:** the final part which summarizes the information.

The language of informative texts is **objective**, **clear**, **organized**, and **precise**.

El Dorado, ecos de una leyenda

En el siglo XVI los conquistadores españoles creyeron que en América había un lugar lleno de oro y lo llamaron El Dorado. Y durante siglos, aventureros e investigadores intentaron encontrar ese lugar.

La obsesión por El Dorado fue causa de saqueos[1] y destrucción. Muchas personas murieron buscando El Dorado y ahora forman parte de la leyenda.

Los orígenes de la leyenda

La leyenda de El Dorado tiene su origen en un hecho real. Los indígenas de la cultura muisca celebraban un rito en la laguna de Guatavita (Colombia): los nuevos caciques cubrían[2] su cuerpo con polvo de oro y ofrecían regalos a la diosa del agua.

Las grandes expediciones

En el siglo XVI varias expediciones cruzaron tierras desconocidas para buscar El Dorado. La más importante fue la expedición de Francisco de Orellana en 1541. Orellana no encontró El Dorado, pero descubrió el río Amazonas.

El interés por encontrar El Dorado continuó durante siglos. En 1912 unos investigadores vaciaron la laguna de Guatavita, pero encontraron poco oro.

La leyenda continúa

Actualmente, la leyenda de El Dorado forma parte de la cultura popular y es el tema de libros, películas y videojuegos. Igual que hace cinco siglos, El Dorado es hoy un mito envuelto en misterio y aventura.

---

1. *lootings*   **2.** *used to cover*

COMPRENSIÓN

84 **El Dorado**

▶ **Decide** si estas afirmaciones son ciertas o falsas.

1. Según la leyenda, El Dorado estaba en Colombia.
2. Según la leyenda, El Dorado era un rey cubierto de oro.
3. La búsqueda de El Dorado originó grandes expediciones.
4. Las expediciones en busca de El Dorado eran muy peligrosas.
5. En el siglo XX encontraron oro en la laguna de Guatavita.

ESTRATEGIA Leer textos informativos

85 **Orden y claridad**

▶ **Relaciona** cada imagen con un apartado del texto.

A

B

C

▶ **Resume** en una oración la idea principal de cada apartado del texto.

86 **Datos, información, ideas**

▶ **Completa** este esquema con las ideas principales y secundarias del texto.

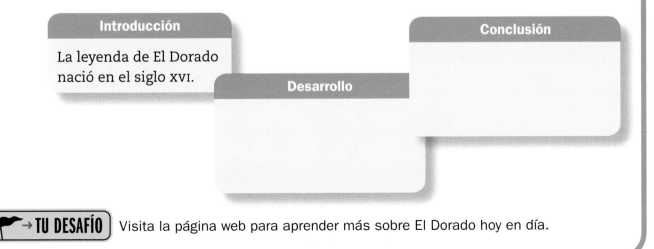

Introducción

La leyenda de El Dorado nació en el siglo XVI.

Desarrollo

Conclusión

▶ **TU DESAFÍO** Visita la página web para aprender más sobre El Dorado hoy en día.

Viajes y excursiones

la agencia de viajes	travel agency
el/la agente de viajes	travel agent
la bolsa	bag
la estación de autobuses	bus station
el folleto	brochure
el horario	schedule
la llegada	arrival
la maleta	suitcase
el mapa	map
la parada de autobús	bus stop
la puerta	gate
la salida	departure
la tarifa	price
el/la viajero(a)	traveler
ir	to go
volver	to come back
salir	to leave
llegar	to arrive
hacer el equipaje	to pack
perder el autobús	to miss the bus
viajar	to travel
visitar	to visit

El coche

el acelerador/acelerar	gas pedal / to accelerate
el cinturón de seguridad	seat belt
el embrague	clutch
el faro	headlight
el freno/frenar	brake / to brake
el motor	engine
la rueda	wheel
el tanque de gasolina	gas tank
la ventanilla	window
el volante	steering wheel
la autoescuela	driving school
el/la conductor(a)	driver
el/la empleado(a)	employee
la gasolinera	gas station
el/la instructor(a)	instructor
la licencia de conducir	driver's license
arrancar	to start (a car)
estacionar	to park
manejar	to drive
poner una multa	to give a ticket

El tren y el avión

En la estación de tren

el andén	train platform
el/la pasajero(a)	passenger
el vagón	train car
la vía	train track

En el aeropuerto

la tarjeta de embarque	boarding pass
el retraso	delay
el vuelo directo	direct flight
aterrizar	to land
despegar	to take off (plane)
facturar el equipaje	to check luggage
hacer escala	to stop over

En el avión

el asiento	seat
el/la auxiliar de vuelo	flight attendant
el chaleco salvavidas	life jacket
el equipaje de mano	carry–on luggage
el pasillo	aisle
la primera clase	first class
la clase turista	coach class
el boleto sencillo	one–way ticket
el boleto de ida y vuelta	round–trip ticket

El hotel

la almohada	pillow
la factura	bill
la habitación doble	double room
la habitación sencilla	single room
el/la huésped	guest
la llave	key
la percha	hanger
la recepción	reception
el/la recepcionista	receptionist
la toalla	towel

El banco

el cajero automático	ATM
el cheque	check
cambiar dinero	to change money
sacar dinero	to take out money

DESAFÍO 1

1 **Un viaje.** ¿Qué ves en estas fotografías? Escríbelo.

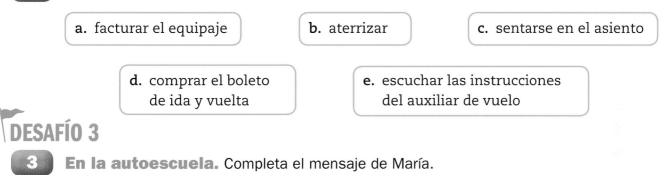

DESAFÍO 2

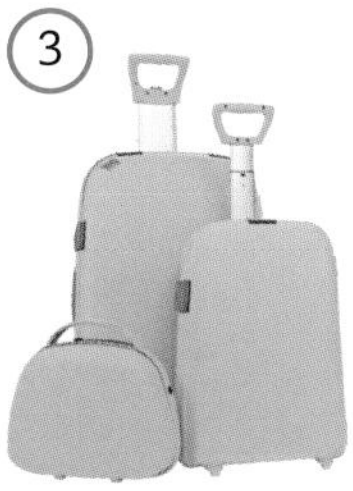

2 **Nos vamos a Venezuela.** Ordena estos pasos de un viaje en avión.

a. facturar el equipaje

b. aterrizar

c. sentarse en el asiento

d. comprar el boleto de ida y vuelta

e. escuchar las instrucciones del auxiliar de vuelo

DESAFÍO 3

3 **En la autoescuela.** Completa el mensaje de María.

Para:	
Cc:	
Asunto:	

Querido papá:

¿Qué tal estás? Yo estoy muy contenta. Ahora estoy aprendiendo a ___1___ en la autoescuela Juanita. El ___2___ de la autoescuela es muy bueno. Me enseñó a pisar el ___3___ para llegar a la velocidad apropiada y a usar bien el ___4___ para no tener un ___5___. No te preocupes, papá, siempre llevo el ___6___ para estar segura y sé que hay que respetar la ley para no recibir una ___7___.

Te quiero mucho, papá, te cuento más mañana.

Un beso.

María

DESAFÍO 4

4 **En el hotel.** Une las dos columnas.

A

1. Llave
2. Percha
3. Recepcionista
4. Huésped

B

a. Persona que se aloja en un hotel.
b. Objeto para colgar la ropa en el armario.
c. La necesitas para entrar en la habitación.
d. Persona que trabaja en un hotel.

El imperfecto (pág. 298)

VERBOS REGULARES

VIAJAR	VOLVER	SALIR
viajaba	volvía	salía
viajabas	volvías	salías
viajaba	volvía	salía
viajábamos	volvíamos	salíamos
viajabais	volvíais	salíais
viajaban	volvían	salían

VERBOS IRREGULARES

SER	IR	VER
era	iba	veía
eras	ibas	veías
era	iba	veía
éramos	íbamos	veíamos
erais	ibais	veíais
eran	iban	veían

Verbos irregulares en el pretérito. *Dar, poder, poner, querer, saber* y *venir* (pág. 306)

DAR	PODER	PONER	QUERER	SABER	VENIR
di	pude	puse	quise	supe	vine
diste	pudiste	pusiste	quisiste	supiste	viniste
dio	pudo	puso	quiso	supo	vino
dimos	pudimos	pusimos	quisimos	supimos	vinimos
disteis	pudisteis	pusisteis	quisisteis	supisteis	vinisteis
dieron	pudieron	pusieron	quisieron	supieron	vinieron

Narrar hechos pasados. El pretérito y el imperfecto (pág. 314)

Narrar y describir en pasado. El pretérito y el imperfecto (pág. 322)

Pretérito	Acción terminada. Ana bajó la escalera.
Imperfecto	Acción no terminada. Ana bajaba la escalera.

Pretérito	Narración de acciones o eventos. Ana llamó por teléfono.
Imperfecto	Descripción y explicación. Ana era morena.

DESAFÍO 1

5 **Acciones.** Elige la opción correcta.

1. Cuando era niña, nunca _____ en avión.

viajaba/viajo

2. Antes, la estación de autobuses _____ muy pequeña.

fue/era

3. De pequeña, yo _____ todos los días con mi perro.

jugaba/juego

DESAFÍO 2

6 **En pasado.** Completa estas oraciones con la forma correcta del pretérito.

> dar
> saber
> venir
> poder

1. Anoche mis tíos no _____ cenar con nosotros.
2. Ángel solo _____ a la fiesta para ver a sus primos.
3. ¿Tú _____ contestar a todas las preguntas del examen?
4. Mi amiga _____ un paseo por el parque.

DESAFÍO 3

7 **Interrupciones.** Une las dos columnas.

Ⓐ

1. Mientras tú echabas gasolina, yo
2. Él iba manejando cuando, de pronto,
3. El policía me puso una multa
4. El teléfono sonó

Ⓑ

a. porque manejaba muy deprisa.
b. fui a comprar un mapa.
c. mientras estaba estacionando.
d. el coche se paró.

DESAFÍO 4

8 **Mi mascota.** Completa la historia poniendo los verbos en la forma correcta del pretérito o del imperfecto.

Un día, cuando yo ___1___ doce años, ___2___ corriendo por el parque cuando, de pronto,

tener   estar

___3___ a un gato solo. Pensé que su dueño ___4___ a venir pronto, así que lo ___5___

ver   ir   dejar

allí y me ___6___ a casa. De vez en cuando, lo ___7___ en el parque. Un día lo llevé

ir   ver

a mi casa. ___8___ un gato muy bonito.

Ser

CULTURA

9 **Por Colombia y Venezuela.** Responde a las siguientes preguntas.

1. ¿Cómo se llama la ciudad de oro que buscaban los exploradores por la selva amazónica?
2. ¿En qué país está el salto Ángel?
3. ¿Qué es el eje cafetero?

Un folleto sobre

la laguna de Guatavita

Lake Guatavita is the presumed site for El Dorado, the "Lost City of Gold."

You will create a travel brochure to advertise a trip to Lake Guatavita. You must include information about the lake and El Dorado, and some advice for travelers.

PASO 1 Investiga sobre el destino

- Do research on the Internet to find the geographic information and legends surrounding Lake Guatavita and El Dorado. Answer the following questions to guide your research:
    - ¿Dónde está la laguna? ¿A qué distancia está de Bogotá?
    - ¿Cómo es la laguna?
    - ¿Cuál es la historia de la laguna?

- Gather images to illustrate your brochure:
    - Fotos de la laguna de Guatavita y relacionadas con El Dorado.
    - Un mapa de la localización de la laguna dentro del país.

PASO 2 Escribe un texto informativo

- Write an informative text about the lake and the legend.

  Organize your text in three parts: introduction, body, and conclusion. Try to make it interesting for someone who is going to travel there.

La laguna de Guatavita y El Dorado

La laguna de Guatavita es una laguna circular. Está a 63 kilómetros de Bogotá, a 3.000 metros sobre el nivel del mar y...

La laguna era un lugar sagrado para...

PASO 3 Prepara una sección con consejos para el viajero

- Think about basic tips for travelers. These questions can help you.

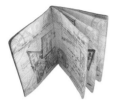

- ¿Es necesario visado?
- ¿Qué ropa debes llevar?
- ¿Hay que vacunarse?

- Write these tips in a short section.

Información práctica

- Visado:
- Ropa y calzado:
- Vacunas:

PASO 4 Haz el folleto

- Fold a piece of paper to make a travel brochure and complete it using this layout:

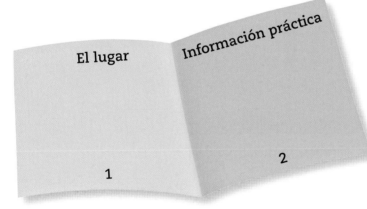

El lugar

Información práctica

1

2

- **Sección 1** → El lugar: la historia de la laguna de Guatavita y sus leyendas.

- **Sección 2** → Información práctica: consejos para viajeros.

- Add the pictures to illustrate your brochure, and compare it to that of a classmate. Take notes on the things you would add or eliminate from yours.

PASO 5 Presenta tu folleto

- Once you have finished, present your final travel brochure to the class.

Unidad 6

Autoevaluación

¿Qué has aprendido en esta unidad?

Do these activities to evaluate how well you can manage in Spanish.

Evaluate your skills. For each item, say Very well, Well, or I need more practice.

a. Can you describe past habits?

▶ Tell a classmate what you need to travel with your friends.

▶ Describe what your vacations were like when you were a child.

b. Can you talk about past actions?

▶ Tell a classmate about your last trip and what you did.

▶ Listen to your classmate's story and ask him or her questions about it.

c. Can you talk about events in the past?

▶ Imagine that last weekend unexpected things happened in your house. Tell two classmates what happened.

d. Can you tell an anecdote in the past?

▶ Think about a funny story that you experienced. Tell your story to a classmate.

Río de la Plata

Por la cuenca del Paraná

DESAFÍO 2

DESAFÍO 1

▶ **To identify people and things**

Vocabulario
La escuela

Gramática
Expresar existencia.
Los indefinidos

Montevideo
(Uruguay)

▶ **To express wishes**

Vocabulario
Profesiones

Gramática
Expresar deseo.
El modo subjuntivo

Asunción
(Paraguay)

Buenos Aires (Argentina)

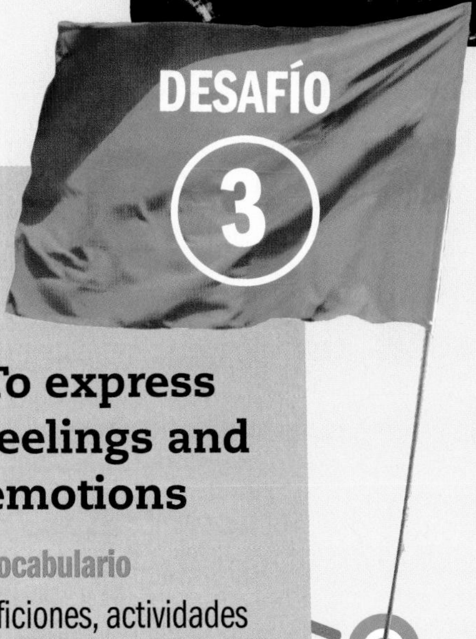

DESAFÍO
3

▶ **To express feelings and emotions**

Vocabulario
Aficiones, actividades y espectáculos

Gramática
Expresar sentimientos. Verbos con raíz irregular en el presente de subjuntivo

DESAFÍO
4

▶ **To express doubt and to make value statements**

Vocabulario
Deportes

Gramática
Expresar duda y hacer valoraciones. Verbos irregulares en el presente de subjuntivo

El Aconcagua (Los Andes)

La llegada

En Córdoba

In Córdoba, Argentina, the pairs gather at the Plaza San Martín, where they are welcomed by Ricardo, a local guide.

Bienvenidos a Argentina, amigos. Presten atención.

Ustedes tienen que descifrar un mensaje misterioso.

¡Estupendo! Creo que es un desafío muy interesante.

1 ¿Comprendes?

▶ **Une** las dos columnas. ¿Qué tienen que hacer los personajes?

Ⓐ

1. Andy y Janet
2. Tess y Patricia
3. Diana y Rita
4. Tim y Mack
5. Las cuatro parejas

Ⓑ

a. tienen que practicar senderismo.
b. deben hacer una presentación.
c. tienen que trabajar en un oficio muy original.
d. tienen que participar en una serie de televisión.
e. necesitan entender un mensaje.

EXPRESIONES ÚTILES

Para mí, el español es una lengua muy interesante.

Desde luego.

To express opinion:

Creo que…   Para mí…
Pienso que…   En mi opinión…

To express agreement:

Es verdad. / Es cierto.   Sí, claro.
Tienes razón.   Por supuesto.
Estoy de acuerdo.   Desde luego.

To express disagreement:

No es verdad / No es cierto. No, no.
No llevas razón.   ¡Qué va!
No estoy de acuerdo.   En absoluto.

2 ¿Están de acuerdo?

▶ **Escucha** los diálogos y completa una tabla como esta.

	Están de acuerdo	No están de acuerdo
1		
2		
3		
4		
5		

▶ **Escucha** otra vez y escribe. ¿Qué expresiones utilizan para expresar acuerdo y desacuerdo?

Modelo   1. *Tienes razón.*

3 ¿Qué opinas?

▶ **Escribe** tres oraciones con tu opinión sobre algunos de estos temas.

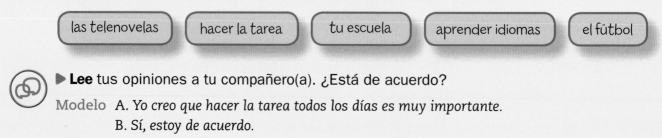

(las telenovelas)   (hacer la tarea)   (tu escuela)   (aprender idiomas)   (el fútbol)

▶ **Lee** tus opiniones a tu compañero(a). ¿Está de acuerdo?

Modelo   A. *Yo creo que hacer la tarea todos los días es muy importante.*
         B. *Sí, estoy de acuerdo.*

¿Quién ganará?

4 **Los desafíos**

▶ **Habla.** ¿Cuál será el desafío de cada pareja? Piénsalo y coméntalo con tus compañeros(as).

DESAFÍO 1

¿Un idioma imposible?

AGURANGE LINAU

Andy y Janet

DESAFÍO 2

¡Ojalá encontremos a Bruno!

Tess y Patricia

DESAFÍO 3

Estrellas de telenovela

Diana y Rita

DESAFÍO 4

El clásico y el Aconcagua

Tim y Mack

▶ **Habla.** Las parejas viajan a Paraguay, Uruguay y Argentina. ¿Qué sabes de esos países? Coméntalo con tus compañeros(as).

5 **La tarea final**

▶ **Decide.** ¿Qué tarea tienen que hacer los personajes al final? ¿Qué pareja crees que ganará?

LA TAREA
Una presentación

¿Un idioma imposible?

Andy and Janet are about to explore Paraguay, a country where people speak Spanish and a native language called Guaraní. Their task is to decipher a strange phrase at the University of Asunción.

Continuará...

6 **Detective de palabras**

▶ **Completa** estas oraciones.

1. ¿Entiendes ___1___ ?

2. No entiendo ___2___ . ¿Vamos a preguntar a ___3___ ?

3. Aquí no puede ayudarnos ___4___ .

4. ¿Preguntamos a ___5___ profesor?

7 **¿Comprendes?**

▶ **Responde** a estas preguntas.

1. ¿Qué tienen que hacer Andy y Janet? ¿Qué problema tienen?
2. ¿Qué hacen para resolver el problema? ¿A quién piden ayuda?
3. ¿Qué sugiere Janet al final?

8 **En la universidad**

▶ **Escucha** y decide. ¿A qué estudiante se refiere cada oración?

 A

 B

 C

 D

9 **Mis estudios**

▶ **Responde** a estas preguntas.

1. ¿Dónde prefieres estudiar? ¿Por qué?
2. ¿Haces la tarea solo(a) o con tus compañeros(as)? ¿Por qué?
3. ¿Qué haces cuando no entiendes una palabra en la clase de Español?
4. ¿Por qué es importante tomar apuntes en clase?

▶ **Pregunta** a tu compañero(a) qué opina. ¿Está de acuerdo contigo?

CULTURA

El guaraní

El guaraní es una lengua indígena hablada en regiones de Paraguay, Argentina, Bolivia y Brasil.

En Paraguay aproximadamente el 90% de la población habla guaraní. Desde la Constitución de 1992, el guaraní es lengua oficial junto con el español. También es lengua oficial en Bolivia y en la provincia argentina de Corrientes.

Cartel en guaraní.

10 **Piensa y habla.** ¿Conoces otros países con dos o más idiomas oficiales? En tu opinión, ¿qué porcentaje de la población de un país tiene que hablar una lengua para que se considere lengua oficial?

▶ **TU DESAFÍO** Visita la página web para aprender más sobre el guaraní.

Vocabulario

La escuela

Lugares en la escuela

la biblioteca

el laboratorio

la sala de computación

el gimnasio

la cafetería / el comedor

los aseos

Asignaturas

Acciones

prestar atención

levantar la mano

tomar apuntes

hacer un examen

Perdona, ¿sabes dónde está la **oficina del director**?

Sí, está al final de este **pasillo**, al lado del **aula** de Ciencias.

11 Lugares en tu escuela

▶ **Escribe.** ¿En qué lugares de la escuela puedes hacer estas actividades?

Modelo estudiar ⟶ *Puedo estudiar en la biblioteca o en un aula.*

1. hablar con un(a) profesor(a)
2. hacer la tarea
3. comer un sándwich
4. lavarte las manos
5. hacer un examen
6. hacer deporte

12 El horario de Panambi

 ▶ **Escucha** y completa el horario de esta estudiante.

	Lunes	Martes	Miércoles	Jueves	Viernes
9:00 a. m.	Historia		Historia	Historia	
10:00 a. m.	Matemáticas		Matemáticas	Matemáticas	Geografía
11:00 a. m.		Literatura			
ALMUERZO					
12:30 p. m.	Literatura		Literatura	Literatura	
1:30 p. m.		Matemáticas	Geografía	Geografía	

13 La agenda de Pedro

▶ **Escucha** y corrige los errores de la agenda de Pedro.

3 miércoles **abril**

9:00 a. m. ¡Examen de <u>Matemáticas</u>!

10:00 a. m. Clase de Biología <u>en el laboratorio</u>.

11:00 a. m. Clase de Química. Pedir apuntes <u>al profesor</u>.

12:00 p. m. Estudiar con Sofía <u>en la biblioteca</u>.

1:00 p. m. Almuerzo con Juan <u>en el gimnasio</u>.

3:00 p. m. Historia en el aula 3. Hablar con <u>el director</u>.

lunes	martes
1	2
8	9
15	1
22	
29	

▶ **Escribe** tu agenda para hoy. Después, compárala con la de tu compañero(a).

Modelo   A. *A las doce voy a estudiar en la sala de computación con mi amigo Pedro.*
         B. *Yo también.*

CULTURA

La Universidad de Asunción

La Universidad Nacional de Asunción es la más antigua de Paraguay. En ella se pueden estudiar 74 carreras universitarias (*degree programs*). Actualmente hay unos 40.000 alumnos matriculados (*registered*) y se imparten cursos de Lengua y Literatura guaraní.

14 **Investiga.** ¿Te parece grande la Universidad de Asunción? ¿Cuántos estudiantes hay en las universidades de tu región?

→ TU DESAFÍO Visita la página web para aprender más sobre esta universidad.

Gramática

Expresar existencia. Los indefinidos

- Remember: We use indefinites (ninguno, alguno, poco, mucho, todo, demasiado) to refer to nouns using nonspecific terms of number.

    Tengo **algunos** libros en la mochila.

- You can use these indefinite pronouns to refer to an identifiable but not specified person or thing.

    1. To refer to people:

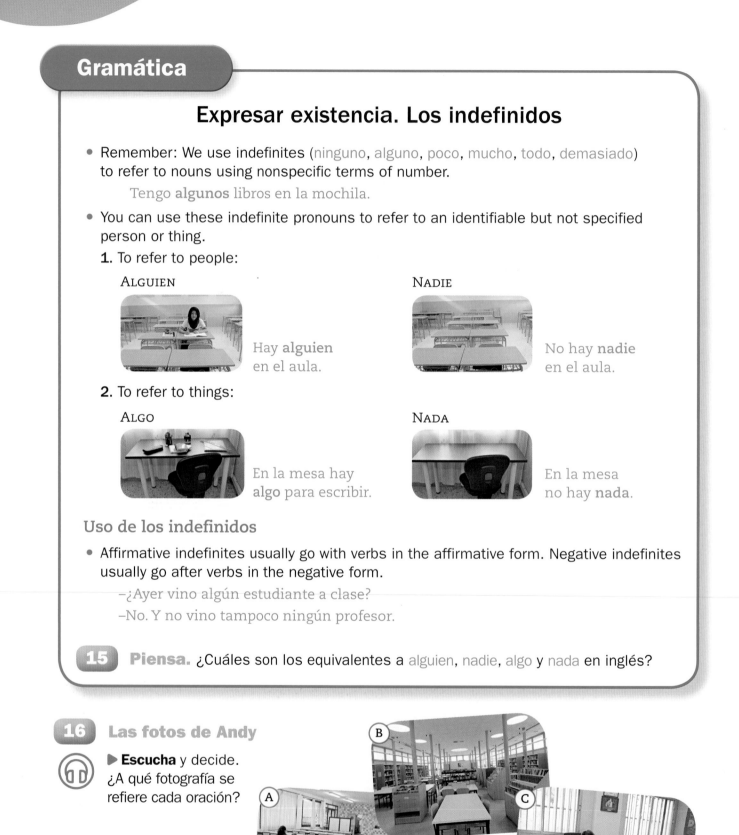

ALGUIEN

Hay **alguien** en el aula.

NADIE

No hay **nadie** en el aula.

    2. To refer to things:

ALGO

En la mesa hay **algo** para escribir.

NADA

En la mesa no hay **nada**.

Uso de los indefinidos

- Affirmative indefinites usually go with verbs in the affirmative form. Negative indefinites usually go after verbs in the negative form.

    –¿Ayer vino **algún** estudiante a clase?

    –No. Y no vino tampoco **ningún** profesor.

15 **Piensa.** ¿Cuáles son los equivalentes a alguien, nadie, algo y nada en inglés?

16 **Las fotos de Andy**

▶ **Escucha** y decide. ¿A qué fotografía se refiere cada oración?

17 ¿Alguien puede ayudarnos?

▶ **Completa** esta conversación entre Andy y Janet.

ANDY: ¡Qué mensaje tan extraño! ¿Tú entiendes ___1___ ?
      algo / nada

JANET: No, yo tampoco entiendo ___2___ . Vamos a buscar ayuda.
       nada / alguno

ANDY: ¿Vamos al comedor? Seguramente allí hay ___3___ estudiantes.
      alguien / algunos

JANET: Es muy temprano para el almuerzo. ¿Por qué no vamos a la biblioteca?

ANDY: Sí, tienes razón. Vamos. Oh, no hay ___4___ en la biblioteca, Janet.
      nadie / alguien
      ¿Qué hacemos?

JANET: Vamos a preguntar a ___5___ dónde está el departamento de Lengua
       algún / alguien
       guaraní.

ANDY: Sí, quizás podamos encontrar a ___6___ profesor de guaraní.
      alguien / algún

18 Preguntas sobre la escuela

▶ **Entrevista** a dos compañeros(as) y toma notas de sus respuestas.

Modelo A. *¿Tienes algún cuaderno en tu mochila?*

B. *No, no tengo ningún cuaderno en mi mochila.*

1. ¿Tienes alguna tarea de Matemáticas para mañana?
2. ¿Hay algún diccionario en el aula?
3. ¿Piensas que hay alguien en el comedor ahora?
4. ¿Conoces a algunos(as) profesores(as) simpáticos(as)?
5. ¿Conoces a algún estudiante responsable?

▶ **Presenta** las respuestas de tus compañeros(as) a la clase.

Modelo *Paco no tiene nada en su mochila, pero Lola tiene algunas carpetas.*

CULTURA

Requisitos: hablar guaraní

Hablar guaraní puede ser un requisito (*requirement*) o una ventaja para encontrar trabajo en Paraguay. Algunas ofertas de empleo incluyen como requisito hablar perfectamente español y guaraní.

SE BUSCAN

vendedores

Importante empresa de moda busca vendedores en Asunción.

Requisitos: experiencia demostrable y dominio del español y el guaraní.

19 Explica. ¿Es una ventaja en tu país hablar otras lenguas? ¿En qué profesiones?

Comunicación

20 Una conversación telefónica

▶ **Escucha** y decide si estas oraciones son ciertas o falsas. Después, corrige las oraciones falsas.

1. Andy y Janet fueron a un aula, pero no había nadie.
2. Después fueron a la biblioteca y miraron algunos diccionarios.
3. Encontraron información útil en un diccionario.
4. A continuación, pidieron ayuda a una estudiante de guaraní.
5. La estudiante entendió algunas palabras del mensaje.
6. Andy y Janet hablaron con algunos profesores.

21 Un mensaje de correo desde Atlanta

▶ **Lee** y completa el mensaje de correo de Teresa, una amiga de Andy.

algo	alguien	algunos	nada	nadie	algún

De:

Para:

Asunto:

Cuerpo del texto — Anchura variable

¡Hola, Andy! ¿Qué tal estás?

Aquí, en Atlanta, todo está igual. No hay ___1___ nuevo. Esta semana tenemos ___2___ exámenes: de Física, de Geografía, de Matemáticas… En Física tengo ___3___ problema: ¡necesito ayuda de ___4___ ! A la hora del almuerzo fui a la biblioteca para estudiar, pero no había ___5___ para ayudarme. ¿Tú sabes ___6___ de Física?

¡Escríbeme pronto!

Teresa

▶ **Escribe** un mensaje de correo a un(a) amigo(a). Cuéntale algo sobre tus clases y tus compañeros(as). Usa los indefinidos.

¿En qué se diferencian?

▶ **Habla** con tu compañero(a). Compara estas fotografías.

Modelo   *En la fotografía 1 hay algunos estudiantes hablando. Están haciendo*
una presentación. Y en la fotografía 2 están todos escuchando al profesor.

Final del desafío

Necesitamos entender el significado de este mensaje misterioso. ¿Puede ayudarnos?

Ustedes no necesitan ningún profesor de guaraní. Esto no es guaraní.

¿No es guaraní?

No. Tomen las letras y jueguen con ellas.

23 **El mensaje descifrado**

▶ **Escribe** tres mensajes misteriosos sobre el desafío. Usa los cuadros de cultura, vocabulario y gramática.

▶ **Lee** los mensajes de tu compañero(a) y resuélvelos.

▶ **TU DESAFÍO**   Visita la página web. Escucha las preguntas de tu *Minientrevista Desafío 1* y escribe las respuestas.

¡Ojalá encontremos a Bruno!

Tess and Patricia are in Montevideo, the capital of Uruguay. Fortunately, both are animal lovers, because they must walk a dozen dogs through the streets of the city. Will they be able to handle the task?

¿Saben? Bruno fue un perro policía.

¿De verdad?

¡Me encantan los perros! Ojalá trabaje con perros algún día.

Si te gustan los animales, puedes ser bióloga.

Sí, pero tengan cuidado porque se escapa fácilmente.

¡O veterinaria! ¡Sí! ¡Ojalá pueda trabajar como veterinaria!

Uno, dos, tres, cuatro... ¡Oh, no! ¡Bruno se escapó!

¿Quieres que miremos por la plaza?

Prefiero que preguntes a la gente. Yo voy a buscarlo por toda esta zona.

¡Espero que esté cerca! ¡Corre!

Buena idea. Espero que alguien nos ayude.

Continuará...

24 Detective de palabras

▶ **Completa** estas oraciones.

1. _____ trabaje con perros algún día.
2. _____ pueda trabajar como veterinaria.
3. _____ Bruno esté cerca.
4. ¿_____ miremos por la plaza?
5. _____ preguntes a la gente.
6. _____ alguien nos ayude.

Profesiones

▶ **Relaciona** estas profesiones con la fotografía correspondiente.

policía
veterinario(a)
biólogo(a)

▶ **Explica.** ¿Qué hacen esas personas en su trabajo?

26 **Ojalá…**

▶ **Escucha** y une las dos columnas.

Ⓐ | Ⓑ

1. Espero que   a. veamos pronto a Bruno.
2. Prefiero que   b. alguien nos ayude.
3. Quiero que   c. un día Tess trabaje como veterinaria.
4. Ojalá   d. tú preguntes a la gente.

CULTURA

La Ciudad Vieja de Montevideo

El barrio histórico de Montevideo, también conocido como Ciudad Vieja, es una de las zonas más visitadas de la ciudad y un punto de encuentro habitual para los habitantes de la ciudad y los turistas. En el centro del barrio histórico está la Plaza Matriz o Plaza Constitución, donde se pueden ver importantes edificios, como la Catedral Metropolitana. En los alrededores de la Plaza Matriz hay numerosos comercios y restaurantes.

Catedral de Montevideo.

27 **Explica.** ¿Cómo es el punto de encuentro habitual o el más visitado de tu ciudad? ¿Por qué crees que se reúne allí la gente?

▶ **TU DESAFÍO** Visita la página web para aprender más sobre Montevideo.

Vocabulario

Profesiones

Nosotros somos **artistas**. Juan es **pintor**, Ana es **cantante** y yo soy **actriz**.

Nosotros trabajamos en un hospital. Yo soy **cirujano** y ella es **dentista**.

Nosotros trabajamos en una oficina. Eva es **arquitecta**, Sonia es **telefonista** y yo soy **técnico informático**.

Nosotros ayudamos a la gente. Pepe es **policía**, Ana es **bombera** y yo soy **socorrista**.

el agricultor

la mecánica

la bibliotecaria

el cocinero

28 La familia de Patricia

▶ **Escucha** y escribe las profesiones de la familia de Patricia.

1. su papá
2. su mamá
3. su tío
4. su hermana
5. su hermano

Nombres de profesiones. Terminaciones frecuentes:

-tor(a)	pintor(a)
-dor(a)	entrenador(a)
-sor(a)	profesor(a)
-ero(a)	bombero(a)
-ario(a)	bibliotecario(a)
-ante	el/la cantante
-ista	el/la dentista

29 **¿Qué tengo que estudiar?**

▶ **Une** las dos columnas y escribe oraciones.

Ⓐ

1. arquitecto
2. pintor
3. cirujano
4. actor
5. técnico informático
6. abogado

Ⓑ

a. Medicina
b. Interpretación
c. Leyes
d. Arquitectura
e. Informática
f. Arte

Modelo *Para ser arquitecto, estudia Arquitectura.*

30 **¿Qué pueden ser?**

▶ **Escribe** una profesión adecuada para cada personaje según sus cualidades.

Modelo A Mack le encanta manejar. ⟶ *Mack puede ser conductor.*

1. Tim es muy ordenado. Le gusta tener todos sus libros organizados.
2. A Tess le encantan los animales.
3. A Andy le gustan mucho los coches y las motos.
4. Patricia tiene una voz muy bonita.
5. El hermano de Tess dibuja muy bien.

▶ **Habla** con dos compañeros(as) sobre sus cualidades. Da recomendaciones profesionales para cada uno(a).

Modelo A. *A mí me gusta ayudar a la gente. Y soy muy atrevida.*
B. *Pues puedes ser policía.*
C. *O bombera.*

CONEXIONES: MÚSICA

Jorge Drexler

Jorge Drexler es un famoso cantante uruguayo nacido en Montevideo en 1964. En el año 2005 ganó un Oscar con su canción *Al otro lado del río*, incluida en la película *Diarios de motocicleta*.

Jorge Drexler estudió Medicina y trabajó como médico, pero pronto decidió cambiar su profesión para dedicarse a la música.

31 **Explica.** ¿Cuál es tu profesión favorita? ¿Qué necesitas hacer para tener esa profesión?

Gramática

Expresar deseo. El modo subjuntivo

- To express wishes in a straightforward way, use ojalá (optionally followed by que) followed by a verb in the subjunctive mood.

    Me encantan los perros. Ojalá **pueda** trabajar como veterinaria.

PRESENTE DE SUBJUNTIVO. VERBOS REGULARES

	Cantar	Comer	Vivir
yo	cante	coma	viva
tú	cantes	comas	vivas
usted, él, ella	cante	coma	viva
nosotros, nosotras	cantemos	comamos	vivamos
vosotros, vosotras	cantéis	comáis	viváis
ustedes, ellos, ellas	canten	coman	vivan

- To express wishes, you can also use verbs like querer, esperar, desear, and preferir followed by a dependent clause with the verb in the infinitive or in the subjunctive:

– Use the infinitive when the main clause verb and the dependent clause verb have the same subject.

Querer / Esperar / Desear / Preferir + infinitivo

Quiero **estudiar** Medicina.
(yo)   (yo)

– Use the subjunctive when the main clause verb and the dependent clause verb have different subjects.

Querer / Esperar / Desear / Preferir + que + subjuntivo

Quiero que **estudies** Medicina.
(yo)   (tú)

32 **Piensa.** ¿Cómo expresas deseo en inglés? ¿Existe en inglés el modo subjuntivo?

33 **Actividades para Tess y Patricia**

▶ **Escribe** oraciones expresando tus deseos para Tess y Patricia.

Modelo 1. *Espero que Tess y Patricia visiten sitios interesantes en Uruguay.*

1. visitar sitios interesantes
2. aprender mucho
3. hablar con gente simpática
4. tomar muchas fotografías
5. divertirse mucho
6. completar su desafío

34

Deseos para el futuro

 ▶ **Escucha** los deseos de varias personas para el futuro y escribe oraciones. Usa *ojalá* y el subjuntivo.

Modelo 1. *Ojalá trabaje como dentista.*

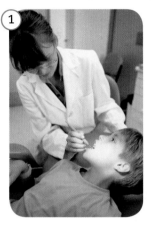

35

Un viaje a Uruguay

▶ **Imagina** que vas de viaje a Uruguay con tu familia. Habla con tu compañero(a) sobre lo que tú y tu familia esperan que pase en el viaje. Usa estos verbos.

Modelo *Mi mamá quiere que mi hermana aprenda español.*

aprender	visitar	hablar
comprar	ver	trabajar
estudiar	vivir	leer
cantar	bailar	tomar

 CULTURA

La moneda de Uruguay

La moneda de Uruguay es el peso uruguayo. Hay monedas de 1 y 2 pesos, y billetes con valor entre 5 y 2.000 pesos.

En la fotografía puedes ver un billete de 1.000 pesos. El billete lleva la cara de Juana de Ibarbourou, una poeta uruguaya del siglo xx muy famosa.

36 **Compara.** ¿Qué personajes aparecen en las monedas y los billetes estadounidenses? ¿Hay alguna mujer? ¿A qué personaje femenino escogerías *(would you choose)*? ¿Por qué?

Comunicación

37 **Se necesita**

▶ **Escucha** varias ofertas de trabajo y une las dos columnas.

Ⓐ

Ⓑ

1. secretario(a)
2. bibliotecario(a)
3. telefonista
4. socorrista

a. trabajar de lunes a sábado
b. trabajar bien con niños
c. hablar inglés y francés
d. usar bien las computadoras

▶ **Escribe** oraciones con la información anterior.

Modelo 1. *Queremos que el secretario hable inglés y francés.*

38 **Tu futuro profesional**

▶ **Clasifica** estas profesiones. ¿En cuáles te gustaría *(would you like)* trabajar en el futuro? ¿Y en cuáles no? ¿Por qué?

Modelo *Ojalá no trabaje como cantante porque soy muy tímido y no me gusta cantar.*

cantante	telefonista
policía	actor / actriz
abogado(a)	agricultor(a)
cocinero(a)	arquitecto(a)
dentista	socorrista

☺	☹

39 **Un mundo ideal**

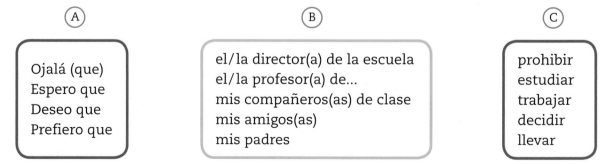

▶ **Habla** con tu compañero(a). Combina elementos de las tres columnas para expresar deseos y completa las oraciones.

Modelo *Deseo que el director de la escuela prohíba los exámenes.*

Ⓐ

Ⓑ

Ⓒ

Ⓐ	Ⓑ	Ⓒ
Ojalá (que)	el/la director(a) de la escuela	prohibir
Espero que	el/la profesor(a) de...	estudiar
Deseo que	mis compañeros(as) de clase	trabajar
Prefiero que	mis amigos(as)	decidir
	mis padres	llevar

Deseos

▶ **Habla** con tu compañero(a). Por turnos, expresa un deseo para tu futuro.
Él / Ella debe responder siguiendo el modelo.

vivir	estudiar	viajar
hablar	ver	trabajar

Modelo

A. *Ojalá viva en Argentina para aprender más español.*

B. *Prefiero que vivas en México porque está más cerca.*

Final del desafío

Este es el contestador de la Sociedad Protectora de Animales. Deje un mensaje después de la señal.

¿Puedo hablar con...?

Espero que encontremos a Bruno, mamá.

Sí, ojalá llamen de la Sociedad Protectora de Animales.

¡Estás aquí! ¡Te buscamos por todas partes!

¡Qué susto, Bruno! ¡Eres un perro muy malo!

¿Qué tal todo?

41 **La próxima vez**

▶ **Escribe.** Finalmente, Tess y Patricia encontraron a Bruno.
¿Qué crees que pasó después? Elige un final y escribe el diálogo.

1. Prefiero que Tess y Patricia hablen con la mujer sobre lo que pasó. Deben ser sinceras.
2. Espero que no hablen con la señora de que Bruno se escapó. No fue culpa suya.

Estrellas de telenovela

Diana and Rita are at Platavisión Studios in Buenos Aires. Their task is to play a small part for the Argentinean *telenovela Marcela*.

Luces, cámara..., ¡acción!

Me preocupa que no pienses tu decisión, Marcela. ¿Qué hay en la ciudad?

El teatro. ¡Y el tango! Es un baile maravilloso.

Aquí tienes a Arturo, hija.

¡Pero no lo amo! ¿Te molesta que no quiera a Arturo?

Es un joven rico, inteligente y divertido.

¿Divertido? ¡No soporto que cuente chistes! ¡Son horribles!

¡Hola, Arturo! Me encanta que nos visites.

Hola. Marcela, ¿quieres que demos un paseo o juguemos al ajedrez?

No.

¿Prefieres que venga mañana?

No. No quiero que vuelvas, Arturo.

¡Marcela!

¡Corten! ¡Muy bien!

Continuará...

42 **Detective de palabras**

▶ **Une** las dos columnas.

Ⓐ

1. Me preocupa
2. ¿Te molesta
3. No soporto
4. Me encanta
5. No quiero

Ⓑ

a. que cuente chistes.
b. que nos visites.
c. que vuelvas.
d. que no quiera a Arturo?
e. que no pienses tu decisión.

▶ **Escribe.** ¿En qué tiempo verbal están los verbos de la columna A? ¿Y los de la columna B?

43 ¿Comprendes?

▶ **Decide** si estas oraciones son ciertas o falsas. Si son falsas, corrígelas.

1. En la telenovela, Diana es la hija de Rita.
2. Marcela quiere marcharse a vivir en la ciudad.
3. La mamá de Marcela no se lleva bien con Arturo.
4. Marcela piensa que Arturo es muy divertido.
5. Arturo ama a Marcela.
6. Marcela ama a Arturo.

44 ¿Qué ves?

▶ **Habla** con tu compañero(a). ¿Qué están haciendo estas personas?

Modelo   A. *¿Qué está haciendo esa chica?*
         B. *Está dando un paseo.*

 1

 2

 3

 4

CULTURA

El tango

De todos los productos culturales de Argentina, el tango es posiblemente el más famoso. La UNESCO lo declaró Patrimonio Cultural Inmaterial de la Humanidad en 2009.

El tango nació en los barrios populares de Argentina y Uruguay como resultado de la fusión de distintos estilos musicales y bailes.

45 **Explica.** ¿Qué otros bailes de salón *(ballroom dances)* conoces, además del tango?

▶ **TU DESAFÍO**   Visita la página web para aprender más sobre el tango.

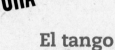

Vocabulario

Aficiones, actividades y espectáculos

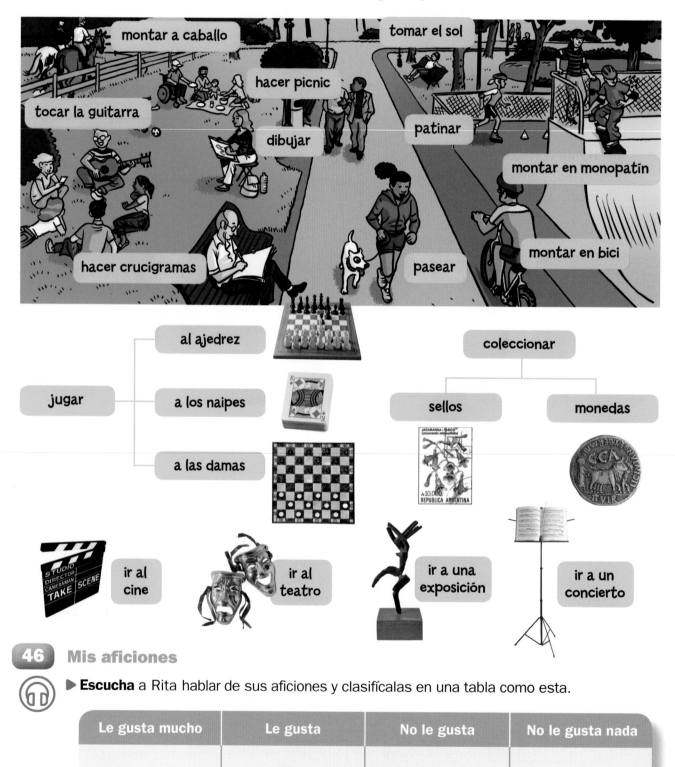

- montar a caballo
- tomar el sol
- hacer picnic
- tocar la guitarra
- patinar
- dibujar
- montar en monopatín
- montar en bici
- hacer crucigramas
- pasear

- jugar
  - al ajedrez
  - a los naipes
  - a las damas
- coleccionar
  - sellos
  - monedas

- ir al cine
- ir al teatro
- ir a una exposición
- ir a un concierto

46 **Mis aficiones**

▶ **Escucha** a Rita hablar de sus aficiones y clasifícalas en una tabla como esta.

Le gusta mucho	Le gusta	No le gusta	No le gusta nada

47 **¿Qué les gusta?**

▶ **Completa** estas oraciones.

A mí me encanta jugar a las _____1_____.

A nosotros lo que más nos gusta es ir al _____2_____.

A mí me gusta mucho _____3_____.

Mi afición preferida es _____4_____.

▶ **Habla.** Prepara una entrevista y pregunta a cuatro compañeros(as) por sus aficiones. Después, presenta la información a la clase.

Modelo   *A mis compañeros(as) les gusta ir al cine. También...*

48 **¿Qué quieres que hagan?**

▶ **Escribe** un párrafo sobre las actividades que quieres hacer durante las vacaciones.

Modelo   *Yo quiero hacer deporte por las mañanas: patinar o montar en bici.*

▶ **Habla** con tu compañero(a). ¿Qué actividades quieres que hagan tus amigos(as) y familiares en sus vacaciones?

Modelo   A *¿Qué quieres que haga tu hermano en sus vacaciones?*
B *Ojalá monte en bici conmigo todas las mañanas.*

CULTURA

Las telenovelas

Las telenovelas *(soap operas)* son programas de televisión que cuentan una historia de tipo sentimental en muchos capítulos *(episodes)*.

Las telenovelas tienen gran importancia económica en países como México, Argentina, Venezuela o Colombia. Cuentan con grandes presupuestos *(budgets)* y se exportan a países de todo el mundo.

Protagonistas de *Pasión de Gavilanes*.

49 **Explica.** ¿Te gustan las telenovelas? ¿Por qué crees que tienen tanto éxito en todo el mundo?

▶ **TU DESAFÍO**   Visita la página web para aprender más sobre las telenovelas.

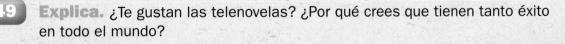

Gramática

Expresar sentimientos

- To express feelings, emotions, or opinions, you can use verbs like alegrar or encantar followed by a dependent clause with the verb in infinitive or in subjunctive.

Use the infinitive when the main clause and the dependent clause have the same subject.

> Me alegra **volver** a casa.

Use the subjunctive if they have different subjects.

> Me alegra que Pedro **vuelva** a casa.

Verbos útiles	
alegrar	*to be glad*
encantar	*to love*
molestar	*to dislike*
preocupar	*to worry*
sentir	*to be sorry*
sorprender	*to be surprised*
dar pena	*to be sorry*
dar miedo	*to fear*

Note: These verbs are used with indirect object pronouns, like gustar.

- In general, the present subjunctive is formed from the yo form of the present indicative. Therefore, irregular verbs in the indicative yo form are also irregular in the subjunctive.

> yo hago (verbo *hacer*) → haga, hagas, haga, hagamos, hagáis, hagan
>
> yo tengo (verbo *tener*) → tenga, tengas, tenga, tengamos, tengáis, tengan

- Stem-changing -ar and -er verbs follow the same pattern as they do in the present indicative. Stem-changing -ir verbs have an additional change in the nosotros(as) and vosotros(as) forms.

VERBOS CON RAÍZ IRREGULAR EN EL PRESENTE DE SUBJUNTIVO

	Pensar	Jugar	Volver	Pedir	Dormir
yo	piense	juegue	vuelva	pida	duerma
tú	pienses	juegues	vuelvas	pidas	duermas
usted, él, ella	piense	juegue	vuelva	pida	duerma
nosotros, nosotras	pensemos	juguemos	volvamos	pidamos	durmamos
vosotros, vosotras	penséis	juguéis	volváis	pidáis	durmáis
ustedes, ellos, ellas	piensen	jueguen	vuelvan	pidan	duerman

50 **Piensa.** ¿Puedes poner otros ejemplos de verbos con la raíz irregular?

51 **Emociones**

▶ **Escribe** estas oraciones con la forma correcta del presente de subjuntivo.

1. Me alegra que Rosa _____ deporte.

hacer

2. Siento mucho que tú no _____ ir al teatro conmigo.

querer

3. Me encanta que los niños _____ en el parque.

jugar

Las impresiones de Rita

 ▶ **Escucha** las impresiones de Rita sobre su viaje a Buenos Aires. ¿A qué fotografía se refiere cada oración?

53 **¿Qué sientes?**

▶ **Escribe** las respuestas a estas preguntas.

1. ¿Qué te gusta que hagan tus profesores(as)?
   → *Me gusta que hagan clases interesantes.*
2. ¿Qué te sorprende que digan tus compañeros(as)?
3. ¿Qué te preocupa que piensen tus amigos(as)?
4. ¿Qué te encanta que haga tu comunidad?
5. ¿Qué te molesta que haga tu comunidad?

▶ **Habla** con tus compañeros(as). ¿Tienen respuestas similares?

COMPARACIONES

El barrio de La Boca

La Boca es un barrio muy turístico de Buenos Aires. En este barrio vivían los inmigrantes europeos –sobre todo, italianos– a finales del siglo xix y principios del xx. Ellos pintaban sus casas con los restos de pintura que les daban los marineros del puerto, por lo que el barrio adquirió un aspecto muy colorido.

Calle Caminito.

En la actualidad hay muchos artistas callejeros, pintores y artesanos que venden sus productos a los visitantes. También es habitual ver a músicos y bailarines de tango.

54 **Compara.** ¿Hay en tu ciudad algún barrio similar a La Boca?

▶ **TU DESAFÍO** Visita la página web para aprender más sobre La Boca.

Comunicación

55 **Las aficiones de Roberto**

▶ **Escucha** a Roberto y escribe. ¿Qué actividades hace cada día?

lunes	martes	miércoles	jueves	viernes	sábado	domingo

56 **Diana y Andrea**

▶ **Escucha** a Diana y elige la opción correcta.

1. **a.** A Diana le gusta que Andrea quiera ir a conciertos con ella.
   b. A Diana le molesta que Andrea no quiera ir a conciertos con ella.

2. **a.** A Diana le da pena que Andrea no pueda montar a caballo.
   b. A Diana le preocupa que Andrea monte a caballo.

3. **a.** A Diana no le gusta que Andrea quiera ir a ver exposiciones.
   b. A Diana no le sorprende que Andrea quiera ir a ver exposiciones.

4. **a.** A Diana le da miedo que Andrea estudie en una universidad diferente de la suya.
   b. A Diana le alegra que Andrea piense ir a la misma universidad que ella.

57 **¿Qué piensa Rita?**

▶ **Lee** el mensaje de correo de Rita y escribe. ¿Qué cosas le gusta que haga Diana? ¿Y qué cosas no le gusta que haga?

Modelo *A Rita le gusta que Diana se divierta.*

▶ **Escribe.** ¿Qué actividades te gusta que hagan tus amigos(as) o tus familiares? ¿Qué no te gusta que hagan?

Modelo

Me alegra que mi hermana pequeña aprenda a nadar porque en junio vamos a ir a la playa.

Querida Sonia:

¡Me encanta Buenos Aires! Me gusta que Diana se divierta y me alegra que conozca gente nueva. Además está aprendiendo a bailar el tango. ¿Qué te parece? A mí me sorprende que prefiera ir a clases de tango a ir a las discotecas. ¿A ti no?

La comida aquí es muy buena, especialmente la carne. A mi sobrina le encanta la carne, pero me preocupa que no coma verduras. Eso no me gusta.

Me da pena que Diana pase tanto tiempo lejos de casa, pero esta es una buena experiencia.

¡Hasta pronto!

Rita

58 Tus sentimientos

▶ **Escribe** oraciones. ¿Qué sentimientos te producen estas acciones?

Modelo *No me gusta nada que la gente llegue tarde al cine.*

me sorprende	no me gusta nada	me encanta
me preocupa	me gusta	me da miedo

A

llegar tarde al cine

B

hacer deporte

C

manejar deprisa

Final del desafío

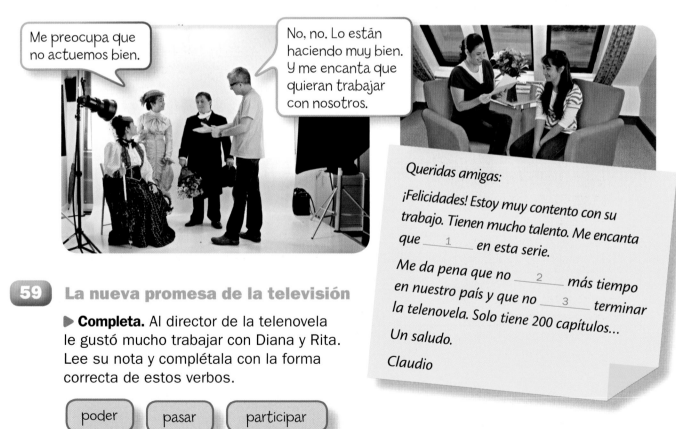

Me preocupa que no actuemos bien.

No, no. Lo están haciendo muy bien. Y me encanta que quieran trabajar con nosotros.

Queridas amigas:

¡Felicidades! Estoy muy contento con su trabajo. Tienen mucho talento. Me encanta que ___1___ en esta serie.

Me da pena que no ___2___ más tiempo en nuestro país y que no ___3___ terminar la telenovela. Solo tiene 200 capítulos...

Un saludo.

Claudio

59 La nueva promesa de la televisión

▶ **Completa.** Al director de la telenovela le gustó mucho trabajar con Diana y Rita. Lee su nota y complétala con la forma correcta de estos verbos.

(poder) (pasar) (participar)

 **TU DESAFÍO**   Visita la página web. Escucha las preguntas de tu *Minientrevista Desafío 3* y escribe las respuestas.

El clásico y el Aconcagua

Tim and Mack have to walk all the way up to the *Mirador del Aconcagua* in the Andes. Unfortunately, the climb coincides with the day of the biggest soccer match of the season, and their guide wants to be back in time to see it on TV.

Vamos, amigos. Es importante que empecemos pronto.

¿Tú trabajas aquí?

Sí. Me gusta hacer senderismo y esquí, pero mi pasión es el fútbol.

¿Y juegas al fútbol?

No, pero soy fan del Boca Juniors. ¿Lo conocen?

¡Claro! Es un equipo muy famoso de Buenos Aires.

Miguel, ¿es necesario que subamos tan deprisa?

Hoy juegan el Boca y el River. ¡El mejor partido de la liga argentina!

Sí, porque el clásico es a las dos. Y quizás lleguemos a tiempo.

Dudo que lleguemos, Miguel. No podemos ir más rápido.

Continuará...

60 **Detective de palabras**

▶ **Completa** estas oraciones.

1. _____ que empecemos pronto.
2. ¿_____ que subamos tan deprisa?
3. _____ lleguemos a tiempo.
4. _____ que lleguemos.

▶ **Escribe.** ¿Qué oraciones expresan duda? ¿Y cuáles expresan una opinión?

61 **¿Comprendes?**

▶ **Responde** a estas preguntas.

1. ¿Qué deportes le gustan a Miguel?
2. ¿Qué es el Boca Juniors?
3. ¿Por qué Miguel quiere subir deprisa al mirador?
4. ¿A qué hora empieza el partido?

62 **Deportes**

▶ **Escribe** el nombre de estos deportes. Busca información en la fotonovela.

63 **¡Hay que ser lógico!**

▶ **Habla** con tu compañero(a). ¿Qué palabra no pertenece a cada grupo?

1. El Aconcagua
   a. los Andes
   b. el Boca Juniors
   c. la montaña

2. El mirador del Aconcagua
   a. el esquí
   b. el senderismo
   c. el fútbol

3. El Boca Juniors
   a. el senderismo
   b. el fútbol
   c. el equipo

4. El clásico
   a. el equipo
   b. el partido
   c. el esquí

CONEXIONES: GEOGRAFÍA

El Aconcagua

El Aconcagua es una montaña de 6.962 metros situada en la cordillera de los Andes. Es el pico más alto del hemisferio sur.

Miles de senderistas y alpinistas de todo el mundo van a esta montaña cada año. Entre diciembre y marzo la visitan de 6.000 a 7.000 montañeros.

64 **Piensa y explica.** ¿Por qué crees que los alpinistas eligen los meses de diciembre a marzo para subir al Aconcagua?

Vocabulario

Deportes

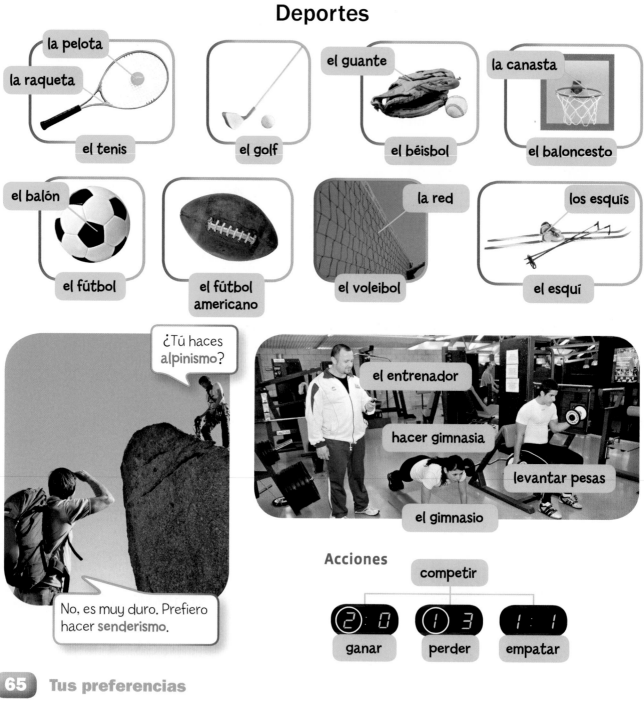

la pelota

la raqueta

el tenis

el golf

el guante

el béisbol

la canasta

el baloncesto

el balón

el fútbol

el fútbol americano

la red

el voleibol

los esquís

el esquí

¿Tú haces alpinismo?

No, es muy duro. Prefiero hacer senderismo.

el entrenador

hacer gimnasia

levantar pesas

el gimnasio

Acciones

competir

2 : 0   1 : 3   1 : 1

ganar   perder   empatar

65 **Tus preferencias**

▶ **Clasifica** los deportes anteriores según tus preferencias.

Deportes que practico	Deportes que veo en la televisión	Deportes que no me gustan

66 **¡Estoy confundido!**

▶ **Decide** si estas oraciones son ciertas (C) o falsas (F). Después, corrige las oraciones falsas.

1 Los alpinistas practicamos el alpinismo en la piscina.

2 Yo levanto pesas en el gimnasio.

3 Estoy muy emocionado porque mi equipo perdió la competición.

4 Aquí hago gimnasia.

5 Este deporte es muy fácil. Solo necesitas un balón.

67 **Deportistas**

▶ **Escucha** a varias personas. ¿Qué deporte practica cada una?

a. alpinismo   **b.** fútbol   **c.** béisbol   **d.** esquí   **e.** gimnasia   **f.** golf

68 **Nuestro deporte favorito**

▶ **Habla** con cuatro compañeros(as). ¿Qué deportes practican?

CULTURA

El fútbol argentino

El fútbol es el deporte más popular en Argentina. Algunos de los jugadores más famosos de todos los tiempos son argentinos: Di Stefano, Maradona, Messi...

Boca Juniors y River Plate son los equipos más populares. Hay una rivalidad intensa entre ellos y sus fans son famosos por su pasión durante los partidos.

Lionel Messi.

69 **Compara.** ¿Cuál es el deporte más popular en tu país? ¿Existe una rivalidad similar a la del Boca y el River entre dos equipos?

→ TU DESAFÍO Visita la página web para aprender más sobre el fútbol argentino.

Gramática

Expresar duda y hacer valoraciones

El subjuntivo para expresar duda

- There are many expressions to show doubt, and they are normally paired with clauses that have the verb in the subjunctive. There are also expressions that indicate certainty and are therefore followed by the verb in the indicative.

Expresiones con subjuntivo
Es posible / probable / imposible que
Quizás
Dudo que

Expresiones con indicativo
Es verdad / cierto / evidente que
Estoy seguro(a) de que / Sé que
No dudo que

Dudo que Pedro esté en casa.   Sé que Pedro está en casa.

El subjuntivo para hacer valoraciones

- The subjunctive is used in expressions that show value judgments.

Adjetivos útiles
bueno
malo
importante
necesario
increíble
horrible

Es + adjective + que + subjunctive

Es importante que ustedes practiquen deporte.

- The following verbs are irregular in the present subjunctive forms:

VERBOS IRREGULARES EN EL PRESENTE DE SUBJUNTIVO

	Dar	Estar	Saber	Ser	Ir
yo	dé	esté	sepa	sea	vaya
tú	des	estés	sepas	seas	vayas
usted, él, ella	dé	esté	sepa	sea	vaya
nosotros, nosotras	demos	estemos	sepamos	seamos	vayamos
vosotros, vosotras	deis	estéis	sepáis	seáis	vayáis
ustedes, ellos, ellas	den	estén	sepan	sean	vayan

- Verbs ending in -car, -gar, -zar, -ger, -gir, and -guir have spelling changes.

-car	sacar → saque, saques…	-ger, -gir	dirigir → dirija, dirijas…
-gar	llegar → llegue, llegues…	-guir	seguir → siga, sigas…
-zar	abrazar → abrace, abraces…		

70 **Piensa.** ¿Cómo se expresa una valoración o una duda en inglés?

▶ **Escribe** si estas oraciones expresan duda, certeza o una valoración.
Después, complétalas poniendo el verbo en la forma correcta.

Modelo Es necesario que nosotros _____ en el gimnasio a las nueve.
estar

→ *Valoración. Es necesario que nosotros estemos en el gimnasio a las nueve.*

1. Es imposible que ella _____ levantando
seguir
pesas con el brazo roto.

2. Estoy segura de que Miguel _____ esquiar.
saber

3. No dudo que mi equipo _____ el mejor.
ser

4. Quizás yo _____ mañana a nadar
ir
a la piscina.

5. Dudo que ella _____ alpinismo,
practicar
es un deporte muy duro.

▶ **Escribe** tres oraciones que expresen duda y tres oraciones que expresen
una valoración. Después, intercámbialas con tu compañero(a). ¿Son correctas?

72 ¡Qué emocionante!

▶ **Escucha** la conversación entre Tim y Miguel y responde a estas preguntas.

1. Para ver el clásico, ¿qué es necesario que hagan los tres?

2. ¿Qué duda Tim?

3. Según Miguel, ¿qué es cierto?

4. ¿De qué está seguro Miguel?

5. Según Miguel, ¿qué es imposible?

6. ¿Qué espera ver Miguel algún día?

73 ¡Te toca a ti!

▶ **Habla** con tu compañero(a). Expresa tu opinión.

1. ¿El guía es un buen profesional?

2. ¿Tim y Mack están en forma?

3. ¿Mack puede caminar más rápido?

4. ¿Tim, Mack y el guía van a subir hasta
el mirador?

5. ¿Al final, llegan todos a tiempo
para ver el partido?

Estoy segura de que el guía
es un buen profesional. ¿Y tú?

Comunicación

74 Sobre el clásico

▶ **Lee** este artículo de prensa y complétalo.

aficionados	entrenador	equipo	fútbol

gol	Boca	partido	ganó

El River Plate vence al ___1___ Juniors

El encuentro supone la séptima derrota en catorce jornadas del equipo del ___2___ Claudio Borghi

EFE - Buenos Aires - 17/11/2010

El River Plate ___3___ este martes al Boca Juniors por 1-0 en el ___4___ clásico del ___5___ argentino y le dejó sin objetivos en las cinco jornadas del torneo Apertura que quedan por delante. Un ___6___ del defensa Jonathan Maidana, exjugador boquense, con un remate de cabeza a los 53 minutos, provocó la primera gran alegría de la temporada a los ___7___ del River Plate y aportó tres puntos vitales al ___8___ que lucha por mantenerse en la categoría.

Diario *El País* (España).

75 ¿Estás seguro(a)?

▶ **Escribe** sobre estas afirmaciones. Usa expresiones de certeza si estás seguro(a) o expresiones de duda si no lo estás.

Modelo *Sé que la profesora de Español practica deporte porque la vi en el gimnasio.*

1. Tu profesor(a) de Español practica deporte.
2. Un(a) estudiante de tu clase juega al tenis.
3. Ningún(a) estudiante de tu clase sabe esquiar.
4. El baloncesto se empezó a jugar en los Estados Unidos.
5. El béisbol es el deporte nacional en Venezuela.
6. En el fútbol juegan dos equipos de once jugadores.

▶ **Habla** con tu compañero(a). ¿Saben las mismas cosas?

Modelo A. *Sé que la profesora de Español practica deporte porque la vi en el gimnasio.*
　　　　 B. *Ah, no lo sabía.*

76 Las opiniones de una experta

▶ **Escucha** las opiniones de una entrenadora. ¿A qué deportistas se refiere en cada caso?

▶ **Escucha** otra vez. ¿Qué opina la entrenadora?

Modelo   *Es importante que entrenen mucho para jugar bien.*

Final del desafío

¡Hoy toda la Argentina va a ver el clásico en la televisión!

Pero tenemos que cumplir nuestro desafío.

Sí, claro. Vinimos a ver el Aconcagua. ¡Adelante!

¡Un momento! Quizás podamos ver el partido.

¡¡GOOOOOOOOOOL!!

¡Al final subimos al mirador! Y vimos el Aconcagua.

¡Es espectacular! Quizás tú ___1___ venir un día.

Para subir al Aconcagua es importante que ___2___ porque el camino es largo. También es necesario que ___3___ ropa adecuada. Es bueno que ___4___ mucha agua. Y es mejor que lo ___5___ en verano porque no hace tanto frío.

77 ¡Misión cumplida!

▶ **Completa** el mensaje de correo de Tim con la forma correcta de estos verbos.

| querer | beber | visitar | llevar | entrenar |

HABLAR

78 **¿Qué necesitan?**

▶ **Escribe.** ¿Con qué profesión relacionas cada fotografía?

▶ **Habla** con tu compañero(a). ¿Qué cualidades debe tener cada profesional?

Modelo   A. *Es necesario que un cocinero sepa cocinar muy bien.*
B. *Claro. Y también es bueno que no sea una persona muy nerviosa porque en los restaurantes se trabaja muy deprisa.*

LEER Y ESCRIBIR

79 **¿A qué te dedicas?**

▶ **Lee** la carta de Tess y responde a estas preguntas.

1. ¿A qué se dedica Lilián Pérez?
2. ¿Dónde trabaja Lilián?
3. ¿En qué trabaja Armando?
4. ¿Tess conoció a algún ingeniero?

▶ **Escribe** una carta a Tess sobre personas con profesiones interesantes. Usa estructuras para hacer valoraciones.

Es bueno
Es malo
Es importante
Es necesario   que...
Es increíble
Es horrible

Querido papá:

¿Qué tal estás? Hoy conocí a varias personas interesantes en Uruguay. Primero conocí a Lilián Pérez. Es socorrista en una piscina municipal de Montevideo. Es joven y atlética, y entrena todos los días. Es importante que nade mucho para estar en forma.

Luego conocí a Armando. Es veterinario. Cuida a los animales enfermos. Normalmente trabaja con mascotas, pero a veces cuida a los animales del zoológico. Es bueno que sepa cuidar a todo tipo de animales, ¿no crees? Mucha gente sabe cuidar a los perros y a los gatos... ¡pero quizás sean más interesantes los leones!

Un abrazo.

Tess

ESCUCHAR Y HABLAR

80 Pasatiempos en Argentina

▶ **Escucha** a unos(as) amigos(as) de Diana en Argentina hablando de sus pasatiempos favoritos. Decide si estas oraciones son lógicas o no.

1. Es probable que Ángela tenga unas monedas muy valiosas *(valuable)*.
2. Ojalá Ernesto aprenda a tocar un instrumento.
3. Es evidente que Adán va mucho al teatro.
4. Espero que Catalina juegue bien al ajedrez.

▶ **Habla** con tu compañero(a) sobre tus pasatiempos y deportes favoritos.

Modelo   A. *A mí me gusta mucho ir al cine.*

   B. *A mí también. Pero no me gusta ir al teatro.*

LEER Y HABLAR

81 Buenos Aires

▶ **Lee** este fragmento de una guía turística sobre Buenos Aires. Después, habla con tu compañero(a) de lo que te gusta o no te gusta de esa ciudad.

Modelo   *Me gusta que Buenos Aires sea una ciudad grande.*

 **CULTURA**

Buenos Aires

Buenos Aires, la capital de Argentina, es una de las ciudades más grandes de Latinoamérica. Es una ciudad que recibe inmigrantes de todo el mundo. Uno de los barrios más interesantes es La Boca, donde viven muchos argentinos de origen italiano.

Teatro Colón.

La vida cultural de Buenos Aires es muy activa. Cada año se celebran numerosos eventos culturales y festivales de arte, música, cine, teatro, artesanía, etc. El Teatro Colón es uno de los escenarios de ópera y teatro más importantes del mundo.

82 Investiga. Busca más información sobre la vida cultural de Buenos Aires. ¿A qué espectáculo te gustaría *(would you like)* asistir?

El encuentro

En la Manzana Jesuítica de Córdoba

In Córdoba, the pairs gather in front of the Manzana Jesuítica, an architectural landmark of Argentina. Did all the pairs succeed in their assignments?

Nosotros tuvimos que descubrir el significado de unas palabras misteriosas.

Y resolvimos el enigma.

Nosotras tuvimos que pasear a doce perros por Montevideo.

¡Se nos escapó un perro! ¡Por fortuna, regresó solo a su casa!

Nosotras actuamos en una telenovela argentina.

Nosotros subimos hasta el Mirador del Aconcagua.

Y lo hicimos muy bien. El director nos felicitó.

¡Y vimos el clásico del fútbol argentino en los Andes!

▶ **Escribe.** Cada una de las parejas hizo una presentación de su desafío. Elige una diapositiva (*slide*) y haz un resumen del desafío.

EL DESAFÍO: descifrar una extraña frase

A G U R A N G E   L I N A U

EL LUGAR: **Asunción (Paraguay)**

LA PISTA: **en Paraguay hablan español y guaraní.**

Andy y Janet

¿CUÁL CREEN QUE FUE NUESTRO DESAFÍO?

Tess y Patricia

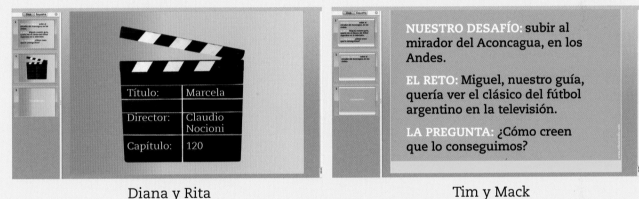

Título:	Marcela
Director:	Claudio Nocioni
Capítulo:	120

Diana y Rita

NUESTRO DESAFÍO: subir al mirador del Aconcagua, en los Andes.

EL RETO: Miguel, nuestro guía, quería ver el clásico del fútbol argentino en la televisión.

LA PREGUNTA: ¿Cómo creen que lo conseguimos?

Tim y Mack

> Una presentación tiene que ser atractiva. La información se escribe en forma de esquema. Y debes incluir fotografías, dibujos o gráficos.

84 Las votaciones

▶ **Lee** las diapositivas de los personajes. ¿Cuál te gusta más? ¿Por qué?

Modelo   A. Yo creo que la diapositiva de Andy y Janet es muy buena.

B. Sí, pero no tiene fotos.

▶ **Prepara** una presentación sobre tu deporte o tu actividad de tiempo libre preferida.

▶ **Lee** la presentación de tu compañero(a). ¿Qué es lo que más te gusta? ¿Piensas que puede mejorar? Coméntaselo.

Modelo   Creo que debes incluir más fotografías. Es importante que la presentación sea atractiva.

Río de la Plata

El Río de la Plata, formado por la unión del río Paraná y el río Uruguay, está situado en Suramérica, sobre la costa atlántica. En esa región hay dos países: Uruguay y Argentina. Al norte de Argentina, en el corazón de Suramérica, está Paraguay.

– Argentina es el segundo país más extenso de Suramérica. Su capital, Buenos Aires, está situada junto al Río de la Plata.

– Uruguay es, en cambio, el segundo país más pequeño de Suramérica. Su capital, Montevideo, está también situada junto al Río de la Plata.

– Paraguay está situado en el interior, pero tiene salida al Río de la Plata y al océano Atlántico por los ríos Paraguay y Paraná. Su capital es Asunción. La mayor parte de la población paraguaya es de origen guaraní.

BOLIVIA **BRASIL**

PARAGUAY

Asunción

OCÉANO PACÍFICO

CORDILLERA DE LOS ANDES

Río Paraná

Río Uruguay

ARGENTINA

CHILE

URUGUAY

Río de la Plata

Buenos Aires

Montevideo

Nacionalidades

Argentina ⟶ argentino(a)

Uruguay ⟶ uruguayo(a)

Paraguay ⟶ paraguayo(a)

OCÉANO

ATLÁNTICO

0	125	250	
			millas
			kilómetros
0	230	460	

85 Frontera

▶ **Une** las dos columnas. ¿A qué país corresponde cada descripción?

1. Limita con dos países.   a. Argentina
2. Limita con cinco países.   b. Uruguay
3. Limita con tres países.   c. Paraguay

▶ **Responde** a estas preguntas.

1. ¿Qué río pasa entre Paraguay y Argentina?
2. ¿Qué países divide el río Uruguay?
3. ¿Qué cordillera separa Chile y Argentina?

Entre Paraguay y Brasil se encuentra la central hidroeléctrica de Itaipú. Es la central más grande del mundo.

1. Influencia italiana

Muchos argentinos descienden de emigrantes italianos. Por eso en Argentina son muy frecuentes los apellidos italianos.

Los emigrantes italianos dejaron huella en la cultura argentina, por ejemplo, en la cocina: entre las comidas típicas de Buenos Aires están la pizza y la pasta.

(1) Pizzería de Buenos Aires.

(2) Cartel de una película argentina.

2. Cultura rioplatense

La sociedad uruguaya comparte muchas tradiciones con la argentina. Igual que los argentinos, los uruguayos beben mate, bailan tango y son fans del fútbol, y los gauchos son también un símbolo de su identidad.

Además, uruguayos y argentinos comparten la misma variedad del español: usan el pronombre *vos* en lugar de *tú* y dicen *¿Vos querés cantar?* en lugar de *¿Tú quieres cantar?*

3. El chipá

El chipá es un pequeño pan de maíz y queso. Es típico de Paraguay, pero también se hace en Argentina.

En otros países de Suramérica hay panes parecidos, por ejemplo, el *cuñapé* de Bolivia o el *pan de yuca* de Colombia.

(3) Chipá paraguayo.

86 Queremos saber más

▶ **Investiga** sobre una de las siguientes cuestiones. Después, pon la información en común con tus compañeros(as).

– Otras comidas típicas argentinas.
– Las particularidades del español de Argentina y Uruguay.
– La receta del chipá paraguayo.

Read narrative texts

Narrative texts tell events that happen to characters in a certain time and place. Narrative texts have three common components:

- **Setting** (*marco*)—the time and place in which the events of the story occur (*where and when*).

- **Characters** (*personajes*)—the people or sometimes the animals in the story (*who*).

- **Plot** (*argumento*)— the sequence of events (*what*).

In the plot it is possible to identify three parts:

- The **initial event** that begins the story.

- The **body**. The series of events that make up the focus or the conflict of the story.

- The **ending**. The conclusion or resolution of the story.

Un cuento de Benedetti

Al principio no quiso creerlo. Después se convenció, pero lo tomó a broma[1]. El extraño ruidito[2] no podía ser otra cosa: alguien escuchaba sus conversaciones por teléfono. Armando no sabía el motivo, pero estaba seguro. No le divertía especialmente ni le daba miedo tampoco: sencillamente le parecía una tontería[3]. Siempre había creído[4] que la palabra espionaje, con su significado importante, oscuro, peligroso, no tenía lugar[5] en un país tan pequeñito como el suyo. […] Sin embargo era cierto, alguien escuchaba sus conversaciones telefónicas.

MARIO BENEDETTI, «Ganas de embromar» (texto adaptado).

1. *he took it as a joke*   2. *slight noise*   3. *silly thing*   4. *he had thought*   5. *took place*

Mario Benedetti (1920-2009) es un escritor uruguayo muy conocido por sus poemas y sus cuentos. Escribió muchos libros, más de ochenta. Algunos de ellos están traducidos a más de veinte idiomas.

COMPRENSIÓN

 87 ¿Qué pasó?

▶ **Completa** estas oraciones.

1. Armando oyó...
2. Armando descubrió que...
3. Armando estaba seguro, pero...
4. Armando vivía en...
5. Armando se lo tomó...

ESTRATEGIA Leer textos narrativos

88 Un cuento de espías

▶ **Escribe** un cuento a partir del texto de Mario Benedetti.

1.º Completa este esquema sobre el marco y los personajes. Toma los datos del texto e inventa los demás: ¡es tu cuento! Puedes inventar también otros personajes.

Marco
Lugar:
Tiempo:

El protagonista	El oponente
¿Quién es?	¿Quién es?
¿Cómo es?	¿Cómo es?
¿Qué hace?	¿Qué hace?
¿Dónde está?	¿Dónde está?

2.º Piensa en el argumento. Completa el cuadro sobre el acontecimiento inicial del cuento e inventa una secuencia de eventos.

Acontecimiento inicial
El protagonista...
El oponente...

Evento 1 → Evento 2 → Evento 3

Desenlace

3.º Ahora escribe el cuento utilizando tiempos de pasado. No olvides ponerle un título.

 **→ TU DESAFÍO** Visita la página web para aprender más sobre Mario Benedetti y otros escritores argentinos y uruguayos.

La escuela

los aseos	*restrooms*
el aula	*classroom*
la biblioteca	*library*
la cafetería	*cafeteria*
el comedor	*cafeteria*
el gimnasio	*gym*
el laboratorio	*lab*
la oficina del director	*principal's office*
el pasillo	*hallway*
la sala de computación	*computer lab*
Biología	*biology*
Física	*physics*
Geografía	*geography*
Historia	*history*
Literatura	*literature*
Matemáticas	*math*
Química	*chemistry*
hacer un examen	*to take an exam*
levantar la mano	*to raise your hand*
prestar atención	*to pay attention*
tomar apuntes	*to take notes*

Aficiones, actividades y espectáculos

coleccionar monedas	*to collect coins*
coleccionar sellos	*to collect stamps*
dibujar	*to draw*
hacer crucigramas	*to do crossword puzzles*
hacer picnic	*to have a picnic*
ir al cine	*to go to the movies*
ir al teatro	*to go to the theater*
ir a un concierto	*to go to a concert*
ir a una exposición	*to go to an exhibit*
jugar al ajedrez	*to play chess*
jugar a las damas	*to play checkers*
jugar a los naipes	*to play cards*
montar a caballo	*to ride a horse*
montar en bici	*to ride a bicycle*
montar en monopatín	*to ride a skateboard*
pasear	*to go for a walk*
patinar	*to skate*
tocar la guitarra	*to play the guitar*
tomar el sol	*to sunbathe*

Profesiones

el actor, la actriz	*actor, actress*
el/la agricultor(a)	*farmer*
el/la arquitecto(a)	*architect*
el/la artista	*artist*
el/la bibliotecario(a)	*librarian*
el/la bombero(a)	*firefighter*
el/la cantante	*singer*
el/la cirujano(a)	*surgeon*
el/la cocinero(a)	*cook*
el/la dentista	*dentist*
el/la mecánico(a)	*mechanic*
el/la pintor(a)	*painter*
el/la policía	*policeman / policewoman*
el/la socorrista	*lifeguard*
el/la técnico informático	*computer technician*
el/la telefonista	*operator*

Deportes

el/la entrenador(a)	*coach*
el gimnasio	*gym*
el alpinismo	*mountain climbing*
el baloncesto	*basketball*
el béisbol	*baseball*
el esquí	*ski*
el fútbol	*soccer*
el fútbol americano	*football*
el golf	*golf*
el senderismo	*hiking*
el tenis	*tennis*
el voleibol	*volleyball*
el balón	*ball*
la canasta	*basket*
los esquís	*skis*
el guante	*glove*
la pelota	*ball*
la raqueta	*racket*
la red	*net*
competir	*to compete*
empatar	*to tie*
ganar	*to win*
hacer gimnasia	*to work out*
levantar pesas	*to lift weights*
perder	*to lose*

DESAFÍO 1

1 ¿Qué puedo hacer? Escribe qué puedes hacer en estos lugares de la escuela.

el laboratorio   el gimnasio   el comedor   la sala de computación

Modelo *En el laboratorio puedo aprender Química.*

DESAFÍO 2

2 Profesiones. ¿A qué se dedican estas personas? Escríbelo.

DESAFÍO 3

3 Yo prefiero... Completa las palabras de Alfonso.

Mis hermanos y yo tenemos distintas aficiones. A mi hermana le gusta ___1___ la guitarra y ___2___ al ajedrez. A mi hermano le encanta coleccionar cosas. Tiene una colección de ___3___ antiguos y otra de monedas. Yo prefiero hacer deporte. Me gusta mucho ___4___ a caballo. Y también me encanta la música. Hoy voy a un ___5___ de mi grupo favorito. Y a ti, ¿qué te gusta?

DESAFÍO 4

4 ¿Qué necesito? Relaciona las dos columnas.

Ⓐ

1. Voleibol
2. Baloncesto
3. Tenis
4. Fútbol

Ⓑ

a. Una raqueta y una pelota.
b. Un balón.
c. Una pelota y una red.
d. Un balón y una canasta.

Expresar existencia. Los indefinidos (pág. 350)

▶ Alguien and nadie refer to people.
Hay alguien en el aula.
No hay nadie en el aula.

▶ Algo and nada refer to things.
En la mesa hay algo para escribir.
En la mesa no hay nada.

Expresar deseo. El modo subjuntivo (pág. 358)

Ojalá pueda ser veterinaria.
Quiero que estudies Medicina.

VERBOS REGULARES

CANTAR	COMER	VIVIR
cante	coma	viva
cantes	comas	vivas
cante	coma	viva
cantemos	comamos	vivamos
cantéis	comáis	viváis
canten	coman	vivan

Expresar sentimientos (pág. 366)

Me molesta llegar tarde al cine.
Me molesta que la gente llegue tarde al cine.

VERBOS CON RAÍZ IRREGULAR EN EL PRESENTE DE SUBJUNTIVO

PENSAR	JUGAR	VOLVER	PEDIR	DORMIR
piense	juegue	vuelva	pida	duerma
pienses	juegues	vuelvas	pidas	duermas
piense	juegue	vuelva	pida	duerma
pensemos	juguemos	volvamos	pidamos	durmamos
penséis	juguéis	volváis	pidáis	durmáis
piensen	jueguen	vuelvan	pidan	duerman

Expresar duda y hacer valoraciones (pág. 374)

Dudo que Pedro esté en casa.
Es necesario que hagas deporte.

VERBOS IRREGULARES EN EL PRESENTE DE SUBJUNTIVO

DAR	ESTAR	SABER	SER	IR
dé	esté	sepa	sea	vaya
des	estés	sepas	seas	vayas
dé	esté	sepa	sea	vaya
demos	estemos	sepamos	seamos	vayamos
deis	estéis	sepáis	seáis	vayáis
den	estén	sepan	sean	vayan

DESAFÍO 1

5 **Mi cumpleaños.** Completa este texto.

todos
nadie
algo
nada
alguien

Hoy es mi cumpleaños; pero no hay ___1___ en casa. Tampoco hay ___2___ preparado para cenar.

Veo ___3___ en la mesa; pero no sé qué es.

Qué raro, ___4___ me llama por teléfono. ¡Ya sé!

Es una fiesta sorpresa, ¡están ___5___ en el jardín!

DESAFÍO 2

6 **¡Ojalá!** Relaciona las dos columnas.

1. Quiero que mis padres   **a.** trabajes como abogado.

2. Deseo que Álvaro   **b.** vayan de vacaciones a la playa.

3. Espero que tú   **c.** aprobemos los exámenes.

4. Prefiero que nosotros   **d.** pueda ser actor.

DESAFÍO 3

7 **Cuéntame de ti.** Responde a estas preguntas. Usa el subjuntivo.

1. ¿Qué te gusta de tus profesores(as)?   3. ¿Qué te encanta de tu familia?

2. ¿Qué te molesta de tus compañeros(as)?   4. ¿Qué te sorprende de tus amigos(as)?

DESAFÍO 4

8 **¿Qué opinas?** Elige la opción correcta.

1. Dudo que Amelia _____ el concierto de piano esta noche.
   a. dé   **b.** demos   **c.** da

2. Es posible que Julio y Gloria _____ a la playa a tomar el sol.
   a. vayamos   **b.** van   **c.** vayan

3. No dudo que tú _____ cuál es la respuesta correcta.
   a. sepas   **b.** sepa   **c.** sabes

4. Es importante que tú y yo _____ buenos jugadores de baloncesto.
   a. sea   **b.** seamos   **c.** somos

CULTURA

9 **En Suramérica.** Responde a las siguientes preguntas.

1. ¿Cuáles son las dos lenguas oficiales de Paraguay?

2. ¿En qué ciudad argentina está el barrio de La Boca?

3. ¿Cuál es la montaña más alta de la cordillera de Los Andes?

Un guión para

una telenovela

Acting is a skill. Each actor or actress in a scene must know his or her lines and often do research to become more like the character. In this project you will write the script for a *telenovela* and act out a scene with your classmates.

PASO 1 Elige a los personajes

• Choose three characters. Here are some suggestions:

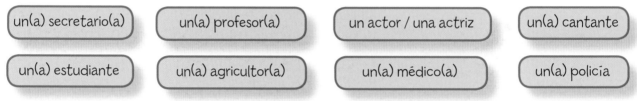

un(a) secretario(a) un(a) profesor(a) un actor / una actriz un(a) cantante

un(a) estudiante un(a) agricultor(a) un(a) médico(a) un(a) policía

• Decide the relationships between the characters.
– ¿Son familiares?
– ¿Son amigos(as)?
– ¿Trabajan juntos(as)?
– ¿Se llevan bien?

PASO 2 Decide el argumento

• Decide where and when the action takes place.
– ¿En qué país se desarrolla la historia?
– ¿La telenovela transcurre en el campo o en la ciudad?
– ¿En qué época ocurre: en el siglo XXI o antes?

• Write an outline for two scenes:
– ¿Dónde están los personajes?
– ¿Qué sucede en las escenas?
– ¿Qué sienten los personajes?

PASO 3 Escribe el guión

- Write the script for each scene:
  - Each scene should have at least 10 lines of dialogue and a captivating storyline.
  - This being a *telenovela*, there should be emotion and drama in each scene.
  - Include notes about each character's movements. Props and wardrobe are also encouraged.

> *En el interior de la hacienda. Rodrigo y su hija Teresa están discutiendo en el salón. Rodrigo está sentado en el sofá y su hija Teresa está de pie, bastante enfadada. Él lleva un traje oscuro y una corbata. Teresa lleva un vestido blanco.*
>
> - TERESA: Papá, mañana por la noche es la fiesta. Puedo ir, ¿verdad?
> - RODRIGO: No, Teresa, prefiero que no asistas a esa fiesta.
> - TERESA: ¿Por qué?
> - RODRIGO: Porque eres demasiado joven, hija.
> - TERESA: Pero papá, yo quiero ir. Todas mis amigas van a estar allí.
> - RODRIGO: Lo siento, pero no quiero que vayas.
> - TERESA: ¿Qué? ¡No me lo puedo creer!
>
> *María, la madre de Teresa, los escucha discutir desde el piso de arriba y baja por las escaleras un poco asustada.*
>
> - MARÍA: Hija, ¿qué sucede?

PASO 4 Elige una escena y ensaya

- In a group, choose a scene and assign the roles for each actor or actress. One of you will introduce the characters and the scene.
  Each person in the group will be responsible for memorizing his or her lines.
- Practice the scene.

PASO 5 Representa la telenovela

- Act out the scene of your *telenovela*.
- While you are watching the other groups, take notes to make value statements. Give constructive criticism on the group's performance.

Autoevaluación

¿Qué has aprendido en esta unidad?

Do these activities to evaluate how well you can manage in Spanish.

Evaluate your skills. For each item, say Very well, Well, or I need more practice.

a. Can you identify people and things?

▶ Look at your classroom and describe it: what objects and people there are, and what they are doing. Use words like *alguien, nadie, nada…*

b. Can you express wishes?

▶ Tell a classmate what you want to do in the future and why.

c. Can you express feelings and emotions?

▶ Play a guessing game. Mime leisure activities. Your classmate guesses what you are acting out.

▶ Describe the things you like and don't like about your school. Use these verbs:

gustar	*molestar*
encantar	*alegrar*
preocupar	*sorprender*

d. Can you make value statements?

▶ Write three sentences expressing certainty and three sentences expressing doubt.

▶ Discuss with your partner what you should do to improve your Spanish. Use the structure *es + adjetivo + que + subjuntivo.*

UNIDAD 8

La Panamericana

De vuelta a casa

DESAFÍO 1

- **To identify, describe, and compare places**

Vocabulario
Geografía

Gramática
El superlativo relativo

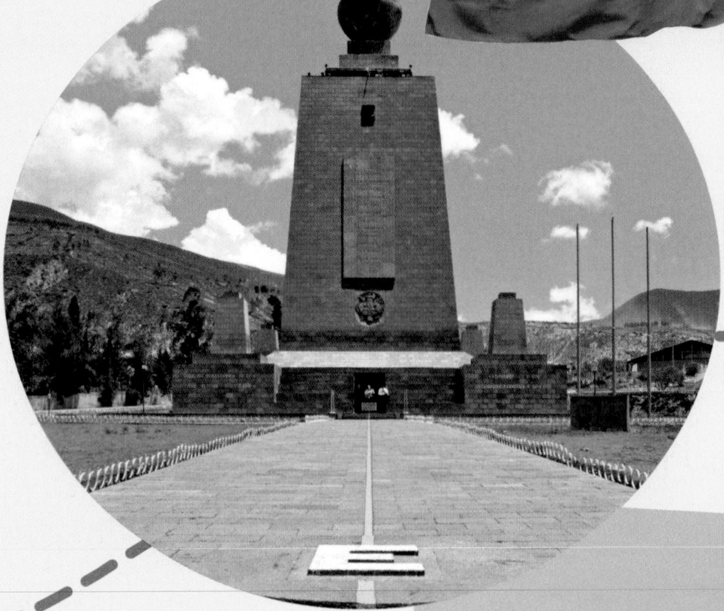

Mitad del Mundo (Ecuador)

DESAFÍO 2

- **To talk about future plans**

Vocabulario
Países

Gramática
Expresar planes e intenciones

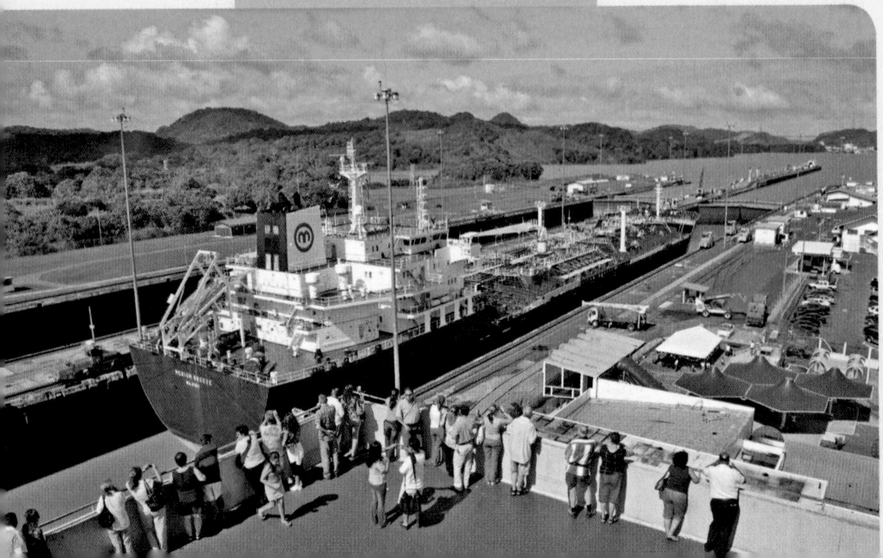

Canal de Panamá

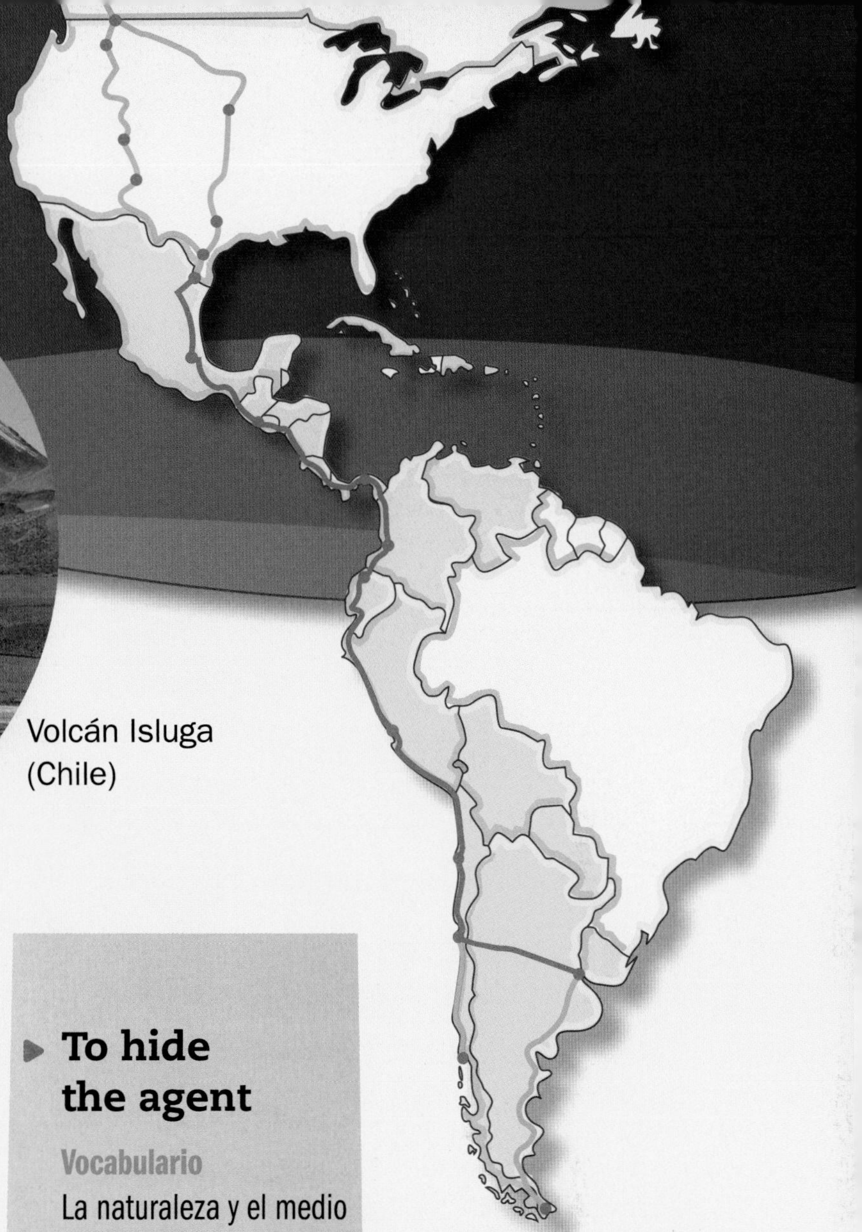

Volcán Isluga
(Chile)

DESAFÍO
3

To talk about future events

Vocabulario
El tiempo meteorológico

Gramática
El futuro

▶ ## To hide the agent

Vocabulario
La naturaleza y el medio ambiente

Gramática
Ocultar el agente.
El pronombre *se*

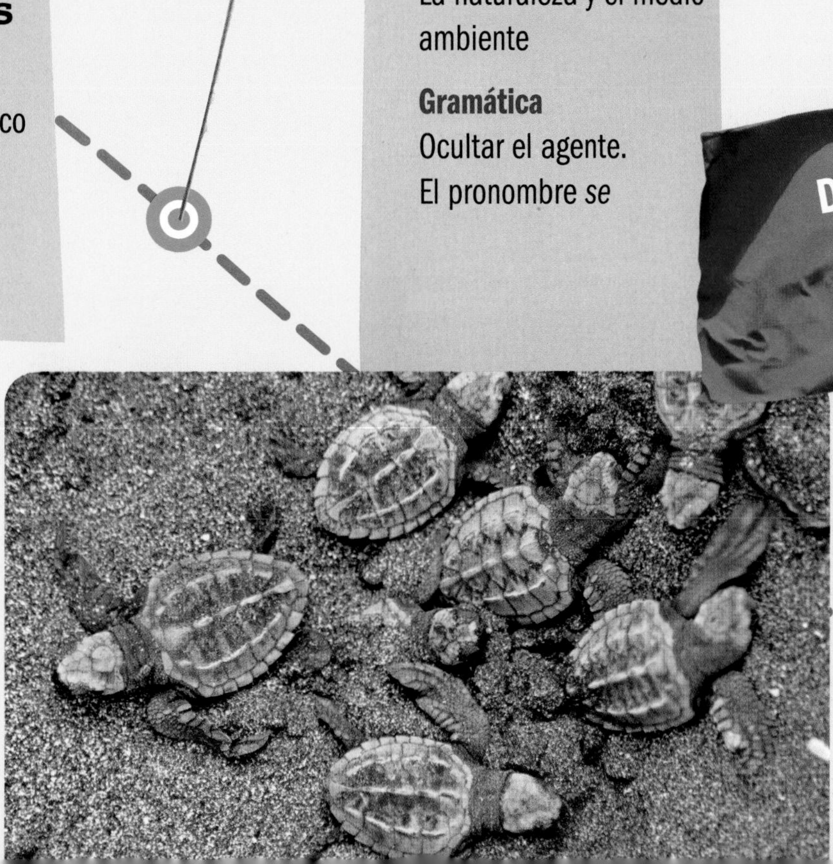

DESAFÍO
4

Tortugas
marinas

La llegada

En Santiago de Chile

Our friends gather in front of the *Mercado Central,* in Santiago de Chile. This will be their final mission before reuniting in Denver, CO. But how will they get there? They consider driving several thousand miles up the Pan-American Highway.

Amigos, esta será la última etapa de la aventura.

Sí, cuando volvamos a vernos, estaremos en casa. ¿Cómo vamos a viajar?

Como somos muchos, podemos alquilar un coche e ir por la Panamericana.

¿Estás loca? Hay miles de millas de distancia.

Podemos hacer algunas partes en autobús y disfrutar del paisaje.

Y otras en tren o en avión.

Sí, buena idea.

1 **¿Comprendes?**

▶ **Responde** a estas preguntas.

1. ¿Cómo van a volver las parejas a Denver?
2. ¿Qué distancia hay entre Santiago de Chile y Denver?
3. ¿Qué venden en el Mercado Central?
4. ¿Quién es Augusto?
5. ¿Qué les desea Augusto?

EXPRESIONES ÚTILES

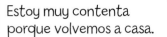

Estoy muy contenta porque volvemos a casa.

To express cause:

Podemos alquilar un coche **porque** es barato.

Como es barato, podemos alquilar un coche.

To express consequence:

El viaje terminó, **así que** volvemos a casa.

Los participantes quieren ver el paisaje y **por eso** van en autobús.

To express contrast or restriction:

El camino es largo, **pero** vamos a ir en coche.

2   Diálogos

▶ **Completa** estas oraciones con una de las expresiones útiles.

1. _____ está lloviendo, no vamos al parque.
2. Quiero ir a Quito _____ ahora hace buen tiempo allí.
3. No hice mi tarea anoche, _____ hoy no puedo salir con mis amigos.
4. No puedo manejar _____ no tengo licencia.
5. Hoy estoy muy cansada y _____ me voy a acostar pronto.
6. Me da miedo volar, _____ voy a viajar en avión.

3   Usa las expresiones

▶ **Escribe** un diálogo utilizando expresiones útiles. Después, represéntalo con tu compañero(a).

Como el viaje es largo, podemos ir en avión.

Pero el tren es más barato.

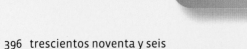

¿Quién ganará?

4 **Los desafíos**

▶ **Habla.** ¿Cuál va a ser el desafío para cada pareja? Piénsalo y coméntalo con tus compañeros(as).

DESAFÍO ①

Una obra de gigantes

Andy y Janet

DESAFÍO ②

La mitad del mundo

Tess y Patricia

DESAFÍO ③

Aire frío y agua caliente

Tim y Mack

DESAFÍO ④

El paraíso de las tortugas

Diana y Rita

▶ **Decide.** ¿Cuál crees que va a ser tu desafío favorito? ¿Por qué?

▶ **Habla.** Los personajes van a viajar a Panamá, Ecuador, Chile y Costa Rica. ¿Qué sabes de esos países? Coméntalo con tus compañeros(as).

5 **La tarea final**

▶ **Decide.** ¿Qué tarea tienen que hacer los personajes al final? ¿Qué pareja crees que ganará?

LA TAREA

Un anuncio de turismo

Una obra de gigantes

The Panama Canal is one of the largest engineering projects ever achieved. It connects the Atlantic and Pacific oceans. Andy and Janet must paddle a 20-mile stretch of the canal, from Lake Gatún out to the Pacific Ocean.

Tenemos que remar veinte millas desde aquí.

¡Qué emoción, Andy! Vamos a cruzar el canal más famoso del mundo.

¿Seguro que esto es un canal? A mí me parece un lago.

¡Cuánta vegetación! Esto parece una selva.

¡Mira, Janet!

Hola, aquí Andy y Janet Douglas. ¿Podemos pasar?

Claro. Son 45.000 dólares.

Ese barco viene del océano Pacífico. Tiene bandera japonesa.

¿45.000 dólares? ¡No puede ser!

Continuará...

6 **Detective de palabras**

▶ **Relaciona.** ¿Qué palabra de la fotonovela corresponde a cada fotografía?

(1)

(2)

(3)

▶ **Escribe** una oración con cada una de esas palabras.

7 **¿Comprendes?**

▶ **Responde** a estas preguntas.

1. ¿Dónde están Andy y Janet?
2. ¿Cuántas millas tienen que remar *(row)*?
3. ¿De dónde viene el barco que ve Janet?
4. ¿De qué país es la bandera del barco?

8 **Una conversación en el kayak**

▶ **Escucha** la conversación entre Janet y Andy, y elige la opción correcta.

1. Andy y Janet están en el _____.
   a. lago Alajuela **b.** lago Miraflores **c.** lago Gatún

2. Andy y Janet tienen que remar aproximadamente _____.
   a. diez kilómetros **b.** dieciséis kilómetros **c.** treinta kilómetros

3. Barro Colorado es una _____.
   a. selva **b.** isla **c.** montaña

4. A Janet le encanta _____.
   a. el paisaje **b.** el canal **c.** el lago

5. Andy opina que Panamá es el país más _____ de Centroamérica.
   a. interesante **b.** importante **c.** bonito

CONEXIONES: CIENCIAS SOCIALES

El canal de Panamá

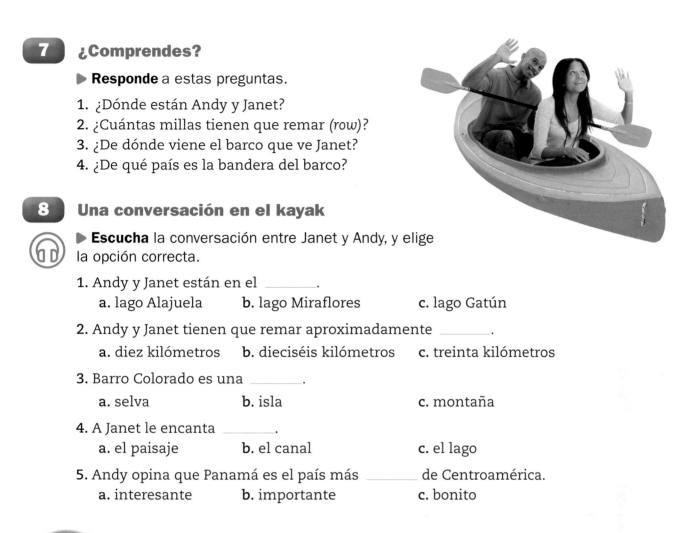

El canal de Panamá es una de las obras civiles más importantes de todos los tiempos. Mide 50 millas y une el océano Atlántico y el océano Pacífico a través del istmo *(isthmus)* de Panamá.

Francia empezó el proyecto, pero lo terminaron los Estados Unidos. El canal se inauguró en 1914.

9 **Piensa y explica.** ¿Conoces otras obras con mucho impacto en la historia de la humanidad?

⚑→ TU DESAFÍO Visita la página web para aprender más sobre el canal de Panamá.

Vocabulario

Geografía

Océanos y continentes

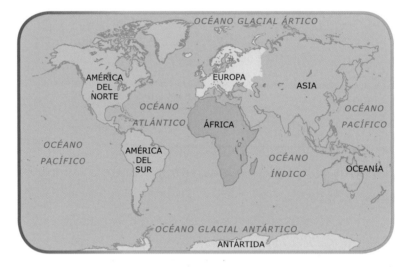

El paisaje

10 **Lugares famosos**

▶ **Escribe** con tu compañero(a) ejemplos de estos lugares.

1. una montaña → *el Aconcagua*
2. una bahía
3. una cascada

4. un cañón
5. un río
6. una selva

7. un volcán
8. un océano
9. una isla

11 Un poco de geografía panameña

▶ **Investiga y escribe.** Janet y Andy quieren visitar en Panamá algunos lugares destacados. ¿Qué son esos lugares? ¿Qué características tienen?

Modelo   Baru → *Es un volcán. Es el volcán más alto de Panamá.*

Sambú

Pelícano

San Ramón

12 ¿Cuánto sabes?

▶ **Responde** a estas preguntas con tu compañero(a).

1. ¿Cuál es el continente más grande?
2. ¿Qué desierto está en el sur de los Estados Unidos?
3. ¿Cómo se llama el océano que está entre América y Asia?
4. ¿Cuál es el río más largo de América del Sur?
5. ¿Cuál es el lago más grande de África?

▶ **Escucha** y toma nota de las respuestas. ¿Qué pareja de la clase tiene más respuestas correctas?

Catedral Metropolitana de Panamá.

CULTURA
El casco viejo de Panamá

El casco viejo de la ciudad de Panamá es la segunda atracción turística después del canal de Panamá. En esta zona predomina el estilo colonial, pero se aprecia una mezcla de estilos arquitectónicos: caribeño, francés, modernista…

Algunos de los monumentos más famosos del casco viejo son la Catedral Metropolitana y el Teatro Nacional de Panamá.

13 **Explica.** ¿En tu ciudad hay zonas con mezcla de distintos estilos artísticos? ¿Cuáles son los monumentos más visitados? ¿Cómo son?

⚑→ TU DESAFÍO Visita la página web para ver más imágenes del casco viejo de Panamá.

Gramática

El superlativo relativo

- Remember that superlatives are used to express an extreme degree of an adjective.

  Asia es un continente **grandísimo**.

- The relative superlative is used to describe a noun in comparison with a larger group.

  El Everest es **la montaña más alta** del mundo.

- To form the relative superlative in Spanish, use the following structures:

el / la / los / las + nombre +	más menos	+ adjetivo +	de... que...

  El Amazonas es **el río más largo** del mundo.

  Este es **el país más bonito** que conozco.

- Remember to use the irregular forms mejor(es), peor(es) when talking about the *best*, or *worst*.

  Los mejores monumentos de Ciudad de Panamá están en el casco viejo.

  Hoy es **el peor día** para viajar porque llueve mucho.

14 **Compara.** ¿Qué palabras se usan en inglés para formar el superlativo relativo?

15 **Los lugares que conozco**

▶ **Escucha** a Andy y une cada lugar con la característica correspondiente.

Ⓐ	Ⓑ
1. Nueva York	a. fascinante
2. España	b. alto
3. El salto Ángel	c. misterioso
4. El lago de Atitlán	d. extraño
5. Suramérica	e. turístico
6. La bahía de Vieques	f. famoso

▶ **Escribe** tres oraciones similares. Después, léeselas a tu compañero(a). ¿Está de acuerdo contigo?

Modelo A. *Hawái tiene las mejores playas del mundo.*

  B. *Sí, tienes razón. Son espectaculares.*

16 **¿Qué sabes de...?**

▶ **Escribe** la respuesta a estas preguntas.

1. ¿Quién es el jugador más alto de la NBA?
2. ¿Cuál es la ciudad más poblada de los Estados Unidos?
3. ¿Dónde está el edificio más alto del mundo?

▶ **Escribe** tres preguntas similares y házselas a tu compañero(a). Usa el superlativo relativo.

17 **¡Tienes razón!**

▶ **Habla** con tu compañero(a) para dar tu opinión sobre estos lugares famosos. ¿Está de acuerdo contigo?

Modelo   Nueva York ⟶ A. *Yo pienso que Nueva York es la ciudad más importante del mundo.*
B. *Sí, puede ser. Todo el mundo la conoce.*

1

Río Amazonas

2

Monte Everest

3

Ciudad de México

4

Cataratas del Niágara

CULTURA

Mi Pueblito

Mi Pueblito es un complejo turístico situado en la ciudad de Panamá. Allí se pueden ver réplicas de construcciones de tres culturas distintas:

– Mi Pueblito Afroantillano muestra la cultura de la población de las Antillas que llegó a este país cuando se construyó el canal de Panamá.
– Mi Pueblito Campesino es una réplica de un pueblo del interior del país, con casas, un museo, un aula escolar, una plaza...
– Mi Pueblito Indígena representa una aldea *(village)* típica.

18   **Piensa y explica.** ¿Conoces alguna atracción turística de tu país que represente formas de vida del pasado? En tu opinión, ¿son interesantes este tipo de atracciones? ¿Por qué?

Comunicación

19 **Las maravillas de Panamá**

▶ **Lee** el blog de Janet sobre su experiencia en Panamá y complétalo.

mejor   maravillosas   peor

bonitos   limpia   grande

Mi experiencia en Panamá
6 de mayo

Panamá es fascinante. Ayer fuimos al archipiélago Bocas del Toro. En sus islas están las playas más ___1___ del Caribe. Allí puedes tomar el sol, relajarte, nadar y hacer surf. La isla Colón es la más ___2___ del archipiélago: tiene 10.000 habitantes, aproximadamente. ¡Y es tan bonita! Allí

puedes bucear o hacer *snorkel*. ¡Es el agua más ___3___ y más azul del mundo! En estas islas tienen los paisajes marinos más ___4___ que vi en toda mi vida. Para mí, esta es la ___5___ zona turística de Panamá: hay muchos hoteles y restaurantes, y el paisaje es maravilloso.

Desgraciadamente, mañana nos vamos. ¡Qué lástima! ¡Es el ___6___ día de mi vida!

20 **Opiniones**

▶ **Escucha** y completa estas oraciones con las opiniones de los personajes sobre sus viajes y desafíos.

1. Mack cree que Buenos Aires es…
2. A Janet le parece que Venezuela tiene…
3. Para Tim, Costa Rica tiene…
4. Andy piensa que el desierto de Atacama es…
5. Patricia opina que el glaciar Perito Moreno es…

▶ **Habla** con tu compañero(a). ¿Están de acuerdo con las opiniones de los personajes?

21 Un juego

▶ **Escribe.** Selecciona un lugar famoso (país, río, montaña, valle, etc.) de cada categoría y escribe una descripción.

1. Un lugar en Latinoamérica.
2. Un lugar en los Estados Unidos.
3. Un lugar en otra parte del mundo.

▶ **Presenta** tus descripciones a la clase. Tus compañeros(as) tienen que adivinar de qué lugares se trata.

Modelo   A. *Este lugar está en los Estados Unidos. Es uno de los sitios más turísticos del país. Son unas montañas con caras de personas muy famosas.*
B. *Es el monte Rushmore.*
A. *¡Sí!*

Final del desafío

¡Por favor, déjenos pasar! ___1___

Sí. Le podemos dar esta gorra. ___2___

___3___

Y al oeste se ve el océano Pacífico. ___4___

22 La experiencia más memorable

▶ **Ordena** estas palabras para formar oraciones y completa los bocadillos.

1. especial - el viaje - Este - de nuestras vidas. - es - más
2. del mejor - Es - equipo - la gorra - del mundo.
3. de la capital. - tenemos - más - Desde aquí - la vista - espectacular
4. extenso - el océano - más - del mundo. - Es

La mitad del mundo

Patricia and Tess have just arrived in Quito. Their task is to find the Earth's equator and step simultaneously on the Northern and Southern Hemispheres at noon.

¡Bienvenidas a Quito! Me llamo Emilio y voy a enseñarles la ciudad.

Hola, Emilio. Tenemos que estar en el ecuador antes de las doce.

¡Pero ya están en el Ecuador!

No, no. Me refiero a la línea del ecuador.

Ah, ustedes quieren ir a Mitad del Mundo. Eso está fuera de la ciudad. Pero les voy a hacer un precio especial.

¿Está lejos la catedral?

No, cuando pasemos por allí, las aviso.

Mamá, tengo hambre. ¿Cuándo vamos a comer?

Cuando lleguemos, Tess. Tenemos que estar en el ecuador a las doce.

Hummm, no sé si vamos a llegar a tiempo.

Continuará...

23 Detective de palabras

▶ **Completa** estas oraciones.

1. Voy a _____ la ciudad.

2. Les voy a _____ un precio especial.

3. Cuando _____ por allí, las aviso.

4. Vamos a comer cuando _____.

5. No sé si vamos a _____ a tiempo.

▶ **Responde.** ¿Las oraciones anteriores se refieren al presente, al pasado o al futuro?

24 **¿Comprendes?**

▶ **Escribe** la respuesta a las siguientes preguntas.

1. ¿En qué ciudad están Tess y Patricia? ¿Y en qué país?
2. ¿Dónde tienen que estar antes de las doce?
3. ¿Qué es Mitad del Mundo?
4. ¿Cómo van a llegar allí?

25 **¡Cuántos viajes!**

▶ **Escucha** la conversación entre Tess y un viajero en el aeropuerto.
¿Qué planes tiene él? Une las dos columnas.

Ⓐ	Ⓑ
1. Hoy	**a.** ir a la Torre Eiffel en París.
2. Mañana	**b.** comer pescado en Lisboa.
3. Pasado mañana	**c.** aprender a bailar samba en Brasilia.
4. La semana que viene	**d.** sacar fotos en Berlín.
5. En dos semanas	**e.** comer una pizza en Roma.
6. El próximo mes	**f.** ver un musical en Broadway.

▶ **Habla** con tu compañero(a) sobre sus planes. Usa las expresiones de tiempo de la columna A.

Modelo　A. *¿Qué vas a hacer hoy?*
　　　　　B. *Primero voy a hacer la tarea y luego voy a ver una película con mi hermana.*

CONEXIONES: GEOGRAFÍA

La línea del ecuador

El ecuador es una línea imaginaria que divide la superficie de la Tierra en dos hemisferios: el hemisferio Norte y el hemisferio Sur.

Durante muchos años se pensó que el ecuador pasaba por San Antonio de Pichincha, al norte de Quito. Allí se construyó un monumento y una línea para marcar el ecuador en un terreno conocido como Mitad del Mundo. Pero hoy sabemos que el ecuador pasa unos metros más al sur. Esta nueva «mitad del mundo» está representada por un gran reloj de sol situado en el centro turístico-cultural Quitsato.

Monumento de Mitad del Mundo.

26 **Explica.** En Mitad del Mundo se realizan experimentos de física muy curiosos, como, por ejemplo, observar el sentido de rotación del agua. Investiga sobre este fenómeno y explica en qué consiste.

 **TU DESAFÍO** Visita la página web para aprender más sobre Mitad del Mundo.

Vocabulario

Países

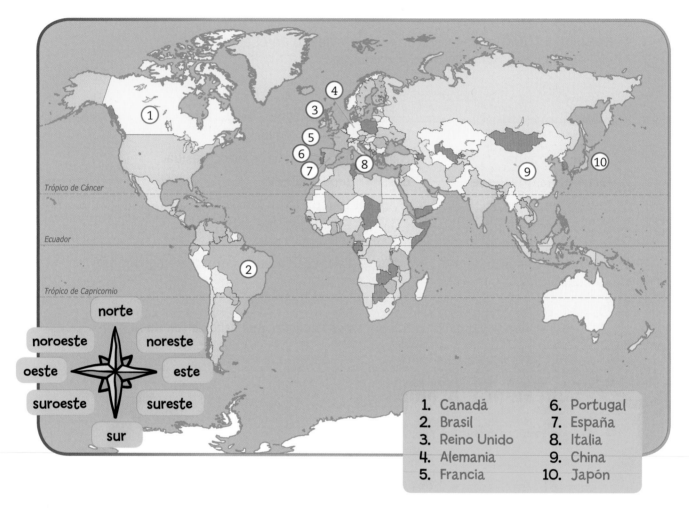

Trópico de Cáncer

Ecuador

Trópico de Capricornio

norte
noroeste noreste
oeste este
suroeste sureste
sur

1. Canadá	6. Portugal
2. Brasil	7. España
3. Reino Unido	8. Italia
4. Alemania	9. China
5. Francia	10. Japón

27 **Países y capitales**

▶ **Habla** con tu compañero(a). ¿A qué países corresponden estas capitales?

Modelo   A. *Berlín es la capital de Alemania, ¿no?*
          B. *Sí.*

Berlín   Londres   París   Roma   Madrid

Lisboa   Brasilia   Ottawa   Tokio   Beijing

▶ **Escribe** con tu compañero(a) el nombre de otras ciudades famosas de esos países.

28 Recomendaciones

▶ **Escucha** y escribe las preferencias de cada personaje.

Modelo 1. *A Diana le gusta bailar samba.*

1. Diana   **2.** Andy   **3.** Janet   **4.** Rita   **5.** Tim   **6.** Patricia

▶ **Escribe.** ¿Qué ciudad del mundo le recomiendas visitar a cada persona?

Modelo *Diana puede ir a Brasilia o a Río de Janeiro para bailar samba.*

29 ¿Dónde está Guayaquil?

▶ **Escribe.** Patricia quiere ir a Guayaquil, pero no sabe dónde está. Escríbele un correo electrónico explicando su ubicación *(location)*.

Modelo *¿Qué tal, Patricia? Guayaquil está al suroeste de Quito…*

▶ **Habla.** Describe la ubicación de otra ciudad en Ecuador a tu compañero(a) sin decir el nombre. Él / Ella tiene que adivinar la ciudad.

Modelo A. *Está al sureste de Manta.*
　　　　B. *¡Portoviejo!*

CULTURA

La capital de Ecuador

Quito es la capital de Ecuador desde 1563. Está en el norte del país y es una ciudad de gran riqueza histórica y cultural.

En Quito se puede ver la influencia indígena mezclada con el mundo moderno en el arte y la cultura.

30 Piensa y explica. ¿Conoces otras ciudades donde se puede ver el contacto entre culturas?

 → TU DESAFÍO Visita la página web para aprender más sobre Quito.

Gramática

Expresar planes e intenciones

- You can use the present tense to talk about the future when you refer to timetables, pre–arranged events, and when you want to present the information as a fact.

presente

La semana que viene **viajamos** a Nueva York.

- You can use ir a + *infinitive* to express intention or future plans.

ir a + infinitivo

El próximo año **vamos a ir** a Canadá.

Expresiones temporales de futuro

- You can use adverbs and other expressions to refer to the future.

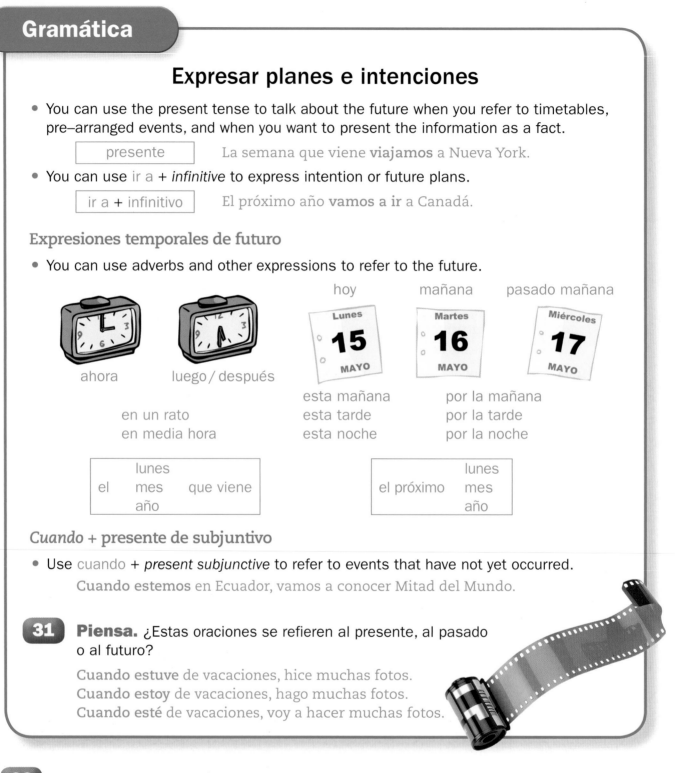

hoy   mañana   pasado mañana

Lunes 15 MAYO   **Martes 16 MAYO**   **Miércoles 17 MAYO**

ahora   luego / después

en un rato
en media hora

esta mañana   por la mañana
esta tarde   por la tarde
esta noche   por la noche

el	lunes mes año	que viene

el próximo	lunes mes año

Cuando + presente de subjuntivo

- Use cuando + *present subjunctive* to refer to events that have not yet occurred.

  Cuando estemos en Ecuador, vamos a conocer Mitad del Mundo.

31 **Piensa.** ¿Estas oraciones se refieren al presente, al pasado o al futuro?

Cuando estuve de vacaciones, hice muchas fotos.
Cuando estoy de vacaciones, hago muchas fotos.
Cuando esté de vacaciones, voy a hacer muchas fotos.

32 **Los planes de José**

▶ **Escucha** el mensaje que José le dejó a Tess y responde a estas preguntas.

1. ¿Cuándo empieza José su trabajo?
2. ¿Cuándo va a viajar a Asia?
3. ¿Qué va a hacer cuando esté en Asia?
4. ¿Cuándo va a ir a Nueva York?
5. ¿Qué quiere hacer José en Nueva York?
6. ¿Qué lugares quiere visitar en Europa?

33 **Vacaciones en Europa**

▶ **Escribe** oraciones. ¿Qué va a hacer cada persona en sus vacaciones?
Usa las palabras y expresiones de las columnas.

Modelo *Cuando Patricia y yo vayamos a Barcelona, vamos a visitar un museo.*

1. Patricia y yo		Londres	comprar recuerdos
2. Mack		Lisboa	probar la comida típica
3. Diana	ir a	París	visitar un museo
4. Tim	viajar a	Barcelona	visitar un palacio
5. Rita	estar en	Río de Janeiro	ir a la playa
6. Andy y Janet		Venecia	ver un partido de fútbol

▶ **Escribe** cuatro oraciones sobre tus planes para las próximas vacaciones.

34 **La semana que viene**

▶ **Habla** con tu compañero(a) sobre los planes de Patricia para la semana que viene.
Pregunta y responde sobre su agenda. Imagina que hoy es domingo día 7.

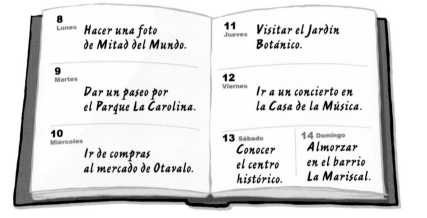

8 Lunes *Hacer una foto de Mitad del Mundo.*

9 Martes *Dar un paseo por el Parque La Carolina.*

10 Miércoles *Ir de compras al mercado de Otavalo.*

11 Jueves *Visitar el Jardín Botánico.*

12 Viernes *Ir a un concierto en la Casa de la Música.*

13 Sábado *Conocer el centro histórico.*

14 Domingo *Almorzar en el barrio La Mariscal.*

Modelo
A. *¿Cuándo va a ir de compras al mercado de Otavalo?*
B. *El próximo miércoles.*

CONEXIONES: CIENCIAS

Las islas Galápagos

El archipiélago de Galápagos está situado al oeste de Ecuador,
en el océano Pacífico. Es un lugar de gran interés científico por
la flora y la fauna autóctonas (*native*). El 97% de la superficie
total de las islas es parte del Parque Nacional Galápagos.

Galápago gigante.

35 **Piensa y habla.** ¿Crees que el turismo en las islas Galápagos afecta a la flora
y la fauna? ¿Qué hay que hacer para preservar las especies únicas?

→ TU DESAFÍO Visita la página web para aprender más sobre las islas Galápagos.

Comunicación

36 **El blog de Tess**

▶ **Lee** el blog de Tess sobre sus planes para el viaje a Ecuador y responde a las preguntas.

Próximo viaje: Ecuador

1 de junio

Mañana mi mamá y yo vamos a Ecuador. Estoy muy emocionada. Nuestro vuelo llega a Quito, la capital del país. Desde allí vamos a tomar un taxi hacia el norte para ir a Mitad del Mundo. Cuando lleguemos, nos vamos a hacer una foto con un pie en cada hemisferio. ¡Qué divertido! Por la noche vamos a explorar un poco la ciudad.

Pasado mañana mi mamá quiere visitar museos, pero yo prefiero ir de compras a algún mercado tradicional.

Cuando vuelva a San Antonio la semana que viene, voy a poner la foto de nuestro desafío. ¡Hasta pronto!

1. ¿Qué va a hacer Tess cuando llegue a Quito?
2. ¿En qué dirección tienen que ir Tess y Patricia para ir de Quito a Mitad del Mundo?
3. ¿Qué quieren hacer cuando lleguen a Mitad del Mundo?
4. ¿Qué van a hacer al día siguiente por la noche?
5. ¿Qué planes tiene Tess para pasado mañana?
6. ¿Qué va a hacer Tess cuando vuelva a casa?

37 **Vamos de vacaciones**

▶ **Escucha** los planes de Patricia y su esposo y decide si estas oraciones son ciertas o falsas. Si son falsas, corrígelas.

1. El esposo de Patricia quiere ir a Nueva York.
2. Patricia prefiere ir a Asia.
3. Patricia y su esposo van a conocer el norte de Francia y la capital.
4. Cuando estén allí, van a visitar museos y monumentos famosos.
5. Después van a viajar al Reino Unido.
6. El esposo de Patricia va a pedir precios para ir a Asia.

▶ **Habla** con tu compañero(a). Imagina que van a hacer el mismo viaje que Patricia y su esposo. ¿Qué planes tienen?

Modelo   A. *¿Qué vamos a hacer en París?*

B. *Vamos a cenar en un restaurante de* nouvelle cuisine.

38 **Un viaje alrededor del mundo**

▶ **Escribe.** Tus padres van a hacer un viaje alrededor del mundo. Escribe un itinerario por diez ciudades y algo para hacer en cada lugar.

Modelo *Primero van a ir en avión a Londres.*
Allí van a visitar...

▶ **Presenta** tu itinerario a tus compañeros(as).
¿Cuál es el más divertido?

Final del desafío

Estamos muy cerca, pero me parece que no vamos a llegar a Mitad del Mundo a las doce.

¡No puede ser!

39 **¿Llegaron a tiempo?**

▶ **Escribe** el final del desafío. ¿Crees que Tess y Patricia llegaron a Mitad del Mundo a tiempo? ¿Qué pasó después?

Modelo *Yo creo que Tess y Patricia llegaron a tiempo.*

 → TU DESAFÍO   Visita la página web. Escucha las preguntas de tu *Minientrevista Desafío 2* y escribe las respuestas.

Aire frío y agua caliente

Tim and Mack are back in the Andes. They are in the Isluga Volcano National Park, in Chile. Tim and his grandpa must don their swimsuits in sub-zero temperatures, and swim in a hot spring at 12,000 feet above sea level!

¿Sabías que la Panamericana pasa muy cerca de muchos volcanes?

¡Qué miedo!

¿Miedo? ¡Qué va!

Este volcán se llama Isluga y es un volcán activo.

BIENVENIDO
REPUBLICA DE CHILE
PARQUE NACIONAL
VOLCAN ISLUGA
CORPORACION NACIONAL FORESTAL   CHILE

¿Se sabe cuándo entrará en erupción?

Tranquilo, Tim. Eso no pasará ni hoy ni mañana.

¡Ah, mira qué sol! Hace un día estupendo para darse un baño.

¡Pero si estamos a tres grados bajo cero! Si nos bañamos hoy, mañana estaremos enfermos.

¡Venga, Tim! Mañana no hará sol y bajarán las temperaturas. Hoy es un día perfecto para bañarnos.

¿Se bañará Tim?

Continuará...

40 ## Detective de palabras

▶ **Completa** estas oraciones.

1. ¿Se sabe cuándo ___1___ en erupción?

2. Tranquilo, Tim. Eso no ___2___ ni hoy ni mañana.

3. Si nos bañamos hoy, mañana ___3___ enfermos.

4. Mañana no ___4___ sol y ___5___ las temperaturas.

5. ¿Se ___6___ Tim?

▶ **Escribe.** ¿A qué infinitivos corresponden esos verbos?

41 **¿Comprendes?**

▶ **Decide** si estas oraciones son ciertas o falsas. Si son falsas, corrígelas.

1. Tim y Mack están en un parque nacional.
2. El volcán Isluga no está activo.
3. Mack quiere bañarse porque hace mucho calor.
4. Tim no quiere bañarse porque hace frío.
5. Mack piensa que es imposible que Tim se bañe.

42 **¿Qué foto es?**

▶ **Escucha** y relaciona cada oración con la imagen correspondiente.

Ⓐ

Ⓑ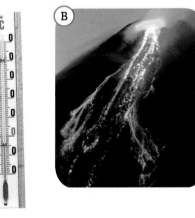

Ⓒ

Ⓓ

CONEXIONES: CIENCIAS

El Parque Nacional Volcán Isluga

El Parque Nacional Volcán Isluga está en Chile. Se llama así por el volcán Isluga, la montaña más alta del parque.

La altitud de este parque nacional va desde los 2.100 metros hasta más de 5.000 metros sobre el nivel del mar. La temperatura media anual está entre los −5 °C y los 10 °C (23-50 °F).

Uno de los principales atractivos del parque son las termas naturales de Enquelga. Están a 3.700 metros de altitud, pero el agua alcanza una temperatura de unos 30 °C (86 °F).

43 **Compara.** ¿Conoces algún parque nacional en tu país? ¿Cuáles son sus características geográficas?

▶ **TU DESAFÍO** Visita la página web para aprender más sobre el volcán Isluga.

Vocabulario

El tiempo meteorológico

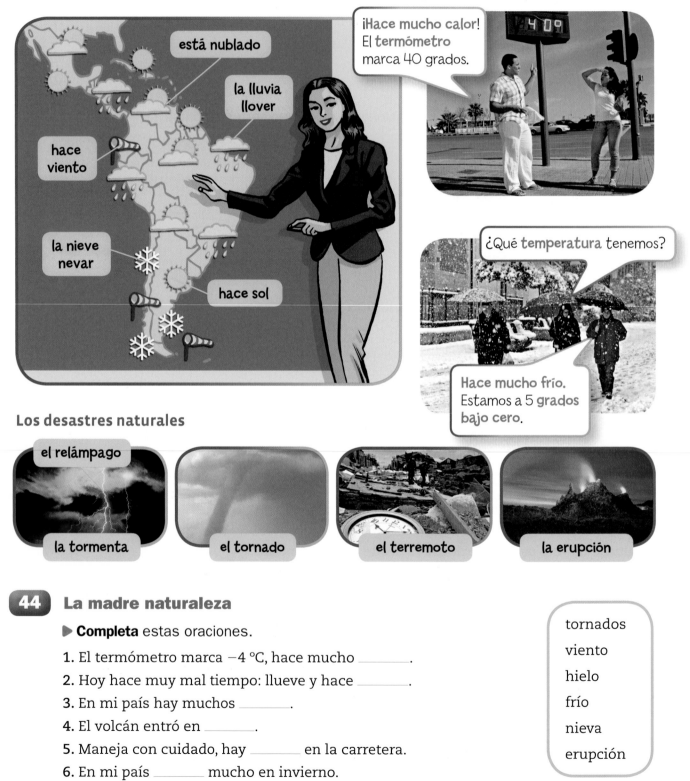

está nublado

la lluvia
llover

hace
viento

la nieve
nevar

hace sol

¡Hace mucho calor! El **termómetro** marca 40 grados.

¿Qué **temperatura** tenemos?

Hace mucho frío. Estamos a 5 grados bajo **cero**.

Los desastres naturales

el relámpago

la tormenta

el tornado

el terremoto

la erupción

44 **La madre naturaleza**

▶ **Completa** estas oraciones.

1. El termómetro marca −4 °C, hace mucho _____.
2. Hoy hace muy mal tiempo: llueve y hace _____.
3. En mi país hay muchos _____.
4. El volcán entró en _____.
5. Maneja con cuidado, hay _____ en la carretera.
6. En mi país _____ mucho en invierno.

tornados

viento

hielo

frío

nieva

erupción

45 **Asociaciones**

▶ **Habla** con tu compañero(a). ¿Qué palabra no corresponde a cada grupo?

1
frío
nieve
calor
invierno

2
erupción
tornado
terremoto
temperatura

3
temperatura
viento
grados
termómetro

4
sol
lluvia
tormenta
relámpago

▶ **Escribe** otras series similares con tu compañero(a) e intercámbienlas con las de otra pareja. Ellos(as) tienen que adivinar qué palabra no corresponde.

46 **El tiempo nos influye mucho**

▶ **Escucha** el diálogo. ¿A cuál de estas fotografías corresponde?

47 **Lo bueno y lo malo**

▶ **Escribe** qué cosas te gustan más y menos de estos lugares.

Modelo *En Hawái hace sol y hace calor, pero hay volcanes que pueden entrar en erupción.*

1. Los Ángeles, CA
2. Chicago, IL
3. Phoenix, AZ
4. Omaha, NE
5. Miami, FL
6. Nueva York, NY

▶ **Habla** con tu compañero(a). ¿Cómo es el tiempo en tu ciudad o en tu pueblo en cada estación? ¿Qué cosas te gustan más y menos?

Modelo A. *Lo que más me gusta del tiempo de esta ciudad es que en verano no hace demasiado calor.*
B. *Sí, a mí también. Y lo que menos me gusta es que nunca nieva porque me encanta esquiar.*

Gramática

El futuro

- To talk about the future, you can use ir a + *infinitive* or the future tense.

    La semana que viene **voy a ir** de excursión a la montaña.
    La semana que viene **iré** de excursión a la montaña.

Futuro. Verbos regulares

- Add the following endings to the infinitive to form the future tense. Note that all -ar, -er, and -ir verbs use the same endings.

FUTURO. VERBOS REGULARES

	Entrar	Comer	Seguir
yo	entraré	comeré	seguiré
tú	entrarás	comerás	seguirás
usted, él, ella	entrará	comerá	seguirá
nosotros, nosotras	entraremos	comeremos	seguiremos
vosotros, vosotras	entraréis	comeréis	seguiréis
ustedes, ellos, ellas	entrarán	comerán	seguirán

Verbos irregulares en el futuro

- These verbs have stem changes:

VERBOS IRREGULARES EN EL FUTURO

poder	→	podr-
poner	→	pondr-
salir	→	saldr-
tener	→	tendr-
venir	→	vendr-

decir	→	dir-
hacer	→	har-
querer	→	querr-
saber	→	sabr-

Mañana no **podré** salir.
Saldré el domingo.

El domingo **hará** calor.
Podremos ir de excursión.

48 **Compara.** ¿Cómo se expresa el futuro en inglés?

49 **¿En el pasado o en el futuro?**

▶ **Escucha** a Mack y decide si Tim hizo estas actividades en el pasado o si las hará en el futuro.

1. ponerse el impermeable
2. bañarse
3. ir a Denver
4. sacar una fotografía

5. ponerse el abrigo y la bufanda
6. ir a esquiar a Bariloche
7. volver al hotel
8. llamar a sus amigos

50 Hay que prepararse

▶ **Escribe** lo que harán estas personas si ocurren estos fenómenos naturales. Usa el futuro.

1. Si hay un tornado, nosotros _____ al sótano.
   bajar

2. Mack _____ con mucho cuidado si hay hielo en la carretera.
   manejar

3. Ellos no _____ subir a la montaña si hay una tormenta.
   poder

4. Si hace mucho frío, Tim y Mack _____ a la calle con ropa de abrigo.
   salir

5. Ana no _____ ir a la playa si está nublado porque le encanta tomar el sol.
   querer

6. Si bajan las temperaturas, ustedes se _____ ropa de abrigo.
   poner

51 ¿Qué tiempo hará?

▶ **Escucha** la previsión meteorológica para Santiago de Chile y completa una tabla como esta.

Lunes	Martes	Miércoles	Jueves	Viernes
Estará nublado.				

▶ **Escribe** con tu compañero(a) un pronóstico del tiempo para la próxima semana en tu ciudad o en tu pueblo.

CONEXIONES: CIENCIAS

El Cinturón de Fuego del Pacífico

Aproximadamente el 75% de los volcanes del mundo se sitúa alrededor de la cuenca del océano Pacífico. Por eso, a esta zona se la llama el Cinturón de Fuego del Pacífico.

El Cinturón de Fuego del Pacífico es también una zona de gran actividad sísmica. El 90% de los terremotos del mundo se produce en esta área, que incluye países de Suramérica, Centroamérica, Norteamérica, Asia y Oceanía.

Volcán en Chile.

52 Piensa y explica. ¿Cómo piensas que afecta la actividad sísmica al estilo de vida de los habitantes de esta zona?

▶ **TU DESAFÍO** Visita la página web para aprender más sobre el Cinturón de Fuego del Pacífico.

Comunicación

53 **¿Qué tiempo hará mañana?**

▶ **Escribe** la predicción del tiempo para mañana en tu país. Haz un mapa y coloca símbolos para ilustrarlo.

▶ **Lee** tu predicción a tu compañero(a). Él/Ella debe colocar los símbolos correctos en un mapa en blanco.

Modelo   A. *Mañana lloverá en la costa este.*
B. *¿En toda la costa?*
A. *Sí.*

54 **¿Qué pasará?**

▶ **Escribe.** ¿Qué harás mañana si hace este tiempo?

Si hay una tormenta...

Si hace calor...

Si nieva...

Si hace mucho viento...

▶ **Habla** con tu compañero(a). ¿Qué crees que harán Tim y Mack en esas situaciones?

Modelo   *Si hay una tormenta, Tim y Mack no saldrán a la calle. Se quedarán en el hotel y…*

55 **Un viaje, dos ciudades**

▶ **Escucha** la conversación y responde a estas preguntas.

1. ¿Qué hará la mujer en Valparaíso?
2. ¿Por qué no lleva mucha ropa?

3. ¿Qué tiempo hará en Valparaíso?
4. ¿Para qué irá de viaje a Santiago?

▶ **Escribe** tres cosas que tú y tus compañeros(as) podrán hacer por una escuela afectada por un desastre natural.

▶ **Compara** tu lista con tres compañeros(as). Entre todos(as), elijan las cinco mejores cosas y hagan un cartel.

56 **Te toca a ti**

Cuando tenga 25 años, viviré en...

▶ **Escribe.** ¿Cómo imaginas tu vida dentro de diez años? Puedes usar estas preguntas.

– ¿Dónde vivirás?
– ¿Cuál será tu profesión?
– ¿Estarás casado(a)? ¿Tendrás hijos(as)?
– ¿Dónde pasarás tus vacaciones?
– ¿Qué harás en tu tiempo libre?

▶ **Habla** con tu compañero(a) sobre tu vida futura y hazle preguntas sobre la suya.

Final del desafío

No hace tiempo para bañarse, abuelo...

¡Venga, anímate! El agua está deliciosa. Y si no te bañas, se lo diré a todo el mundo.

57 **¿Qué hará Tim?**

▶ **Escribe** el final del desafío. ¿Crees que Tim se bañará? Usa el futuro.

 → **TU DESAFÍO** Visita la página web. Escucha las preguntas de tu *Minientrevista Desafío 3* y escribe las respuestas.

El paraíso de las tortugas

Diana and Rita are in Tortuguero, one of the largest sea turtle sanctuaries in the world. After they hatch, the baby turtles run to sea, but some get lost. Diana and Rita's task is to rescue as many baby sea turtles as possible and take them to the ocean.

¿Sabías que las tortugas marinas están en peligro de extinción? Se calcula que cada año mueren cerca de un millón de tortugas.

Según se dice, es posible que en cien años no existan tortugas marinas.

¿Y no se puede hacer nada para evitarlo?

¡Cuánto sabes! Se nota que te gusta la naturaleza.

¿Tienes el repelente de mosquitos? Con tantos insectos se recomienda llevarlo a todas horas.

¿Cuánto se tarda en llegar a la playa?

¡Una araña! ¡Mátala!

¿Estás loca? Las arañas forman parte del ecosistema.

Creo que ya llegamos.

Continuará...

58 Detective de palabras

▶ **Une** las dos columnas.

A	B
1. Se calcula	a. llevar repelente de mosquitos a todas horas.
2. ¿No se puede	b. en llegar a la playa?
3. Según se dice,	c. hacer nada para evitarlo?
4. Se nota	d. es posible que en cien años no existan tortugas marinas.
5. Se recomienda	e. que te gusta la naturaleza.
6. ¿Cuánto se tarda	f. que cada año mueren cerca de un millón de tortugas.

59 Un mensaje desde Tortuguero

▶ **Completa** el mensaje que le manda Diana a su familia desde Tortuguero.

parque
playa
cocodrilos
plantas
tortugas

De:
Para:
Asunto:

| Cuerpo del texto | Anchura variable | A◆ A◆ | B I U |

Hola a todos. ¿Qué tal están? La tía Rita y yo estamos en el Parque
Nacional Tortuguero, en Costa Rica. Este lugar es famoso porque de julio
a octubre las ___1___ van a la ___2___ a dejar sus huevos. Esta noche
vamos a hacer una excursión para verlas. La mejor forma de ver
este ___3___ es en lancha. Así se puede disfrutar del paisaje y ver todas
las ___4___ y animales. ¿Saben que hay ___5___? ¡Qué miedo!
Diana

60 La naturaleza

▶ **Describe** las fotografías que tomó Diana en Tortuguero con tu compañero(a).

1   2   3

CONEXIONES: CIENCIAS

El Parque Nacional Tortuguero

El Parque Nacional Tortuguero está situado en la costa norte
de Costa Rica. Allí podemos encontrar más de 400 tipos de árboles
y más de 2.000 especies de plantas. También hay una gran
diversidad de fauna: aves, reptiles, insectos, peces, anfibios
y animales en peligro de extinción, como el jaguar.

Dentro del parque se encuentra el pueblo de Tortuguero. Miles
de tortugas verdes van a sus playas cada año para dejar sus huevos.

61 **Explica.** ¿Conoces alguna reserva natural de animales?

🚩→ **TU DESAFÍO** Visita la página web para aprender más sobre Tortuguero.

Vocabulario

La naturaleza y el medio ambiente

Animales domésticos

el caballo   la vaca   el cerdo   la oveja   el gallo   la gallina

Animales salvajes

el lobo   el águila   el mono   el cocodrilo   el oso   el elefante

Problemas medioambientales

la contaminación

la sequía

los incendios forestales

Voy a **plantar un árbol.** Debemos cuidar el **medio ambiente.**

Hay que **proteger a las especies en peligro de extinción,** conservar los recursos naturales y ahorrar energía.

62 **Mascotas**

▶ **Escucha** y escribe. ¿Qué animal tiene cada persona como mascota *(pet)*?

1. Margarita   2. Ángel   3. Eva   4. Julio   5. Mercedes

63 **Los animales que me gustan**

▶ **Escucha** y relaciona cada diálogo con la foto correspondiente.

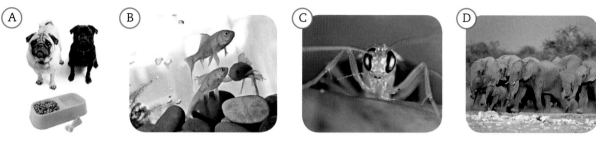

Ⓐ Ⓑ Ⓒ Ⓓ

▶ **Escucha** de nuevo y escribe. ¿Qué animales le gustan a cada uno?

Modelo *A Mario le gustan…*

1. Mario   **2.** Sofía   **3.** Rodrigo   **4.** Irene

▶ **Habla.** Entrevista a cuatro compañeros(as) sobre sus animales favoritos.

1. ¿Tienen alguna mascota en casa? ¿Cuál?
2. ¿Cuáles son sus animales favoritos? ¿Por qué?
3. ¿Pueden contar alguna anécdota relacionada con un animal?

64 **Cuidar el medio ambiente**

▶ **Escribe.** Haz una lista de tres cosas que puedes hacer para cuidar el medio ambiente.

Modelo *Para proteger el medio ambiente se puede usar el transporte público.*

COMUNIDADES

¡PURA VIDA!

En Costa Rica se oye mucho la expresión ¡*Pura vida!*: para
saludar, para despedirse, para dar las gracias, para decir
que algo está bien, etc. Al saludo «¿Cómo estás?»
se responde casi siempre con la expresión «¡Pura vida!».

Esta expresión refleja la esencia de la cultura y la vida cotidiana
de los habitantes de Costa Rica: tranquilidad *(peace)*, respeto por la naturaleza
y amabilidad *(kindness)*.

65 **Compara.** ¿Tu cultura tiene un lema similar? ¿Cuál sería *(would be)* el lema
para tu cultura o para describir la actitud de tu comunidad frente a la vida
diaria?

→ TU DESAFÍO Visita la página web para aprender más sobre Costa Rica.

Gramática

Ocultar el agente. El pronombre *se*

- In English, we use indefinite subjects, such as *they, you, one,* and *people,* or the passive voice when we want to present the information without telling who does the action. In Spanish, use this formula:

> se + verbo en tercera persona

Se prohíbe dar de comer a los animales.

Se permite hacer fotos.

Se habla español.

Se dice que las tortugas están en peligro de extinción.

Se cuenta que en Costa Rica cuidan mucho a los animales.

Se vive muy bien en este país.

Se trabaja mucho en este parque natural.

66 **Compara.** ¿Cómo se dice en inglés Se prohíbe hacer fotos?

67 **Rita quiere saber más...**

▶ **Escucha** la conversación de Rita y el guía. Responde a estas preguntas con ayuda de las fotos.

1. ¿Por qué se llama así el Parque Nacional Tortuguero?
2. ¿Qué más se puede ver en el parque?
3. ¿Qué se puede hacer para proteger la naturaleza?

68 Carteles

▶ **Completa** estos carteles que vieron Diana y Rita en el parque. Utiliza formas verbales con *se*.

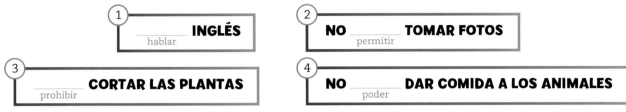

1. _____ INGLÉS
   hablar

2. NO _____ TOMAR FOTOS
   permitir

3. _____ CORTAR LAS PLANTAS
   prohibir

4. NO _____ DAR COMIDA A LOS ANIMALES
   poder

69 Las notas de Rita

▶ **Transforma** estas oraciones. Usa formas verbales con se.

Modelo   Los turistas no pueden tomar fotos de las tortugas.
$\longrightarrow$ *Se prohíbe tomar fotos de las tortugas.*

1. Los turistas pueden hacer fotos de las plantas.
2. Los turistas pueden contratar un guía.
3. Los turistas pueden visitar el parque en lancha.
4. Los turistas no pueden cortar flores en el parque.
5. Los encargados del parque prohíben bañarse en los canales.
6. Los encargados del parque no permiten tocar a los animales.

70 Una guía turística

▶ **Habla** con tu compañero(a). ¿Qué lugares famosos hay en tu ciudad? Escribe una lista de cosas que se puede o no se puede hacer en esos lugares.

Modelo   A. *En nuestra ciudad se puede visitar el zoológico. Allí se permite tomar fotos*
         de los animales.
         B. *Sí, pero no se puede dar comida a los animales.*

CONEXIONES: LENGUA

Las onomatopeyas

Las onomatopeyas son palabras que imitan el sonido de algo. Por ejemplo, los sonidos de los animales. Estas son algunas onomatopeyas del español:

Perro: *guau*   Pájaro: *pío*

Gato: *miau*   Gallo: *quiquiriquí*

71 **Investiga.** Busca las onomatopeyas en español de tres animales. ¿Son similares en inglés?

Comunicación

72 **Un viaje a Costa Rica**

▶ **Lee** esta información sobre Costa Rica y complétala.

playas	parques	senderismo	medio ambiente
fauna	costa	capital	geografía

EL TURISMO EN COSTA RICA

Costa Rica es un país de ___1___ única. Posee una gran superficie de ___2___ nacionales y áreas protegidas con una rica variedad de flora y ___3___. En este país cuidan mucho la naturaleza y protegen el ___4___.

Costa Rica tiene numerosas ___5___ tanto en la ___6___ este (mar Caribe) como en la oeste (océano Pacífico).

Por eso es el destino perfecto para los amantes del ___7___, el buceo o el surf.

San José, la ___8___, es una ciudad muy animada. En esta ciudad se encuentran los monumentos y sitios históricos más importantes del país. También hay museos y galerías de arte, como el Museo de Arte Costarricense o el Museo del Jade.

▶ **Escucha** la conversación entre Diana y una amiga. ¿Qué cosas se pueden hacer en Costa Rica? Escríbelo.

Modelo *En Costa Rica se puede subir a un volcán.*

▶ **Habla** con tu compañero(a). ¿Qué más cosas piensas que se pueden hacer en Costa Rica?

Modelo *Se dice que Costa Rica es un buen destino para hacer surf.*

73 **Animales en peligro de extinción**

▶ **Escribe.** Estos animales están en peligro de extinción. Investiga sobre uno de ellos y responde a estas preguntas.

La mariposa monarca.

El cóndor.

El caimán.

1. ¿Dónde vive este animal?
2. ¿Cómo es?
3. ¿Qué se puede hacer para protegerlo?

Final del desafío

Se espera que las primeras tortugas salgan de sus nidos esta noche.

¡Ahí están! ¡Cuántas tortugas!

Sí. Se cree que van hacia el reflejo de la luna en el agua.

Venga, vamos a llevarlas al mar.

74 **Conciencia medioambiental**

▶ **Completa** la entrada de Diana para la página web de su escuela. Utiliza formas verbales con se.

¡Salvemos a las tortugas!

_____1_____ que cada año mueren más de un millón de tortugas
calcular

marinas. En Costa Rica ___2___ a las tortugas, pero muchas
proteger

caen en las redes (nets) de los pescadores. También ___3___
saber

que muchas tortuguitas mueren porque confunden las luces

artificiales con el reflejo de la luna. Si no ___4___ algo, las
hacer

tortugas se extinguirán en pocos años.

ESCUCHAR Y HABLAR

75 **El tiempo en Latinoamérica**

▶ **Escucha** y elige la opción correcta.

1. El tiempo en el continente será _____.

   a. poco variado   **b.** muy variado   **c.** muy bueno

2. Lloverá en _____.

   a. Baja California   **b.** Cancún   **c.** la península de Yucatán

3. En Centroamérica _____.

   a. hará mucho frío   **b.** lloverá   **c.** hará calor

4. En la zona del Río de la Plata las temperaturas serán _____.

   a. altas   **b.** bajas   **c.** muy altas

5. En los Andes habrá bastante _____.

   a. lluvia   **b.** viento   **c.** nieve

6. En la ciudad de Concepción _____.

   a. nevará mucho   **b.** lloverá mucho   **c.** hará mucho calor

▶ **Escribe** con tu compañero(a) un pronóstico del tiempo para dos países de Latinoamérica. Usen un mapa y presenten la información a la clase.

HABLAR Y ESCRIBIR

76 **¡De viaje!**

▶ **Habla.** En grupos pequeños, seleccionen un lugar del mundo para ir de vacaciones. Decidan adónde irán, qué países o ciudades visitarán, qué elementos geográficos verán y qué actividades harán.

Modelo

Yo creo que podemos ir a las islas Galápagos.

Yo prefiero ir a un lugar menos turístico.

▶ **Haz** un póster con tus compañeros(as) sobre el viaje. Después, preséntenlo a la clase.

▶ **Pregunta** a los demás grupos por su viaje.

LEER Y ESCRIBIR

77 El blog de Tim

▶ **Lee** el blog de Tim y decide si estas afirmaciones son ciertas o falsas. Si son falsas, corrígelas.

> **Una visita al Parque Nacional Volcán Isluga**
>
> Mi abuelo y yo visitamos ayer el Parque Nacional Volcán Isluga. Hacía sol, pero las temperaturas eran muy bajas. Llevábamos gorras de lana y anoraks. Cuando vi el volcán, me asusté. ¿Y si entra en erupción? Pero el abuelo me dijo que no era peligroso. Cuando llegamos a los baños termales, mi abuelo se quitó el anorak y se metió en el agua. El guía nos dijo que la temperatura de los baños podía alcanzar treinta grados centígrados, pero fuera el termómetro marcaba tres grados bajo cero. ¡Creo que mi abuelo está loco!

1. Cuando Tim y Mack llegaron al parque nacional, hacía bastante calor.
2. Tim y Mack llevaban ropa de invierno.
3. Tim no tenía miedo del volcán porque no es activo.
4. Mack se bañó en las aguas termales.
5. Tim no se bañó porque el agua estaba fría.

▶ **Imagina** que vas a visitar el Parque Nacional Volcán Isluga. ¿Cuándo irás? ¿Qué ropa llevarás? ¿Te bañarás? Escribe tu propio blog.

Modelo   *Yo visitaré el Parque Nacional Volcán Isluga con mis amigos. Iremos en verano porque...*

LEER Y HABLAR

78 Pronósticos

▶ **Lee** estas opiniones sobre el futuro del planeta. Habla con tu compañero(a): ¿con qué opinión estás de acuerdo?; ¿por qué?

> Yo creo que en los próximos años habrá un calentamiento global *(global warming)* y los glaciares desaparecerán. Esto hará que suba el nivel del agua de los océanos y habrá inundaciones *(floods)* en muchos lugares. También habrá más enfermedades.
>
> Un pesimista

> Yo opino que entre todos encontraremos una solución al calentamiento global. En el futuro usaremos nuevas fuentes de energía y dejaremos de contaminar la atmósfera. Además, usaremos sistemas de reciclaje que protegerán la naturaleza.
>
> Un optimista

El encuentro

En Denver, Colorado

The pairs gather in a park near The Colorado State Capitol Building. Each pair brings along the advertisements they wrote about the place they visited.

Nosotros fuimos en barca al canal de Panamá.

¡Y logramos cruzarlo!

Pues nosotras fuimos a Quito y estuvimos en la línea del ecuador.

Pusimos un pie en el hemisferio norte y otro en el sur.

Nosotros estuvimos en Chile. Yo me bañé en aguas termales.

¡Pero a tres grados bajo cero!

Nosotras fuimos a Tortuguero. Y ayudamos a las tortugas a llegar al mar.

Fue la mejor experiencia de mi vida.

79 **Los anuncios**

▶ **Lee** los anuncios de turismo que hicieron los personajes. Elige uno y escribe un resumen del desafío.

ECUADOR

Playas vírgenes, selva tropical, montañas nevadas, islas volcánicas...

¿Te lo vas a perder?

PANAMÁ
El mejor lugar para conocer

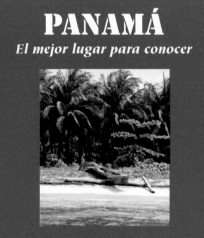

Disfruta de los paisajes más bellos del mundo rodeado de ríos, playas y montañas que no olvidarás.

CHILE
Un país lleno de contrastes

El desierto de Atacama, Viña del Mar, la Región de los Lagos, la isla de Pascua... Descúbrelos.

COSTA RICA, ¡PURA VIDA!

Verás la naturaleza más increíble, podrás practicar tus deportes favoritos, te olvidarás del mundo en nuestras maravillosas playas y harás nuevos amigos.

Un anuncio tiene que ser atractivo para captar la atención. Y debe incluir un eslogan.

80 **Las votaciones**

▶ **Decide.** ¿Qué anuncio de las parejas te gusta más? ¿Por qué?

▶ **Escribe.** Elige un destino de todos los países que visitaron las parejas y busca información para hacer un anuncio.

▶ **Presenta** tu anuncio a tus compañeros(as).

La ruta Panamericana

OCÉANO ATLÁNTICO

OCÉANO PACÍFICO

Prudhoe Bay
Fairbanks
Whitehorse
Edmonton
Calgary
Minneapolis
Denver
Albuquerque
Dallas
San Antonio
Laredo
Ciudad de México
San Salvador
Panamá
Cali
Quito
Lima
Antofagasta
Valparaíso
Buenos Aires
Quellón
Ushuaia

—— Ruta oficial
—— Extensiones

0   950   1.900
                        millas
                kilómetros
0   950   1.900

América está atravesada por una gran carretera que va desde Alaska hasta el extremo sur de Argentina: la Panamericana. En total son 26.000 kilómetros que cruzan catorce países, con extensiones a varios países más.

La parte de la Panamericana comprendida entre Laredo (Texas) y la ciudad de Panamá se conoce también como carretera Interamericana.

La carretera Panamericana permite conocer la diversidad geográfica, cultural y humana de las Américas utilizando como lengua el español.

81 **Los países de la ruta Panamericana**

▶ **Juega.** Mira el mapa de la Panamericana durante un minuto. Después, tápalo y escribe:

1. ¿Cuáles son los países por los que pasa la ruta?
2. ¿Cuáles son las capitales de esos países?

(1) Carretera Panamericana a su paso por el desierto de Atacama (Chile).

1. Variedad geográfica

Un viaje en coche por la Panamericana nos permite pasar en unos días de los climas cálidos y húmedos de Centroamérica a los fríos y secos de la Patagonia chilena y argentina.

De la misma manera, la Panamericana nos permite ver todo tipo de paisajes: los desiertos de México o de Chile, las selvas tropicales de Centroamérica, las grandes montañas de los Andes, las extensas llanuras de la Pampa o las tierras heladas de la Patagonia. Y cada paisaje tiene su flora y su fauna características.

La variedad geográfica es un rasgo propio del mundo hispano.

2. El mundo hispano: unidad y diversidad

La carretera Panamericana une la mayor parte de los países que hablan español. Viajando por ella se puede observar la unidad y la diversidad cultural del mundo hispano.

– La herencia española actúa como un factor de unidad presente en la lengua, la religión, la arquitectura, las costumbres…

– La herencia indígena actúa como un factor de diversidad presente en la ropa, las tradiciones y las formas de vida fuera de las ciudades.

El mestizaje es la clave para comprender la riqueza cultural de los países hispanos.

(2) Mercado tradicional (Perú).

82 **Visión global**

▶ **Completa** una tabla como esta con la información más importante de los textos.

Variedad de paisajes	Unidad y diversidad cultural

83 **Lugares emblemáticos**

▶ **Investiga.** Busca información acerca de los lugares emblemáticos que pueden visitarse a través de la ruta Panamericana.

El Tapón de Darién: un corte en la ruta Panamericana

La carretera Panamericana se planeó entre 1923 y 1939 como un sistema para unir los diferentes países de las Américas. Hoy solo faltan por construir 87 kilómetros en una zona conocida como el Tapón de Darién, entre Colombia y Panamá.

El Tapón de Darién es un obstáculo geográfico natural formado por cordilleras, manglares[1] y selvas tropicales. Y es una zona de extraordinario valor ecológico habitada por indígenas y declarada Reserva de la Biosfera y Patrimonio de la Humanidad por la UNESCO.

La construcción de la carretera en la zona de Darién tiene partidarios[2] y detractores:

- Los partidarios de la construcción defienden que la carretera es un impulso[3] económico para la zona y beneficia a toda América porque facilita el paso de personas y mercancías.

- Los detractores de la construcción piensan que la carretera pone en peligro el equilibrio ecológico de la zona y a las comunidades de indígenas que allí viven. Y argumentan que Darién es una barrera natural para evitar el paso de las enfermedades entre Centroamérica y Suramérica.

Hoy hay un proyecto para construir en Colombia un tramo hasta la frontera con Panamá, pero la polémica[4] sigue abierta.

---

1. *mangrove swamps*   **2.** *supporters*   **3.** *boost*   **4.** *controversy*

COMPRENSIÓN

84 **El Tapón de Darién**

▶ **Responde** a estas preguntas.

1. ¿Cuántos kilómetros faltan para completar la Panamericana?
2. ¿Dónde está el Tapón de Darién?
3. ¿Qué accidentes geográficos (*geographical features*) forman el Tapón de Darién?
4. ¿Por qué hay gente que piensa que la construcción de la carretera en Darién es buena para toda América?
5. ¿Por qué otros piensan que la construcción de la carretera es perjudicial (*damaging*) para la zona?

ESTRATEGIA **Leer textos argumentativos**

85 **Opiniones y razones**

▶ **Copia** este esquema del texto y complétalo.

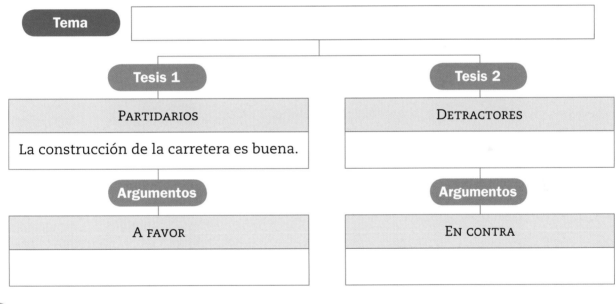

Tema	

Tesis 1	Tesis 2
PARTIDARIOS	DETRACTORES
La construcción de la carretera es buena.	

Argumentos	Argumentos
A FAVOR	EN CONTRA

 ▶ **Habla.** ¿Qué opinas tú? Da argumentos y contrasta tu opinión con la de tus compañeros(as).

86 **Tus argumentos**

▶ **Escribe** un texto argumentativo sobre el tema «¿Naturaleza o progreso?». Primero haz un esquema con tu tesis y dos argumentos.

▶ **TU DESAFÍO** Visita la página web para aprender más sobre la zona de Darién.

Geografía

África	Africa	la bahía	bay
América del Norte/Norteamérica	North America	el bosque	forest
América del Sur/Suramérica	South America	el cañón	canyon
Antártida	Antarctica	la cascada/la catarata	waterfall
Asia	Asia	la colina	hill
Europa	Europe	el mar	sea
Oceanía	Oceania	la montaña	mountain
Océano Atlántico	Atlantic Ocean	la pradera	prairie
Océano Glacial Ártico	Arctic Ocean	el puerto	port
Océano Glacial Antártico	Southern Ocean	el río	river
Océano Índico	Indian Ocean	la selva	jungle
Océano Pacífico	Pacific Ocean	el valle	valley

Países

Alemania	Germany	norte	north
Brasil	Brazil	sur	south
Canadá	Canada	este	east
China	China	oeste	west
España	Spain	noreste	northeast
Francia	France	noroeste	northwest
Italia	Italy	sureste	southeast
Japón	Japan	suroeste	southwest
Portugal	Portugal		
Reino Unido	United Kingdom		

ecuador	equator
Trópico de Cáncer	Tropic of Cancer
Trópico de Capricornio	Tropic of Capricorn

El tiempo meteorológico

Está nublado.	It's cloudy.
Hace calor.	It's hot.
Hace frío.	It's cold.
Hace sol.	It's sunny.
Hace viento.	It's windy.
bajo cero	below zero
los grados	degrees
la temperatura	temperature
el termómetro	thermometer
la erupción	eruption
la lluvia/llover	rain/to rain
la nieve/nevar	snow/to snow
el relámpago	lightning
el terremoto	earthquake
la tormenta	storm
el tornado	tornado

La naturaleza y el medio ambiente

el caballo	horse	ahorrar energía	to save energy
el cerdo	pig	conservar	to conserve
la gallina	hen	la contaminación	pollution
el gallo	rooster	cuidar	to take care of
la oveja	sheep	las especies	
la vaca	cow	en peligro de extinción	endangered species
el águila	eagle	los incendios forestales	forest fires
el cocodrilo	crocodile	el medio ambiente	environment
el elefante	elephant	plantar un árbol	to plant a tree
el lobo	wolf	proteger	to protect
el mono	monkey	los recursos naturales	natural resources
el oso	bear	la sequía	drought

DESAFÍO 1

1 **Geografía.** Une las dos columnas.

(A)	(B)
1. África	**a.** un río
2. El Everest	**b.** un bosque tropical
3. El Yunque	**c.** un continente
4. El Mississippi	**d.** un océano
5. El Atlántico	**e.** una montaña

DESAFÍO 2

2 **¿Cierto o falso?** Decide si estas afirmaciones son ciertas o falsas.

1. Beijing es la capital de Guatemala.

2. Arizona está al suroeste de Colorado.

3. España está en el continente europeo.

4. Maine está al sureste de los Estados Unidos.

DESAFÍO 3

3 **¿Qué tiempo hace?** Mira las fotografías y escribe qué tiempo hace.

DESAFÍO 4

4 **¡Cuántas cosas!** Responde a estas preguntas.

1. ¿Cómo protegen el medio ambiente en tu escuela?

2. ¿Qué hace tu familia para ahorrar energía?

3. ¿Qué puedes hacer tú para proteger a los animales en peligro de extinción?

El superlativo relativo (pág. 402)

el la los las	+ nombre +	más menos	+ adjetivo +	de… que…

El Amazonas es el río más largo del mundo.
Este es el país más bonito que conozco.

Expresar planes e intenciones (pág. 410)

presente

La semana que viene viajamos a Chile.

ir a + infinitivo

El próximo año vamos a ir a Canadá.

cuando + presente de subjuntivo

Cuando estemos en Ecuador, vamos a ir a Mitad del Mundo.

Expresiones temporales de futuro

ahora	*now*
luego / después	*later*
en un rato	*in a while*
en media hora	*in half an hour*
hoy	*today*
esta mañana	*this morning*
esta tarde	*this afternoon*
esta noche	*tonight*
mañana	*tomorrow*
pasado mañana	*the day after tomorrow*
el lunes que viene / el próximo lunes	*next Monday*
el mes que viene / el próximo mes	*next month*
el año que viene / el próximo año	*next year*

El futuro (pág. 418)

Verbos regulares

Entrar	Comer	Seguir
entraré	comeré	seguiré
entrarás	comerás	seguirás
entrará	comerá	seguirá
entraremos	comeremos	seguiremos
entraréis	comeréis	seguiréis
entrarán	comerán	seguirán

Verbos irregulares

poder → podr-
poner → pondr-
salir → saldr-
tener → tendr-
venir → vendr-

decir → dir-
hacer → har-

querer → querr-
saber → sabr-

Ocultar el agente. El pronombre *se* (pág. 426)

Se prohíbe dar de comer a los animales.
Se permite hacer fotos.
Se habla español.
Se dice que las tortugas están en peligro de extinción.

Se cuenta que en Costa Rica cuidan mucho a los animales.
Se vive muy bien en este país.
Se trabaja mucho en este parque natural.

DESAFÍO 1

5 **Tus conocimientos.** Une los elementos de las tres columnas y escribe oraciones.

1. Asia	es el continente	más pequeño del mundo.
2. El Everest	es la montaña	más largo de América.
3. El Amazonas	es el río	más poblado del mundo.
4. China	es el país	más alta del mundo.
5. Oceanía	es el continente	más grande del mundo.

DESAFÍO 2

6 **¿Hacemos planes?** Decide cuáles de estas oraciones se refieren a planes futuros.

1. El próximo verano vamos de vacaciones a Japón.
2. Pasado mañana voy a ir a una fiesta.
3. Estoy buscando a mi gato hace una semana.
4. Cuando visite a mi abuela, voy a escribirte un correo.

DESAFÍO 3

7 **En el futuro.** Completa estas oraciones. Usa el futuro.

1. El próximo verano mi hermano _____ a la universidad.
   _{ir}
2. Mis padres _____ de compras pasado mañana.
   _{salir}
3. Alejandro y yo _____ un examen el viernes que viene.
   _{tener}
4. Tú _____ la tarea de Biología mañana.
   _{hacer}

DESAFÍO 4

8 **¿Se puede saber...?** Responde a estas preguntas con oraciones completas.

1. ¿Cómo se llama tu mejor amigo(a)?
2. ¿Qué se dice cuando llega un(a) chico(a) nuevo(a) al aula?
3. ¿Qué se puede hacer en tu clase de Español?
4. ¿Qué idiomas se hablan en tu escuela?

CULTURA

9 **Por la Panamericana.** Responde a las siguientes preguntas.

1. ¿Qué océanos une el canal de Panamá?
2. ¿Dónde están las islas Galápagos?
3. ¿Qué es el Cinturón de Fuego del Pacífico?
4. ¿Qué significa la expresión «¡Pura vida!»?

Un boletín sobre

la predicción meteorológica

Today you are an honorary weather reporter for the local news. They have asked you to do a seven–day forecast for South America.

PASO 1 Busca información sobre las zonas climáticas

- Find information about climatic zones in South America and take notes. Is the climate arid, tropical, temperate…?

PASO 2 Busca información sobre qué tiempo hace ahora

- Find information about the current weather conditions in each place and take notes. You can use the Internet, newspapers, etc.

PASO 3 Decide qué tiempo hará los próximos días

- Take notes about the weather conditions in each place for the next week. You can use these questions:
  - –¿Subirán o bajarán las temperaturas?
  - –¿Lloverá?
  - –¿Nevará?
  - –¿Hará viento?
  - –¿Hará sol o estará nublado?

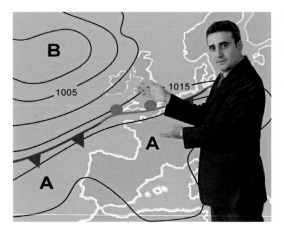

PASO 4 Prepara el material gráfico

- Since you are presenting the weather, you will need a map as your background.
- Clearly mark your map with the places and weather conditions you selected in previous steps. Design symbols to illustrate your map.

PASO 5 Escribe el boletín

- Write the script for your weather report.
  - Organize your weather report from west to east or north to south, so look at your map as you write the script.
  - Keep in mind you will be doing a seven–day report, so be as clear and concise as possible.
  - Remember to focus on clear communication, but you can add humor and props to your weather report.

PASO 6 Ensaya

- Ask a classmate to look over your script to check for grammatical and spelling errors.
- Practice your weather report before presenting it to the class.

Mañana habrá mucha lluvia en la costa oeste.

PASO 7 Haz tu presentación

- Present your weather report to the class.
- Allow your classmates to ask you questions about your weather report.

Unidad 8

Autoevaluación

¿Qué has aprendido en esta unidad?

Do these activities to evaluate how well you can manage in Spanish.

Evaluate your skills. For each item, say Very well, Well, or I need more practice.

a. Can you identify, compare, and describe places?

▶ Describe three geographical features in the world. Your classmate guesses which ones you are talking about.

b. Can you talk about future plans?

▶ Ask three classmates about their plans for next week.

▶ Role–play with a classmate. Pretend to plan a trip to somewhere in the world and talk about your plans.

c. Can you express future events?

▶ Tell your partner five things you will probably do when you get older.

d. Can you make impersonal statements?

▶ Ask three classmates what they do to protect the environment.

▶ Tell five things that are allowed and three things that are prohibited in your Spanish class. Use the structure (*No*) *Se puede.*

RESUMEN DE GRAMÁTICA

Nouns

Nouns are words for people, animals, places, and things. Spanish nouns have a masculine and a feminine form. Most nouns that end in -o are masculine, and most nouns that end in -a are feminine. Nouns that end in -e or in a consonant can be either masculine or feminine.

Masculine form	Feminine form	Examples
Ends in -o.	Changes -o to -a.	el niño → la niña
Ends in a consonant.	Adds -a.	el profesor → la profesora

Nouns can be singular (one person or thing) or plural (more than one person or thing).

Singular form	Plural form	Examples
Ends in a vowel.	Adds -s.	el edificio → los edificios
Ends in a consonant.	Adds -es.	el ascensor → los ascensores

Articles

Articles agree in gender and number with the noun they accompany. That is, they show the same gender and number as the noun.

Definite articles refer to a specific noun. In English, the definite article has only one form: *the*. In Spanish, there are four forms: el, la, los, and las.

Indefinite articles refer to a nonspecific noun. In Spanish, the indefinite article has four forms: un, una (*a* or *an*) and unos, unas (*some* or *a few*).

DEFINITE ARTICLES

	Masculine	Feminine
Singular	el	la
Plural	los	las

INDEFINITE ARTICLES

	Masculine	Feminine
Singular	un	una
Plural	unos	unas

Contractions

The combination of the preposition a and de with the definite article el results in a contraction.

a + el → al	de + el → del

Adjectives

Adjectives describe nouns and in Spanish usually follow the noun:
el músico **calvo**, la cantante **morena**.

Spanish adjectives can be masculine or feminine, singular or plural.
They must agree with the noun both in gender and in number.

End in -o: 4 forms	el chico simpático los chicos simpáticos la chica simpática las chicas simpáticas
End in -e: 2 forms	el niño inteligente los niños inteligentes la niña inteligente las niñas inteligentes
End in a consonant: usually, 2 forms	el señor débil los señores débiles la señora débil las señoras débiles

Adjectives of Nationality

Adjectives that express nationality also have variation of gender and number.

End in -o or in a consonant: 4 forms	el niño español	los niños españoles las niñas españolas
	la niña española	
End in -e: 2 forms	el señor canadiense	los señores canadienses
	la señora canadiense	las señoras canadienses

Demonstrative adjectives and pronouns

To indicate where something or someone is located in relation
to the person speaking, use demonstratives. Demonstrative adjectives
and pronouns show gender and number.

Demonstrative pronouns can be used to point or to avoid repetition.
They mean *this one / that one* or *these / those*.

Distance from speaker	Singular		Plural	
	Masculine	Feminine	Masculine	Feminine
Near	este	esta	estos	estas
At a distance	ese	esa	esos	esas
Far away	aquel	aquella	aquellos	aquellas

Neutral forms esto, eso, and aquello are always pronouns. They are used
to refer to situations or facts, and to present or to refer to unknown objects.

Possessive adjectives and pronouns

Possessive adjectives and pronouns express ownership. Possessive adjectives agree with the noun they accompany. They agree with the thing (or person) possessed, not with the owner. They can be placed before or after the noun they accompany.

Possessive pronouns are used instead of a noun. The forms are the same as those of the possessive adjectives after the noun. When the possessive pronoun is used to identify, it is preceded by an article.

	Before the noun (*mi tío*)				After the noun (*un tío mío*)			
	Singular		Plural		Singular		Plural	
	Masculine	Feminine	Masculine	Feminine	Masculine	Feminine	Masculine	Feminine
my	mi		mis		mío	mía	míos	mías
your (inf.)	tu		tus		tuyo	tuya	tuyos	tuyas
his, her, your	su		sus		suyo	suya	suyos	suyas
our	nuestro	nuestra	nuestros	nuestras	nuestro	nuestra	nuestros	nuestras
your (inf.)	vuestro	vuestra	vuestros	vuestras	vuestro	vuestra	vuestros	vuestras
their, your	su		sus		suyo	suya	suyos	suyas

Indefinites

To indicate existence or quantity in an imprecise way or to indicate absence, use indefinites.

ningún, ninguno(a)	*no, (not) any, none*	alguien	*someone*
algún, alguno(a)(os)(as)	*a few, any, one, some*	algo	*something*
poco(a)(os)(as)	*some, few*	nadie	*nobody*
mucho(a)(os)(as)	*many, a lot of*	nada	*nothing*
todo(a)(os)(as)	*all, every, throughout*		
demasiado(a)(os)(as)	*too much, too many*		

Before a masculine singular noun, use algún or ningún instead of alguno and ninguno.

Alguien and nadie refer to people.

Algo and nada refer to things.

Comparatives and superlatives

Comparisons of equality and inequality

To express equality, use:

tan + adjective + como	*as … as*
verb + tanto como	*… as much as …*

To express inequality, use:

más / menos + adjective + que	*more / less … than*
verb + más / menos que	*… more / less than*

Comparative adjectives

Mejor and peor are used just like the English words *better* and *worse*.

bueno →	mejor, mejores	malo →	peor, peores
good	*better*	*bad*	*worse*

Superlatives

The superlative is used to express an extreme degree of an adjective.
You can also use adverbs like muy before the adjective to express
the same idea.

Adjectives ending in a consonant	Add -ísimo, -ísima, -ísimos, -ísimas. popular + ísimo → popularísimo
Adjectives ending in a vowel	Drop the vowel and add the superlative ending. triste + ísimo → tristísimo

The relative superlative is used to describe a noun in comparison to
a larger group.

el / la / los / las + noun + más / menos + adjective + de… / que…

Remember to use the irregular forms mejor(es) and peor(es) when talking
about *the best* or *the worst*.

Pronouns

Subject pronouns

Subject pronouns identify the person who is performing an action.

Singular		Plural	
yo	*I*	nosotros nosotras	*we*
tú	*you (informal)*	vosotros vosotras	*you (informal)*
usted él ella	*you (formal)* *he* *she*	ustedes ellos ellas	*you* *they* *they*

Direct object pronouns

To avoid repeating words that have already been mentioned, you can replace the direct object with a pronoun.

Singular		Plural	
me	*me*	nos	*us*
te	*you (informal)*	os	*you (informal)*
lo la	*you (formal),* him, it *you (formal),* her, it	los las	*you,* them *you,* them

Indirect object pronouns

To avoid repeating words that have already been mentioned, you can replace the indirect object with a pronoun.

Singular		Plural	
me	*to / for me*	nos	*to / for us*
te	*to / for you (informal)*	os	*to / for you (informal)*
le	*to / for you (formal),* him, her	les	*to / for you,* them

Position of pronouns

Direct and indirect object pronouns are placed before the conjugated verb, or attached to the infinitive, the present participle, or the command.

Direct and indirect object pronouns may be used in the same sentence.
In this case, the indirect object pronoun goes before the direct object pronoun.
Le and les become se when placed in front of a direct object pronoun.

The pronoun *se*

To present the information without telling who does the action, use this formula:

> se + verb in the third person

Adverbs

Adverbs of frequency

These adverbs and adverbial phrases express how often something is done.

nunca	*never*	muchas veces	*many times, often*
casi nunca	*almost never*	casi siempre	*usually, normally*
rara vez	*seldom, rarely*	siempre	*always*
a veces	*sometimes*	todos los días	*every day*

Adverbs of quantity

Some verbs and adjectives can be modified by a word that expresses quantity.

nada	poco	bastante	mucho	demasiado
not at all	*little, not much*	*quite, enough*	*a lot, much*	*too, too much*

Adverbs and phrases about the future

When you express intention or future plans you can use these adverbs or expressions.

ahora	*now*	mañana	*tomorrow*
luego, después	*later*	pasado mañana	*the day after tomorrow*
en un rato	*in a while*	mañana por la mañana	*tomorrow morning*
en media hora	*in half an hour*	mañana por la tarde	*tomorrow afternoon / evening*
		mañana por la noche	*tomorrow night*
hoy	*today*	el lunes que viene / el próximo lunes	*next Monday*
esta mañana	*this morning*	el mes que viene / el próximo mes	*next month*
esta tarde	*this afternoon*	el año que viene / el próximo año	*next year*
esta noche	*tonight*		

Adverbs and phrases about the past

These adverbs and time expressions refer to the past tense.

antes	*before*	la semana pasada	*last week*
anoche	*last night*	el mes pasado	*last month*
ayer	*yesterday*	el año pasado	*last year*
anteayer	*the day before yesterday*		

Use the word **hace** to express the amount of time elapsed since an action was completed.

hace + time expression + que + verb in the preterite tense
verb in the preterite tense + hace + time expression

Adverbs and phrases of location

Many words and phrases are used to show location.

aquí	*here*	encima de	*on, on top of*
ahí	*there*	debajo de	*under*
allí	*over there*	delante de	*in front of*
al lado de	*next to*	detrás de	*behind*
a la derecha de	*to the right of*	cerca de	*near, close to*
a la izquierda de	*to the left of*	lejos de	*far from*

Adverbs ending in -*mente*

Many adverbs are formed from adjectives by adding the suffix -mente
to the feminine singular form.

Adjectives ending in -o	Change -o to -a and add -mente	lento → lentamente
Adjectives ending in -e or in a consonant	Add -mente	frecuente → frecuentemente habitual → habitualmente

Prepositions

Prepositions of place

en	at, in, on, inside (to express location)	de	*from* (to express origin)
a	to (after the verb *ir* indicating destination)	desde... hasta de... a	*from ... to* (to express direction or destination)

Prepositions *por* and *para*

Por and para can usually be translated as *for* in English.

Por may be used to express:	Para may be used to express:
approximate time	deadline
approximate place	purpose
time periods during the day	opinion
cause or reason	movement toward a place
movement within an area	recipient of an action

Interrogatives

Interrogative words

Interrogatives are words that are used to ask questions. Normally, interrogatives go at the beginning of a sentence.

¿Qué? *What?*	¿Cuál(es)? *Which?*	¿Quién(es)? *Who?*
¿Cuándo? *When?*	¿Cómo? *How?*	¿Por qué? *Why?*
¿Cuánto(a)? *How much?*	¿Cuántos(as)? *How many?*	¿Para qué? *What for?*
¿Dónde? *Where?*	¿Adónde? *Where to?*	¿De dónde? *Where from?*

Verbs

Verbs are words that express actions and events, and place them in time (past, present, and future). Spanish verbs fall into three conjugations: -ar (*hablar, estudiar…*), -er (*aprender, comer…*), and -ir (*vivir, subir…*).

The infinitive

1st conjugation: -ar	comprar, hablar, estudiar…
2nd conjugation: -er	comer, tener, vender…
3rd conjugation: -ir	abrir, pedir, escribir…

The present participle

Regular present participle forms

The present participle (gerundio) is formed by adding the following endings to the verb stem.

-ando for -ar verbs	lavar → lavando
-iendo for -er, -ir verbs	hacer → haciendo escribir → escribiendo

Irregular present participle forms

e > i		o > u
decir → diciendo	servir → sirviendo	dormir → durmiendo
medir → midiendo	vestir → vistiendo	morir → muriendo
pedir → pidiendo		poder → pudiendo

The past participle

The past participle (participio) of a verb can be used as an adjective to describe a noun.

Regular past participle forms

The past participle is formed by adding the following endings to the verb stem.

-ar verbs	Add the ending -ado.	pintar → pintado
-er and -ir verbs	Add the ending -ido.	vestir → vestido

Irregular past participle forms

abrir → abierto	morir → muerto
decir → dicho	poner → puesto
descubrir → descubierto	romper → roto
escribir → escrito	ver → visto
hacer → hecho	volver → vuelto

The present tense

Use the present tense to speak about the present and to talk about the future when you refer to timetables, pre-arranged events, and when you want to present the information as a fact.

Regular verbs (-ar, -er, -ir)

		Comprar (to buy)	Vender (to sell)	Abrir (to open)
Singular	yo	compro	vendo	abro
	tú	compras	vendes	abres
	usted él, ella	compra	vende	abre
Plural	nosotros(as)	compramos	vendemos	abrimos
	vosotros(as)	compráis	vendéis	abrís
	ustedes ellos(as)	compran	venden	abren

Stem-changing verbs

		Cerrar (e > ie) (to close)	Poder (o > ue) (be able to)	Pedir (e > i) (to ask)
Singular	yo	cierro	puedo	pido
	tú	cierras	puedes	pides
	usted él, ella	cierra	puede	pide
Plural	nosotros(as)	cerramos	podemos	pedimos
	vosotros(as)	cerráis	podéis	pedís
	ustedes ellos(as)	cierran	pueden	piden

Verbs with irregular yo forms

		Hacer (to make, to do)	Poner (to put)	Traer (to bring)	Salir (to leave)
Singular	yo	hago	pongo	traigo	salgo
	tú	haces	pones	traes	sales
	usted él, ella	hace	pone	trae	sale
Plural	nosotros(as)	hacemos	ponemos	traemos	salimos
	vosotros(as)	hacéis	ponéis	traéis	salís
	ustedes ellos(as)	hacen	ponen	traen	salen

Verbs *ser* and *estar*

Ser *(to be)*			
Singular		Plural	
yo	soy	nosotros(as)	somos
tú	eres	vosotros(as)	sois
usted él, ella	es	ustedes ellos(as)	son

Estar *(to be)*			
Singular		Plural	
yo	estoy	nosotros(as)	estamos
tú	estás	vosotros(as)	estáis
usted él, ella	está	ustedes ellos(as)	están

The verb **ser** is used mainly to identify people, places, and things, and to describe physical characteristics and personality traits: La señora Flores **es** mi profesora de Español. Ella **es** joven y muy inteligente.

The verb **estar** is used to express feelings and conditions: Ellos **están** tristes porque **están** enfermos.

The verb *ir*

Ir *(to go)*			
Singular		Plural	
yo	voy	nosotros(as)	vamos
tú	vas	vosotros(as)	vais
usted él, ella	va	ustedes ellos(as)	van

- To say where someone is going, use this structure: **ir a** + place.
- To express intention or future plans, use this structure: **ir a** + infinitive.

The verb *haber*

To say that someone or something exists or to ask about the existence of something, use the form **hay** (*there is, there are*).

Hay que and tener que

To make recommendations and to express obligation, you can use these structures:

hay que + infinitive (is used in impersonal expressions and does not change form)

tener que + infinitive

The verb *gustar*

To express likes or dislikes, use the verb *gustar*.

Gustar *(to like)*		
	Singular	Plural
(A mí)	me **gust**a	me **gust**an
(A ti)	te **gust**a	te **gust**an
(A usted) (A él/a ella)	le **gust**a	le **gust**an
(A nosotros/as)	nos **gust**a	nos **gust**an
(A vosotros/as)	os **gust**a	os **gust**an
(A ustedes) (A ellos/a ellas)	les **gust**a	les **gust**an

Reflexive verbs

Peinarse *(to comb one's hair)*			
Singular		Plural	
yo	me **pein**o	nosotros(as)	nos **pein**amos
tú	te **pein**as	vosotros(as)	os **pein**áis
usted él, ella	se **pein**a	ustedes ellos(as)	se **pein**an

Other reflexive verbs are: ac**o**starse (**ue**) *(to go to bed)*, desp**e**rtarse (**ie**) *(to wake up)*, d**o**rmirse (**ue**) *(to fall asleep)*, levantarse *(to get up)*…

The present progressive

In Spanish we use the present progressive (presente continuo) to talk about actions that are happening at the moment of speaking. The present progressive is formed with estar + gerundio (present participle).

Lavar *(to wash)*			
Singular		Plural	
yo	estoy lavando	nosotros(as)	estamos lavando
tú	estás lavando	vosotros(as)	estáis lavando
usted él, ella	está lavando	ustedes ellos(as)	están lavando

The preterite tense

We use the preterite tense to talk about actions completed in the past, without mentioning the duration.

Regular verbs (-ar, -er, -ir)

		Comprar (to buy)	Comer (to eat)	Escribir (to write)
Singular	yo	compré	comí	escribí
	tú	compraste	comiste	escribiste
	usted él, ella	compró	comió	escribió
Plural	nosotros(as)	compramos	comimos	escribimos
	vosotros(as)	comprasteis	comisteis	escribisteis
	ustedes ellos(as)	compraron	comieron	escribieron

Verbs ending in -car, -gar, and -zar require a spelling change in the yo form of the preterite tense.

-car → -qué: buscar → yo busqué

-gar → -gué: llegar → yo llegué

-zar → -cé: empezar → yo empecé

Irregular verbs: *ser, ir, decir, tener, estar,* and *hacer*

		Ser (to be), ir (to go)	Decir (to say)	Tener (to have)	Estar (to be)	Hacer (to make, to do)
Singular	yo	fui	dije	tuve	estuve	hice
	tú	fuiste	dijiste	tuviste	estuviste	hiciste
	usted él, ella	fue	dijo	tuvo	estuvo	hizo
Plural	nosotros(as)	fuimos	dijimos	tuvimos	estuvimos	hicimos
	vosotros(as)	fuisteis	dijisteis	tuvisteis	estuvisteis	hicisteis
	ustedes ellos(as)	fueron	dijeron	tuvieron	estuvieron	hicieron

Irregular verbs: *pedir* and *dormir*

In Spanish, -ir verbs that are e > i stem-changing in the present tense (pedir > pido) have the same change in the third person of the preterite tense.

The verbs dormir and morir are also irregular in the third person (o > u).

		Pedir (to ask)	Dormir (to sleep)
Singular	yo	pedí	dormí
	tú	pediste	dormiste
	usted él, ella	pidió	durmió
Plural	nosotros(as)	pedimos	dormimos
	vosotros(as)	pedisteis	dormisteis
	ustedes ellos(as)	pidieron	durmieron

Irregular verbs: *dar, poder, poner, querer, saber,* and *venir*

		Dar (to give)	Poder (to be able)	Poner (to put)	Querer (to want)	Saber (to know)	Venir (to come)
Singular	yo	di	pude	puse	quise	supe	vine
	tú	diste	pudiste	pusiste	quisiste	supiste	viniste
	usted él, ella	dio	pudo	puso	quiso	supo	vino
Plural	nosotros(as)	dimos	pudimos	pusimos	quisimos	supimos	vinimos
	vosotros(as)	disteis	pudisteis	pusisteis	quisisteis	supisteis	vinisteis
	ustedes ellos(as)	dieron	pudieron	pusieron	quisieron	supieron	vinieron

The imperfect tense

Use the imperfect tense to talk about habitual actions or actions that happened repeatedly in the past.

Regular verbs (*-ar, -er, -ir*)

		Viajar (to travel)	Volver (to return)	Salir (to leave)
Singular	yo	viajaba	volvía	salía
	tú	viajabas	volvías	salías
	usted él, ella	viajaba	volvía	salía
Plural	nosotros(as)	viajábamos	volvíamos	salíamos
	vosotros(as)	viajabais	volvíais	salíais
	ustedes ellos(as)	viajaban	volvían	salían

Irregular verbs

		Ser (to be)	Ir (to go)	Ver (to see)
Singular	yo	era	iba	veía
	tú	eras	ibas	veías
	usted él, ella	era	iba	veía
Plural	nosotros(as)	éramos	íbamos	veíamos
	vosotros(as)	erais	ibais	veíais
	ustedes ellos(as)	eran	iban	veían

Differences between the past tenses

The imperfect and the preterite

- The preterite and the imperfect are used frequently in the same sentence to talk about past actions that coincide in time.

- When telling a story in the past, we use both the preterite and the imperfect tenses:
  - Use the preterite to talk about past actions or events that happened in the story.
  - Use the imperfect to describe characters and environment, and, in general, to explain the circumstances surrounding an event.

The future

You can use the future tense to talk about things that will happen in the future.

Regular verbs (-ar, -er, -ir)

		Entrar (to come in)	Comer (to eat)	Seguir (to follow)
Singular	yo	entraré	comeré	seguiré
	tú	entrarás	comerás	seguirás
	usted él, ella	entrará	comerá	seguirá
Plural	nosotros(as)	entraremos	comeremos	seguiremos
	vosotros(as)	entraréis	comeréis	seguiréis
	ustedes ellos(as)	entrarán	comerán	seguirán

Irregular verbs

$$poder \rightarrow podr\text{-}$$
$$poner \rightarrow pondr\text{-}$$
$$salir \rightarrow saldr\text{-}$$
$$tener \rightarrow tendr\text{-}$$
$$venir \rightarrow vendr\text{-}$$

$$decir \rightarrow dir\text{-}$$
$$hacer \rightarrow har\text{-}$$
$$querer \rightarrow querr\text{-}$$
$$saber \rightarrow sabr\text{-}$$

The present subjunctive

We use the subjunctive to express wishes, feelings, emotions, or opinions, to express doubt or uncertainty, and to express value judgments.

Regular verbs (-ar, -er, -ir)

		Cantar (to sing)	Comer (to eat)	Vivir (to live)
Singular	yo	cante	coma	viva
	tú	cantes	comas	vivas
	usted él, ella	cante	coma	viva
Plural	nosotros(as)	cantemos	comamos	vivamos
	vosotros(as)	cantéis	comáis	viváis
	ustedes ellos(as)	canten	coman	vivan

Verbs ending in -car, -gar, -zar, -ger, -gir, and -guir have spelling changes.

-car → -que: sacar → saque, saques...
-gar → -gue: llegar → llegue, llegues...
-zar → -ce: abrazar → abrace, abraces...

-ger, -gir → -ja: dirigir → dirija, dirijas...
-guir → -ga: seguir → siga, sigas...

Irregular verbs

In general, the present subjunctive is formed from the yo form of the present indicative. Therefore, irregular verbs in the yo form of the indicative are also irregular in the subjunctive.

yo hago → haga, hagas, haga, hagamos, hagáis, hagan
yo tengo → tenga, tengas, tenga, tengamos, tengáis, tengan

Stem-changing verbs

		Pensar (to think)	Jugar (to play)	Volver (to return)	Pedir (to ask)	Dormir (to sleep)
Singular	yo	piense	juegue	vuelva	pida	duerma
Singular	tú	pienses	juegues	vuelvas	pidas	duermas
Singular	usted él, ella	piense	juegue	vuelva	pida	duerma
Plural	nosotros(as)	pensemos	juguemos	volvamos	pidamos	durmamos
Plural	vosotros(as)	penséis	juguéis	volváis	pidáis	durmáis
Plural	ustedes ellos(as)	piensen	jueguen	vuelvan	pidan	duerman

Irregular verbs: *dar*, *estar*, *saber*, *ser*, and *ir*

		Dar (to give)	Estar (to be)	Saber (to know)	Ser (to be)	Ir (to go)
Singular	yo	dé	esté	sepa	sea	vaya
Singular	tú	des	estés	sepas	seas	vayas
Singular	usted él, ella	dé	esté	sepa	sea	vaya
Plural	nosotros(as)	demos	estemos	sepamos	seamos	vayamos
Plural	vosotros(as)	deis	estéis	sepáis	seáis	vayáis
Plural	ustedes ellos(as)	den	estén	sepan	sean	vayan

Affirmative commands

To tell one person or more than one person to do something, you can use an informal or a formal command.

Regular verbs (-*ar*, -*er*, -*ir*)

		Caminar (to walk)	Comer (to eat)	Escribir (to write)
Singular		camina (tú)	come (tú)	escribe (tú)
Singular		camine (usted)	coma (usted)	escriba (usted)
Plural		caminad (vosotros(as))	comed (vosotros(as))	escribid (vosotros(as))
Plural		caminen (ustedes)	coman (ustedes)	escriban (ustedes)

Irregular verbs: *tener, hacer, poner, venir,* and *salir*

	Tener (to have)	Hacer (to do, to make)	Poner (to put)	Venir (to come)	Salir (to leave)	
Singular	ten	haz	pon	ven	sal	tú
	tenga	haga	ponga	venga	salga	usted
Plural	tened	haced	poned	venid	salid	vosotros(as)
	tengan	hagan	pongan	vengan	salgan	ustedes

Irregular verbs: *ser, decir, ir,* and *dar*

	Ser (to be)	Decir (to say)	Ir (to go)	Dar (to give)	
Singular	sé	di	ve	da	tú
	sea	diga	vaya	dé	usted
Plural	sed	decid	id	dad	vosotros(as)
	sean	digan	vayan	den	ustedes

Negative commands

Use negative commands when telling someone what not to do.

Regular verbs (*-ar, -er, -ir*)

	Caminar (to walk)	Comer (to eat)	Escribir (to write)
Singular	no camines (tú)	no comas (tú)	no escribas (tú)
	no camine (usted)	no coma (usted)	no escriba (usted)
Plural	no caminéis (vosotros(as))	no comáis (vosotros(as))	no escribáis (vosotros(as))
	no caminen (ustedes)	no coman (ustedes)	no escriban (ustedes)

Irregular verbs: *dar, estar, ir,* and *ser*

	Dar (to give)	Estar (to be)	Ir (to go)	Ser (to be)	
Singular	no des	no estés	no vayas	no seas	tú
	no dé	no esté	no vaya	no sea	usted
Plural	no déis	no estéis	no vayáis	no seáis	vosotros(as)
	no den	no estén	no vayan	no sean	ustedes

GLOSARIO ESPAÑOL-INGLÉS

A

a to 21

a causa de because of 71

a continuación next 206

a cuadros plaid, checkered 154

a la derecha to the right 22

a la izquierda to the left 22

a la plancha grilled 216

a menudo often 301

a partir de from 95 based on 219

¿A qué te dedicas? What do you do for a living? 378

a través de through 280

abierto opened 246

el/la **abogado(a)** attorney, lawyer 357

abrazar to hug 374

el **abrigo** coat 140

abril April 307

abrir (irreg.) to open 12

el/la **abuelo(a)** grandfather/grandmother 36

los **abuelos** grandparents 37

abundante abundant 124

abundar to abound 71

aburridísimo(a) very bored 56

aburrido(a) boring 13 bored 52

aburrirse to be/to get bored 14

acabar to end up 258

los **accesorios** accessories 96

el **accidente** accident 259

la **acción** action 1

el **aceite** oil 208

el **aceite de oliva** olive oil 267

el **acelerador** gas pedal 312

acelerar to accelerate 312

aceptar to accept 164

la **acera** sidewalk 112

acerca de about 435

acercarse to move closer 302

acompañar to go with 51 to be served with 193

el **acontecimiento** event 385

el **acordeón** accordion 71

acostar (irreg. **ue**) to put to bed 396

acostarse (irreg. **ue**) to go to bed 16

acostumbrarse a to get used to 159

la **actitud** attitude 425

la **actividad** activity 1

activo(a) active 15

el **actor** actor 356

la **actriz** actress 356

la **actuación** performance 111

actual present 60

actualmente nowadays 171

actuar to act 37 to appear (in a TV show) 380

acudir to go 261

adecuado(a) correct 83

¡Adelante! Let's go! 377

además also 47

adicto(a) addicted 343

la **adivinanza** riddle 209

adivinar to guess 49

el **adjetivo** adjective 1

administrativo(a) administrative 113

admirar to admire 59

adónde where 20

adornar to decorate 191

el **adorno** ornament 95

adquirir (irreg. **ie**) to gain 367

la **aduana** customs 323

adulto(a) adult 269

adverbial adverbial 16

el **adverbio** adverb 1

la **advertencia** warning 263

aéreo(a) air (adjective) 291

el **aeropuerto** airport 20

afectado(a) affected 421

afectar to affect 55

afeitarse to shave 252

la **afición** hobby 364

el/la **aficionado(a)** fan, supporter 376

la **afirmación** statement 67

afirmativo(a) affirmative 64

africano(a) African 43

afroantillano(a) Afro-Caribbean 403

las **afueras** outskirts 112

la **agencia de viajes** travel agency 296

la **agenda** appointment book 349

el/la **agente de viajes** travel agent 296

el/la **agente inmobiliario(a)** realtor 92

agosto August 77

agrícola agricultural 321

el/la **agricultor(a)** farmer 356

agrio(a) sour 216

el **agua** water 14

el **agua mineral** mineral water 188

el **aguacate** avocado 222

las **aguas termales** hot springs 59

el **aguayo** traditional multicolored blanket from Peru and Bolivia 157

el **águila** eagle 424

ahí there 22

ahora now 60

ahorrar energía to save energy 424

el **aire** air 20

el **aire acondicionado** air conditioning 104

el **aire puro** fresh air 20

el **ajo** garlic 192

al to the 8

al aire libre open-air 165

al final in the end 136

al lado de beside, next to 22

al menos at least 269

al principio at first 147

el **ala** wing 290

el **álamo** poplar 206

la **alarma** alarm 315

el **álbum** album 119

alcanzar to reach 415

el **alcázar** fortress 82

la **aldea** small village 403

alegrar to be glad 366

alegre lively 42

alegremente happily 254

la **alegría** joy 124

alejado(a) distant 175

el/la **alemán(a)** German (people) 46 German (language) 246

la **alergia** allergy 260

la **alfombra** rug 96

algo something 8

el **algodón** cotton 148

alguien someone 321

algún, alguno(a)(os)(as) a few, any, one, some 194

el **alimento** food 192

aliviar to relieve 263

allí there 20

la **almendra** almond 195

la **almohada** pillow 320

almorzar (irreg. **ue**) to have lunch 142

el **almuerzo** lunch 8

alojarse to stay (at a hotel, etc.) 253

la **alpaca** alpaca 141

el **alpinismo** mountain climbing 372

el/la **alpinista** *mountain climber* 371

alquilar *to rent* 394

alrededor *around* 23

el **altar** *altar* 191

la **altitud** *altitude* 139

alto(a) *tall* 44

la **altura** *height* 45

el/la **alumno(a)** *student* 212

la **amabilidad** *kindness* 425

amable *kind* 72

amado(a) *loved* 103

el/la **amante** *lover* 428

amar *to love* 102

amargo(a) *bitter* 216

amarillo(a) *yellow* 148

amazónico(a) *Amazonian* 295

el **ámbar** *amber* 94

ambos(as) *both* 330

americano(a) *American* 161

el/la **amigo(a)** *friend* 3

el **amor** *love* 55

ampliar *to extend* 227

analizar *to analyze* 286

anaranjado(a) *orange (in color)* 148

ancho(a) *wide* 112 *loose-fitting* 149

andaluz(a) *Andalusian* 267

andar (irreg.) *to walk* 175

el **andén** *train platform* 304

andino(a) *Andean* 141

la **anécdota** *anecdote* 173

el **anfibio** *amphibian* 423

el **anillo** *ring* 140

animado(a) *lively* 428

el **animal** *animal* 59

¡Anímate! *Go on!* 274

el **anís** *anise* 190

anoche *last night* 150

el **anorak** *parka, anorak* 431

antártico(a) *Antarctic* 400

anteayer *the day before yesterday* 150

anterior *previous* 107

antes de *before* 38

antiguamente *in the past* 176

antiguo(a) *old* 35

antipático(a) *unpleasant* 4

anual *annual* 50

anunciar *to advertise* 144

el **anuncio** *advertisement* 92

añadir *to add* 206

el **año** *year* 3

el **año que viene** *next year* 410

años de antigüedad *years old* 95

el **aparato** *machine* 27

aparecer (irreg.) *to appear* 275

el **apartado** *paragraph* 333

el **apartamento** *apartment* 100

el **apellido** *last name, surname* 60

la **apertura** *opening* 376

aplastado(a) *flat, crushed* 193

aplastar *to crush* 228

aplicar *to apply* 195

aportar *to contribute* 376

apoyado(a) *leaning* 242

apreciado(a) *valued* 171

apreciarse *to be noticeable* 401

aprender *to learn* 35

aprobar (irreg. **ue**) *to pass* 389

apropiado(a) *appropriate* 32

aproximadamente *approximately* 347

aquel, aquella *that* 2 *that one* 114

aquello *that* 114

aquellos, aquellas *those* 38

aquí *here* 9

árabe *Arab* 278

la **araña** *spider* 422

el **árbol** *tree* 20

arbóreo(a) *arboreal* 33

el **archipiélago** *archipelago* 175

el **área** *area* 139

la **arepa** *pancake made of corn flour* 331

el **arete** *earring* 140

argentino(a) *Argentinean* 373

argumentar *to argue* 436

argumentativo(a) *discursive* 437

el **argumento** *plot* 385 *argument* 437

el **armario** *wardrobe, closet* 8

el **arpa** *harp* 331

arqueológico(a) *archaeological* 147

el/la **arquitecto(a)** *architect* 356

arquitectónico(a) *architectural* 401

la **arquitectura** *architecture* 119

arraigado(a) *deeply rooted* 176

arrancar *to start (a car)* 312

arreglar *to fix* 109

arreglarse *to get ready* 252

arriba *up* 214 *upstairs* 391

arrojar *to throw* 295

el **arroz** *rice* 192

arrugado(a) *wrinkled* 89

el **Arte** *art (subject)* 116

la **artesanía** *handicrafts* 154

el/la **artesano(a)** *craftsman/craftswoman* 176

ártico(a) *Arctic* 400

el **artículo** *article* 1

artificial *artificial* 429

el/la **artista** *artist* 356

artístico(a) *artistic* 177

asado(a) *roasted* 216

asar *to roast* 208

el **ascensor** *elevator* 156

los **aseos** *restrooms* 348

así *this way* 89

así que *so* 20

el **asiento** *seat* 304

la **asignatura** *(school) subject* 348

asistir *to attend* 159

la **asociación** *association* 159

asociado(a) *associated* 122

el **aspecto** *(physical) appearance* 74 *aspect* 111

el **aspecto físico** *appearance* 69

la **aspiradora** *vacuum (cleaner)* 91

la **aspirina** *aspirin* 260

asustado(a) *frightened* 391

asustar *to frighten* 309

atacar *to attack* 93

atareado(a) *busy* 90

la **atención sanitaria** *health care* 261

Atentamente *Sincerely/Truly yours* 19

aterrizar *to land* 304

el **Atlántico** *Atlantic* 70

atlético(a) *athletic* 5

la **atmósfera** *atmosphere* 431

la **atracción** *attraction* 111

atractivo(a) *attractive* 381

atravesado(a) *crossed* 71

atravesar (irreg. **ie**) *to go through* 139

atrevido(a) *daring* 68

el **atún** *tuna* 192

el **aula** *classroom* 348

aumentar *to increase* 303

ausente por enfermedad *out sick* 14

auténtico(a) *genuine* 145

el **autobús** *bus* 21

autóctono(a) *indigenous* 411

la **autoescuela** *driving school* 312

la **autoevaluación** *self-assessment* 79

el **automóvil** *automobile* 316

autónomo(a) *independent* 253

el **calentamiento global** *global warming* 139

calentar (irreg. **ie**) *to heat* 108

cálido(a) *warm* 149

caliente *hot* 216

calificativo(a) *qualifying* 281

la **calle** *street, road* 20

callejero(a) *street* 51

calvo(a) *bald* 44

el **calzado** *footwear* 138

la **cama** *bed* 8

la **cámara** *camera* 34

el **camarón** *shrimp* 192

cambiar *to change* 320

cambiar dinero *to change money* 320

el **cambio** *change* 142

el **camélido** *camelid* 149

caminar *to walk* 21

el **camino** *path, way* 227

el **camión** *bus* 315

la **camisa** *shirt* 98

la **camiseta** *T-shirt* 140

el/la **campeón(a)** *champion* 153

campesino(a) *peasant* 403

el **cámping** *campground* 179

el **campo** *country* 20

canadiense *Canadian* 46

el **canal** *canal* 70

la **canasta** *basket* 372

la **canción** *song* 51

el/la **candidato(a)** *candidate* 19

cansado(a) *tired* 2

el/la **cantante** *singer* 356

cantar *to sing* 15

la **cantidad** *quantity* 10 *amount* 163

la **caña** *cane* 71

el **cañón** *canyon* 400

la **capa** *cape* 105

la **capital** *capital city* 20

el **capítulo** *chapter, episode* 381

captar la atención *to attract attention* 433

la **cara** *face* 244

el **carácter** *character (personality)* 124

la **característica** *feature* 124

característico(a) *characteristic* 331

el **carbón** *coal* 300

cargar el lavaplatos *to load the dishwasher* 88

caribeño(a) *Caribbean* 124

el **carnaval** *carnival* 154

la **carne** *meat* 192

la **carne de res** *beef* 192

carnoso(a) *fleshy* 195

caro(a) *expensive* 164

la **carpeta** *folder* 129

la **carrera** *race* 146

la **carretera** *road, highway* 305

el **carro** *car* 13

la **carta** *menu* 9 *letter* 45

el **cartel** *sign* 12 *poster* 249

la **casa** *home* 8 *house* 88

casado(a) *married* 36

casarse *to get married* 61

la **cascada** *waterfall* 400

la **cáscara** *peel, rind* 190

el **casco viejo** *old part of town* 401

casi *almost* 16

la **casilla** *square* 131

el **caso** *case* 32

el **castellano** *Spanish (language)* 247

el **castillo** *castle* 119

el **catalán** *Catalan (language)* 247

la **catarata** *waterfall* 302

el **catarro** *cold* 260

la **catedral** *cathedral* 115

la **categoría** *category* 274

la **causa** *cause* 332

la **cazuela** *casserole dish* 208

la **cebolla** *onion* 192

la **ceja** *eyebrow* 244

la **celebración** *celebration* 155

celebrar *to hold* 83 *to celebrate* 84

celoso(a) *jealous* 52

el **celular** *cell phone* 135

el **cementerio** *cemetery* 191

la **cena** *dinner* 129

cenar *to have dinner* 159

el **censo** *census* 226

centígrado(a) *centigrade* 431

central *central* 147

la **central hidroeléctrica** *hydroelectric power station* 382

el **centro comercial** *shopping mall* 8

centroamericano(a) *Central American* 71

cepillarse *to brush* 252

el **cepillo** *hairbrush* 252

la **cerámica** *ceramics* 299

cerca de *near* 22 *nearly* 422

cercano(a) *nearby* 139

el **cerdo** *pork* 192 *pig* 424

los **cereales** *cereals, grains* 192

la **ceremonia** *ceremony* 37

cerrado(a) *closed* 115

cerrar (irreg. **ie**) *to close* 18

el **cerro** *hill* 162

la **certeza** *certainty* 374

el **césped** *lawn* 91

el **chaleco salvavidas** *life jacket* 304

el **champú** *shampoo* 252

la **chaqueta** *jacket* 99

el **cheque** *check* 320

la **chica** *girl* 36

chicano *Chicano* 227

el **chico** *boy* 2

el **chile** *chili* 206

chileno(a) *Chilean* 435

la **chimenea** *chimney* 88 *fireplace* 127

el **chino** *Chinese (language)* 285

el **chipá** *type of corn bread containing cheese* 383

el **chiste** *joke* 362

chocar *to crash* 316

el **chocolate** *chocolate* 198

el **chullo** *Andean woolen cap* 141

el **cielo** *sky* 55

las **Ciencias** *science (subject)* 14

científico(a) *scientific* 203

la **cifra** *figure* 269

el **cine** *movie theater* 364

la **cinta** *ribbon* 105

la **cintura** *waist* 244

el **cinturón** *belt* 315

el **cinturón de seguridad** *seat belt* 312

circular *circular* 338

el **círculo** *circle* 408

las **circunstancias** *circumstances* 323

el/la **cirujano(a)** *surgeon* 356

la **cita** *appointment* 262

la **ciudad** *city* 20

el/la **ciudadano(a)** *citizen* 87

cívico(a) *civic* 313

civil *civil* 399

la **civilización** *civilization* 174

claro *of course* 41

la **clase** *class* 2

la **clase turista** *tourist class* 304

el **clásico** *big game* 345

clásico(a) *classical* 280

clasificar *classify* 191

la **clave** *key* 277

el/la **cliente(a)** *client* 12 *customer* 164

el **clima** *climate* 71

la **clínica** *clinic* 260

el **cobre** *copper* 300

cocer (irreg. **ue**) *to boil* 208

el **coche** *car* 21

cocido(a) *boiled* 216

la **cocina** *kitchen* 8

cocinar *to cook* 10

el/la **cocinero(a)** *cook* 356

el **cocodrilo** *crocodile* 424

el **codo** *elbow* 244

la **coincidencia** *coincidence* 159

coincidir *to coincide* 279

colaborar *to collaborate* 153

la **colección** *collection* 182

coleccionar monedas *to collect coins* 364

coleccionar sellos *to collect stamps* 364

el/la **coleccionista** *collector* 101

el **colectivo** *bus* 315

el **colegio mayor** *dorm, dormitory* 253

el **colgante** *pendant* 148

colgar (irreg. **ue**) *to hang* 99

el **colibrí** *hummingbird* 324

la **colina** *hill* 400

el **collar** *necklace* 140

el **colmado** *grocery store* 124

colocar *to put* 88

colombiano(a) *Colombian* 330

la **colonia** *colony* 70

colonial *colonial* 80

el **color** *color* 1

los **colores claros** *light colors* 148

los **colores oscuros** *dark colors* 148

el **colorido** *colors, coloring* 124

colorido(a) *colorful* 367

la **columna** *column* 40

combinar *to combine* 215

combinar con *to match* 138

el **comedor** *dining room* 8 *cafeteria* 348

comentar *to discuss* 33

el **comentario** *comment* 40

comenzar (irreg. **ie**) *to begin* 323

comer *to have lunch* 8 *to eat* 14

el **comercio** *store* 355

comestible *edible* 195

la **comida** *food* 1 *meal* 192

como *as* 37 *such as* 40 *like* 47

cómo *how* 2

¿Cómo es? *What's he/she like?* 2

¿Cómo está(s)? *How are you?* 2

¿Cómo te llamas? *What's your name?* 2

¿Cómo te sientes/se siente? *How do you feel?* 240

cómodo(a) *comfortable* 8

el/la **compañero(a)** *classmate* 17

la **comparación** *comparison* 29

comparar *to compare* 9

la **competición** *competition* 373

competir (irreg. **i, i**) *to compete* 372

el **complejo turístico** *tourist development* 403

los **complementos** *accessories* 140

completar *to complete* 64

componer (irreg.) *to make up* 286

comprar *to buy* 12

las **compras** *shopping* 164

comprender *to understand* 435

la **comprensión** *comprehension* 73

comprobar (irreg. **ue**) *to check* 107

la **computadora** *computer* 6

común *common* 71

comunicarse *to communicate* 214

la **comunidad** *community* 47

con *with* 2 *to* 7

con claridad *clearly* 248

concentrarse *to concentrate* 262

la **conciencia** *awareness* 429

la **conclusión** *conclusion* 333

la **concordancia** *agreement (in grammar)* 46

el **concurso** *contest* 50

los **condimentos** *seasoning* 208

el **cóndor** *condor* 429

el/la **conductor(a)** *driver* 312

conectar *to connect* 70

confundido(a) *confused* 52

confundir *to confuse* 147

el **congelador** *freezer* 104

la **conjunción** *conjunction* 315

conmigo *with me* 168

conocer (irreg.) *to know, to be acquainted with* 24

conocido(a) *known* 111 *well-known* 123

los **conocimientos** *knowledge* 441

el **conquistador** *conquistador* 201

conseguir (irreg. **i, i**) *to get* 166

el **consejo** *advice* 14

conservado(a) *preserved* 91

conservar *to preserve* 105 *to conserve* 424

considerar *to consider* 163

consistir en *to involve* 103

la **consonante** *consonant* 46

la **constitución** *constitution* 347

la **construcción** *construction* 126 *building* 91

construir (irreg.) *to build* 403

consultar *to look up* 296

el **consumo** *consumption* 271

el **contacto** *contact* 217

la **contaminación** *pollution* 424

contaminar *to pollute* 431

contar (irreg. **ue**) *to count* 18 *to tell* 64

contener (irreg.) *to contain* 94

el **contenido** *content* 277

contento(a) *happy* 56

el **contestador** *answering machine* 168

contestar *to answer* 337

contigo *with you* 347

continental *continental* 288

el **continente** *continent* 400

continuar *to continue* 332

contra *against* 87

contrastar *to compare* 53

el **contraste** *contrast* 433

contratar *to hire* 427

la **contribución** *contribution* 278

controlar *to control* 112

convencerse *to accept it* 384

la **conversación** *conversation* 32

la **conversación telefónica** *telephone conversation* 352

conversar *to talk* 124

la **conversión** *conversion* 45

convertir (irreg. **ie, i**) *to turn into* 166

el **corazón** *heart* 120

la **corbata** *tie* 140

la **cordillera** *mountain range* 71

el **cordón** *cord* 86

la **corona** *crown* 226

correctamente *correctly* 79

correcto(a) *correct* 31

corregir (irreg. **i, i**) *to correct* 166

correr *to run* 146

corresponder *to correspond* 64

correspondiente *corresponding* 48

cortar *to cut* 208

cortarse las uñas *to cut one's nails* 252

la **cortina** *curtain* 96

corto(a) *short* 42

la **cosa** *thing* 6

la **cosecha** *harvest* 199

la **costa** *coast* 20

la **costar** (irreg. **ue**)   *to cost* 200

costarricense   *Costa Rican* 70

la **costumbre**   *custom* 97 *habit* 298

cotidiano(a)   *daily* 425

el **cráneo**   *skull* 251

la **creación**   *creation* 123

crear   *to create* 67

creativo(a)   *creative* 44

la **creencia**   *belief* 279

creer (irreg.)   *to believe* 90

la **crema**   *cream* 212 *moisturizing cream* 252

Creo que...   *I think...* 344

cristiano(a)   *Christian* 37

criticar   *to criticize* 51

el **crucero**   *cruise* 20

crudo(a)   *raw* 209

la **cruz**   *cross* 263

cruzar   *to cross* 20

el **cuaderno**   *notebook* 2

la **cuadra**   *block* 112

el **cuadrado**   *square* 157

cuadrado(a)   *square* 157

el **cuadro**   *box* 73 *painting* 96

cuál(es)   *which* 62

la **cualidad**   *quality* 357

cuando   *when* 19

cuando era niño(a)   *when I was a kid* 298

cuando era pequeño(a)   *when I was little* 298

cuándo   *when* 47

cuánto(a)   *how much* 45

¿Cuánto cuesta?   *How much is it?* 8

cuántos(as)   *how many* 45

el **cuarto**   *room* 92

el **cuarto de baño**   *bathroom* 84

el **cuarto de hora**   *quarter of an hour* 102

el **cuarto de lavar**   *laundry room* 104

cubano(a)   *Cuban* 122

cubierto(a)   *covered* 333

el **cubismo**   *cubism* 243

cubista   *cubist* 241

el **cubo**   *cube, piece (of diced meat, cheese, etc.)* 228

cubrir   *to cover* 234

la **cuchara**   *spoon* 216

la **cucharada**   *spoonful* 190

el **cuchillo**   *knife* 216

el **cuello**   *neck* 244

la **cuenca**   *basin* 419

el **cuento**   *story* 35

el **cuerpo**   *body* 14

cuestión de gustos   *a matter of taste* 11

el **cuestionario**   *questionnaire* 170

la **cueva**   *cave* 221

¡Cuidado!   *Be careful!* 94

cuidadosamente   *carefully* 250

cuidadoso(a)   *careful* 254

cuidar   *to look after* 274 *to take care of* 424

cuidarse   *to take care of oneself* 14

la **culpa**   *fault* 361

cultivar   *to grow* 300

la **cultura**   *culture* 43

cultural   *cultural* 70

la **cumbia**   *cumbia* 331

el **cumpleaños**   *birthday* 60

cumplir   *to accomplish* 266

la **cuna**   *cradle* 174

el **cuñapé**   *typical Bolivian bread* 383

curar   *to cure* 262

curioso(a)   *odd, peculiar* 201

D

Dame..., por favor   *Would you pass me..., please* 188

la **danza**   *dance* 71

dar (irreg.)   *to give* 83

dar pena   *to be sorry* 366

darse prisa   *to hurry* 42

darse un baño   *to go for a swim* 414

el **dato**   *piece of information* 48

de   *of* 1 *in* 16 *about* 33 *from* 38

de acuerdo   *all right* 292

de acuerdo con   *according to* 79

de algodón   *cotton (adjective)* 148

de color café   *brown* 148

de compras   *shopping* 8

de cuadros   *plaid, checkered* 148

de cuero   *leather (adjective)* 148

de ladrillo   *brick (adjective)* 88

de lana   *woolen* 148

de lunares   *polka dot* 148

de madera   *wooden* 88

de niño(a)   *as a child* 298

de nuevo   *again* 39

de pequeño(a)...   *as a child* 298

de piedra   *stone (adjective)* 88

de postre   *for dessert* 8

de primero   *as an appetizer* 216

de pronto   *suddenly* 316

de rayas   *striped* 148

de repente   *suddenly* 315

de segundo   *as an entrée* 216

¿De verdad?   *Really?* 84

de visita   *on a visit* 203

debajo de   *under* 22

deber   *must* 270

deberse a   *to be due to, to be the result of* 113

débil   *weak* 14

la **década**   *decade* 175

decidir   *to decide* 153

decir (irreg.)   *to say* 90

la **decisión**   *decision* 362

declarado(a)   *declared* 91

declarar   *to declare* 155

la **decoración**   *decoration* 118

la **decoración de interiores**   *interior design* 9

decorar   *to decorate* 91

dedicarse   *to work* 357

el **dedo**   *finger, toe* 244

defender (irreg. **ie**)   *to argue* 436

el/la **defensa**   *defender* 376

defensivo(a)   *defensive* 123

la **definición**   *definition* 209

dejar   *to leave* 337 *to lay* 423

dejar de   *to stop* 431

dejar huella en   *to influence* 383

del   *of the* 1

delante de   *in front of* 22

delgado(a)   *thin* 2

delicioso(a)   *delicious* 216

los/las **demás**   *rest* 385

demasiado   *too (before an adjective)* 194 *too much* 232

demasiado(a)   *too much* 194

demasiados(as)   *too many* 194

el **demostrativo**   *demonstrative* 114

el/la **dentista**   *dentist* 261

dentro   *inside* 222

dentro de   *in, inside* 88

el **departamento**   *department* 351

depender   *to depend* 193

el/la **dependiente(a)**   *salesclerk* 164

el **deporte**   *sport* 1

el/la **deportista**   *sportsman/ sportswoman* 254

deprisa   *fast* 337

derivado(a)   *derived* 199

la **derrota**   *defeat* 376

el **desacuerdo**   *disagreement* 344

el **desafío**   *challenge* 28

desafortunadamente   *unfortunately* 163

desaparecer (irreg.) to disappear 431

desarrollarse to develop 174 to be set 390

el **desarrollo urbanístico** urban development 113

el **desastre** disaster 138

desayunar to have breakfast 10

el **desayuno** breakfast 250

descansar to rest 14

el **descanso** rest 255

descargar el lavaplatos to unload the dishwasher 88

descender de (irreg. **ie**) to be descended from 43

descendiente descendant 47

descifrar to decipher 342

desconocido(a) unknown 332

describir (irreg.) to describe 1

la **descripción** description 65

descriptivo(a) descriptive 281

descubrir (irreg.) to find out 246

el **descuento** discount 164

desde since 47 from 65

desde luego of course 344

desear to wish 358

el **desenlace** ending 385

el **deseo** wish 279

el **desfile** parade 149

desgraciadamente unfortunately 404

el **deshielo** melting 139

el **desierto** desert 401

la **desilusión** disappointment 301

el **desorden** mess, disorder 208

desordenado(a) untidy 89

despacio slowly 254

la **despedida** goodbye, farewell 2

despedirse (irreg. **i, i**) to say goodbye 166

despegar to take off 304

la **despensa** pantry 88

el **despertador** alarm clock 104

despertarse (irreg. **ie**) to wake up 16

después after 14 then 14 later 53

después de after 8

destinarse a to be used for 305

el **destino** destination 21

la **destrucción** destruction 332

el **desván** attic 88

la **desventaja** disadvantage 59

detallado(a) detailed 275

el **detalle** detail 59

el/la **detective** detective 34

determinado(a) specific 165

el/la **detractor(a)** detractor 436

detrás de behind 22

el **día** day 14

la **diablada** Bolivian carnival dance 155

el **diagrama** diagram 45

el **diálogo** dialogue 41

la **diapositiva** slide 381

diariamente every day 257

el **diario** diary 135 newspaper 376

diario(a) daily 16

dibujar to draw 283

el **dibujo** drawing 91

el **diccionario** dictionary 108

diciembre December 197

el **diente** tooth 244

la **diferencia** difference 38

diferencial distinguishing 287

diferenciarse to be different 353

diferente different 5

difícil hard 5 difficult 64

la **dificultad** problem, difficulty 300

difunto(a) deceased 191

el **dinero** money 164

el/la **dios(a)** god/goddess 53

la **dirección** address 67 direction 412

directamente directly 263

directo(a) direct 80

el/la **director(a)** principal 2 manager 324 director 369

dirigir to lead 87 to run 318

dirigirse to address 219

el **disco** record, CD 106

la **discoteca** nightclub, disco 368

Disculpa/Disculpe Excuse me 240

discutir to argue 36

el **diseño** design 148

el **disfraz** costume 153

disfrazarse to dress up 154

disfrutar (de) to enjoy 121

la **distancia** distance 65

distinguir to distinguish 270

distinto(a) different 10

la **diversidad** diversity 47

diverso(a) diverse 124

diversos(as) several 243

divertido(a) funny, fun 32

divertirse (irreg. **ie, i**) to enjoy oneself 358

dividir to divide 382

dividirse en to be made up of 113

doblar a la derecha/a la izquierda to turn right/left 20

el/la **doctor(a)** doctor 261

el **dólar** dollar 169

doler (irreg. **ue**) to hurt 260

el **dolor** pain, ache 260

doméstico(a) domestic 89

el **domicilio** address 59

el **domicilio actual** current address 60

el **domingo** Sunday 13

dominicano(a) Dominican 80

el **dominó** dominoes 124

don title of respect before a man's first name 82

donde where 35

dónde where 21

dorado(a) gold, golden 148

dormido(a) asleep 285

dormir (irreg. **ue, u**) to sleep 25

dormirse (irreg. **ue, u**) to fall asleep 16

el **dormitorio** bedroom 8

la **dosis** dose 263

ducharse to take a shower 252

la **duda** doubt 370

dudar to doubt 370

el/la **dueño(a)** owner 121

dulce sweet 216

los **dulces** candy 127

durante during 111 for 119

durar to last 155

el **durazno** peach 195

duro(a) hard 175

E

echar to put 208

echar gasolina to put some gas in 315

el **eco** echo 332

ecológico(a) ecological 436

la **economía** economy 300

económico(a) economic 201

el **ecosistema** ecosystem 422

el **ecoturismo** ecotourism 59

la **edad** age 58

la **Edad Media** Middle Ages 105

el **edificio** building 89

el **ejemplo** example 61

el **ejercicio** exercise 270

el **ejercicio físico** physical exercise 269

el the 2

la **especialidad** *specialty* 223

especialmente *especially* 245

las **especies en peligro de extinción** *endangered species* 424

específico(a) *specific* 125

espectacular *spectacular* 118

el **espectáculo** *show* 160 *entertainment* 364

el/la **espectador(a)** *spectator, viewer* 280

el **espejo** *mirror* 96

esperar *to wait* 45

el/la **espía** *spy* 385

las **espinacas** *spinach* 192

el **espionaje** *espionage* 384

espontáneo(a) *spontaneous* 44

el/la **esposo(a)** *husband/wife* 36

el **esquema** *diagram* 73

el **esquí** *skiing* 372

esquiar *to ski* 375

la **esquina** *corner* 112

los **esquís** *skis* 372

esta mañana *this morning* 410

esta noche *tonight* 410

Está nublado. *It's cloudy.* 416

esta tarde *this afternoon* 410

establecido(a) *fixed* 311

el **establecimiento** *establishment* 156

la **estación de autobuses** *bus station* 296

la **estación de tren** *train station* 304

estacionar *to park* 312

la **estadística** *statistics* 269

el **estado** *state* 21

el **estado civil** *marital status* 36

el **estado de ánimo** *emotional state* 52

los **estados de ánimo** *emotions* 52

estadounidense *American* 153

la **estancia** *stay* 121

el **estante** *shelf* 96

la **estantería** *bookcase* 9

estar (irreg.) *to be* 1

estar agrupado(a) *to be grouped* 139

estar casado(a) *to be married* 36

estar de acuerdo con *to agree with* 144

estar de moda *to be in style* 164

estar en forma *to be in shape* 268

estar en oferta *to be on sale* 164

estar sano(a) *to be healthy* 268

estar soltero(a) *to be single* 36

el **este** *east* 408

este, esta *this (one)* 114

el **estilo** *style* 91

Estimado(a)... *Dear ...* 19

esto *this* 114

el **estómago** *stomach* 14

estornudar *to sneeze* 260

estos, estas *these* 114

Estoy de acuerdo. *I agree.* 344

Estoy seguro(a) de que... *I'm sure ...* 374

la **estrategia** *strategy* 73

estrechar la mano *to shake hands* 245

estrecho(a) *narrow* 70

la **estrella** *star* 345

la **estructura** *structure* 73

el/la **estudiante** *student* 2

el/la **estudiante universitario(a)** *university student* 105

estudiantil *student (adjective)* 251

estudiar *to study* 54

los **estudios** *studies* 347

estudioso(a) *studious* 44

la **estufa** *stove* 104

¡Estupendo! *Great!, Good idea!* 292

estupendo(a) *wonderful* 414

la **etapa** *stage* 394

la **etiqueta** *tag, label* 164

étnico(a) *ethnic* 43

la **etnografía** *ethnography* 176

europeo(a) *European* 47

el **evento** *event* 322

evitar *to avoid* 263

exacto *precisely* 221

excelente *excellent* 199

excepcional *exceptional* 175

exclusivamente *exclusively* 263

la **excursión** *excursion* 296

la **excusa** *excuse* 264

la **exhibición** *exhibition* 111

la **existencia** *existence* 22

existir *to exist* 167

el **éxito** *success* 365

el/la **exjugador(a)** *former player* 376

la **expedición** *expedition* 87

la **experiencia** *experience* 135

el **experimento** *experiment* 407

el/la **experto(a)** *expert* 159

la **explicación** *explanation* 322

explicar *to explain* 277

el/la **explorador(a)** *explorer* 87

explorar *to explore* 308

explotar *to exploit, to work* 163

exportador(a) *exporting* 319

exportar *to export* 321

expresar *to express* 1

la **expresión** *expression* 84

extendido(a) *spread out* 72 *common* 331

la **extensión** *extension* 434

extenso(a) *large* 382

extinguirse *to become extinct* 429

el **extracto** *extract* 235

extraño(a) *strange* 84

extraordinario(a) *extraordinary* 308

el **extremo** *end* 434

F

fabricar *to manufacture* 141

la **fachada** *front* 89

fácil *easy* 86

facilitar *to make easy* 436

fácilmente *easily* 254

el **factor** *factor* 435

la **factura** *bill* 320

facturar el equipaje *to check luggage* 20

la **falda** *skirt* 141

falso(a) *false* 48

faltar *to be missing* 65

la **familia** *family* 36

el/la **familiar** *relative* 37

familiar *family (adjective)* 28

famoso(a) *famous* 31

fantástico(a) *fantastic* 92

la **farmacia** *drugstore* 156

el **faro** *headlight* 312

fascinante *fascinating* 264

la **fauna** *fauna* 71

favorito(a) *favorite* 37

la **fecha de nacimiento** *date of birth* 60

¡Felicidades! *Congratulations!* 117

feliz *happy* 254

femenino(a) *feminine* 38 *female* 359

fenomenal *great, terrific* 292

el **fenómeno** *phenomenon* 407

el **festival** *festival* 83

la **fibra** *fiber* 176

la **ficha** *index card* 131

ficticio(a) *fictitious* 67

la **fibra** *fiber* 176

la **ficha** *index card* 131

ficticio(a) *fictitious* 67

la **fiebre** *fever* 14

la **fiesta** *festivity* 51 *party* 84

la **figura** *figure, shape* 157

fijarse en *to pay attention to, to notice* 86

el **filtro solar** *sunblock* 25

el **fin de semana** *weekend* 17

el **final** *end* 33

finalmente *finally* 70

la **Física** *physics (subject)* 348

físicamente *physically* 44

la **flauta** *flute* 71

la **flor** *flower* 22

la **flora** *flora* 71

el **florero** *vase* 96

el **folclore** *folklore* 51

folclórico(a) *folk (adjective)* 155

el **folleto** *brochure* 296

el **fondo** *bottom* 301

la **forma** *way* 21 *form* 63

la **formación** *formation* 246

formal *formal* 202

la **formalidad** *formality* 218

formar *to form* 402

la **fortaleza** *fortress* 120

el **fósil** *fossil* 94

fosilizado(a) *fossilized* 95

la **foto** *photo* 7

la **fotografía** *photography, photo* 48

fotografiar *to take a photo of* 35

fotográfico(a) *photographic* 122

la **fotonovela** *photonovel* 49

el **fragmento** *excerpt* 379

el **francés** *French (language)* 401

francés(a) *French* 122

la **frase** *sentence* 79

la **frecuencia** *frequency* 1

frecuente *frequent* 254

frecuentemente *frequently* 254

freír (irreg.) *to fry* 208

frenar *to brake* 312

el **freno** *brake* 312

la **frente** *forehead* 244

frente a *in front of* 127

la **fresa** *strawberry* 192

fresco(a) *fresh* 216

frijol *bean* 192

el **frío** *cold* 3

frío(a) *cold* 216

frito(a) *fried* 216

la **frontera** *border* 382

frustrado(a) *frustrated* 52

la **fruta** *fruit* 10

el **fruto** *fruit* 195

los **frutos secos** *nuts* 195

el **fuego** *fire* 419

la **fuente** *fountain* 91 *dish* 225

la **fuente de energía** *energy source* 431

fuera (de) *outside* 88

fuerte *strong* 44

la **función** *function* 15

funcionar *to work* 261

fundado(a) *founded* 82

fundamental *fundamental, basic* 209

furioso(a) *furious* 52

la **fusión** *fusion, mixture* 71

el **fútbol** *soccer* 372

el **fútbol americano** *football* 372

el/la **futbolista** *soccer player* 45

el **futuro** *future* 359

G

la **gaceta** *newspaper* 153

las **gafas** *glasses* 44

las **gafas de sol** *sunglasses* 140

la **galería de arte** *art gallery* 428

el **gallego** *Galician (language)* 279

la **galleta** *cookie* 200

la **gallina** *hen* 424

el **gallo** *rooster* 424

el **galón** *gallon* 313

ganador(a) *winning* 117

ganar *to win* 372

el **garaje** *garage* 13

garantizar *to ensure* 261

la **garganta** *throat* 260

garífuna *from an ethnic group of Central America and the Caribbean* 31

la **gasolina** *gas* 312

la **gasolinera** *gas station* 312

el **gato** *cat* 52

el **gaucho** *gaucho* 383

el **gazpacho** *Andalusian vegetable soup, served chilled* 266

el **gel** *gel* 252

generalizado(a) *widespread* 255

generalmente *generally* 46

el **género** *type* 123

generoso(a) *generous* 44

la **gente** *people* 25

la **Geografía** *geography (subject)* 348

geográfico(a) *geographic* 434

el **gerundio** *present participle* 90

el **gesto** *gesture* 245

el **gigante** *giant* 30

el **gimnasio** *gym* 372

el **glaciar** *glacier* 139

global *global* 73

el **gobierno** *government* 174

el **golf** *golf* 372

gordo(a) *fat* 44

la **gorra** *cap* 140

el **gorro** *cap* 141

grabar *to record* 27

gracias *thank you* 39

gracioso(a) *funny* 44

el **grado** *degree* 416

gradualmente *gradually* 159

el **gráfico** *chart* 73

la **gramática** *grammar* 1

el **gramo** *gram* 190

gran *big* 20 *great* 59

grande *big* 7

los **grandes almacenes** *department store* 144

el **grano** *seed* 198

el **grano de café** *coffee bean* 319

griego(a) *Greek* 203

la **gripe** *flu* 260

gris *gray* 148

gritar *to shout* 314

grueso(a) *thick* 176

el **grupo** *group* 43

el **guacamole** *guacamole* 228

la **guagua** *bus* 315

el **guante** *glove* 372

el **guaraní** *Guarani* 346

guardar *to put away* 97 *to keep* 219

guatemalteco(a) *Guatemalan* 70

¡guau! *woof!* 427

el/la **guía** *guide* 139

la **guía turística** *tourist guide book* 20

el **guión** *script* 169

los **guisantes** *peas* 192

gustar *to like* 1

los **gustos** *likes* 1

H

la **habitación** *room* 27

la **habitación doble** *double room* 320

la **habitación sencilla** *single room* 320

habitado(a) *inhabited* 436

el/la **habitante** *inhabitant* 47

el **hábito** *habit* 1

los **hábitos alimenticios** *eating habits* 195

los **hábitos de alimentación** *eating habits* 286

habitual *habitual* 1

habitualmente *usually* 104

el/la **hablante** *speaker* 226

hablar *to speak* 13

Hace calor *It's hot* 416

Hace frío *It's cold* 416

Hace sol *It's sunny* 416

hace una semana/dos días/... *one week/two days/... ago* 134

Hace viento *It's windy* 416

hacer (irreg.) *to do, to make* 14

hacer cámping *to go camping* 25

hacer cola/fila *to stand in line* 200

hacer daño *to hurt* 138

hacer deporte *to play sports* 268

hacer ejercicio *to exercise* 19

hacer el equipaje *to pack* 296

hacer gimnasia *to work out* 372

hacer la compra *to shop* 200

hacer picnic *to have a picnic* 364

hacer un crucigrama *to do a crossword puzzle* 364

hacer un examen *to take an exam* 348

hacia *towards* 412

la **hacienda** *country estate* 198

el **hambre** *hunger* 3

la **harina** *flour* 190

¡Hasta la vista! *See you!* 2

Hasta luego *See you later* 2

Hasta mañana *See you tomorrow* 2

Hasta pronto *See you soon* 2

hay *there is/there are* 22

el **helado** *ice cream* 10

helado(a) *frozen* 435

el **hemisferio** *hemisphere* 174

la **herencia** *legacy* 184

el/la **hermano(a)** *brother/sister* 36

los **hermanos** *siblings* 37

hermoso(a) *beautiful* 123

el **héroe** *hero* 87

hervido(a) *boiled* 216

hervir (irreg. **ie, i**) *to boil* 208

el **hielo** *ice* 416

el **hierro** *iron* 305

la **higiene** *hygiene* 252

el/la **hijo(a)** *son/daughter* 36

los **hijos** *children (offspring)* 34

hispano(a) *Hispanic* 61

hispanoamericano(a) *Spanish American* 105

hispanohablante *Spanish-speaking* 219

la **historia** *story* 35

la **Historia** *history (subject)* 348

histórico(a) *historic* 118

la **hoguera** *bonfire* 279

la **hoja** *leaf* 20

la **hoja de inscripción** *registration form* 60

el **hombre** *man* 7

el **hombro** *shoulder* 244

hondureño(a) *Honduran* 70

la **hora** *time* 15 *hour* 161

el **horario** *schedule* 296

el **horizonte** *horizon* 280

el **horno** *oven* 104

horrible *horrible* 374

las **hortalizas** *garden vegetables* 192

el **hospital** *hospital* 260

hospitalario(a) *hospitable* 124

el **hotel** *hotel* 320

el **hotel rural** *country hotel* 319

hoy *today* 5

el/la **huésped** *guest* 320

el **huevo** *egg* 8

humano(a) *human* 14

húmedo(a) *humid* 435

el **humo** *smoke* 316

I

la **idea** *idea* 73

ideal *ideal* 19

identificar *to identify* 1

el **idioma** *language* 219

la **iglesia** *church* 112

igual *the same (adverb)* 106

igual que *like* 316

ilógico(a) *illogical* 213

la **ilusión** *hope* 55

la **ilustración** *illustration* 66

ilustrar *to illustrate* 315

la **imagen** *image* 102

imaginar *to imagine* 39

imaginario(a) *fictional* 41 *imaginary* 407

imitar *to sound like* 243

impaciente *impatient* 44

el **impacto** *impact* 399

impartir *to give* 349

el **imperativo** *imperative* 202

el **imperfecto** *imperfect* 298

el **imperio** *empire* 167

el **impermeable** *raincoat* 140

impersonal *impersonal* 270

la **importancia** *importance* 177

importante *important* 37

importar *to matter* 168

imposible *impossible* 34

la **impresión** *impression* 7

impresionante *impressive* 307

el **impulso económico** *economic boost* 436

inaugurar *to open* 297

inca *Inca* 174

el **incendio forestal** *forest fire* 424

incluir (irreg.) *to include* 225

incómodo(a) *uncomfortable* 148

incompleto(a) *incomplete* 188

incorporar *to incorporate* 175

increíble *incredible* 20

los **indefinidos** *indefinites* 194

la **independencia** *independence* 135

las **indicaciones** *uses (of medicine)* 263

indicar *to indicate* 167

el/la **indígena** *native* 51

indígena *indigenous* 43

indirecto(a) *indirect* 106

la **industria** *industry* 171

inesperado(a) *unforeseen* 315

la **infancia** *childhood* 301

la **infanta** *infanta, princess* 275

la **inferencia** *inference* 177

el **infinitivo** *infinitive* 229

la **influencia** *influence* 71

influir (irreg.) *to influence* 175

la **información** *information* 20

informal *casual* 182 *informal* 202

informar de *to inform about* 291

la **informática** *computer science* 357

informativo(a) *informative* 333

el/la **ingeniero(a)** *engineer* 378

el **inglés** *English (language)* 38

inglés(a) *English* 87

el **ingrediente** *ingredient* 189

los **ingresos** *revenue* 319

inicial *initial* 385

inmaterial *immaterial, intangible* 363

el/la **inmigrante** *immigrant* 367

el **inodoro** *toilet* 9

inolvidable *unforgettable* 221

inscribirse (irreg.) *to register, to enter* 58

la **inscripción** *registration* 60

el **insecto** *insect* 20

insistir en *to insist on* 20

instalar *to set up* 165

el **instituto** *institute, agency* 269

las **instrucciones** *instructions* 131

el/la **instructor(a)** *instructor* 312

el **instrumento** *instrument* 68

intangible *intangible* 155

inteligente *intelligent* 44

la **intención** *intention* 109

intenso(a) *deep, intense* 124

intentar *to try* 291

el **intercambio** *exchange* 227

el **interés** *interest* 116

interesante *interesting* 72

el **interior** *interior* 305

internacional *international* 45

la **interpretación** *acting* 357

interpretar *to perform* 105

la **interrogación** *question* 63

el **interrogativo** *interrogative* 29

las **interrupciones** *interruptions* 337

intervenir (irreg.) *to take part* 51

la **introducción** *introduction* 333

la **inundación** *flood* 431

inventar *to make up* 385

el/la **investigador(a)** *researcher* 332

investigar *to research* 83

el **invierno** *winter* 127

el/la **invitado(a)** *guest* 97

la **inyección** *injection, shot* 260

ir (irreg.) *to go* 14

ir a un concierto *to go to a concert* 364

ir a una exposición *to go to an exhibit* 364

ir al cine *to go to the movies* 364

ir al teatro *to go to the theater* 364

ir de cámping *to go camping* 325

irregular *irregular* 1

la **irregularidad** *irregularity* 202

la **isla** *island* 21

el **italiano** *Italian (language)* 279

italiano(a) *Italian* 211

el **itinerario** *itinerary* 297

J

el **jabón** *soap* 252

el **jade** *jade* 428

el **jaguar** *jaguar* 295

japonés(a) *Japanese* 398

el **jarabe** *cough syrup* 260

el **jardín** *garden* 88

la **jarra** *pitcher* 208

jesuítico(a) *Jesuit* 380

la **jornada** *round (of matches)* 376

el **joropo** *Venezuelan folk dance* 331

el/la **joven** *young man/woman* 280

joven *young* 4

las **joyas** *jewelry* 51

la **joyería** *jewelry store* 156

el **juego** *game* 70

el **jueves** *Thursday* 349

el/la **jugador(a)** *player* 373

jugar (irreg. **ue**) *to play* 14

jugar a las damas *to play checkers* 364

jugar a los naipes *to play cards* 364

jugar al ajedrez *to play chess* 364

el **jugo** *juice* 8

julio *July* 111

junio *June* 111

junto a *by* 145 *next to* 299

junto con *together with* 347

juntos(as) *together* 40

el **Jurásico** *Jurassic* 85

justamente *exactly* 257

justo(a) *fair* 259 *exact* 263

K

el **kilogramo** *kilogram* 45

el **kilómetro** *kilometer* 45

el **kiwi** *kiwi (fruit)* 9

L

la *the* 2

el **labio** *lip* 244

el **laboratorio** *lab* 348

los **lácteos** *dairy products* 192

el **lago** *lake* 24

la **laguna** *lagoon* 294

el **lama** *lama (Tibetan monk)* 147

la **lámpara** *lamp* 96

la **lancha** *boat* 423

el **lápiz** *pencil* 77

largo(a) *long* 21

la **lástima** *pity* 404

la **lata** *can* 200

latino(a) *Latino* 103

el **laúd** *lute* 105

el **lavabo** *sink* 8

la **lavadora** *washing machine* 104

el **lavaplatos** *dishwasher* 88

lavar *to wash* 13

lavarse *to get washed, to wash up* 252

le *(to) him/her* 10

la **leche** *milk* 192

la **lechuga** *lettuce* 192

la **lectura** *reading* 72

leer (irreg.) *to read* 14

las **legumbres** *legumes* 192

lejos (de) *far (from)* 22

el **lema** *motto* 425

la **lengua** *language* 47

la **lengua romance** *Romance language* 279

lentamente *slowly* 254

las **lentejas** *lentils* 192

lento(a) *slow* 254

les *(to) them* 10

la **letra** *letter* 279

la **levadura** *yeast* 190

levantar la mano *to raise one's hand* 348

levantar pesas *to lift weights* 372

levantarse *to get up* 16

la **ley** *law* 335

la **leyenda** *legend* 34

las **Leyes** *law (subject)* 357

la **libélula** *dragonfly* 55

liberar *to liberate* 87

la **libra** *pound* 45

libre *free* 122

la **librería** *bookstore* 156

el **libro** *book* 2

la **licencia de conducir** *driver's license* 312

el/la **líder** *leader* 135

la **liga** *league* 370

ligero(a) *light* 233 *thin* 280

limitar con *to border on* 70

el **limón** *lemon* 61

limpiar *to clean* 91

la **limpieza** *cleaning* 253

la **mejilla** *cheek* 244

mejor *better* 8 *best* 47

el/la **mejor** *the best* 257

mejorar *to improve* 381

melancólico(a) *melancholic* 125

mellizo(a) *twin* 47

el **melón** *melon* 192

memorable *memorable* 405

la **memoria** *memory* 122

mencionar *to mention* 116

menor *less* 271

menos *less* 54

el **mensaje** *message* 66

el **mensaje de correo** *e-mail message* 57

mentir (irreg. **ie, i**) *to lie* 90

el **menú del día** *specials (on a menu)* 216

el **mercadillo** *street market* 165

el **mercado** *market* 139

el **mercado de pulga** *flea market* 165

las **mercancías** *merchandise* 157

el **merengue** *merengue* 123

la **mermelada** *jam* 200

el **mes que viene** *next month* 410

la **mesa** *table* 8

el/la **mesero(a)** *waiter/waitress* 216

la **mesita de noche** *nightstand* 96

el **mestizaje** *mixed race group* 71

mestizo(a) *of mixed ancestry* 47

la **metáfora** *metaphor* 281

meteorológico(a) *weather (adjective)* 416

meter *to put in* 203

el **método** *method* 205

métrico(a) *metric* 45

el **metro** *subway* 21 *meter* 45

metropolitano(a) *metropolitan* 172

mexicano(a) *Mexican* 226

la **mezcla** *mixture* 71

mezclar *to mix* 208

mi *my* 38

mí *me* 10

¡miau! *meow!* 427

el **microondas** *microwave* 104

el **miedo** *fear* 3

mientras *while* 223

el **miércoles** *Wednesday* 349

milenario(a) *ancient* 176

la **milla** *mile* 45

el **millón** *million* 47

la **mina** *mine* 162

el **mineral** *mineral* 163

minero(a) *mining* 163

el **minuto** *minute* 102

mío(a)(os)(as) *mine* 38

la **mirada** *gaze* 280

el **mirador** *viewpoint* 370

mirar *to look* 135 *to look at* 306

mis *my* 4

la **misión** *mission* 31

mismo(a) *same* 150

los **misquitos** *Miskitos* 71

el **misterio** *mystery* 332

misterioso(a) *mysterious* 342

la **mitad** *half* 406

mítico(a) *mythical* 295

el **mito** *myth* 332

la **mochila** *backpack* 2

el **modelo** *model (example)* 3

el/la **modelo** *model (person)* 281

moderado(a) *moderate* 269

el **modernismo** *modernism* 55

modernista *modernist* 55 *Art Nouveau* 401

moderno(a) *modern* 149

el **modo** *way* 175 *mood (in grammar)* 358

el **mole** *typical Mexican chili sauce* 214

moler (irreg. **ue**) *to crush* 228 *to grind* 325

molestar *to bother, to upset* 362

el **momento** *moment* 220

el **monasterio** *monastery* 276

la **moneda** *coin* 164

el **monje** *monk* 147

el **mono** *monkey* 424

la **montaña** *mountain* 400

el/la **montañero(a)** *mountain climber* 371

montañoso(a) *mountainous* 70

montar *to ride* 58

montar a caballo *to ride a horse* 364

montar en bici *to ride a bicycle* 364

montar en monopatín *to ride a skateboard* 364

el **monte** *mount* 403

la **montera** *typical Andean hat* 171

un **montón** *a lot* 68

el **monumento** *monument* 91

morado(a) *purple* 148

la **morenada** *Bolivian carnival dance* 155

moreno(a) *brunet/brunette* 2

morir (irreg. **ue, u**) *to die* 90

morirse (irreg. **ue, u**) *to die* 166

el **mosquito** *mosquito* 83

la **mostaza** *mustard* 208

el **mostrador de información** *information desk* 20

mostrar (irreg. **ue**) *to show* 101

el **motivo** *motif* 157 *reason* 384

la **moto** *bike* 357

la **motocicleta** *motorcycle* 357

el **motor** *engine* 312

el **movimiento** *movement* 24 *transit* 297

la **muchacha** *girl* 280

muchachos *guys (form of address)* 198

muchas veces *many times* 16

mucho(a) *a lot of* 194

Mucho gusto *Pleased to meet you* 2

muchos(as) *many* 194

los **muebles** *furniture* 96

la **muela** *tooth (molar)* 261

muerto(a) *dead* 134

la **muestra** *sign* 157

la **mujer** *woman* 2

multicolor *multicolored* 176

múltiple *multiple* 157

el **mundo** *world* 45

municipal *municipal, public* 378

la **muñeca** *doll* 173 *wrist* 244

el **muñeco** *doll* 51

el **museo** *museum* 20

la **música** *music* 7

el **musical** *musical* 407

musical *musical* 111

el/la **músico(a)** *musician* 31

muy *very* 2

N

nacer (irreg.) *to be born* 135

nacional *national* 29

la **nacionalidad** *nationality* 46

nada *at all* 10 *nothing* 34 *anything (in questions)* 422

nadar *to swim* 15

nadie *nobody* 25

náhuatl *Nahuatl* 71

la **naranja** *orange* 190

el **naranjo** *orange tree* 279

la **nariz** *nose* 244

la **narración** *story* 322

narrar   to tell 314

narrativo(a)   narrative 385

nativo(a)   native 47

natural   natural 59

la **naturaleza**   nature 20

el/la **navegante**   navigator 87

la **Navidad**   Christmas 262

necesario(a)   necessary 20

el **neceser**   toiletries bag 256

la **necesidad**   need 273

necesitar   to need 27

negativo(a)   negative 63

negro(a)   black 148

nervioso(a)   nervous 52

neutro(a)   neuter 128

nevar (irreg. **ie**)   to snow 416

nicaragüense   Nicaraguan 51

el **nido**   nest 429

el/la **nieto(a)**   grandson/
granddaughter 36

la **nieve**   snow 416

ningún, ninguno(a)   no, (not) any,
none 194

el/la **niño(a)**   child 4

el **nivel**   level 163

no   no 8

¿no?   isn't it?/doesn't it?/etc. 84

No dudo que...   No doubt... 374

No es cierto   That's not true 344

No es verdad   That's not true 344

No estoy de acuerdo   I disagree
344

No llevas razón   You're wrong 344

no responder nadie   no one
answers the door 152

No sé...   I don't know... 292

la **noche**   evening 211 night 279

el **nombre**   noun 1 name 19

el **noreste**   northeast 408

normal   normal 131

normalmente   normally 27

el **noroeste**   northwest 408

el **norte**   north 408

nos   (to) us 10 ourselves 16

nosotros(as)   we 4

la **nota**   note 56 grade 272

la **noticia**   news 264

la **novela de aventuras**   adventure
novel 166

noviembre   November 169

el/la **novio(a)**   boyfriend/girlfriend
57

la **nuca**   nape (of the neck) 280

nuestro(a)   our 77

el/la **nuestro(a)**   ours 77

nuevo(a)   new 5

la **nuez**   walnut 195

el **número**   number 37

el **número de identidad**   ID number
60

el **número de pasaporte**   passport
number 60

numerosos(as)   many 355

nunca   never 16

O

o   or 49

el **objetivo**   goal, objective 376

objetivo(a)   objective 281

el **objeto**   object 1

la **obligación**   obligation 270

la **obra**   work 243

la **obra de teatro**   play 116

la **obra maestra**   masterpiece 155

observar   to watch 407

la **obsesión**   obsession 332

el **obstáculo**   obstacle 436

obtener (irreg.)   to gather 61

ocasionalmente   occasionally 272

el **océano**   ocean 400

el **océano Glacial Antártico**
Southern Ocean 400

el **océano Glacial Ártico**   Arctic
Ocean 400

el **ocio**   leisure 1

octubre   October 144

ocultar   to hide 426

ocupado(a)   busy 109

ocupar   to occupy 87 to take up
122

ocurrir   to happen 43

el **oeste**   west 408

la **oferta de empleo**   job offer 351

oficial   official 226

la **oficina**   office 58

la **oficina de correos**   post office 112

la **oficina del director**   principal's
office 348

el/la **oficinista**   office worker 59

el **oficio**   job, profession 343

ofrecer (irreg.)   to offer 190

la **ofrenda**   offering 295

el **oído**   ear 14

oír (irreg.)   to hear 90

Ojalá...   I hope... 343

el **ojo**   eye 244

oler (irreg.)   to smell 15

el **olivo**   olive tree 279

la **olla**   pressure cooker 208

el **olor**   smell 325

olvidar   to forget 220

ondulado(a)   wavy 280

la **onomatopeya**   onomatopoeia 427

la **onza**   ounce 286

la **opción**   option 21

la **ópera**   opera 379

opinar   to think 84

el/la **oponente**   opponent 385

la **oportunidad**   opportunity 92

optimista   optimistic 44

la **oración**   sentence 43

oral   oral 155

el **orden**   order (arrangement) 77

la **orden**   order (command) 270

ordenado(a)   tidy 357

ordenar   to tidy up 13 to put in
order 17 to order 109

la **oreja**   ear 244

las **orejeras**   earflaps 176

la **orfebrería**   gold/silversmithing
299

organizado(a)   organized 77

organizar   to organize 64

el **oriente**   east 55

el **origen**   origin 35

original   original 154

originalmente   originally 207

originar   to cause 333

originario(a) de   native to 209

el **oro**   gold 87

la **orquídea**   orchid 331

la **ortografía**   spelling 79

oscuro(a)   dark 127

el **oso**   bear 424

el **otoño**   fall, autumn 20

otro(a)   another 51

el/la **otro(a)**   the other 316

la **oveja**   sheep 424

P

el/la **paciente**   patient 260

paciente   patient 44

pacientemente   patiently 257

el **padre**   father 36

los **padres**   parents (mother
and father) 10

el **padrino**   godfather 36

pagar   to pay 164

pagar con tarjeta   to pay by
credit card 164

pagar en efectivo   to pay in cash

el **planeta** *planet* 431

el **plano** *floor plan* 101 *street map* 130

la **planta** *floor, story* 8 *plant* 59

la **plantación** *plantation* 279

plantar un árbol *to plant a tree* 424

la **plata** *silver* 137

el **plátano** *banana* 212

plateado(a) *silver (adjective)* 148

el **plato** *dish* 89

la **playa** *beach* 25

la **plaza** *square, plaza* 112

la **plaza de armas** *main square* 115

la **plaza de toros** *bullring* 259

plural *plural* 4

la **población** *population* 175

poblado(a) *populated* 403

poblano(a) *from Puebla (Mexico)* 214

poco *little, not much* 10

poco(a) *little* 194

pocos(as) *few* 194

el **poder** *power* 201

poder (irreg. **ue, u**) *to be able, can* 18

el **poema** *poem* 31

el/la **poeta** *poet* 55

la **polémica** *controversy* 436

polémico(a) *controversial* 87

el/la **policía** *policeman/policewoman* 356

la **pollera** *skirt* 171

el **pollo** *chicken* 192

el **poncho** *poncho* 141

poner (irreg.) *to put* 24

poner una multa *to give a ticket* 312

ponerse (irreg.) *to put on* 418

ponerse desodorante *to put deodorant on* 252

popular *popular* 46

por *for* 8 *around* 12 *because of* 14 *along* 25 *by* 40

por ejemplo *for example* 71

por eso *that's why* 428

por favor *please* 58

por fin *finally* 136

por fortuna *fortunately* 380

por la noche *in the evening, at night* 160

por lo general *in general* 253

por qué *why* 35

¿Por qué no...? *Why not ...?* 292

por suerte *fortunately* 169

Por supuesto. *Of course.* 344

por turnos *by turns* 87

por último *finally* 229

el **porcentaje** *percentage* 347

la **porción** *portion* 286

porque *because* 4

el **portugués** *Portuguese (language)* 279

poseer (irreg.) *to have* 428

el **posesivo** *possessive* 38

la **posibilidad** *possibility* 255

posiblemente *possibly* 363

la **posición** *position* 46

positivo(a) *positive* 97

la **postal** *postcard* 67

el **póster** *poster* 430

el **postre** *dessert* 8

practicar *to practice* 27

practicar yoga *to do yoga* 268

práctico(a) *practical, useful* 339

la **pradera** *prairie* 400

el **precio** *price* 164

precioso(a) *beautiful* 67

la **predicción** *forecast* 420

predominar *to prevail* 401

la **preferencia** *preference* 19

preferido(a) *favorite* 108

preferir (irreg. **ie, i**) *to prefer* 18

la **pregunta** *question* 35

preguntar *to ask* 37

prehispánico(a) *pre-Hispanic* 215

premiar *to give a prize* 51

el **premio** *prize* 83

la **prenda** *garment* 141

la **prensa** *press* 376

preocupado(a) *worried* 265

preocupar *to worry* 362

preocuparse *to be worried* 58

preparar *to prepare* 8 *to pack* 143 *to plan* 296

prepararse *to get ready* 142

los **preparativos** *preparations* 39

la **preposición** *preposition* 98

prescriptivo(a) *prescriptive* 229

la **presentación** *introduction* 3 *presentation* 65

presentar *to introduce* 3 *to present* 37

el **presente** *present* 4

el **presente continuo** *present progressive* 90

preservar *to protect* 411

el/la **presidente(a) de curso** *class president* 48

prestar atención *to pay attention* 348

el **presupuesto** *budget* 365

el **pretérito** *preterite (tense)* 142

la **previsión** *forecast* 419

la **primavera** *spring* 211

el **primer plato** *appetizer* 214

primer(o)(a) *first* 1

la **primera clase** *first class* 304

el/la **primo(a)** *cousin* 6

la **princesa** *princess* 55

principal *main* 53

principalmente *mainly* 157

el **principio** *beginning* 367

la **prisa** *haste* 254

privado(a) *private* 261

probablemente *probably* 89

el **probador** *dressing room* 164

probar (irreg. **ue**) *to taste* 198

probarse ropa *to try clothes on* 164

el **problema** *problem* 51

procedente de *coming from* 215

proceder de *to come from* 71

la **producción** *production* 321

producir (irreg.) *to cause* 139 *to produce* 198

el **producto** *product* 121

productor(a) *producing* 319

la **profesión** *profession* 78

profesional *professional* 58

el/la **profesor(a)** *teacher* 2

profundo(a) *deep* 35

el **programa** *program* 75

el **progreso** *progress* 437

prohibir *to forbid* 360

la **promesa** *promising talent* 369

el **pronombre** *pronoun* 38

el **pronóstico** *forecast* 419

pronto *early* 16 *soon* 107

el/la **propietario(a)** *owner* 329

la **propina** *tip* 216

propio(a) *own* 69 *typical* 71

la **proporción** *proportion* 286

el/la **protagonista** *main character* 365

la **protección** *protection* 116

proteger *to protect* 424

protegerse *to protect oneself* 141

la **proteína** *protein* 193

provenir de (irreg.) *to come from* 227

la **provincia** *province* 347

provocar *to cause* 376

la **proteína** *protein* 193

provenir de (irreg.) *to come from* 227

la **provincia** *province* 347

provocar *to cause* 376

próximo(a) *next* 181

el **próximo año** *next year* 410

el **próximo mes** *next month* 410

el **proyecto** *project* 70

prudente *careful, prudent* 313

publicado(a) *posted* 40

público(a) *public* 261

el **pueblo** *people* 43 *town, village* 69

¿Puede(s) ayudarme? *Can you help me?* 240

¿Puede(s) darme…? *Can I borrow…?* 188

¿Puede(s) pasarme…? *Can you pass me…?* 188

la **puerta** *door* 8 *gate* 296

el **puerto** *port* 400

puertorriqueño(a) *Puerto Rican* 122

pues… *er…* 123 *well* 138 *then* 357

el **puesto** *stall* 165

la **pulsera** *bracelet* 140

el **punto** *point* 376

el **punto de encuentro** *meeting point* 355

la **puntuación** *punctuation* 79

Q

que *that* 19 *who* 25 *than* 54

qué *what* 3

¡Qué casualidad! *What a coincidence!* 324

¡Qué emoción! *How exciting!* 398

¡Qué maravilla! *It's wonderful!* 32

¿Qué opinas? *What do you think?* 84

¿Qué tal? *How are you doing?* 3

¿Qué tal…? *How's…?* 2

¿Qué tal se encuentra/te encuentras? *How are you feeling?* 240

¿Qué tal si…? *Why don't we/you…?* 292

¿Qué te parece? *What do you think?* 84

¡Qué va! *Not at all!, No way!* 344

¡Qué vergüenza! *How embarrassing!* 147

quedar *to be left* 321

quedar bien/mal *to fit well/badly* 164

quedar grande/pequeño *to be too big/too small* 164

quedarse *to stay* 121

querer (irreg.) *to want* 18

Querido(a)… *Dear…* 147

la **quesadilla** *quesadilla (a griddled tortilla with filling)* 214

el **queso** *cheese* 192

quien *whom* 37

quién(es) *who* 2

la **Química** *chemistry (subject)* 348

el **quiosco** *kiosk* 156

¡quiquiriquí! *cock-a-doodle-do!* 427

quitar *to remove* 169 *to take away* 187

quitarse *to take off* 431

quizás *maybe* 249

R

la **raíz** *stem* 1

rallado(a) *grated* 190

la **rana** *frog* 22

rápidamente *quickly* 254

rápido(a) *fast* 21 *quick* 102

la **raqueta** *racket* 372

rara vez *seldom* 16

raro(a) *strange* 147

el **rasgo** *trait* 1

el **rasgo físico** *physical trait* 48

la **raza** *race* 71

real *real* 64 *royal* 87

realista *realist* 280

realizar *to perform, to carry out* 245

realmente *in fact* 71

las **rebajas** *sales* 170

la **recepción** *reception* 320

el/la **recepcionista** *receptionist* 320

la **receta** *recipe* 187 *prescription* 263

recibir *to receive* 12

el **reciclaje** *recycling* 431

recoger *to collect* 172

recogido(a) *compiled* 53 *tied back* 280

la **recomendación** *recommendation* 14

recomendado(a) *recommended* 193

recomendar (irreg. **ie**) *to recommend* 266

reconocer (irreg.) *to recognize* 86

recopilar *to gather* 125

recordar (irreg. **ue**) *to remember* 18

recorrer *to go around* 155

el **recuerdo** *souvenir* 21 *memories* 301

el **recurso natural** *natural resource* 95

los **recursos** *resources* 281

la **red** *web* 41 *network* 305 *net* 372

referirse a (irreg. **ie, i**) *to refer to* 55 *to mean* 406

reflejar *to show* 425

el **reflejo** *reflection* 176

reflexivo(a) *reflexive* 1

reformular *to reformulate* 125

el **refresco** *soda* 10

el **refrigerador** *refrigerator* 104

regalar *to give (as a present)* 106

el **regalo** *present* 49

regatear *to bargain* 165

la **región** *region* 43

regresar *to come back* 181

regular *regular* 1

la **reina** *queen* 243

reír(se) (irreg. **i**) *to laugh* 45

la **relación** *relationship* 36

relacionar *to match* 19 *to relate* 43

relajarse *to relax* 270

el **relámpago** *lightning* 416

relativo(a) *relative* 402

la **religión** *religion* 435

religioso(a) *religious* 300

relleno(a) *filled* 222

el **reloj** *clock* 2 *watch* 140

remar *to row* 398

el **remate de cabeza** *header* 376

el **remedio** *remedy* 260

el **repaso** *review* 26

el **repelente de mosquitos** *insect repellent* 422

repetir (irreg. **i, i**) *to repeat* 18

la **réplica** *replica* 93

el **reportaje fotográfico** *illustrated feature* 239

el/la **reportero(a)** *reporter* 316

el/la **representante** *exponent* 55

representar *to perform* 41 *to represent* 51

representativo(a) *representative* 123

la **reproducción** *reproduction* 247

el **reptil** *reptile* 423

el **requisito** *requirement* 351

el **rescate** *ransom* 87

la **reserva** *reserve* 71 *reservation* 306

reservar *to book* 27

el **resfriado** *cold* 14

la **residencia** *residence* 253

la **resina** *resin* 95

resolver (irreg.) *to solve* 69

respecto a *regarding* 269

respetar *to respect* 313

el **respeto** *respect* 219

respetuoso(a) *respectful* 313

respirar *to breathe* 159

responder *to answer* 62

responsable *responsible* 351

la **respuesta** *answer* 32

el **restaurante** *restaurant* 216

el **resto** *rest* 212

el **resultado** *result* 93

resultar *to seem* 123

el **resumen** *summary* 69

el **reto** *challenge* 381

el **retraso** *delay* 304

el **retrato** *portrait* 87

reunirse *to meet* 239

la **revista** *magazine* 156

la **revolución** *revolution* 207

el **rey** *king* 249

rico(a) *rich* 43 *delicious* 273

la **rima** *rhyme* 69

el **rincón** *corner* 72

el **río** *river* 400

rioplatense *from River Plate* 383

la **riqueza** *richness* 71

la **risa** *laugh* 55

el **ritmo** *rhythm* 71

el **rito** *rite* 279

ritual *ritual* 176

la **rivalidad** *rivalry* 373

el **roble** *oak* 20

la **roca** *rock* 120

rodeado(a) *surrounded* 433

la **rodilla** *knee* 244

rojo(a) *red* 148

los **romanos** *Romans* 279

romper (irreg.) *to break* 94

la **ropa** *clothes* 1

la **ropa de caballero** *menswear* 144

la **ropa deportiva** *sportswear* 182

rosado(a) *pink* 148

el **rostro** *face* 41

la **rotación** *rotation* 407

roto(a) *broken* 246

rubio(a) *blond(e)* 44

la **rueda** *wheel* 312

el **ruido** *noise* 315

las **ruinas** *ruins* 72

el **rumano** *Romanian (language)* 279

la **ruta** *route* 199

la **rutina** *routine* 16

S

el **sábado** *Saturday* 8

saber (irreg.) *to know* 24

el **sabor** *taste* 179

saborear *to taste* 15

sacar *to take out* 93 *to take* 145 *to get* 272

sacar dinero *to take out money* 320

sacudir el polvo *to dust* 88

sagrado(a) *holy* 72

la **sal** *salt* 208

la **sala** *living room* 88 *room* 428

la **sala de computación** *computer lab* 348

salado(a) *salty* 216

salir (irreg.) *to go out* 121 *to come out* 152 *to leave* 296

el **salmón** *salmon* 192

el **salón** *living room* 285

el **salón de clase** *classroom* 3

la **salsa** *salsa* 123 *sauce* 187

la **salsa de tomate** *tomato sauce* 208

saltar *to jump* 279

el **salto de agua** *waterfall* 303

la **salud** *health* 260

saludable *healthy* 1

saludar *to greet* 245

saludarse *to greet each other* 245

el **saludo** *greeting* 1

salvadoreño(a) *Salvadoran* 70

salvaje *wild* 424

salvar *to save* 429

la **samba** *samba* 407

el **sancocho** *soup of beef, vegetables and green bananas* 323

la **sandalia** *sandal* 140

la **sandía** *watermelon* 192

el **sándwich** *sandwich* 9

sanitario(a) *health (adjective)* 261

el **saqueo** *looting* 332

la **sartén** *frying pan* 208

se *himself, herself, itself, themselves* 16

el **secador** *hair dryer* 252

la **secadora** *clothes dryer* 104

secar *to dry* 250

secarse *to dry (one's hands, face, hair)* 252

la **sección** *department* 170 *section* 183

seco(a) *dry* 435

el/la **secretario(a)** *secretary* 360

el **secreto** *secret* 189

secreto(a) *secret* 214

la **secuencia** *sequence* 385

secundario(a) *secondary* 66

la **sed** *thirst* 3

la **sede** *seat (venue)* 174

seguir recto *to keep walking straight ahead* 20

seguir una dieta equilibrada *to have a balanced diet* 268

seguir (irreg. **i, i**) *to follow* 14 *to keep* 375

según *according to* 53 *depending on* 278

según se dice *apparently* 422

segundo(a) *second* 61

el **segundo plato** *entrée* 222

seguramente *probably* 351

seguro(a) *sure* 317

seleccionar *to select* 59

la **selva** *jungle* 400

el **semáforo** *stoplight* 112

la **semana** *week* 19

la **semana pasada** *last week* 143

la **semana que viene** *next week* 109

sembrar (irreg. **ie**) *to plant* 199

la **semejanza** *similarity* 38

la **semilla** *seed* 195

sencillamente *simply* 384

el **senderismo** *hiking* 372

el/la **senderista** *hiker* 371

sentado(a) *sitting* 114

sentarse (irreg. **ie**) *to sit* 127

el **sentido** *direction* 407

sentimental *sentimental* 365

el **sentimiento** *feeling* 29

sentir (irreg. **ie, i**) *to feel* 90 *to be sorry* 366

sentirse (irreg. **ie, i**) *to feel* 166

la **señal** *sign* 112 *signal* 311 *tone (on phone)* 361

la **señal de pare** *stop sign* 112

el **señor** *gentleman* 9 *Mr.* 37 *man* 46

la **señora** *Mrs.* 4 *lady* 6 *madam* 112

separado(a) *apart* 248

septiembre *September* 40

séptimo(a) *seventh* 70

la **sequía** *drought* 424

ser (irreg.) *to be* 1

la **serenata** *serenade* 83

la **serie** *series* 343

serio(a) *serious* 44

la **serpiente** *snake* 34

el **servicio** *service* 112

la **servilleta** *napkin* 216

servir (irreg. **i, i**) *to serve* 18

si *if* 34 *whether* 36

sí *yes* 13

Sí, claro *Yes, of course* 344

siempre *always* 5

la **siesta** *siesta, nap* 255

el **siglo** *century* 43

el **significado** *meaning* 322

significar *to mean* 71

siguiente *following* 14

la **silla** *chair* 8

el **sillón** *armchair* 96

la **silueta** *silhouette, outline* 41

simbólico(a) *symbolic* 37

el **símbolo** *symbol* 251

similar *similar* 35

simpático(a) *nice* 2

simplemente *simply* 315

sin *without* 70

sin embargo *however* 219

sincero(a) *sincere* 44

singular *singular* 202

sino *but* 319

el **síntoma** *symptom* 1

sísmico(a) *seismic* 419

el **sistema** *system* 45

el **sitio** *place* 266

la **situación** *situation* 141 *location* 174

situado(a) *located* 70

situar *to place* 227

situarse *to be located* 419

sobre *about* 31 *above* 89 *on* 94

sobre todo *mainly* 367

el/la **sobrino(a)** *nephew/niece* 36

sociable *sociable* 124

social *social* 51

la **sociedad** *society* 383

la **sociedad protectora de animales** *society for the prevention of cruelty to animals* 361

el/la **socorrista** *lifeguard* 356

el **sofá** *sofa* 96

sofisticado(a) *sophisticated* 171

el **sol** *sun* 25

solar *sun (adjective)* 25

sólido(a) *solid* 191

solo *only* 14

solo(a) *alone, on one's own* 19 *single* 245

soltero(a) *single* 36

la **solución** *solution* 283

el **sombrero** *hat* 140

el **sombrero hongo** *derby* 175

sonar *to sound* 331

la **sonatina** *sonatina* 55

el **sonido** *noise* 316 *sound* 331

la **sonrisa** *smile* 19

la **sopa** *soup* 186

la **sopa de letras** *wordsearch* 279

soportar *to stand, to bear* 362

el **sorbete** *sorbet* 137

sorprendente *surprising* 153

sorprender *to surprise* 366

sorprenderse *to be surprised* 311

sorprendido(a) *surprised* 52

la **sorpresa** *surprise* 82

el **sorteo** *draw* 274

soso(a) *tasteless* 216

el **sótano** *basement* 88

su, sus *his, her, its, their* 8

suave *soft* 146 *mild* 257 *gentle* 280

subir *to go up* 13 *to climb* 159 *to get on* 303 *to get in* 315 *to rise* 442

subjetivo(a) *subjective* 281

el **subjuntivo** *subjunctive* 358

sucio(a) *dirty* 89

la **sudadera** *sweatshirt* 140

sudar *to sweat* 252

el **sudoeste** *southwest* 226

suelen/sueles... *they/you usually...* 13

el **sueño** *sleepiness* 3 *dream* 118

la **suerte** *luck* 228

el **suéter** *sweater* 140

sufrir *to suffer* 159

la **sugerencia** *suggestion* 203

sugerir (irreg. **ie, i**) *to suggest* 220

el **sujeto** *subject* 426

la **superficie** *surface* 407 *area* 428

el **superlativo** *superlative* 29

el **supermercado** *supermarket* 156

suponer (irreg.) *to constitute* 376

el **sur** *south* 408

el **sureste** *southeast* 408

el **surf** *surfing* 404

el **suroeste** *southwest* 408

el **suspiro** *sigh* 55

sustentar *to support* 177

el **susto** *fright* 361

suyo(a) *his, her, your, their* 38

el/la **suyo(a)** *his, hers, yours, theirs* 225

T

el **tabasco** *tabasco* 198

la **tabla** *table* 51

el **tablero** *board* 131

tacaño(a) *stingy* 44

el **taco** *taco* 187

el **talento** *talent* 369

la **talla** *size* 148

tallado(a) *sculpted* 251

también *also* 3

el **tambor** *drum* 71

tampoco *neither, not...either* 99

tan *as* 54 *so* 97

el **tango** *tango* 362

el **tanque de gasolina** *gas tank* 312

tanto(a) *so much* 322

tanto como *as much as* 54

tantos(as) *so many* 35

tapar *to cover* 122

el **tapón** *plug* 436

tardar *to take (time)* 422

la **tarde** *afternoon* 160

tarde *late* 17

la **tarea** *task* 33 *chore* 88 *homework* 129

la **tarifa** *price* 296

la **tarjeta de crédito** *credit card* 164

la **tarjeta de embarque** *boarding pass* 304

el **tarro** *jar* 200

el **taxi** *taxi* 110

la **taza** *cup* 190

te *you* 3 *yourself* 16 *to you* 106 *for you* 109

el **té** *tea* 145

Te toca a ti *It's your turn* 375

el **teatro** *theater* 116

el/la **técnico(a) informático(a)** *computer technician* 356

el **tejado** *roof* 88

el **teléfono** *telephone* 13

la **telenovela** *soap opera* 343

la **televisión** *television* 13

el **televisor** *television set* 8

el **tema** *theme* 105 *topic* 274

la **temperatura** *temperature* 416

la **temporada** *season* 271

temporal *time (adjective)* 150

temprano *early* 17

el **tenedor** *fork* 216

tener (irreg.) *to have* 3

tener barba *to have a beard* 44

tener bigote *to have a moustache* 42

tener cuidado *to be careful* 254

tener hambre *to be hungry* 211

tener náuseas *to feel sick/ nauseous* 159

tener sed *to be thirsty* 211

tener sueño *to be sleepy* 2

el **tenis** *tennis* 372

los **tenis** *tennis shoes* 9

la **teoría** *theory* 53

tercer(o)(a) *third* 163

las **termas** *hot springs* 415

la **terminación** *ending* 90

terminar *to end, to finish* 46

el **termómetro** *thermometer* 416

la **terraza** *terrace* 324

el **terremoto** *earthquake* 416

el **terreno** *plot of land* 407

terrestre *land (adjective)* 174

terrible *terrible* 316

el **territorio** *territory* 71

la **tesis** *thesis* 437

el **tesoro** *treasure* 203

textil *textile (adjective)* 171

el **textil** *textile* 157

el **texto** *text* 47

la **tía** *aunt* 4

el **tiempo** *time* 47 *tense* 162 *weather* 211

el **tiempo libre** *leisure time* 1

la **tienda** *store* 12

la **tienda de alimentación** *grocery store* 121

la **tienda de artesanía** *handicrafts store* 156

la **tienda de bisutería** *costume jewelry store* 156

la **tienda de comestibles** *grocery store* 112

la **tienda de deportes** *sports store* 156

la **tienda de disfraces** *costume shop* 156

la **tienda de música** *music store* 156

la **tienda de regalos** *gift shop* 156

la **tienda de ropa** *clothing store* 156

Tienes razón. *You're right.* 344

la **tierra** *land* 71

la **Tierra** *Earth* 407

tierra adentro *inland* 224

las **tijeras** *scissors* 252

tímido(a) *shy* 5

el **tío** *uncle* 4

típico(a) *typical* 8

el **tipo** *kind, type* 111

la **tira cómica** *comic strip* 315

tirar *to throw* 313

la **tirolina** *zip line* 59

titularse *to be titled* 281

el **título** *title* 249

la **toalla** *towel* 320

el **tobillo** *ankle* 244

tocar *to touch* 15 *to play* 68

tocar a la puerta *to knock on the door* 152

tocar la guitarra *to play the guitar* 364

todavía *yet* 14 *still* 139

todo *everything* 25

todo(a) *entire, whole* 21 *all* 109

todos(as) *every, all* 7 *all of* 12 *everyone* 13

todos los días *every day* 16

tomar *to take (medicine, photo, drink, taxi)* 14 *to take, to seize* 291

tomar apuntes *to take notes* 348

tomar el sol *to sunbathe* 364

el **tomate** *tomato* 192

la **tontería** *silly thing* 384

la **tormenta** *storm* 416

el **tornado** *tornado* 416

el **torneo** *tournament* 376

el **toro** *bull* 258

la **torre** *tower* 266

la **torta** *cake* 220 *pancake* 331

la **tortilla** *tortilla* 193 *omelet* 193

la **tortuga marina** *turtle* 422

la **tos** *cough* 15

toser *to cough* 260

tostar (irreg. **ue**) *to roast* 325

total *total* 183

totalmente *totally* 43

trabajador(a) *hardworking* 44

trabajar *to work* 7

la **tradición** *tradition* 72

tradicional *traditional* 72

traducir (irreg.) *to translate* 384

traer (irreg.) *to bring* 24

el **tráfico** *traffic* 112

el **traje** *suit* 140

el **traje de baño** *swimsuit* 140

la **tranquilidad** *calm, peace* 425

tranquilo(a) *calm* 52

Tranquilo(a). *Don't you worry.* 50

transcurrir *to take place* 390

transformar *to change* 107

transformarse en *to become* 90

transportar *to carry* 176

el **transporte** *transportation* 1

la **travesía** *journey* 42

el **tren** *train* 304

el **trigo** *wheat* 193

triple *triple* 324

triste *sad* 52

tropical *tropical* 71

el **trozo** *piece* 206

tú *you* 2

tu, tus *your* 21

la **tuna** *musical group made up of university students* 102

el **túnel** *tunnel* 215

el **tuno** *university student who is a member of a tuna* 102

el **turismo** *tourism* 25

el **turismo a pie** *sightseeing (walking)* 20

el **turismo rural** *rural tourism* 319

el/la **turista** *tourist* 119

turístico(a) *tourist (adjective)* 119

turquesa *turquoise* 124

tuyo(a) *your* 38

el/la **tuyo(a)** *yours* 62

U

la **ubicación** *location* 409

último(a) *last* 150

un, una *a, an* 6

Un abrazo. *Best wishes, Love, (in letters)* 5

¡Un momento! *Just a minute!* 377

Un saludo. *Best wishes.* 45

el **uncu** *traditional Andean garment* 176

único(a) *only* 77 *unique* 101

la **unidad** *unit* 28

la **unión** *union* 382

unir *to unite* 436

la **universidad** *university* 102

uno(a) *one* 11

unos(as) *some* 6

urbanístico(a) *urban* 113

la **unión** *union* 382

unir *to unite* 436

la **universidad** *university* 102

uno(a) *one* 11

unos(as) *some* 6

las **urgencias** *emergency* 261

uruguayo(a) *Uruguayan* 357

usar *to use* 15

el **uso** *use* 194

usted *you* 4

ustedes *you* 4

el **utensilio** *utensil* 208

útil *useful* 32

utilizar *to use* 55

la **uva** *grape* 192

V

la **vaca** *cow* 424

las **vacaciones** *vacation* 25

vacío(a) *empty* 121

la **vacuna** *vaccine* 339

vacunarse *to get vaccinated* 339

vago(a) *vague* 55

el **vagón** *car (of a train)* 304

la **vainilla** *vanilla* 212

valer (irreg.) *to cost* 167

valioso(a) *valuable* 167

el **valle** *valley* 400

el **vallenato** *Colombian popular dance* 331

el **valor** *value* 177

la **valoración** *judgment* 374

el **vals** *waltz* 331

variado(a) *varied* 171

la **variedad** *variety* 59

varios(as) *several* 7

el **vasco** *Basque (language)* 279

el **vaso** *glass* 216

el/la **vecino(a)** *neighbor* 124

la **vegetación** *vegetation* 71

vegetal *vegetable (adjective)* 176

vegetariano(a) *vegetarian* 193

la **vela** *candle* 191

la **velocidad** *speed* 335

vencer (irreg.) *to win* 153 *to beat* 376

la **venda** *bandage* 260

el/la **vendedor(a)** *seller* 12 *salesperson* 351

vender *to sell* 200

venezolano(a) *Venezuelan* 303

venir (irreg.) *to come* 21

la **ventaja** *advantage* 59

la **ventana** *window* 86

la **ventanilla** *window* 312

ver (irreg.) *to watch* 15 *to see* 20

el **veraneo** *summer vacation* 280

el **verano** *summer* 9

verbal *verbal* 181

el **verbo** *verb* 1

¿verdad? *isn't it?/don't you?/etc.* 84

verdadero(a) *true* 153

verde *green* 148

la **verdura** *vegetable* 192

la **versión** *version* 247

el **verso** *line (of poetry)* 69

el **vestido** *dress* 8

la **vestimenta** *clothing* 176

vestir (irreg. **i, i**) *to dress* 18

vestirse (irreg. **i, i**) *to get dressed* 16

el/la **veterinario(a)** *veterinarian* 354

la **vía** *means* 227 *train track* 304

viajar *to travel* 20

el **viaje** *trip* 20 *journey* 59

el/la **viajero(a)** *traveler* 296

la **victoria** *win* 153

la **vicuña** *vicuña* 176

la **vida** *life* 37

el **video** *video* 27

el **videojuego** *videogame* 14

viejo(a) *old* 49

el **viernes** *Friday* 253

el **vinagre** *vinegar* 208

el **violín** *violin* 71

virgen *virgin (adjective)* 433

el **virreinato** *viceroyalty* 227

el **visado** *visa* 339

la **visión global** *overall view* 435

la **visita** *visit* 211

el/la **visitante** *visitor* 111

visitar *to visit* 296

la **vista** *view* 2

vital *vital* 376

la **vitamina** *vitamin* 266

vivir *to live* 8

el **vocabulario** *vocabulary* 1

la **vocal** *vowel* 90

el **volante** *steering wheel* 312

volar (irreg. **ue**) *to fly* 18

el **volcán** *volcano* 35

volcánico(a) *volcanic* 35

el **voleibol** *volleyball* 372

el **volumen** *volume* 303

el/la **voluntario(a)** *volunteer* 159

volver (irreg.) *to return* 18 *to come back* 19

vos *you* 383

vosotros(as) *you* 4

la **votación** *voting* 69

la **voz** *voice* 357

el **vuelo** *flight* 297

el **vuelo directo** *direct flight* 304

la **vuelta** *turn* 302

vuestro(a) *your* 38

el/la **vuestro(a)** *yours* 38

Y

y *and* 1

ya *now* 129 *already* 146

ya no *not any more* 14

el **yacimiento** *deposit* 95

la **yema** *yolk* 190

yo *I* 2

el **yogur** *yogurt* 192

la **yuca** *cassava* 331

Z

la **zanahoria** *carrot* 192

la **zapatería** *shoe store* 156

la **zapatilla** *slipper* 140

el **zapato** *shoe* 8

la **zona** *zone* 35

el **zoológico** *zoo* 112

GLOSARIO INGLÉS-ESPAÑOL

A

a, an   un, una 6

a few   algún, alguno(a)(os)(as) 194

a lot   un montón 68

a lot of   mucho(a) 194

a matter of taste   cuestión de gustos 11

to **abound**   abundar 71

about   sobre 31 de 33 acerca de 435

above   sobre 89

abundant   abundante 124

to **accelerate**   acelerar 312

to **accept**   aceptar 164

to **accept it**   convencerse (irreg.) 384

accessories   los accesorios 96 los complementos 140

accident   el accidente 259

to **accomplish**   cumplir 266

according to   según 53 de acuerdo con 79

accordion   el acordeón 71

ache   el dolor 260

to **act**   actuar 37

acting   la interpretación 357

action   la acción 1

active   activo(a) 15

activity   la actividad 1

actor   el actor 356

actress   la actriz 356

to **add**   añadir 206

addicted   adicto(a) 343

address   el domicilio 59 la dirección 67

to **address**   dirigirse 219

adjective   el adjetivo 1

administrative   administrativo(a) 113

to **admire**   admirar 59

adult   adulto(a) 269

advantage   la ventaja 59

adventure   la aventura 83

adventure novel   la novela de aventuras 166

adventurer   el/la aventurero(a) 332

adverb   el adverbio 1

adverbial   adverbial 16

to **advertise**   anunciar 144

advertisement   el anuncio 92

advice   el consejo 14

to **affect**   afectar 55

affected   afectado(a) 421

affirmative   afirmativo(a) 64

African   africano(a) 43

Afro-Caribbean   afroantillano(a) 403

after   después de 8

afternoon   la tarde 160

again   de nuevo 39

against   contra 87 en contra 437

age   la edad 58 la época 215

agency   el instituto 269

...ago   hace... 134

to **agree with**   estar de acuerdo con 144

agreement (in grammar)   la concordancia 46

agricultural   agrícola 321

air   el aire 20

air (adjective)   aéreo(a) 291

air conditioning   el aire acondicionado 104

airplane   el avión 20

airport   el aeropuerto 20

aisle   el pasillo 304

alarm   la alarma 315

alarm clock   el despertador 104

album   el álbum 119

all   todos(as) 7 todo(a) 109

all of   todos(as) 12

all right   de acuerdo 292

allergy   la alergia 260

alligator   el caimán 429

to **allow**   permitir 360

almond   la almendra 195

almost   casi 16

alone   solo(a) 19

along   por 25

alpaca   la alpaca 141

already   ya 146

also   también 3 además 47

altar   el altar 191

altitude   la altitud 139

always   siempre 5

Amazonian   amazónico(a) 295

amber   el ámbar 94

American   americano(a) 161 estadounidense 153

among   entre 71

amount   la cantidad 163

amphibian   el anfibio 423

to **analyze**   analizar 286

ancient   milenario(a) 176

and   y 1

Andalusian   andaluz(a) 267

Andean   andino(a) 141

anecdote   la anécdota 173

angry   enojado(a) 52 enfadado(a) 391

animal   el animal 59

anise   el anís 190

ankle   el tobillo 244

annual   anual 50

anorak   el anorak 431

another   otro(a) 51

answer   la respuesta 32

to **answer**   responder 62 contestar 337

answering machine   el contestador 168

Antarctic   antártico(a) 400

any   algún, alguno(a)(os)(as) 194

anything (in questions)   nada 422

apart   separado(a) 248

apartment   el apartamento 100

apparently   según se dice 422

to **appear**   aparecer (irreg.) 275 actuar 380

appearance (physical)   el aspecto físico 69 el aspecto 74

appetizer   el primer plato 214 el entrante 231

apple   la manzana 8

appliances   los electrodomésticos 104

to **apply**   aplicar 195

appointment   la cita 262

appointment book   la agenda 349

appropriate   apropiado(a) 32

approximately   aproximadamente 347

April   abril 307

Arab   árabe 278

arboreal (adjective)   arbóreo(a) 33

archaeological   arqueológico(a) 147

archipelago   el archipiélago 175

architect   el/la arquitecto(a) 356

architectural   arquitectónico(a) 401

architecture   la arquitectura 119

Arctic   ártico(a) 400

the **Arctic Ocean**   el océano Glacial Ártico 400

Are you serious?   ¿En serio? 84

area   el área 139 la superficie 428

Argentinean   argentino(a) 373

to **argue**   discutir 36 argumentar, defender (irreg. ie) 436

argument   el argumento 437

arm   el brazo 244

armchair   el sillón 96

around *por* 12 *alrededor* 23
en torno a 91

arrival *la llegada* 30

to **arrive** *llegar* 21

art (subject) *el Arte* 116

art form *la manifestación artística* 177

art gallery *la galería de arte* 428

article *el artículo* 1

artificial *artificial* 429

artist *el/la artista* 356

artistic *artístico(a)* 177

as *como* 37 *tan* 54

as a child *de niño(a), de pequeño(a)* 298

as an appetizer *de primero* 216

as an entrée *de segundo* 216

as much as *tanto como* 54

to **ask** *preguntar* 37

to **ask for** *pedir (irreg. i, i)* 18

asleep *dormido(a)* 285

aspect *el aspecto* 111

aspirin *la aspirina* 260

associated *asociado(a)* 122

association *la asociación* 159

at *en* 5

at all *nada* 10

at first *al principio* 147

at least *al menos* 269

at night *por la noche* 160

athletic *atlético(a)* 5

the **Atlantic** *el Atlántico* 70

ATM *el cajero automático* 320

atmosphere *la atmósfera* 431

to **attack** *atacar* 93

to **attend** *asistir* 159

attic *el desván* 88

attitude *la actitud* 425

attorney *el/la abogado(a)* 357

to **attract attention** *captar la atención* 433

attraction *la atracción* 111

attractive *atractivo(a)* 381

August *agosto* 77

aunt *la tía* 4

automobile *el automóvil* 316

autumn *el otoño* 20

auxiliary *auxiliar* 62

avenue *la avenida* 112

avocado *el aguacate* 222

to **avoid** *evitar* 263

awareness *la conciencia* 429

Aymara *aymara* 175

Aztec *azteca* 201

B

baby *el/la bebé* 36

back *la espalda* 244

backpack *la mochila* 2

bad *malo(a)* 216

badly *mal* 37

bag *la bolsa* 20

baker *el/la panadero(a)* 190

balance *el equilibrio* 436

balanced *equilibrado(a)* 193

balcony *el balcón* 88

bald *calvo(a)* 44

ball *el balón, la pelota* 372

ballad *la balada* 103

ballpoint pen *el bolígrafo* 26

banana *el plátano* 212

band *la banda* 160

bandage *la venda* 260

bank *el banco* 112

baptism *el bautizo* 37

bard *el bardo* 105

to **bargain** *regatear* 165

barrier *la barrera* 436

base *la base* 71

baseball *el béisbol* 372

based on *basado(a) en* 171
a partir de 219

basement *el sótano* 88

basic *básico(a)* 121 *fundamental* 209

basin *la cuenca* 419

basket *la canasta* 372

basketball *el baloncesto* 372

basketball game *el partido de baloncesto* 14

Basque (language) *el vasco* 279

bathroom *el baño* 8 *el cuarto de baño* 84

bathtub *la bañera* 96

bay *la bahía* 400

to **be** *estar (irreg.), ser (irreg.)* 1

to **be able** *poder (irreg. ue, u)* 18

to **be acquainted with** *conocer (irreg.)* 24

to **be based on** *basarse en* 271

to **be bored** *aburrirse* 14

to **be born** *nacer (irreg.)* 135

to **be called** *llamarse* 315

to **be careful** *tener cuidado* 254

Be careful! *¡Cuidado!* 94

to **be descended from** *descender de (irreg. ie)* 43

to **be different** *diferenciarse* 353

to **be due to** *deberse a* 113

to **be equivalent** *equivaler (irreg.)* 313

to **be glad** *alegrar* 366

to **be grouped** *estar agrupado(a)* 139

to **be healthy** *estar sano(a)* 268

to **be hungry** *tener hambre* 211

to **be in shape** *estar en forma* 268

to **be in style** *estar de moda* 164

to **be left** *quedar* 321

to **be located** *situarse* 419

to **be made up of** *dividirse en* 113

to **be married** *estar casado(a)* 36

to **be missing** *faltar* 65

to **be noticeable** *apreciarse* 401

to **be on sale** *estar en oferta* 164

to **be right** *llevar razón* 344

to **be served with** *acompañar* 193

to **be set** *desarrollarse* 390

to **be single** *estar soltero(a)* 36

to **be sleepy** *tener sueño* 2

to **be sorry** *sentir (irreg. ie, i)* 366

to **be surprised** *sorprenderse* 311

to **be the result of** *deberse a* 113

to **be thirsty** *tener sed* 211

to **be titled** *titularse* 281

to **be too big** *quedar grande* 164

to **be too small** *quedar pequeño* 164

to **be used for** *destinarse a* 305

to **be worried** *preocuparse* 58

beach *la playa* 25

bean *el frijol* 192

bear *el oso* 424

to **bear** *soportar* 362

beard *la barba* 44

to **beat** *batir* 208 *vencer (irreg.)* 376

beautiful *precioso(a)* 67
hermoso(a) 123 *bello(a)* 433

beauty *la belleza* 176

because *porque* 4

because of *por* 14 *a causa de* 71

to **become** *transformarse en* 90

to **become extinct** *extinguirse* 429

bed *la cama* 8

bedroom *el dormitorio* 8

beef *la carne de res* 192

before *antes de* 38

to **begin** *empezar (irreg. ie)* 18
comenzar (irreg. ie) 323

beginning *el principio* 367

behind *detrás de* 22

belief *la creencia* 279

competition   la competición 373

compiled   recogido(a) 53

to complete   completar 64

comprehension   la comprensión 73

computer   la computadora 6

computer lab   la sala de computación 348

computer science   la informática 357

computer technician   el/la técnico(a) informático(a) 356

to concentrate   concentrarse 262

conclusion   la conclusión 333

condor   el cóndor 429

to confuse   confundir 147

confused   confundido(a) 52

Congratulations!   ¡Felicidades! 117

conjunction   la conjunción 315

to connect   conectar 70

conquistador   el conquistador 201

to conserve   conservar 424

to consider   considerar 163

consonant   la consonante 46

to constitute   suponer (irreg.) 376

constitution   la constitución 347

construction   la construcción 26

consumption   el consumo 271

contact   el contacto 217

to contain   contener (irreg.) 94 llevar 190

container   el envase 200

content   el contenido 277

contest   el concurso 50

continent   el continente 400

continental   continental 288

to continue   continuar 332

contrast   el contraste 433

to contribute   aportar 376

contribution   la contribución 278

to control   controlar 112

controversial   polémico(a) 87

controversy   la polémica 436

conversation   la conversación 32

conversion   la conversión 45

cook   el/la cocinero(a) 356

to cook   cocinar 10

cookie   la galleta 200

copper   el cobre 300

cord   el cordón 86

corn   el maíz 53

corner   el rincón 72 la esquina 112

correct   correcto(a) 31 adecuado(a) 83

to correct   corregir (irreg. i, i) 166

correctly   correctamente 79

to correspond   corresponder 64

corresponding   correspondiente 48

to cost   costar (irreg. ue), valer (irreg.) 200

Costa Rican   costarricense 70

costume   el disfraz 153

costume jewelry store   la tienda de bisutería 156

costume shop   la tienda de disfraces 156

cotton   el algodón 148

cotton (adjective)   de algodón 148

cough   la tos 15

to cough   toser 260

cough syrup   el jarabe 260

Could you pass me..., please?   Pásame..., por favor 188

to count   contar (irreg. ue) 18

country   el campo 20 el país 45

country estate   la hacienda 198

country hotel   el hotel rural 319

courtyard   el patio 91

cousin   el/la primo(a) 6

to cover   tapar 122 cubrir 234

covered   cubierto(a) 333

cow   la vaca 424

cradle   la cuna 174

craftsman/craftswoman   el/la artesano(a) 176

to crash   chocar 316

crazy   loco(a) 259

cream   la crema 212

to create   crear 67

creation   la creación 123

creative   creativo(a) 44

credit card   la tarjeta de crédito 164

to criticize   criticar 51

crocodile   el cocodrilo 424

cross   la cruz 263

to cross   cruzar 20

crossed   atravesado(a) 71

crosswalk   el paso de cebra 112

crown   la corona 226

cruise   el crucero 20

to crush   aplastar, moler (irreg. ue) 228

crushed   aplastado(a) 228

Cuban   cubano(a) 122

cube (of meat, etc.)   el cubo 228

cubism   el cubismo 243

cubist   cubista 241

cucumber   el pepino 267

cultural   cultural 70

culture   la cultura 43

cumbia   la cumbia 331

cup   la taza 190

to cure   curar 262

current address   el domicilio actual 60

currently   en la actualidad 367

curtain   la cortina 96

custom   la costumbre 97

customer   el/la cliente(a) 164

customs   la aduana 323

to cut   cortar 208

to cut one's nails   cortarse las uñas 252

D

dad   el papá 67

daily   diario(a) 16 cotidiano(a) 425

dairy products   los lácteos 192

damaging   perjudicial 437

dance   el baile 43 la danza 71

to dance   bailar 15

dancer   el/la bailarín(a) 123 el/la bailador(a) 154

dangerous   peligroso(a) 25

daring   atrevido(a) 68

dark   oscuro(a) 127

dark colors   los colores oscuros 148

date of birth   la fecha de nacimiento 60

daughter   la hija 36

day   el día 14

the day after tomorrow   pasado mañana 410

the day before yesterday   anteayer 150

dead   muerto(a) 134

Dear   Estimado(a)... 19 Querido(a)... 147

decade   la década 175

deceased   difunto(a) 191

December   diciembre 197

to decide   decidir 153

to decipher   descifrar 342

decision   la decisión 362

to declare   declarar 155

declared   declarado(a) 91

to **decorate** *decorar* 91 *adornar* 191
decoration *la decoración* 118
deep *profundo(a)* 35 *intenso(a)* 124
deeply rooted *arraigado(a)* 176
defeat *la derrota* 376
defender *el/la defensa* 376
defensive *defensivo(a)* 123
definition *la definición* 209
degree *el grado* 416
delay *el retraso* 304
delicious *delicioso(a)* 216 *rico(a)* 273
demonstrative *el demostrativo* 114
dentist *el/la dentista* 261
department *la sección* 170 *el departamento* 351
department store *los grandes almacenes* 144
to **depend** *depender* 193
depending on *según* 278
deposit *el yacimiento* 95
derby *el sombrero hongo* 175
derived *derivado(a)* 199
descendant *descendiente* 47
to **describe** *describir (irreg.)* 1
description *la descripción* 65
descriptive *descriptivo(a)* 281
desert *el desierto* 401
design *el diseño* 148
dessert *el postre* 8
destination *el destino* 21
destruction *la destrucción* 332
detail *el detalle* 59
detailed *detallado(a)* 275
detective *el/la detective* 34
detractor *el/la detractor(a)* 436
to **develop** *desarrollarse* 174
diagram *el diagrama* 45 *el esquema* 73
dialogue *el diálogo* 41
diary *el diario* 135
dictionary *el diccionario* 108
to **die** *morir (irreg. ue, u)* 90 *morirse (irreg. ue, u)* 166
difference *la diferencia* 38
different *diferente* 5 *distinto(a)* 10
difficult *difícil* 64
difficulty *la dificultad* 300
dinghy *la barca* 295
dining room *el comedor* 8
dinner *la cena* 129
direct *directo(a)* 80

direct flight *el vuelo directo* 304
direction *el sentido* 407 *la dirección* 412
directly *directamente* 263
director *el/la director(a)* 369
dirty *sucio(a)* 89
disadvantage *la desventaja* 59
disagreement *el desacuerdo* 344
to **disappear** *desaparecer (irreg.)* 431
disappointment *la desilusión* 301
disaster *el desastre* 138
disco *la discoteca* 368
discount *el descuento* 164
discursive *argumentativo(a)* 437
to **discuss** *comentar* 33
dish *el plato* 89 *la fuente* 225
dishwasher *el lavaplatos* 88
disorder *el desorden* 208
distance *la distancia* 65
distant *alejado(a)* 175
to **distinguish** *distinguir* 270
distinguishing *diferencial* 287
district/town council *el cabildo* 355
to **dive** *bucear* 404
diverse *diverso(a)* 124
diversity *la diversidad* 47
to **divide** *dividir* 382
diving *el buceo* 428
dizzy *mareado(a)* 302
to **do** *hacer (irreg.)* 14
to **do a crossword puzzle** *hacer un crucigrama* 364
to **do yoga** *practicar yoga* 268
doctor *el/la médico(a)* 260 *el/la doctor(a)* 261
dog *el perro* 337
doll *el muñeco* 51 *la muñeca* 173
dollar *el dólar* 169
domestic *doméstico(a)* 89
Dominican *dominicano(a)* 80
dominoes *el dominó* 124
Don't you worry! *¡Tranquilo(a)!* 50
door *la puerta* 8
dorm, dormitory *el colegio mayor* 253
dose *la dosis* 263
double room *la habitación doble* 320
doubt *la duda* 370
to **doubt** *dudar* 370
downtown *en el centro* 112
draft *el borrador* 6
dragonfly *la libélula* 55

draw *el sorteo* 274
to **draw** *dibujar* 283 *empatar* 372
drawing *el dibujo* 91
dream *el sueño* 118
dress *el vestido* 8
to **dress** *vestir (irreg. i, i)* 18
dressing room *el probador* 164
to **dress up** *disfrazarse* 154
drink *la bebida* 1
to **drink** *beber* 14
to **drive** *manejar* 312
driver *el/la conductor(a)* 312
driver's license *la licencia de conducir* 312
driving school *la autoescuela* 312
drought *la sequía* 424
drugstore *la farmacia* 156
drum *el tambor* 71
dry *seco(a)* 435
to **dry** *secar* 250
to **dry** (one's hands, hair, etc.) *secarse* 252
during *durante* 111
to **dust** *sacudir el polvo* 88
dwarf *el/la enano(a)* 51

E

each *cada* 32
eagle *el águila* 424
ear *el oído* 14 *la oreja* 244
earflaps *las orejeras* 176
early *pronto* 16 *temprano* 17
earring *el arete* 140
Earth *la Tierra* 407
earthquake *el terremoto* 416
easily *fácilmente* 254
east *el oriente* 55 *el este* 408
easy *fácil* 86
to **eat** *comer* 14
eating habits *los hábitos alimenticios* 195 *los hábitos de alimentación* 286
echo *el eco* 332
ecological *ecológico(a)* 436
economic *económico(a)* 201
economic boost *el impulso económico* 436
economy *la economía* 300
ecosystem *el ecosistema* 422
ecotourism *el ecoturismo* 59
edible *comestible* 195
egg *el huevo* 8
elbow *el codo* 244

electrical *eléctrico(a)* 105

elegant *elegante* 141

element *el elemento* 43

elephant *el elefante* 424

elevator *el ascensor* 156

e-mail message *el mensaje de correo* 57

ember *la brasa* 279

emblematic *emblemático(a)* 435

emerald *la esmeralda* 295

emergency *las urgencias* 261

emigrant *el/la emigrante* 383

emoticon *el emoticono* 53

emotional state *el estado de ánimo* 52

emotions *los estados de ánimo* 52

emperor *el emperador* 201

empire *el imperio* 167

employee *el/la empleado(a)* 312

empty *vacío(a)* 121

encyclopedia *la enciclopedia* 291

end *el final* 33 *el extremo* 434

to end *terminar* 46

to end up *acabar* 258

endangered species *las especies en peligro de extinción* 424

ending *la terminación* 90 *el desenlace* 385

energy (adjective) *energético(a)* 201

energy source *la fuente de energía* 431

engine *el motor* 312

engineer *el/la ingeniero(a)* 378

English *inglés(a)* 87

English (language) *el inglés* 38

enigma *el enigma* 162

to enjoy *disfrutar (de)* 121

to enjoy oneself *divertirse (irreg. ie, i)* 358

Enjoy your meal *Buen provecho* 234

to ensure *garantizar* 261

to enter *inscribirse (irreg.)* 58

entertaining *entretenido(a)* 329

entertainment *el espectáculo* 364

entire *todo(a)* 21

entrée *el segundo plato* 222

entry *la entrada* 429

environment *el medio ambiente* 424

environmental *medioambiental* 429

episode *el capítulo* 381

equivalent *equivalente* 350

er... *pues...* 123

error *el error* 196

eruption *la erupción* 416

escalator *las escaleras mecánicas* 156

especially *especialmente* 245

espionage *el espionaje* 384

essence *la esencia* 425

essential *esencial* 124

establishment *el establecimiento* 156

to estimate *calcular* 429

ethnic *étnico(a)* 43

ethnography *la etnografía* 176

European *europeo(a)* 47

evening *la noche* 211

event *el evento* 322 *el acontecimiento* 385

every *todos(as)* 7

every day *todos los días* 16 *diariamente* 257

everyone *todos(as)* 13

everything *todo* 15

exact *justo(a)* 263

exactly *justamente* 257

example *el ejemplo* 61

excellent *excelente* 199

exceptional *excepcional* 175

excerpt *el fragmento* 379

exchange *el intercambio* 227

excited *emocionado(a)* 52

exciting *emocionante* 30

exclusively *exclusivamente* 263

excursion *la excursión* 296

excuse *la excusa* 264

Excuse me *Disculpa/Disculpe, Perdón/Perdona/Perdone* 240

exercise *el ejercicio* 270

to exercise *hacer ejercicio* 19

exhibition *la exhibición* 111

to exist *existir* 167

existence *la existencia* 22

expedition *la expedición* 87

expensive *caro(a)* 164

experience *la experiencia* 135

experiment *el experimento* 407

expert *el/la experto(a)* 159

to explain *explicar* 277

explanation *la explicación* 322

to exploit *explotar* 163

to explore *explorar* 308

explorer *el/la explorador(a)* 87

exponent *el/la representante* 55

to export *exportar* 321

exporting *exportador(a)* 319

to express *expresar* 1

expression *la expresión* 84

expressway *la autopista* 305

to extend *ampliar* 227

extension *la extensión* 434

extract *el extracto* 235

extraordinary *extraordinario(a)* 308

eye *el ojo* 244

eyebrows *las cejas* 244

eyelash *la pestaña* 244

F

fabric *el tejido* 171

face *el rostro* 41 *la cara* 244

factor *el factor* 435

fair *justo(a)* 259

fall *el otoño* 20

to fall *caer (irreg.)* 246

to fall asleep *dormirse (irreg. ue, u)* 16

to fall in love with *enamorarse de* 318

false *falso(a)* 48

family *la familia* 36

family (adjective) *familiar* 28

famous *famoso(a)* 31

fan *el/la aficionado(a)* 376

fantastic *fantástico(a)* 92

far (from) *lejos (de)* 22

farewell *la despedida* 2

farmer *el/la agricultor(a)* 356

fascinating *fascinante* 264

fast (adverb) *deprisa* 337

fast (adjective) *rápido(a)* 21

fat *gordo(a)* 44

father *el padre* 36 *el papá* 67

fault *la culpa* 361

fauna *la fauna* 71

favorite *favorito(a)* 37 *preferido(a)* 108

fear *el miedo* 3

feature *la característica* 124

to feel *sentir (irreg. ie, i)* 90

to feel *sentirse (irreg. ie, i)* 166

to feel dizzy *marearse* 303

to feel sick/nauseous *tener náuseas* 159

feeling *el sentimiento* 29

female (adjective) *femenino(a)* 359

feminine *femenino(a)* 38

festival *el festival* 83

festivity *la fiesta* 51

to **fill**   *llenar* 203
filled   *relleno(a)* 222
finally   *finalmente* 70 *por fin* 136 *por último* 229
to **find**   *encontrar (irreg. ue)* 30 *localizar* 266
to **find out**   *descubrir (irreg.)* 246
finger   *el dedo (de la mano)* 244
to **finish**   *terminar* 46
fire   *el fuego* 419
firefighter   *el/la bombero(a)* 356
fireplace   *la chimenea* 127
first   *primer(o)(a)* 1
first class   *la primera clase* 304
fish   *el pescado* 192 *el pez* 423
fisherman/woman   *el/la pescador(a)* 429
to **fit well/badly**   *quedar bien/mal* 164
to **fix**   *arreglar* 109
fixed   *establecido(a)* 311
flag   *la bandera* 2
flat   *aplastado(a)* 193
flea market   *el mercado de pulga* 165
fleshy   *carnoso(a)* 195
flight   *el vuelo* 297
flight attendant   *el/la auxiliar de vuelo* 304
flood   *la inundación* 431
floor   *la planta* 8 *el piso* 87
floor plan   *el plano* 101
flora   *la flora* 71
flour   *la harina* 190
flower   *la flor* 22
flu   *la gripe* 260
flute   *la flauta* 71
to **fly**   *volar (irreg. ue)* 18
folder   *la carpeta* 129
folk (adjective)   *folclórico(a)* 155
folklore   *el folclore* 51
to **follow**   *seguir (irreg. i, i)* 14
following   *siguiente* 14
food   *la comida* 1 *el alimento* 192
foot   *el pie* 244
football   *el fútbol americano* 372
footwear   *el calzado* 138
for   *por* 8 *para* 14 *durante* 119
for dessert   *de postre* 8
for example   *por ejemplo* 71
for sale   *en venta* 100
to **forbid**   *prohibir* 360
forecast   *la previsión, el pronóstico* 419 *la predicción* 420

forehead   *la frente* 244
forest   *el bosque* 400
forest fire   *el incendio forestal* 424
to **forget**   *olvidar* 220
fork   *el tenedor* 216
form   *la forma* 63
to **form**   *formar* 402
formal   *formal* 202
formality   *la formalidad* 218
formation   *la formación* 246
former player   *el/la exjugador(a)* 376
fortress   *el alcázar* 82 *la fortaleza* 120
fortunately   *por suerte* 169 *por fortuna* 380
fossil   *el fósil* 94
fossilized   *fosilizado(a)* 95
founded   *fundado(a)* 82
fountain   *la fuente* 91
to **frame**   *enmarcar* 280
free   *libre* 122
freezer   *el congelador* 104
French (language)   *el francés* 122
French (nationality)   *francés(a)* 401
French fries   *las papas fritas* 10
frequency   *la frecuencia* 1
frequent   *frecuente* 254
frequently   *frecuentemente* 254
fresh   *fresco(a)* 216
fresh air   *el aire puro* 20
Friday   *el viernes* 253
fried   *frito(a)* 216
friend   *el/la amigo(a)* 3
fright   *el susto* 361
frightened   *asustado(a)* 391
frog   *la rana* 22
from   *de* 36 *desde* 65 *a partir de* 95
front   *la fachada* 89
frozen   *helado(a)* 435
fruit   *la fruta* 10 *el fruto* 195
frustrated   *frustrado(a)* 52
to **fry**   *freír (irreg.)* 208
frying pan   *la sartén* 208
full   *lleno(a)* 89
fun   *divertido(a)* 44
function   *la función* 15
fundamental   *fundamental* 209
funny   *divertido(a)* 32 *gracioso(a)* 44
furious   *furioso(a)* 52
furnace   *la caldera de calefacción* 104

furniture   *los muebles* 96
further   *más allá* 280
fusion   *la fusión* 71
future   *el futuro* 359

G

to **gain**   *adquirir (irreg. ie)* 367
Galician (language)   *el gallego* 279
gallon   *el galón* 313
game   *el juego* 70 *el partido* 75
garage   *el garaje* 13
garbage   *la basura* 93
garden   *el jardín* 88
garden vegetables   *las hortalizas* 192
garlic   *el ajo* 192
garment   *la prenda* 141
gas   *la gasolina* 312
gas pedal   *el acelerador* 312
gas station   *la gasolinera* 312
gas tank   *el tanque de gasolina* 312
gate   *la puerta* 296
to **gather**   *obtener (irreg.)* 61 *recopilar* 125
gaucho   *el gaucho* 383
gaze   *la mirada* 280
gear   *la marcha* 310
gel   *el gel* 252
generally   *generalmente* 46
generous   *generoso(a)* 44
gentle   *suave* 280
gentleman   *el señor* 9
genuine   *auténtico(a)* 145
geographic   *geográfico(a)* 434
geography (subject)   *la Geografía* 348
German (language)   *el alemán* 246
German (nationality)   *alemán(a)* 46
gesture   *el gesto* 245
to **get**   *conseguir (irreg. i, i)* 166 *sacar* 272
to **get along well/badly**   *llevarse bien/mal* 36
to **get angry**   *enojarse* 77
to **get away**   *escapar(se)* 43
to **get bored**   *aburrirse* 14
to **get dressed**   *vestirse (irreg. i, i)* 16
to **get in**   *subir (a)* 315
to **get lost**   *perderse (irreg. ie)* 21
to **get married**   *casarse* 61
to **get off**   *bajar (de)* 311

to **meditate** *meditar* 268

to **meet** *reunirse* 239

meeting point *el punto de encuentro* 355

melancholic *melancólico(a)* 125

melon *el melón* 192

melting *el deshielo* 139

memorable *memorable* 405

memories *los recuerdos* 301

memory *la memoria* 122

menswear *la ropa de caballero* 144

to **mention** *mencionar* 116

menu *la carta* 9

meow! *¡miau!* 427

merchandise *las mercancías* 157

merengue *el merengue* 123

mess *el desorden* 208

message *el mensaje* 66

metaphor *la metáfora* 281

meter *el metro* 45

method *el método* 205

metric *métrico(a)* 45

metropolitan *metropolitano(a)* 172

Mexican *mexicano(a)* 226

microwave *el microondas* 104

Middle Ages *la Edad Media* 105

mild *suave* 257

mile *la milla* 45

milk *la leche* 192

million *el millón* 47

mine *la mina* 162

mine *el/la/los/las mío(a)(os)(as)* 38

mineral *el mineral* 163

mineral water *el agua mineral* 188

mining (adjective) *minero(a)* 163

minute *el minuto* 102

mirror *el espejo* 96

Miskitos *los misquitos* 71

to **miss the bus** *perder el autobús* 296

mission *la misión* 31

mistake *el error* 196

to **mix** *mezclar* 208

mixture *la mezcla, la fusión* 71

model (example) *el modelo* 3

model (person) *el/la modelo* 281

moderate *moderado(a)* 269

modern *moderno(a)* 149

modernism *el modernismo* 55

modernist *modernista* 55

mom *la mamá* 38

moment *el momento* 220

monarch butterfly *la mariposa monarca* 429

monastery *el monasterio* 276

Monday *el lunes* 253

money *el dinero* 164

monk *el monje* 147

monkey *el mono* 424

monument *el monumento* 91

mood (in grammar) *el modo* 358

moon *la luna* 72

more *más* 32

more than *más de* 95

morning *la mañana* 16

mosquito *el mosquito* 83

most *la mayor parte* 95

mother *la madre* 36 *la mamá* 38

motif *el motivo* 157

motorcycle *la motocicleta* 357

motto *el lema* 425

mount *el monte* 403

mountain *la montaña* 400

mountain climber *el/la alpinista, el/la montañero(a)* 371

mountain climbing *el alpinismo* 372

mountain range *la cordillera* 71

mountainous *montañoso(a)* 70

moustache *el bigote* 42

mouth *la boca* 244

to **move closer** *acercarse* 302

to **move forward** *avanzar* 131

movement *el movimiento* 24

movie *la película* 14

movie theater *el cine* 364

Mr. *don* (before first name) 82 *el señor* 37

Mrs. *la señora* 4

mud *el barro* 53

multicolored *multicolor* 176

multiple *múltiple* 157

municipal *municipal* 378

museum *el museo* 20

music *la música* 7

music store *la tienda de música* 156

musical (adjective) *musical* 111

musical *el musical* 407

musician *el/la músico(a)* 31

must *deber* 270

mustard *la mostaza* 208

my *mi, mis* 4

myself *me* 16

mysterious *misterioso(a)* 342

mystery *el misterio* 332

myth *el mito* 332

mythical *mítico(a)* 295

N

Nahuatl *náhuatl* 71

nail polish *el esmalte (de uñas)* 252

name *el nombre* 19

nap *la siesta* 255

nape (of the neck) *la nuca* 280

napkin *la servilleta* 216

narrative *narrativo(a)* 385

narrow *estrecho(a)* 70

national *nacional* 29

nationality *la nacionalidad* 46

native (adjective) *nativo(a)* 47

native *el/la indígena* 51

native to *originario(a) de* 209

natural *natural* 59

natural resource *el recurso natural* 95

nature *la naturaleza* 20

navigator *el/la navegante* 87

navy *la marina* 87

near *cerca de* 22

nearby *cercano(a)* 139

nearly *cerca de* 422

necessary *necesario(a)* 20

neck *el cuello* 244

necklace *el collar* 140

need *la necesidad* 273

to **need** *necesitar* 27

negative *negativo(a)* 63

neighbor *el/la vecino(a)* 124

neighborhood *el barrio* 112

neither *tampoco* 99

nephew *el sobrino* 36

nervous *nervioso(a)* 52

nest *el nido* 429

net *la red* 372

network *la red* 305

neuter *neutro(a)* 128

never *nunca* 16

new *nuevo(a)* 5

news *la noticia* 264

newspaper *el periódico* 92 *la gaceta* 153 *el diario* 376

next (adverb) *a continuación* 206

next (adjective) *próximo(a)* 181

next month *el mes que viene, el próximo mes* 410

next to *al lado de* 22 *junto a* 299

next week *la semana que viene* 109

Nicaraguan *nicaragüense* 51

nice *simpático(a)* 2 *bonito(a)* 84

Nice to meet you *Encantado(a)* 2
niece *la sobrina* 36
night *la noche* 279
nightclub *la discoteca* 368
nightstand *la mesita de noche* 96
no *no* 8 *ninguno(a), ningún* 194
No doubt... *No dudo que...* 374
No way! *¡Qué va!* 344
nobody *nadie* 25
noise *el ruido* 315 *el sonido* 316
none *ningún, ninguno(a)* 194
normal *normal* 131
normally *normalmente* 27
north *el norte* 408
northeast *el noreste* 408
northwest *el noroeste* 408
nose *la nariz* 244
(not) any *ninguno(a), ningún* 194
not any more *ya no* 14
Not at all *En absoluto, ¡Qué va!* 344
not... either *tampoco* 99
note *la nota* 56
notebook *el cuaderno* 2
nothing *nada* 34
to **notice** *fijarse en* 86
noun *el nombre* 6
November *noviembre* 169
now *ahora* 60 *ya* 129
nowadays *actualmente* 171
number *el número* 37
nurse *el/la enfermero(a)* 14
nurse's office *la enfermería* 14
nuts *los frutos secos* 195

O

oak *el roble* 20
object *el objeto* 1
objective (adjective) *objetivo(a)* 281
objective *el objetivo* 376
obligation *la obligación* 270
obsession *la obsesión* 332
obstacle *el obstáculo* 436
Obviously... *Es evidente que...* 374
occasionally *ocasionalmente* 272
to **occupy** *ocupar* 87
ocean *el océano* 400
October *octubre* 144
odd *curioso(a)* 201
of *de* 1

of course *claro* 41 *desde luego, por supuesto* 344
to **offer** *ofrecer (irreg.)* 190
offering *la ofrenda* 295
office *la oficina* 58
office worker *el/la oficinista* 59
official *oficial* 226
often *a menudo* 301
oil *el aceite* 208 *el petróleo* 321
old *mayor* 2 *antiguo(a)* 35 *viejo(a)* 49
old part of town *el casco viejo* 401
older *mayor* 67
olive oil *el aceite de oliva* 267
olive tree *el olivo* 279
omelet *la tortilla* 193
on *en* 13 *encima de* 22 *sobre* 94
one *algún, alguno(a)(os)(as)* 194
on-going *en desarrollo* 314
on a visit *de visita* 203
on one's own *solo(a)* 19
on the other hand *en cambio* 382
on the outskirts *en las afueras* 112
on top of *encima de* 22
one *uno(a)* 11
one-way ticket *el boleto sencillo* 304
onion *la cebolla* 192
only *solo* 14 *único(a)* 77
onomatopoeia *la onomatopeya* 427
to **open** *abrir (irreg.)* 12 *inaugurar* 297
open-air *al aire libre* 165
opened *abierto* 246
opening *la apertura* 376
opera *la ópera* 379
operator *el/la telefonista* 356
opponent *el/la antagonista* 385
opportunity *la oportunidad* 92
optimistic *optimista* 44
option *la opción* 21
or *o* 49
oral *oral* 155
orange *la naranja* 190
orange (color) *anaranjado(a)* 148
orange blossom *el azahar* 190
orange tree *el naranjo* 279
orchid *la orquídea* 331
order *el orden* 77 *el mandato* 218 *la orden* 270
to **order** *ordenar* 109 *pedir (irreg. i, i)* 216

organize *organizar* 64
organized *organizado(a)* 77
origin *el origen* 35
original *original* 154
originally *originalmente* 207
ornament *el adorno* 95
the **other** *el/la otro(a)* 316
ounce *la onza* 286
our *nuestro(a)(os)(as)* 38
ours *el/la/los/las nuestro(a)(os)(as)* 38
ourselves *nos* 16
out sick *ausente por enfermedad* 14
outline *la silueta* 41
outside *fuera (de)* 88
outskirts *las afueras* 112
oven *el horno* 104
overall view *la visión global* 435
own *propio(a)* 69
owner *el/la dueño(a)* 121 *el/la propietario(a)* 329

P

pack *el envase* 263
to **pack** *preparar* 143 *envasar* 263 *hacer el equipaje* 296
package *el paquete* 200
to **package** *envasar* 263
page *la página* 45
pain *el dolor* 260
paint *la pintura* 367
to **paint** *pintar* 15
painter *el/la pintor(a)* 356
painting *el cuadro* 96 *la pintura* 242
pair *la pareja* 33
pajamas *el pijama* 140
palace *el palacio* 68
palm tree *la palmera* 279
the **pampas** *la pampa* 435
Panamanian *panameño(a)* 70
pancake *la torta* 331
pantry *la despensa* 88
pants *los pantalones* 9 *el pantalón* 149
paper *el papel* 313
parade *el desfile* 149
paradise *el paraíso* 397
paragraph *el párrafo* 48 *el apartado* 333
Paraguayan *paraguayo(a)* 382
parents (mother and father) *los padres* 10

park   el parque 112
to park   estacionar 312
parka   el anorak 431
part   la parte 1
participant   el/la participante 121
participle   el participio 246
party   la fiesta 84
to pass   pasar 188 aprobar (irreg. ue) 389
passage   el paso 436
passenger   el/la pasajero(a) 304
passion   la pasión 124
passport   el pasaporte 21
passport number   el número de pasaporte 60
pasta   la pasta 192
path   el camino 227
patient   paciente 44
patient (adjective)   el/la paciente 260
patiently   pacientemente 257
to pay   pagar 164
to pay attention   prestar atención 348
to pay attention to   fijarse en 86
to pay by credit card   pagar con tarjeta (de crédito) 164
to pay in cash   pagar en efectivo 164
peach   el durazno 195
peak   el pico 371
pear   la pera 192
peas   los guisantes 192
peasant (adjective)   campesino(a) 403
peculiar   peculiar 33 curioso(a) 201
peculiarity   la particularidad 383
pedal   el pedal 310
pedestrian   el peatón 112
peel   la cáscara 190
to peel   pelar 208
peep!   ¡pío! 427
pencil   el lápiz 77
pendant   el colgante 148
peninsula   la península 278
pensive   pensativo(a) 280
people   la gente 25 el pueblo 43
pepper (spice)   la pimienta 208
pepper (vegetable)   el pimiento 234
percentage   el porcentaje 347
perfect   perfecto(a) 168
perfectly   perfectamente 351
to perform   representar 41 interpretar 105 realizar 245

performance   la actuación 111
perfume   el perfume 279
perfume store   la perfumería 156
period   el periodo 215
person   la persona 1
person in charge   el/la encargado(a) 427
personal   personal 29
personality   la personalidad 1
Peruvian   peruano(a) 174
pessimistic   pesimista 44
pet   la mascota 424
phenomenon   el fenómeno 407
photo   la foto 7 la fotografía 48
photographic   fotográfico(a) 122
photography   la fotografía 48
photonovel   la fotonovela 49
physical exercise   el ejercicio físico 269
physical trait   el rasgo físico 48
physically   físicamente 44
physics (subject)   la Física 348
piano   el piano 389
piece   la pieza 95 el trozo 206
piece (of diced meat, cheese, etc.)   el cubo 228
piece of information   el dato 48
piece of paper   el papel 313
pig   el cerdo 424
pill   la pastilla 260
pillow   la almohada 320
pilot   el/la piloto 303
pineapple   la piña 192
pink   rosado(a) 148
pirate   el/la pirata 83
pitcher   la jarra 208
pity   la lástima 404
pizza   la pizza 8
pizzeria   la pizzería 383
place   el lugar 1 el sitio 266
to place   situar 227
plaid   de cuadros 148 a cuadros 154
plain   liso(a) 148
plains   las llanuras 435
plan   el plan 59
to plan   planear 59 preparar 296
planet   el planeta 431
plant   la planta 59
to plant   sembrar (irreg. ie) 199
to plant a tree   plantar un árbol 424
plantation   la plantación 279
play   la obra de teatro 116
to play   jugar (irreg. ue) 14 tocar 68

to play cards   jugar a los naipes 364
to play checkers   jugar a las damas 364
to play chess   jugar al ajedrez 364
to play sports   hacer deporte 268
to play the guitar   tocar la guitarra 364
player   el/la jugador(a) 373
plaza   la plaza 112
please   por favor 58
Pleased to meet you   Mucho gusto 2
plot   el argumento 385
plot of land   el terreno 407
plug   el tapón 436
plural   plural 4
poem   el poema 31
poet   el/la poeta 55
point   el punto 376
polar   polar 408
policeman/policewoman   el/la policía 356
polka dot (adjective)   de lunares 148
to pollute   contaminar 431
pollution   la contaminación 424
poncho   el poncho 141
poplar   el álamo 206
popular   popular 46
populated   poblado(a) 403
population   la población 175
pork   el cerdo 192
port   el puerto 400
portion   la porción 272
portrait   el retrato 87
Portuguese (language)   el portugués 279
position   la posición 46
positive   positivo(a) 97
possessive   el posesivo 28
possibility   la posibilidad 255
possibly   posiblemente 363
Possibly...   Es posible que... 374
post office   la oficina de correos 112
postcard   la postal 67
posted (on a blog)   publicado(a) 40
poster   el cartel 249 el póster 430
potato   la papa 9
pound   la libra 45
power   el poder 201
practical   práctico(a) 339
to practice   practicar 27
prairie   la pradera 400

to **precisely** *exacto* 221
to **prefer** *preferir (irreg. ie, i)* 18
preference *la preferencia* 19
pregnant *embarazada* 263
pre-Hispanic *prehispánico(a)* 215
preparations *los preparativos* 39
to **prepare** *preparar* 8 *elaborar* 274
preposition *la preposición* 98
prescription *la receta* 263
prescriptive *prescriptivo(a)* 229
present *el presente* 4 *el regalo* 49
present (adjective) *actual* 60
to **present** *presentar* 37
present participle *el gerundio* 90
present progressive *el presente continuo* 90
presentation *la presentación* 65
to **preserve** *conservar* 105
preserved *conservado(a)* 91
press *la prensa* 376
to **press** *pisar* 310
pressure cooker *la olla* 208
preterite tense *el pretérito* 142
pretty *bonito(a), lindo(a)* 4
to **prevail** *predominar* 401
previous *anterior* 107
price *el precio* 164 *la tarifa* 296
princess *la princesa* 55 *la infanta* 275
principal *el/la director(a)* 2
principal's office *la oficina del director* 348
private *privado(a)* 261
prize *el premio* 83
probably *probablemente* 89 *seguramente* 351
Probably... *Es probable que...* 373
problem *el problema* 51 *la dificultad* 300
to **produce** *producir (irreg.)* 198
producing *productor(a)* 319
product *el producto* 121
production *la producción* 321
profession *la profesión* 78 *el oficio* 343
professional *profesional* 58
profile *el perfil* 67
program *el programa* 75
progress *el progreso* 437
project *el proyecto* 70
promising talent *la promesa* 369
pronoun *el pronombre* 38
proportion *la proporción* 286
to **protect** *preservar* 411 *proteger* 424

to **protect oneself** *protegerse* 141
protection *la protección* 116
protein *la proteína* 193
to **provide** *proporcionar* 139
province *la provincia* 347
prudent *prudente* 313
public *público(a)* 261
Puerto Rican *puertorriqueño(a)* 122
punctuation *la puntuación* 79
purple *morado(a)* 148
purse *el bolso* 140
to **pursue** *perseguir (irreg. i, i)* 55
to **put** *poner (irreg.)* 24 *colocar* 88 *echar* 208
to **put away** *guardar* 97
to **put deodorant on** *ponerse desodorante* 252
to **put in** *meter* 203
to **put in order** *ordenar* 17
to **put lipstick on** *pintarse los labios* 252
to **put on** *ponerse (irreg.)* 418
to **put makeup on** *maquillarse, pintarse* 252
to **put some gas in** *echar gasolina* 315
to **put to bed** *acostar (irreg. ue)* 396
pyramid *la pirámide* 214

Q

qualifying *calificativo(a)* 281
quality *la cualidad* 357
quantity *la cantidad* 10
quarter of an hour *el cuarto de hora* 102
queen *la reina* 243
question *la pregunta* 35 *la interrogación* 63.
questionnaire *el cuestionario* 170
quick *rápido(a)* 102
quickly *rápidamente* 254
quite *bastante* 10

R

race *la raza* 71 *la carrera* 146
racket *la raqueta* 372
raft *la balsa* 294
railroad track *la línea férrea* 305
rain *la lluvia* 416
to **rain** *llover (irreg. ue)* 416
raincoat *el impermeable* 140

to **raise one's hand** *levantar la mano* 348
ransom *el rescate* 87
raw *crudo(a)* 209
to **reach** *alcanzar* 415
to **read** *leer (irreg.)* 14
reading *la lectura* 72
ready *listo(a)* 14
real *real* 64
realist *realista* 280
Really? *¿De verdad?* 84
realtor *el/la agente inmobiliario(a)* 92
reason *el motivo* 384
to **receive** *recibir* 12
reception *la recepción* 320
receptionist *el/la recepcionista* 320
recipe *la receta* 187
to **recognize** *reconocer (irreg.)* 86
to **recommend** *recomendar (irreg. ie)* 266
recommendation *la recomendación* 14
recommended *recomendado(a)* 193
record *el disco, el CD* 106
to **record** *grabar* 27
recycling *el reciclaje* 431
red *rojo(a)* 148
red-haired *pelirrojo(a)* 44
to **refer to** *referirse a (irreg. ie, i)* 55
reflection *el reflejo* 176
reflexive *reflexivo(a)* 1
to **reformulate** *reformular* 125
refrigerator *el refrigerador* 104
regarding *respecto a* 269
region *la región* 43
to **register** *inscribirse (irreg.)* 58
registered *matriculado(a)* 349
registration *la inscripción* 60
registration form *la hoja de inscripción* 60
regular *regular* 1
to **relate** *relacionar* 43
relationship *la relación* 36
relative *el/la familiar* 37 *el/la pariente* 190
relative (adjective) *relativo(a)* 402
to **relax** *relajarse* 270
to **relieve** *aliviar* 263
religion *la religión* 435
religious *religioso(a)* 300
remedy *el remedio* 260
to **remember** *recordar (irreg. ue)* 18

to **remove** *quitar* 169

to **rent** *alquilar* 394

to **repeat** *repetir (irreg. i, i)* 18

replica *la réplica* 93

report *el boletín* 442

reporter *el/la reportero(a)* 316

to **represent** *representar* 51

representative *representativo(a)* 123

reproduction *la reproducción* 247

reptile *el reptil* 423

requirement *el requisito* 351

to **research** *investigar* 83

researcher *el/la investigador(a)* 332

reservation *la reserva* 306

reserve *la reserva* 71

residence *la residencia* 253

resin *la resina* 95

resources *los recursos* 281

respect *el respeto* 219

to **respect** *respetar* 313

respectful *respetuoso(a)* 313

responsible *responsable* 351

rest *el resto* 212 *el descanso* 255 *los/las demás* 385

to **rest** *descansar* 14

restaurant *el restaurante* 216

restrooms *los aseos* 348

result *el resultado* 93

to **return** *volver (irreg.)* 18

revenue *los ingresos* 319

reverse *la marcha atrás* 310

review *el repaso* 26

revolution *la revolución* 207

rhyme *la rima* 69

rhythm *el ritmo* 71

ribbon *la cinta* 105

rice *el arroz* 192

rich *rico(a)* 43

richness *la riqueza* 71

riddle *la adivinanza* 209

ride *el paseo* 293

to **ride** *montar* 58

to **ride a bicycle** *montar en bici* 364

to **ride a horse** *montar a caballo* 364

to **ride a skateboard** *montar en monopatín* 364

rind *la cáscara* 190

ring *el anillo* 140

ripe *maduro(a)* 228

to **rise** *subir* 442

rite *el rito* 279

ritual *ritual* 176

rivalry *la rivalidad* 373

river *el río* 400

road *la calle* 20 *la carretera* 305

to **roast** *asar* 208 *tostar (irreg. ue)* 325

roasted *asado(a)* 216

robe *la bata* 140

rock *la roca* 120

Romance language *la lengua romance* 279

Romanian (language) *el rumano* 279

Romans *los romanos* 279

roof *el tejado* 88

room *la habitación* 27 *el cuarto* 92 *la sala* 428

rooster *el gallo* 424

rotation *la rotación* 407

round (of matches) *la jornada* 376

round-trip ticket *el boleto de ida y vuelta* 304

route *la ruta* 199

routine *la rutina* 16

to **row** *remar* 398

royal *real* 87

rug *la alfombra* 96

ruins *las ruinas* 72

to **run** *correr* 146 *dirigir* 318

rural tourism *el turismo rural* 319

Russian salad *la ensaladilla* 9

S

sad *triste* 52

sailor *el/la marinero(a)* 367

salad *la ensalada* 9

sales *las rebajas* 170

salesclerk *el/la dependiente(a)* 164

salesperson *el/la vendedor(a)* 351

salmon *el salmón* 192

salsa *la salsa* 123

salt *la sal* 208

salty *salado(a)* 216

Salvadoran *salvadoreño(a)* 70

samba *la samba* 407

same *mismo(a)* 150

the **same** (adverb) *igual* 106

sandal *la sandalia* 140

sandwich *el sándwich* 9

Saturday *el sábado* 8

sauce *la salsa* 187

to **save** *salvar* 429

to **save energy** *ahorrar energía* 424

to **say** *decir (irreg.)* 90

to **say goodbye** *despedirse (irreg. i, i)* 166

scales *la balanza* 85

scarf *la bufanda* 140

scene *la escena* 117

schedule *el horario* 296

school *la escuela* 112

school (adjective) *escolar* 403

science (subject) *las Ciencias* 14

scientific *científico(a)* 203

scissors *las tijeras* 252

script *el guión* 169

sculpted *tallado(a)* 251

sculpture *la escultura* 280

sea *el mar* 400

sea (adjective) *marino(a)* 404

season *la temporada* 271

seasoning *los condimentos* 208

seat *la sede* 174 *el asiento* 304

seat belt *el cinturón de seguridad* 312

second *segundo(a)* 61

secondary *secundario(a)* 66

secret *el secreto* 189

secret (adjective) *secreto(a)* 214

secretary *el/la secretario(a)* 360

section *la sección* 183

to **see** *ver (irreg.)* 20

See you! *¡Hasta la vista!* 2

See you later *Hasta luego* 2

See you soon *Hasta pronto* 2

See you tomorrow *Hasta mañana* 2

seed *la semilla* 195 *el grano* 198

to **seem** *resultar* 123

seismic *sísmico(a)* 419

to **seize** *tomar* 291

seldom *rara vez* 16

to **select** *seleccionar* 59

self-assessment *la autoevaluación* 79

to **sell** *vender* 200

seller *el/la vendedor(a)* 12

to **send** *enviar* 40 *mandar* 118

sentence *la oración* 43 *la frase* 79

sentimental *sentimental* 365

September *septiembre* 40

sequence *la secuencia* 385

serenade *la serenata* 83

series *la serie* 343

serious *serio(a)* 44

to **serve** *servir (irreg. i, i)* 18

service   el servicio 112
to set up   instalar 165
setting   el marco 385
seventh   séptimo(a) 70
several   varios(as) 7 diversos(as) 243
to shake hands   estrechar la mano 245
shampoo   el champú 252
shape   la figura 157
to shave   afeitarse 252
she   ella 4
sheep   la oveja 424
shelf   el estante 96
shellfish   el marisco 192
ship   el barco 20
shirt   la camisa 98
shoe   el zapato 8
shoe store   la zapatería 156
to shop   hacer la compra 200
shopping   las compras 164
shopping   de compras 8
shopping list   la lista de la compra 200
shopping mall   el centro comercial 8
short   bajo(a) 5 corto(a) 42
shorts   los pantalones cortos 135 el pantalón corto 140
shot   la inyección 260
shoulder   el hombro 244
to shout   gritar 314
show   el espectáculo 160
to show   enseñar 97 mostrar (irreg. ue) 101 reflejar 425
shrimp   el camarón 192
shy   tímido(a) 5
siblings   los hermanos 37
sick   enfermo(a) 14
sidewalk   la acera 112
siesta   la siesta 255
sigh   el suspiro 55
sightseeing   (walking)   el turismo a pie 20
sign   el cartel 12 señal 112 muestra 157
signal   la señal 311
silhouette   la silueta 41
silly thing   la tontería 384
silver   la plata 137
silver   (adjective)   plateado(a) 148
silversmithing   la orfebrería 299
similar   similar 35 parecido(a) 47
similarity   la semejanza 38

simply   simplemente 315 sencillamente 384
since   desde 47
sincere   sincero(a) 44
Sincerely   Atentamente 19
to sing   cantar 15
singer   el/la cantante 356
single   soltero(a) 36 solo(a) 245
single room   la habitación sencilla 320
singular   singular 202
sink   el lavabo 8
sister   la hermana 36
to sit   sentarse (irreg. ie) 127
sitting   sentado(a) 114
situation   la situación 141
size   la talla 148
to skate   patinar 268
to ski   esquiar 375
skiing   el esquí 372
skin   la piel 25
skirt   la falda 141 la pollera 171
skis   los esquís 372
skull   el cráneo 251
sky   el cielo 55
slave   el/la esclavo(a) 43
to sleep   dormir (irreg. ue, u) 25
sleepiness   el sueño 3
slide   la diapositiva 381
slipper   la zapatilla 140
slogan   el eslogan 205
slow   lento(a) 254
slowly   despacio, lentamente 254
small   pequeño(a) 40
small village   la aldea 403
smell   el olor 325
to smell   oler (irreg.) 15
smile   la sonrisa 19
smiley   el emoticono 53
smoke   el humo 316
snake   la serpiente 34
to sneeze   estornudar 260
snow   la nieve 416
to snow   nevar (irreg. ie) 416
so   así que 20 más 42 tan 97
so many   tantos(as) 35
so much   tanto(a) 322
soap   el jabón 252
soap opera   la telenovela 343
soccer   el fútbol 372
soccer player   el/la futbolista 45
sociable   sociable 124
social   social 51
society   la sociedad 383

sock   el calcetín 138
soda   el refresco 10
sofa   el sofá 96
soft   suave 146
solid   sólido(a) 191
solution   la solución 283
to solve   resolver (irreg.) 69
some   unos(as) 6 algún, alguno(a)(os)(as) 194
someone   alguien 321
something   algo 8
son   el hijo 36
song   la canción 51
soon   pronto 107
sophisticated   sofisticado(a) 171
sorbet   el sorbete 137
sound   el sonido 331
to sound   sonar 331
to sound like   imitar 243
soup   la sopa 186
sour   agrio(a) 216
south   el sur 408
southeast   el sureste 408
Southern Ocean   el océano Glacial Antártico 400
southwest   el sudoeste 226 el suroeste 408
souvenir   el recuerdo 21
spa   el balneario 274
spaghetti   los espaguetis 233
Spanish   (language)   el español 2 el castellano 247
Spanish   (nationality)   español(a) 46
Spanish American   hispanoamericano(a) 105
Spanish-speaking   hispanohablante 219
to speak   hablar 13
speaker   el/la hablante 226
special   especial 124
specials   (on a menu)   el menú del día 216
specialty   la especialidad 223
specific   específico(a) 125 determinado(a) 165
spectacular   espectacular 118
spectator   el/la espectador(a) 280
speech bubble   el bocadillo 41
speed   la velocidad 335
spelling   la ortografía 79
to spend   (time)   pasar 47
spice   la especia 215
spider   la araña 422
spinach   las espinacas 192

spontaneous *espontáneo(a)* 44

spoon *la cuchara* 216

spoonful *la cucharada* 190

sport *el deporte* 1

sports store *la tienda de deportes* 156

sportsman *el deportista* 254

sportswear *la ropa deportiva* 182

sportswoman *la deportista* 254

spread out *extendido(a)* 72

spring *la primavera* 211

spy *el/la espía* 385

square *la plaza* 112 *la casilla* 131 *el cuadrado* 157

square (adjective) *cuadrado(a)* 176

stage *el escenario* 379 *la etapa* 394

stairs *la escalera* 13

stall *el puesto* 165

to **stand** *soportar* 362

to **stand in line** *hacer cola/fila* 200

star *la estrella* 345

to **start** (a car) *arrancar* 312

state *el estado* 21

statement *la afirmación* 67

stationery store *la papelería* 156

statistics *la estadística* 269

stay *la estancia* 121

to **stay** *quedarse* 121 *alojarse* 253 *mantenerse (irreg.)* 376

to **stay healthy** *mantenerse sano(a)* 268

steering wheel *el volante* 312

stem *la raíz* 1

step *el paso* 78

stereo *el equipo de música* 104

still *todavía* 139

stingy *tacaño(a)* 44

stomach *el estómago* 14

stone (adjective) *de piedra* 88

stone-paved *empedrado(a)* 123

to **stop** *parar(se)* 317 *dejar de* 431

stop sign *la señal de pare* 112

stoplight *el semáforo* 112

stopover *la escala* 304

store *la tienda* 12 *el comercio* 355

storm *la tormenta* 416

story *la planta* 8 *el cuento, la historia* 35 *el piso* 87 *la narración* 322

stove *la estufa* 104

strange *extraño(a)* 84 *raro(a)* 147

strategy *la estrategia* 73

strawberry *la fresa* 192

street *la calle* 20

street (adjective) *callejero(a)* 51

street map *el plano* 130

street market *el mercadillo* 165

striped *de rayas* 148

strong *fuerte* 44

structure *la estructura* 73

student *el/la estudiante* 2 *el/la alumno(a)* 212

student (adjective) *estudiantil* 251

studies *los estudios* 347

studious *estudioso(a)* 44

to **study** *estudiar* 54

style *el estilo* 91

subject (school) *la asignatura* 348

subjective *subjetivo(a)* 281

subjunctive *el subjuntivo* 358

subway *el metro* 21

success *el éxito* 365

such as *como* 40

suddenly *de repente* 315 *de pronto* 316

to **suffer** *sufrir* 159

sugar *el azúcar* 208

to **suggest** *sugerir (irreg. ie, i)* 220

suggestion *la sugerencia* 203

suit *el traje* 140

suitcase *la maleta* 20

summary *el resumen* 69

summer *el verano* 9

summer vacation *el veraneo* 280

sun *el sol* 25

sun (adjective) *solar* 25

to **sunbathe** *tomar el sol* 364

sunblock *el filtro solar* 25

Sunday *el domingo* 13

sunglasses *las gafas de sol* 140

superlative *el superlativo* 54

supermarket *el supermercado* 156

to **support** *sustentar* 177

supporter *el/la aficionado(a)* 376 *el/la partidario(a)* 436

sure *seguro(a)* 317

surface *la superficie* 407

surfing *el surf* 404

surgeon *el/la cirujano(a)* 356

surname *el apellido* 60

surprise *la sorpresa* 82

to **surprise** *sorprender* 366

surprised *sorprendido(a)* 52

surprising *sorprendente* 153

surrounded *rodeado(a)* 433

survey *la encuesta* 37

to **sweat** *sudar* 252

sweater *el suéter* 140

sweatshirt *la sudadera* 140

to **sweep** *barrer* 13

sweet (adjective) *dulce* 216

to **swim** *nadar* 15

swimming pool *la piscina* 15

swimsuit *el traje de baño* 140

symbol *el símbolo* 251

symbolic *simbólico(a)* 37

symptom *el síntoma* 1

system *el sistema* 45

T

tabasco *el tabasco* 198

table *la mesa* 8 *la tabla* 51

tablecloth *el mantel* 216

tablet *la pastilla* 261

taco *el taco* 187

tag *la etiqueta* 164

to **take** *tomar* 14 *sacar* 145 *llevar* 208 *tardar* 422

to **take a bath** *bañarse* 252

to **take a photo of** *fotografiar* 35

to **take a shower** *ducharse* 252

to **take an exam** *hacer un examen* 348

to **take away** *quitar* 187 *llevarse* 301

to **take care of** *cuidar* 14

to **take notes** *tomar apuntes* 348

to **take off** *despegar* 304 *quitarse* 431

to **take out** *sacar* 93

to **take out money** *sacar dinero* 320

to **take part** *intervenir (irreg.)* 51 *participar* 64

to **take place** *transcurrir* 390

to **take up** *ocupar* 122

talent *el talento* 369

to **talk** *conversar* 124

tall *alto(a)* 44

tambourine *la pandereta* 105

tango *el tango* 362

task *la tarea* 33

taste *el sabor* 179

to **taste** *saborear* 15 *probar (irreg. ue)* 198

tasteless *soso(a)* 216

taxi *el taxi* 110

tea *el té* 145

teacher *el/la profesor(a)* 2

team *el equipo* 19

telephone *el teléfono* 13

turquoise *turquesa* 124
turtle *la tortuga marina* 422
twin *mellizo(a)* 47
type *el tipo* 111 *el género* 123
typical *típico(a)* 8 *propio(a)* 71

U

uncle *el tío* 4
uncomfortable *incómodo(a)* 148
under *debajo de* 22
to **understand** *entender (irreg. ie)* 18 *comprender* 435
unforeseen *inesperado(a)* 315
unforgettable *inolvidable* 221
unfortunately *desafortunadamente* 163 *desgraciadamente* 404
union *la unión* 382
unique *único(a)* 101
unit *la unidad* 28
to **unite** *unir* 436
university *la universidad* 102
university student *el/la estudiante universitario(a)* 105
unknown *desconocido(a)* 332
to **unload the dishwasher** *descargar el lavaplatos* 88
unpleasant *antipático(a)* 4
untidy *desordenado(a)* 89
up *arriba* 214
to **upset** *molestar* 362
upstairs *arriba* 391
urban development *el desarrollo urbanístico(a)* 113
Uruguayan *uruguayo(a)* 357
us *nos* 10
use *el uso* 194
to **use** *usar* 15 *utilizar* 55 *emplear* 105
useful *útil* 32 *práctico(a)* 339
uses (of medicine) *las indicaciones* 263
usually *habitualmente* 104
utensil *el utensilio* 208

V

vacation *las vacaciones* 25
vaccine *la vacuna* 339
vacuum (cleaner) *la aspiradora* 91
to **vacuum** *pasar la aspiradora* 91
vague *vago(a)* 55

valley *el valle* 400
valuable *valioso(a)* 167
value *el valor* 177
valued *apreciado(a)* 171
vanilla *la vainilla* 212
varied *variado(a)* 171
variety *la variedad* 59
vase *el florero* 96
vegetable (adjective) *vegetal* 176
vegetable *la verdura* 192
vegetarian *vegetariano(a)* 193
vegetation *la vegetación* 71
Venezuelan *venezolano(a)* 303
verb *el verbo* 1
verbal *verbal* 181
version *la versión* 247
very *muy* 2
very bored *aburridísimo(a)* 56
veterinarian *el/la veterinario(a)* 354
viceroyalty *el virreinato* 227
vicuña *la vicuña* 176
video *el video* 27
videogame *el videojuego* 14
view *la vista* 2
viewer *el/la espectador(a)* 280
viewpoint *el mirador* 370
village *el pueblo* 69
vinegar *el vinagre* 208
violin *el violín* 71
virgin (adjective) *virgen* 433
visa *el visado* 339
visit *la visita* 211
to **visit** *visitar* 296
visitor *el/la visitante* 111
vital *vital* 376
vitamin *la vitamina* 266
vocabulary *el vocabulario* 1
voice *la voz* 357
volcanic *volcánico(a)* 35
volcano *el volcán* 35
volleyball *el voleibol* 372
volume *el volumen* 303
volunteer *el/la voluntario(a)* 159
voting *la votación* 69
vowel *la vocal* 90

W

waist *la cintura* 244
to **wait** *esperar* 45
waiter/waitress *el/la mesero(a)* 216
to **wake up** *despertarse (irreg. ie)* 16

walk *el paseo* 25
to **walk** *caminar* 21 *andar (irreg.)* 175
wall *la pared* 86
walnut *la nuez* 195
waltz *el vals* 331
to **want** *querer (irreg.)* 18
wardrobe *el armario* 8
warm *cálido(a)* 149
warning *la advertencia* 263
to **wash** *lavar* 13
to **wash up** *lavarse* 252
washing machine *la lavadora* 104
watch *el reloj* 140
to **watch** *ver (irreg.)* 15 *observar* 407
water *el agua* 14
waterfall *la catarata* 302 *el salto de agua* 303 *la cascada* 400
watermelon *la sandía* 192
wavy *ondulado(a)* 280
way *la forma* 21 *el modo* 175 *el camino* 227 *la manera* 435
we *nosotros(as)* 4
weak *débil* 14
to **wear** *llevar* 9
to **wear glasses** *llevar gafas* 44
weather *el tiempo* 211
weather (adjective) *meteorológico(a)* 419
web *la red* 41
website *la página web* 35
wedding *la boda* 179
wedding (adjective) *matrimonial* 176
Wednesday *el miércoles* 349
week *la semana* 19
weekend *el fin de semana* 17
to **weigh** *pesar* 200
weight *el peso* 44 *peso* 320
welcome *bienvenido(a)* 2
well *bien* 8 *pues* 138
well-known *conocido(a)* 123
west *el oeste* 408
what *qué* 3 *lo que* 20
what a coincidence! *¡qué casualidad!* 324
What do you do for a living? *¿A qué te dedicas?* 378
What do you think? *¿Qué opinas?/¿Qué te parece?* 84
What's he/she like? *¿Cómo es?* 2
What's your name? *¿Cómo te llamas?* 2
wheat *el trigo* 193

wheel *la rueda* 312

when *cuando* 19 *cuándo* 47

when I was a kid *cuando era niño(a)* 298

when I was little *cuando era pequeño(a)* 298

where *adónde* 20

where *dónde* 21 *donde* 35

whether *si* 36

which *cuál(es)* 62

while *mientras* 223

white *blanco(a)* 148

who *quién(es)* 2 *que* 25

whole *todo(a)* 21

whom *quien* 37

Why don't we/you...? *¿Qué tal si...?* 292

Why not? *¿Por qué no?* 292

wide *ancho(a)* 112

widespread *generalizado(a)* 255

wife *la esposa* 36

wild *salvaje* 424

win *la victoria* 153

to **win** *ganar* 372 *vencer (irreg.)* 153

window *la ventana* 86 *la ventanilla* 312

wing *el ala* 290

winning *ganador(a)* 117

winter *el invierno* 127

wish *el deseo* 279

to **wish** *desear* 358

with *con* 2 to 7

with me *conmigo* 168

with you *contigo* 347

without *sin* 70

wolf *el lobo* 424

woman *la mujer* 2

wonder *la maravilla* 404

wonderful *maravilloso(a)* 50 *estupendo(a)* 414

wooden *de madera* 88

woof! *¡guau!* 427

woolen *de lana* 148

word *la palabra* 31

wordsearch *la sopa de letras* 279

work *la obra* 243

to **work** *trabajar* 7 *explotar* 163 *funcionar* 261 *dedicarse* 357

to **work out** *hacer gimnasia* 372

world *el mundo* 45

World Heritage *el Patrimonio de la Humanidad* 91

worried *preocupado(a)* 265

to **worry** *preocupar* 362

worse *peor(es)* 54

the **worst** *el/la peor* 402

**Would you pass me...,
please** *Dame..., por favor* 188

to **wrap** *envolver (irreg.)* 332

wrinkled *arrugado(a)* 89

wrist *la muñeca* 244

to **write** *escribir (irreg.)* 13

writer *el/la escritor(a)* 384

written *escrito* 246

wrong *equivocado(a)* 249 *errado(a)* 274

Y

year *el año* 3

yeast *la levadura* 190

yellow *amarillo(a)* 148

yes *sí* 13

Yes, of course *Sí, claro* 344

yesterday *ayer* 41

yet *todavía* 14

yogurt *el yogur* 192

yolk *la yema* 190

you *tú* 2 *te* 3 *vosotros(as), usted(es)* 4 *ti* 10 *te, le, os, les* 106 *vos* 383

You're right *Tienes razón* 344

You're wrong *No llevas razón* 344

young *joven* 4

young man/woman *el/la joven* 280

your *tu, tus* 21 *tuyo(a)(os)(as), suyo(a)(os)(as), vuestro(a)(os) (as)* 38

yours *el/la/los/las vuestro(a) (os)(as) el/la/los/las tuyo(a)(os) (as) el/la/los/las suyo(a) (os)(as)* 38

yourself *te* 16

Z

zip line *la tirolina* 59

zone *la zona* 35

zoo *el zoológico* 112

ÍNDICE GRAMATICAL

CRÉDITOS FOTOGRÁFICOS

Cubierta: 001 F. Waldhaeusl/ ARCO/A. G. E. FOTOSTOCK; Michael S. Lewis/GETTY IMAGES SALES SPAIN; I. PREYSLER/ATREZZO: HELEN CHELTON; ISTOCKPHOTO; **Contracubierta: 001** GARCÍA-PELAYO/Juancho/MUSEU PICASSO, BARCELONA; Hauke Dressler/A. G. E. FOTOSTOCK; Marcos Brindicci/ REUTERS/CORDON PRESS; Ken Gillham/GETTY IMAGES SALES SPAIN; **I** I. PREYSLER/ATREZZO: HELEN CHELTON **IV** I. PREYSLER/ATREZZO: HELEN CHELTON; S. Jiménez; ISTOCKPHOTO **V** F. Morera; Gavin Hellier/GETTY IMAGES SALES SPAIN; I. PREYSLER/ATREZZO: HELEN CHELTON **VI** J. C. Muñoz; Jenny & Tony Enderby, José Fuste Raga/A. G. E. FOTOSTOCK **X** Photos.com Plus/GETTY IMAGES SALES SPAIN **XI** C. Díez Polanco; Sergio Pitamitz/A. G. E. FOTOSTOCK; EFE; Image Source/FOTONONSTOP; I. PREYSLER/ATREZZO: HELEN CHELTON; SEIS X SEIS **XII** F. Waldhaeusl/ ARCO/A. G. E. FOTOSTOCK **XVIII** C. Díez Polanco; ARCO/F. Gierth, Michele Falzone, Sylvain Grandadam/A. G. E. FOTOSTOCK; EFE; I. PREYSLER/ATREZZO: HELEN CHELTON; SEIS X SEIS **XIV** Bill Bachmann/A. G. E. FOTOSTOCK **XV** C. Díez Polanco; José Enrique Molina/A. G. E. FOTOSTOCK; EFE; Photos.com Plus/GETTY IMAGES SALES SPAIN; I. PREYSLER/ATREZZO: HELEN CHELTON; SEIS X SEIS **XVI** Photos.com Plus/GETTY IMAGES SALES SPAIN **XVII** C. Díez Polanco; G. Aldana; Buddy Mays/ CORBIS/ CORDON PRESS; EFE; I. PREYSLER/ATREZZO: HELEN CHELTON; ISTOCKPHOTO; SEIS X SEIS **XVIII** J. Lucas **XIX** C. Díez Polanco; M. Sánchez; Joseph Sohm/A. G. E. FOTOSTOCK; EFE; I. PREYSLER/ATREZZO: HELEN CHELTON; SEIS X SEIS **XX** Heeb Christian/A. G. E. FOTOSTOCK **XXI** C. Díez Polanco; EFE; Ethel Davis/GETTY IMAGES SALES SPAIN; I. PREYSLER/ATREZZO: HELEN CHELTON; ISTOCKPHOTO; SEIS X SEIS **XXII** DEA/PUBBLI AER FOTO/A. G. E. FOTOSTOCK **XXIII** C. Díez Polanco; Chad Ehlers, Ximena Griscti/A. G. E. FOTOSTOCK; EFE; I. PREYSLER/ATREZZO: HELEN CHELTON; ISTOCKPHOTO; SEIS X SEIS **XXIV** Hauke Dressler/A. G. E. FOTOSTOCK **XXV** C. Díez Polanco; J. C. Muñoz; Manfred Gottschalk, Stuart Pearce/A. G. E. FOTOSTOCK; EFE; I. PREYSLER/ATREZZO: HELEN CHELTON; SEIS X SEIS; **000** I. PREYSLER/ATREZZO: HELEN CHELTON **002** Prats i Camps; Comstock/GETTY IMAGES SALES SPAIN; I. PREYSLER/ATREZZO: HELEN CHELTON; ISTOCKPHOTO **003** J. Jaime; Sony Computer Entertainment Inc.; I. PREYSLER/ATREZZO: HELEN CHELTON; ISTOCKPHOTO **005** F. Morera; J. Jaime; SERIDEC PHOTOIMAGENES CD; A. G. E. FOTOSTOCK; Gavin Hellier/GETTY IMAGES SALES SPAIN; I. PREYSLER/ATREZZO: HELEN CHELTON; ISTOCKPHOTO **007** Prats i Camps; COMSTOCK; ISTOCKPHOTO **008** Prats i Camps; I. PREYSLER/ATREZZO: HELEN CHELTON **009** Prats i Camps; Photos.com Plus/GETTY IMAGES SALES SPAIN; AbleStock.com/HIGHRES PRESS STOCK; ISTOCKPHOTO **011** J. Jaime; Prats i Camps; AbleStock.com/ HIGHRES PRESS STOCK; I. PREYSLER/ATREZZO: HELEN CHELTON; ISTOCKPHOTO **012** AbleStock.com/HIGHRES PRESS STOCK **013** J. Jaime; Prats i Camps; COMSTOCK; AbleStock.com/HIGHRES PRESS STOCK **014** J. Jaime; Prats i Camps; I. PREYSLER/ATREZZO: HELEN CHELTON **015** A. Prieto/AGENCIA ESTUDIO SAN SIMÓN; AbleStock.com/HIGHRES PRESS STOCK **016** C. Pérez; Photos.com Plus/GETTY IMAGES SALES SPAIN **017** Prats i Camps **019** D. Serra; J. Jaime; Prats i Camps; Cafetería Alverán, Boadilla del Monte/I. PREYSLER/ATREZZO: HELEN CHELTON **020** J. M.ª Escudero; I. PREYSLER/ATREZZO: HELEN CHELTON; ISTOCKPHOTO **021** I. PREYSLER/ATREZZO: HELEN CHELTON **025** Johanna Hanno/A. G. E. FOTOSTOCK; FOTONONSTOP; AbleStock.com/HIGHRES PRESS STOCK **026** J. Jaime; Franco Pizzochero, Science Photo Library/A. G. E. FOTOSTOCK; Photos.com Plus/GETTY IMAGES SALES SPAIN; AbleStock.com/HIGHRES PRESS STOCK; ISTOCKPHOTO **027** A. Viñas; J. Jaime; SERIDEC PHOTOIMAGENES CD; Ken Cavanagh/A. G. E. FOTOSTOCK; AbleStock.com/HIGHRES PRESS STOCK; I. PREYSLER/ATREZZO: HELEN CHELTON; ISTOCKPHOTO **028** Philippe Michel/A. G. E. FOTOSTOCK; Wendy Connett/GETTY IMAGES SALES SPAIN **029** Krauel; Margie Politzer/A. G. E. FOTOSTOCK **030** C. Díez Polanco; Image Source/FOTONONSTOP; I. PREYSLER/ATREZZO: HELEN CHELTON **031** C. Díez Polanco; Image Source/FOTONONSTOP; Photos.com Plus/GETTY IMAGES SALES SPAIN; I. PREYSLER/ATREZZO: HELEN CHELTON **032** Prats i Camps; COMSTOCK; I. PREYSLER/ATREZZO: HELEN CHELTON; ISTOCKPHOTO **033** Liane Cary, Margie Politzer, Philippe Michel/ A. G. E. FOTOSTOCK; Wendy Connett/GETTY IMAGES SALES SPAIN; I. PREYSLER/ATREZZO: HELEN CHELTON **034** VolcanoDiscovery/Tom Pfeiffer, Wendy Connett/GETTY IMAGES SALES SPAIN; I. PREYSLER/ATREZZO: HELEN CHELTON **035** C. Díez Polanco; PureStock/A. G. E. FOTOSTOCK; I. PREYSLER/ATREZZO: HELEN CHELTON **036** Prats i Camps; I. PREYSLER/ATREZZO: HELEN CHELTON **037** GARCÍA-PELAYO/ Juancho/ I. PREYSLER/ATREZZO: HELEN CHELTON **039** Prats i Camps; Photos.com Plus/GETTY IMAGES SALES SPAIN; I. PREYSLER/ATREZZO: HELEN CHELTON; ISTOCKPHOTO **040** I. PREYSLER/ATREZZO: HELEN CHELTON **041** Prats i Camps; Wendy Connett/GETTY IMAGES SALES SPAIN; I. PREYSLER/ATREZZO: HELEN CHELTON **042** Alberto Paredes, Dennis MacDonald, Richard Cummins/A. G. E. FOTOSTOCK; I. PREYSLER/ ATREZZO: HELEN CHELTON **043** Adalberto Ríos Szalay, Alberto Paredes/A. G. E. FOTOSTOCK; AbleStock.com/HIGHRES PRESS STOCK; I. PREYSLER/ATREZZO: HELEN CHELTON **044** Prats i Camps; SERIDEC PHOTOIMAGENES CD; Photos.com Plus/GETTY IMAGES SALES SPAIN; AbleStock.com/HIGHRES PRESS STOCK; I. PREYSLER/ATREZZO: HELEN CHELTON; ISTOCKPHOTO **045** ISTOCKPHOTO **046** A. Prieto/AGENCIA ESTUDIO SAN SIMÓN **047** C. Díez Polanco; J. L. Pelaez, Inc/A. G. E. FOTOSTOCK **048** S. Enríquez; AbleStock.com/HIGHRES PRESS STOCK; ISTOCKPHOTO **049** Prats i Camps; Philippe Michel/A. G. E. FOTOSTOCK **050** Jane Sweeney, Stefano Paterna/A. G. E. FOTOSTOCK; I. PREYSLER/ATREZZO: HELEN CHELTON **051** In Pictures/Barry Lewis/CORBIS/CORDON PRESS; I. PREYSLER/ATREZZO: HELEN CHELTON **053** A. Castellanos/MUSEO NACIONAL DE HISTORIA Y ANTROPOLOGÍA, MÉXICO; AbleStock.com/HIGHRES PRESS STOCK; ISTOCKPHOTO **054** I. PREYSLER/ATREZZO: HELEN CHELTON **055** BIBLIOTECA NACIONAL DE ESPAÑA/Laboratorio Biblioteca Nacional; SERIDEC PHOTOIMAGENES CD; Photos.com Plus/GETTY IMAGES SALES SPAIN; AbleStock.com/HIGHRES PRESS STOCK **056** I. PREYSLER/ATREZZO: HELEN CHELTON **057** C. Pérez; Richard Cummins/A. G. E. FOTOSTOCK; I. PREYSLER/ATREZZO: HELEN CHELTON **058** Liane Cary/A. G. E. FOTOSTOCK; I. PREYSLER/ATREZZO: HELEN CHELTON; ISTOCKPHOTO **059** True North Images/A. G. E. FOTOSTOCK; I. PREYSLER/ATREZZO: HELEN CHELTON **060** S. Enríquez **061** Prats i Camps; Photos.com Plus/GETTY IMAGES SALES SPAIN **062** ISTOCKPHOTO **063** I. PREYSLER/ ATREZZO: HELEN CHELTON **064** Prats i Camps; FOTONONSTOP **065** Nik Wheeler, CuboImages/Robert Harding/Marco Simoni/ CORBIS/ CORDON;I. PREYSLER/ATREZZO: HELEN CHELTON **067** Juniors Bildarchiv/A. G. E. FOTOSTOCK **068** John Coletti, Philippe Michel/A. G. E. FOTOSTOCK; Wendy Connett/GETTY IMAGES SALES SPAIN; I. PREYSLER/ATREZZO: HELEN CHELTON **069** I. PREYSLER/ATREZZO: HELEN CHELTON **070** AbleStock.com/HIGHRES PRESS STOCK **071** Sergio Pitamitz/A. G. E. FOTOSTOCK; Edgar Romero/ AFP PHOTO/GETTY IMAGES SALES SPAIN **072** C. Díez Polanco **073** SEIS X SEIS **075** Prats i Camps **077** Krauel; FOTONONSTOP **078** The Bridgeman Art Library/INDEX **079** Prats i Camps **080** G. R. Richardson, Sylvain Grandadam/A. G. E. FOTOSTOCK **081** Katja Kreder/A. G. E. FOTOSTOCK **082** Angelo Cavalli/A. G. E. FOTOSTOCK; Reinhard Eisele/ CORBIS/CORDON PRESS; I. PREYSLER/ATREZZO: HELEN CHELTON **083** Reinhard Eisele/ CORBIS/CORDON PRESS; Photos.com Plus/GETTY IMAGES SALES SPAIN; I. PREYSLER/ATREZZO: HELEN CHELTON **084** Prats i Camps; S. Enríquez; COMSTOCK; AbleStock.com/HIGHRES PRESS STOCK; I. PREYSLER/ATREZZO: HELEN CHELTON **085** J. Jaime/Francisco Arribas; Prats i Camps; I. PREYSLER/ATREZZO: HELEN CHELTON; ISTOCKPHOTO **086** C. Díez Polanco; Palladium/A. G. E. FOTOSTOCK; Alamy Images/ACI AGENCIA DE FOTOGRAFÍA; I. PREYSLER/ATREZZO: HELEN CHELTON **087** GARCÍA-PELAYO/Juancho/BIBLIOTECA NACIONAL DE ESPAÑA; I. PREYSLER/ATREZZO: HELEN CHELTON **088** Prats i Camps; SERIDEC PHOTOIMAGENES CD; DIGITAL BANK; AbleStock.com/HIGHRES PRESS STOCK; I. PREYSLER/ATREZZO: HELEN CHELTON **089** Álvaro Leiva/A. G. E. FOTOSTOCK; ISTOCKPHOTO **090** I. PREYSLER/ATREZZO: HELEN CHELTON **091** Daniele Schneider/FOTONONSTOP **092** I. PREYSLER/ATREZZO: HELEN CHELTON **093** Álvaro Leiva/A. G. E. FOTOSTOCK; COMSTOCK; I. PREYSLER/ATREZZO: HELEN CHELTON **094** Prats i Camps; I. PREYSLER/ATREZZO: HELEN CHELTON **095** C. Jiménez/ photoAlquimia; J. Jaime; S. Enríquez; ISTOCKPHOTO; STOCKBYTE/SERIDEC PHOTOIMAGENES CD **097** A. Toril; MATTON-BILD; S. Enríquez; COMSTOCK; I. PREYSLER/ATREZZO: HELEN CHELTON **098** J. Jaime; Krauel; I. PREYSLER/ATREZZO: HELEN CHELTON; ISTOCKPHOTO; STOCKBYTE/ SERIDEC PHOTOIMAGENES CD **099** ISTOCKPHOTO; PREYSLER/ATREZZO: HELEN CHELTON; **100** ISTOCKPHOTO **101** Prats i Camps; Marco Scataglini/A. G. E. FOTOSTOCK; S. Enríquez; I. PREYSLER/ATREZZO: HELEN CHELTON; ISTOCKPHOTO **102** A. Toril; J. Jaime; S. Enríquez; I. PREYSLER/ATREZZO: HELEN CHELTON **103** J. Jaime; Samsung; P. Narayan/A. G. E. FOTOSTOCK **104** J. Jaime; PHILIPS; Prats i Camps; S. Padura; ISTOCKPHOTO **105** Hervé Hughes/A. G. E. FOTOSTOCK **106** AbleStock.com/HIGHRES PRESS STOCK **107** Prats i Camps; S. Enríquez; I. PREYSLER/ATREZZO: HELEN CHELTON **108** D. López; J. Jaime; KAIBIDE DE CARLOS FOTÓGRAFOS; MATTON-BILD; AbleStock.com/HIGHRES PRESS STOCK; I. PREYSLER/ATREZZO: HELEN CHELTON; ISTOCKPHOTO **109** Prats i Camps; I. PREYSLER/ATREZZO: HELEN CHELTON **110** C. Díez Polanco; A. G. E. FOTOSTOCK; Hola Images/GETTY IMAGES SALES SPAIN; I. PREYSLER/ATREZZO: HELEN CHELTON **111** I. PREYSLER/ATREZZO: HELEN CHELTON **112** I. PREYSLER/ATREZZO: HELEN CHELTON **113** J. Escandell.com; S. Padura; Kreder Katja/

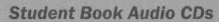

Student Book Audio CDs

Español Santillana

fans del Español

High School ②